Kötü Ruh

KÖTÜ RUH

Orijinal adı: *L'Âme du mal*
© Éditions Michel Lafon, 2002
Yazan: Maxime Chattam
Fransızca aslından çeviren: Ali Cevat Akkoyunlu

Türkçe yayın hakları: © Doğan Kitapçılık AŞ
1. baskı / ocak 2005
3. baskı / ocak 2005 / ISBN 975-293-289-4
Bu kitabın 3. baskısı 2 000 adet yapılmıştır.

Kitaba katkılarından dolayı **Milliyet** gazetesine teşekkür ederiz.

Kapak tasarımı: Yavuz Korkut
Baskı: Altan Matbaacılık / Yüzyıl Mahallesi
Matbaacılar Sitesi 222/A Bağcılar - İSTANBUL

Doğan Kitapçılık AŞ Hürriyet Medya Towers, 34544 Güneşli-İSTANBUL
Tel. (212) 677 06 20 - 677 07 39 Faks (212) 677 07 49
www.dogankitap.com.tr

Kötü Ruh

Maxime Chattam

Çeviren: Ali Cevat Akkoyunlu

Gerçek, düşü çoğu kez yaya bırakıyor.

Bu özdeyiş, elinizdeki romanı yazmak için araştırmalarla geçirdiğim iki yıl boyunca, bütün gerçekliğiyle karşıma çıktı. Adlî terimler –adlî tıp, teknik ve kriminal polis, suçlu psikolojisi...– öğrenmekle ve özellikle de seri cinayetler işleyen katilleri incelemekle geçen iki yıl. Yatıştırıcı üslubu gerçekleri ne kadar yumuşatırsa yumuşatsın, en usta yazarın bile romanlarında yazamayacağı şeyler okudum, gördüm ve duydum. Güzel bir kitapta okusam, gülünç olarak niteleyeceğim kadar imkânsız hareketler. Oysa...

Ama en önemlisi, bu iki yıl boyunca annem ile babamın, dünyadaki bütün anne ve babalar gibi çocuklarına yalan söylediklerini anladım: canavarlar gerçekten de yaşıyor.

Bu romanı, dehşetin övgüsünü yapmaksızın, ama gerçeğe olabildiğince yakın kalmaya çalışarak yazdım.

En ürkütücü olanı da bu.

Maxime Chattam
Edgecombe, 2 nisan 2000

Kötülükle başlayan, kötülükle pekişir.

Shakespeare, *Macbeth*

Giriş

Miami banliyösü, 1980

Kate Phillips arabanın kapısını açıp, Josh'ın inmesini bekledi. Küçük çocuk elinde Kaptan Future'ı temsil eden ve sanki bir masal hazinesiymiş gibi göğsüne bastırdığı plastik bir figür tutuyordu. Park yerinin boğucu havası hemen çevrelerini sardı. Hiç kuşku yok, yaz bütün şiddetiyle gelmişti.

– Gel meleğim, dedi Kate, güneş gözlüklerini başının üzerine yerleştirerek.

Josh alışveriş merkezinin cephesine bakarak indi. Buraya gelmekten çok hoşlanıyordu; öylesine çok görecek şey vardı ki, burası onun için zevkle, düşle eşanlamlıydı. Yüzlerce oyuncak, metreler ve metreler boyu sıralanmış bütün kahraman dizileri, televizyonda ya da kataloglardaki gibi değil, gerçek, elle tutulabilir. Josh sabahın daha erken saatlerinde, annesinin alışveriş merkezine gideceğini duyunca, fırsatı kaçırmamış ve sevimliliğini de kullanarak, birlikte gelmeyi başarmıştı. İşte şimdi de, binanın karşısında dikildiğini gördükçe, içindeki heyecanın kabardığını hissediyordu. Buradan yeni bir oyuncakla çıkabilecek miydi? Eksikliğini çektiği bir Majorette kamyonu ya da Kaptan Future'ın arması! Ne olursa olsun, gün iyi başlıyor gibiydi. Yeni bir oyuncak. İşte bu heyecan verici bir düşünceydi! Tabiî iş, Kate'i razı etmeye kalıyordu. Annesine döndü, kadının elinde tuttuğu ve gazetelerle reklamlardan özenle kesilmiş indirim kuponlarını incelediğini gördü.

– Bana bir oyuncak alacak mısın anne? dedi, dört yaşına basmış bir çocuğun ince sesiyle.

– Hemen başlama Josh. Hem üstelik acele et, yoksa seni buraya bir daha hiç getirmem.

Küçük çocuk, tıpkı babasının yaptığı gibi, park yerini, elini siperliğine götürerek geçti.

– Ne sıcak! diye söylendi Kate elini yelpaze gibi sallayarak, yarım yamalak serinlemeye çalışırken. Sallanma güzelim, güneşin altında biraz daha kalırsak eriyeceğiz!

Josh, annesinin ne demek istediğini pek iyi anlamadığı halde adımlarını sıklaştırdı, birlikte mağazalarla dolu geniş binaya girdiler. Gazete satılan tezgâhlar ortadaki yolun iki kenarı boyunca uzayıp gidiyor, hepsinin birinci sayfasında da Amerikalıların Moskova Olimpiyatları'nı boykot haberi veriliyordu. Bundan başka bir şey konuşulmuyordu artık. Bazıları, ufukta Küba füze bunalımına benzer bir kriz görür olmuşlardı. Oysa Kate için, bütün bunlar siyasetçilerin yol açtığı sorunlardan başka bir şey değildi. Kocası Stephen'ın da dediği gibi, hepsi dümen. "En iyisi" diyordu Stephen, "bunlara hiç karışmadan bir köşeye çekilip yaşamayı sürdürmek, benzin istasyonundaki işini yapmak, beş yıldır bitmeyen piyesi yazmayı sürdürmek ve arada sırada da bir iki cıgaralık tüttürmek. Ama kesinlikle siyasetle ilgilenmemek." Kate de aynı fikirdeydi. Stephen'ın dediklerinden çoğunu uygun görürdü, adama âşık olmasının asıl nedeni de buydu zaten.

Gazetelere son bir göz atıp daha fazla gecikmeden yürümeye koyuldu, zavallı Josh geride kalmamak için koşmak zorunda kaldı.

Daha şimdiden yazın ve turist kalabalığının habercisi plaj eşyasıyla tıkabasa dolu sayısız tezgâhın önünden geçtiler. Geniş holde sürekli bir uğultu duyuluyor, yüzlerce müşterinin sesi birbirine karışıyordu.

Josh, Kate'in ittiği alışveriş arabasına, televizyonda, eski bir otomobile binerken gördüğü bir gangster gibi tutunmak zorunda kalıyordu. Oyuncaklarla dolu uzun koridordan geçerlerken, çocuk annesinin eteğini çekiştirdi:

– Bak, oyuncaklara bakmak istiyordum anne, bakabilir miyim, söylesene n'olur?

Kate içini çekti. Alışveriş genç kadın için başından beri sıkıcı olmuştu; bu dev gibi tezgâhların arasında amaçsızca dolanmak, neredeyse birbirinin eşi yüzlerce mal arasından birini seçmek... Dondurma almayı unutmamasını söyleyen Stephen'ı hatırladı, bu öğlen yapılacak barbeküyü düşünerek neşelendi. Salinger'lar gelecekti yemeğe, iki yıldan beri görmediği Dayton ve Molly sonunda geri dönmüşlerdi. Bu düşünceyle canlandı, ızgarada pişen hamburgerlerin kokusunu duyar gibi oldu, çocukluk arkadaşlarıyla yeniden buluşacakları aklına gelince keyiflendiğini hissetti.

Josh cevap bekliyor, annesinin eteğini çekiştirmeyi sürdürüyordu. Israr ettiği için onu azarlamak üzereydi ki, ufaklığın yüzü yalvaran çocuk ifadesine bürünüverdi:

– Lütfen anne, söz veriyorum, bakacağım sadece, burada durup bakacağım...

Koridorun her iki tarafında da alışveriş arabaları, iş çıkışı saatinde tıkanan otoyoldaymış gibi, ağır ağır ilerliyorlardı.

Josh yalvaran gözlerini annesine dikmişti.

"Bana böyle bakmasına dayanamıyorum" diye geçirdi içinden genç kadın.

Josh'ın alışverişin geri kalan kısmında surat asıp somurtmasına yol açacak azarlara da, ağlayıp sızlanmalara da sürüklenmek için en ufak bir istek hissetmediğinden, omuzlarını silkti. Her şeyden önce eve dönmeye, küçük bahçesine rahatça yerleşip, arkadaşlarıyla buluşmaya can atıyordu.

"Onu burada bırakırsam, tezgâhların arasında daha hızlı gezinip bu alışveriş sıkıntısını daha çabuk bitiririm" diye düşündü.

– Tamam, beni burada beklersin; ama bak, söylemedi deme, yaramazlık yapmak ya da oyuncaklara dokunmak yok. Tek bir oyuncak bile almayacağım. Bütün bunları bil, ona göre.

Josh son cümleye fazla üzülmeksizin, sevinçle başını salladı. Hep böyle olurdu zaten, eğer zamanında istemeyi bilirse, sonunda Kate alışveriş arabası tepeleme dolu gelip zaman geçirmeden eve dönmek istediğinde, yeni bir şeye sahip olacağından emindi. Plastik figürlere doğru yola koyulmuştu ki, annesinin arkasından seslendiğini duydu:

– Hey, süper çocuk, anneye teşekkür öpücüğü yok mu?

Josh geri döndü, dudaklarının kenarında afacanca bir gülümsemeyle, Kate'i hızla yanağından öptü, sonra da kahramanlarına doğru yürüdü. Kate Phillips, daha yirmi üçüne yeni basmış genç anne, uzaklaşan oğluna gülümseyerek baktı.

Onu bir daha hiç görmeyecekti.

Portland, Oregon, günümüz

Birinci bölüm

Kurt olmadığında ormanda gezinelim, yoksa yer bizi...

Çocuk şarkısı

Kelimeler bir silisyum kükremesiyle ekrana kazındı.

"[OBERON] Chat odaları bu akşam son derecede iç karartıcı. Ya sen, sen nasılsın?"

Juliette Lafayette ekranın karşısında kaşlarını çattı. İnternet üzerinden yeni bir program indirmekle görevlendirdiği öteki bilgisayarın ne durumda olduğunu görebilmek için başını çevirdi. Verilerin geçişi tümüyle yapay bir süreçle gerçekleşiyordu. Çalışma odası genişti, sürekli kitaplarla dolu bir masayı ve iki bilgisayarını yerleştirmek için mekânı L şeklinde düzenlemişti. Oberon'la başladığı sohbete döndü.

"[İŞTAR] Kendimi her akşamki gibi hissediyorum. Bomboş."

Takma adı katodik tüpün üzerinde simsiyah harflerle parıldıyordu. Bu tanrıça adını seviyordu. Her gün birbirleriyle sohbet etmek için internetten yararlanan yüz milyonlarca insan, karşısındaki hakkında hiçbir şey bilmezken, takma ad insanın kendini tanıtmak için kullanabileceği tek araçtı. İnternet üzerinde, ötekileri temsil edebilecek tek şey.

Yalnızlık arkadaşı yeniden cevap verdi:

"[OBERON] Neler hissettiğini anlayabiliyorum. Burası da aynı. Boşluk, karanlık ve dünyayı yutan gece."

"[İŞTAR] İnternette en sevdiğim şey, insanların kendilerini ifade etmekteki özgürlükleri. İstersem, sana tüm hayatımı anlatmam bile, birbirimizi hiçbir zaman göremeyeceğimiz için, bana bir şeye mal olmayacak. Bakışlarının ağırlığını taşımıyorum."

"[OBERON] Bekâr gecelerimizi paylaşa paylaşa, sonunda birbirimizi özlemeye başlayacağız."

Juliette başını yumuşakça salladı:

"[İŞTAR] Bir bu eksikti. Üstelik, tümüyle yalnız değiliz ki. Senin, sıkça tekrarladığın gibi, gecelerin var, benim de derslerim olduğunu unutma!"

"[OBERON] Bak, bunu neredeyse unutuyordum. Bugün üniversitede miydin?"

Juliette gülümsedi, cevabını klavyede tuşlamadan önce bir an düşündü:

"[İŞTAR] Neden sordun? Yoksa hocalarımdan biri misin? Beni mi gözlüyorsun?"

Juliette kâsenin içinde soğumaya yüz tutan Çin makarnalarına uzandı. Floresan lambayı kısıp çalışma odasını daha dinlendirici bir loşluğa boğdu. Dışarıda, komşunun köpeği gecenin içinde havladı.

"[OBERON] Hayır. Ama sana ilgi duyuyorum. Bana kim olduğunu pek anlatmıyorsun. Seni daha iyi tanımak isterdim."

Juliette cevabını yazmadan önce karşısındakinin kelimelerini dikkatle okudu.

"[İŞTAR] Birlikte düşüncelerimizi paylaştığımız bunca zamandan beri, sevgili Oberon, portremi çizmeye başlaman gerekirdi. Öyle değil mi?"

Bacaklarını altına kıvırdı, halının üzerine birkaç makarna düşürünce, küfretti.

"[OBERON] Tam iki ay oldu. İki aydır internet üzerinden düşünce alışverişi yapıyoruz ve senin hakkında bütün bildiğim yirmi üç yaşında bir kadın olduğun, tarihten ve mitolojiden hoşlandığın için Savaş ve Aşk Tanrıçası İştar'ın adını aldığın ve Çin makarnalarına sarsılmaz bir inatla bağlı olduğun. Aslına bakarsan, şu anda bile Çin makarnası yediğine bahse girerim."

Juliette ağzındakileri çiğnemeyi bıraktı. Onu tam şu anda gözetlemeden, bütün bunları nasıl bilebilirdi? Makarnaları usulca yuttu, kâseyi masanın üzerine bıraktı. Hemen ardından, yüreği yeniden düzenli vurmaya başladı. "Sen salaksın, zavallı kızım!" diye düşündü. "Ne yaptığını nereden bilsin? Ne yediğini biliyor, çünkü neredeyse her zaman aynı şeyi yiyorsun! Yazdıklarını okuya okuya ezberledi!"

"[OBERON] Ee?"

Juliette'in parmakları, günlerini piyano çalmakla geçirenler gibi, beceriyle tuşların üzerinde dolaşmaya başladı.

"[İŞTAR] Tam isabet! Gördün mü, yemek alışkanlıklarım hakkında daha şimdiden çok şey biliyorsun... İnsan daha ne ister ki?"

"[OBERON] Gerçekten kim olduğunu bilmek ister. İştar'ın ardında kimin saklandığını."

"[İŞTAR] Dördüncü sınıfa giden bir psikoloji öğrencisi. Oldu mu?"

Esrarlı Oberon'un cevabı gecikmedi:

"[OBERON] Başlangıç için fena değil. Seninle küçük bir oyun oynayalım istersen. Gerçekten kim olduğun hakkında bana ne kadar bilgi verirsen, ben de üzerimdeki örtüyü o kadar kaldırırım. Ne dersin? Bırakalım, birbirimize doğru eriyelim."

Juliette artık tümüyle boşalmış kâseyi bıraktı.

– Yazık Oberon, ama bu benim zevkim için biraz fazla oldu.

Hükmünü hızla yazdı.

"[İŞTAR] Maalesef bu dediğin pek mümkün değil. Geç oldu, gidiyorum. İyi geceler ve yakında görüşmek üzere, belki de internet üzerinde..."

Kalktı, homurdanarak gerindi, bilgisayarı kapatmak üzereyken ekranda kelimeler belirdi:

"[OBERON] Sakın kapatma! Bunu sakın yapma!"

– Üzgünüm cinlerin kralı, ama çok yorgunum.

Açma kapama düğmesine bastı, bilgisayar son bir pervane soluğu üfledikten sonra sessizliğe büründü. Öteki bilgisayar da bellek kapasitesini artırmak için gerekli tüm yazılımı kopyalamayı tamamladığından, onu da durdurdu. Genç kadın dolabın önünden geçip, boy aynasının karşısında hareketsiz durdu. Siluetinin yansımasını izledi. Uzun boylu, ince. "Belki gereğinden de çok" dedi kendi kendine, "spor yapmalıyım, çok daha fazla spor yapmalıyım." Bilgisayar karşısında oturarak ya da yüzünü kitaplara gömerek geçirdiği saatlere rağmen hâlâ sıkı olan kalçalarını yokladı. Bakışları yüzüne yöneldi. Geniş dudaklar, annesinin kalkık diye adlandırdığı bir burun, gözlerinin mavisini vurgulamak için iki yıldan beri siyaha boyadığı uzun saçlar; önce güzellik kaygısıyla, sonra da siyah saçların bağımsız kişiliğine daha uygun olduğunu düşündüğünden. Sadece bağımsız değil, bazen fazla hırçındı kişiliği. Abanoz saçlı uzun silueti gören erkeklerin çoğu onu daha iyi seyredebilmek için, Juliette'in bakışları içlerine işleyene dek, dönüp dönüp bakıyorlardı. Duru mavi gözlerinin erkekler üzerindeki etkisine kaç kez şahit olmuştu! İçlerinde kendilerine en çok güvenenleri bile dengelerini yitiriyor, onları böyle ağızları bir karış açık görmek neredeyse komik oluyordu. Aslında, komikten çok, yorucu. Böylesi sarsıcı bir yaratığın aşka doymuş olacağını düşünerek, içlerinden pek azı yaklaşmaya cesaret ediyor, çizgiyi geçmeyi becerebilen birkaçının da kendini beğenmişliklerini tatmin dışında, paylaşacakları hiçbir şeyleri olmuyordu.

22

Juliette çekingendi, bu yüzden akşamlarının çoğunu yaşıtı genç kadınların her şeyden çok değer verdikleri romantik gecelerden uzak, tek başına, iki sabit diskle ekranların arasına sıkışmış geçiriyordu.

Öte yandan, böylesinin hiç riske girmemek demek olması, bir bakıma işine geliyordu. İnternet üzerinde rastladığı insanlar, bazen temsil ettikleri kişiler hakkında oldukça fazla şey öğreten takma adlardan başka bir şey değildi. İnsan hiçbir tehlikeye atılmaksızın, karşısına ilk çıkanla tartışabiliyor, sohbet tatsızlaştığı anda da görüşmeyi kesebiliyor, bir daha o insandan haberi bile olmuyordu. Bir tartışma platformunda rastladığı şu Oberon'la bir çeşit dostluk dokumuşlar, karşılarında gerçekten kimin olduğu konusunda en ufak bir fikirleri bile olmadan bazı akşamlar sohbet etmek için sözleşmişlerdi. İnternet, tehlikesiz bir iletişim imkânı, *safe communication* sunuyordu. Eksik olan, sıcaklıktı tabiî.

Komşusunun köpeği daha şiddetle havlamaya başladı.

– Roosevelt, sus! diye bağırdı Juliette açık pencereden.

"Köpeğine Roosevelt adı vermek de ne fikir ama! Eğer bir gün köpek almaya karar verirsem, en azından ona isim bulmak için kendimi yememe gerek kalmayacak! Yaşlı bir cadaloz gibi, inimde yapayalnız öleceğim!" diye düşündü.

Bu düşünceyle, dudaklarında bir tebessüm belirdi, yatmaya karar verdi.

Odasındaki ışık saat yarıma doğru söndü.

Birkaç gün sonra, yağmur amfinin camlarını dövüyordu. Profesör Thompson, dinleyenlerden yarısını derin bir uyuşukluğa gömen monoton sesiyle dersini anlatıyordu. Bütün o suratların ortasında, Juliette Lafayette dalgınca ders dinliyor, pencerenin ötesinde uzanan gri ve ıslak manzaraya bakıyordu. Aklı, annesiyle babasının iki ay önce taşındıkları Kaliforniya'daydı. Ted Lafayette terfi edip San Diego'ya atanmış, eşi Alice de fırsattan yararlanarak iş değiştirmeye, tekdüzeliğin öldürdüğü tadı yeniden kazanmaya karar vererek, kocasının peşinden güneşin daha çok ısıttığı topraklara gitmişti. Juliette burada, Portland'da büyümüştü, tek tük dostlarıyla birlikte bütün nirengi noktaları da buradaydı; o yüzden annesi ve babasıyla gitmeyi düşünmemişti. Bir bakıma, evin bekçiliğini üstlenmişti. Böylesine büyük bir villada yalnız yaşamak çok kolay bir şey değildir, ama yalnızlık onun karakteri olmuştu artık, bağımsızlığı seviyordu, öylesine seviyordu ki, bu bağımsızlık aşkı ona pek ender de olsa karşısına çıkan, tek tük sevgililerle bozuşmasına yol açmıştı. En ağır olanı, bazı geceler incir çekirdeğini doldurmaz nedenlerle dehşete kapılsa da, kendini yalnız hissetmek değil, hayatını sağlıklı bir düzende sürdürmekti. Belirsiz saatlerde kalkmamak, evi temiz tutmak, en önemlisi de, doğru dürüst beslenmek. Juliette için, belirli bir neden olmadan kendine özenli yemekler pişirmek imkânsızdı, genellikle çok az yer ve hazırlanması kolay şeyleri tercih ederdi.

– Stockholm sendromunun üç aşamasından söz edilebilir...

Profesör Thompson'ın sesi, bir hayaletinki gibi, birden yükselivermişti.

"Daha senenin başında kopmak istemiyorsam, biraz dikkat etmem gerek" dedi Juliette, düşlerinden kurtulabilmek için gözlerini kırpıştırarak. Koridordan kahkahalar duyulunca, Profesör Thompson o tarafa kızgın gözlerle baktı, sonra da anlatmaya devam etti:

– Rehine almanın ilk aşaması, çoğu kişi için oldukça şiddetli bir stres oluşumuyla tanımlanır. Ondan sonra, şantajcıların şantajlarını gerçekleştirdikleri alıkoyma aşaması gelir: rehineler birer maldan başka bir şey olarak görülmedikleri için, gerçek bir insandışılaşma. Zaten saldırganla özdeşleşme de bu aşamada gerçekleşir, kurban yavaş yavaş ölüm korkusunu atlatır, haydutlara karşı sempati beslemeye başlar. En sonunda da, posttravmatik stres ile depresyonun görüldüğü kalıntı aşaması gelir.

Juliette kendini bu davranışın tuhaflığına kaptırdı. Yakalanan ve kendi iradeleri dışında tutulan kişiler nasıl olur da işkencecilerine karşı sempati duyabilirlerdi? Profesör Thompson kendini rehin alan adama âşık olan, sonunda da onunla evlenen kadın örneğini verdiğinde, Juliette kendini gülümsemekten alamadı. "İnsan kendini bir Hollywood yapımında sanır" dedi kendi kendine. "İş bir tek haydut rolü için Kevin Costner'la anlaşmaya kaldı, sonra filmi çekebiliriz! Gerçek, düşü çoğu kez yaya bırakıyor."

Dersin son on dakikası hızla geçti.

Juliette öğrenci otoparkına gidip, küçük Vosvos'una yerleşti. Yağmur birkaç dakika önce durmuştu. Kentin güneyine doğru yöneldi, birkaç bira almak için yol üzerindeki Seven-Eleven'da durdu. Her çarşamba akşamı olduğu gibi, en iyi arkadaşına gidecekti. Juliette ve Camelia'nın, en azından basit ölçütlerle bakıldığında ortak hiçbir yanları yoktu. Juliette yirmi üç yaşındaydı, Camelia'ysa otuz iki. Juliette evinde yalnızken kendini nasıl daha iyi hissediyorsa, Camelia düzenli olarak dışarı çıkmaktan hoşlanıyordu, zaten bir ara beş yıl evli de kalmıştı. Ne var ki, iki genç kadın konuşmaya başlar başlamaz, gerçek bir suç ortaklığı yaşar oluyorlardı. Konu ne olursa olsun, sohbetleri ortak bir noktada buluşuyor, konuşma sabahın erken saatlerine kadar uzayıp gidiyordu.

Vosvos sonunda boyası yıpranmış bir evin önünde durdu.

Camelia kapıyı açtı. Buklelerinden başka hiçbir doğallığı olmayan uzun sarı saçlı, gösterişli bir kadındı. Arkadaşını görünce, yüzü ışıltılı bir tebessümle aydınlandı:

– Hoş geldin güzelim!

– Selam, ekimle birlikte soğuklar da geliyor galiba, dedi Juliette bir koşu kapağı hole atarak.

– Sen yerleşmene bak, şömineyi gürül gürül yakarım.

Juliette, Camelia'nın güneş yanığı tenini görüp kaşlarını çattı:

– Ültraviyoleyi kestin sanıyordum, dedi. Bunun cildin için zararlı olduğunu söylüyordun ya!

– Yazdan sonra, son bir değişiklik diyelim. Söğüş tavuktan nefis bir salata hazırladım, Fransız usulü gerçek bir *haute cuisine* örneği! Sana köklerini hatırlatması için.

– Mhm mmh. Ailede babamdan başka hatırlatacak kalmadı. Bana kalırsa, dedelerinden birinin Fransız olmasının, ona bir çeşit üstünlük sağladığını sanıyor. Sanki bir ayrıcalık, kanında bir asalet varmış gibi.

Juliette biraları mutfak masasının üzerine bıraktı. Evin içinde bir yerlerde açık kalmış bir televizyondan haber bülteni duyuluyordu.

– Seninkilerden ne haber? diye sordu Camelia.

– Dün akşam telefon ettiler, annem oralardan çok hoşlanıyor, alışmakta biraz zorluk çekiyormuş, ama çok memnun. Babamsa durmadan çalışıyormuş, akşamları geç geliyormuş, bazen hafta sonları da çalışıyormuş. En şaşırtıcı olanın Kaliforniyalılar olduğunu söylüyor annem, oldukça farklı bir zihniyetleri varmış.

– Hiç Kaliforniya'ya gitmedin mi? diye şaşkınlıkla sordu Camelia. Tabakları tepsinin üzerine yerleştiriyordu.

– Hayır, yolculukla pek aram yoktur... Oregon'dan pek uzaklaştığım söylenemez.

Camelia elini beline koydu, kalçasını çıkardı:

– Öyleyse kendine yeni bir mayo al, bu hafta sonu seni Los Angeles'a adaleli erkeklerin doldurduğu plajlara götüreceğim.

– Eylül sonunda mı?

– Hey ufaklık, Kaliforniya zihniyeti dedikleri de bu işte: iyi bir Kaliforniyalı mevsimlerin de üzerinde olmalıdır. Zaten, erkekleri her zaman üzerindedir ya, ne demek istediğimi anlıyorsun tabiî...

Juliette açık saçık benzetmeyi duymazdan gelip, dudak bükmekle yetindi:

– Bak, plajlara pek meraklı değilimdir.

Camelia gözlerini Juliette'inkilere dikti:

– Juliette, eninde sonunda basit fanilerin yaptıklarını sevmeye başlaman gerekecek, yoksa hayatını herkesin unuttuğu, inzivaya çekilmiş biri olarak yaşarsın!

– Kendimi zorlayamam! İnsanın gününü yarı çıplak, sıcaktan ölmek üzere, cinsellikten nasibini alamamış heriflere kendini dikizleterek, denizin tuzuyla gerginleşen derisini kaşıyarak geçirmesini aptalca buluyorum. Belki böyle düşünmek çağdışı olabilir, kusura bakma, ama ben böyleyim işte.

Camelia başını salladı, Juliette'e sevecen gözlerle baktı:

– Anlaşılan seni pek değiştiremeyeceğiz. Haydi, bana yardım et de bunları içeriye taşıyalım.

Tabakları füme camdan muhteşem bir masanın üzerine yerleştirdiler. Camelia'nın evi sadece büyük değildi, aynı zamanda da özenle döşenmişti. Eski kocasının ödediği nafakayı, lüks kaprislerini tatmin edecek bir kaynak olarak kullanıyordu.

Yemeklerini iştahla yediler, şarapları hiç eksik kalmadı. Saat ona doğru, her ikisi de kendini biraz kaymış hissedince, televizyonun karşısına yerleştiler. Camelia bir sitcomdaki insanların salaklığıyla alay etmekten belirgin bir zevk alırken, Juliette de her şeye gülüyordu.

İki arkadaş bir saat boyunca güldüler, eğlendiler; kahkahalarına sadece kadehlerini doldurmak ya da kanal değiştirmek için ara verdiler. Toplumun bir arızasının ürünü olduğunu, çünkü ünlü 1965 New York elektrik kesintisi sırasında ana rahmine yerleştiğini tekrarlamaktan yorulmayan Camelia çağdaş televizyonun aptallaştırıcı rolünden söz ediyor, bu da Juliette'in kahkahalarla gülmesine neden oluyordu.

– Bir saatten beri televizyona okuyup durdun, dedi Juliette, oysa gününü televizyon karşısında geçiriyorsun!

– Gördüğüme inanamıyorum da ondan, bütün zamanımı akıllı bir program kovalamakla geçiriyorum...

Yeni kahkahalar...

Geceyarısından az önce, Juliette gitme zamanının geldiğine karar verdi. Camelia bu durumda araba kullanmaması ve misafir odalarından birinde kalması için ısrar ettiyse de kabul ettiremedi. Juliette yavaş gitmeye ve dikkatli olmaya söz verdi; öyle ya, gideceği yer çok yakındı; bir kilometre ötede, tepenin üzerindeydi evi.

Camelia sekide durup arkadaşını uğurladı, sonra da yatmaya gitti. Juliette sokağa çıkan basamakları inerken, havanın serinliğinden yararlanıp, kafasını toparlamaya çalıştı. Kendini biraz çakırkeyif hissediyordu ya, alkol dumanları araba kullanmasına izin verecek kadar dağılmıştı. Ayaklarını sürüdüğünü fark edince, kendine güç vermek için derin derin soludu. Elini merdivenin tırabzanına koyup tepeden aşağıya sıralanan evlere ve bahçelere baktı. Uzakta, Willamette Nehri siyah bir kuşak gibi, kenti ortasından bölüyordu. Karşıtlık sarsıcıydı; ışıklı Portland'a, tüm binalara ve uğultulu sokaklara hâkim bir yükseklikteydi Juliette. Oysa baktıklarında hayat göremiyordu; sadece tanımlanamayan bir ışıltı yığını.

"Tam da böylesi düşüncelerin zamanı!" dedi kendi kendine. "Saat geceyarısını geçmiş, sen hâlâ manzaraya bakıp bunalım geçiriyorsun, bu iş giderek daha dokunaklı olmaya başlıyor!"

Ezbere bildiği manzarayı seyretmekten vazgeçerek, yolun kenarındaki kamyonetin yanından geçti, eli arabasının anahtarlarını çıkarmak için blucininin cebinde, Vosvos'un yanına vardı. Elleriyle iki cebini karıştırıyordu ki, arka lastiğin yere yapışmış olduğunu fark etti. Çok çiğnenmiş bir çiklet gibi, asfaltın üzerinde yumuşakça yayılıvermişti lastik.

– Allah kahretsin! Bu akşam olacak iş mi bu!

Kafasını toparlamak üzere Vosvos'una yaslanmıştı ki, duyduğu sesle yerinden sıçradı.

– Bir sorun mu var küçük hanım?

Juliette birden arkasına dönünce, yirmilerinde bir adamla burun buruna geldi. Genç kadının tepkisine şaşıran adam, özür dileyerek geriledi:

– Özür dilerim, diye kekeledi, sizi korkutmak istememiştim.

En azından kendisi kadar şaşkın görünüyordu. Juliette el işaretiyle önemli olmadığını belirtti.

– Kabahat benim, çok ödleğim, dedi soluk soluğa. Elini kalbinin üzerine koymuştu.

– Belli oluyor zaten. Bana kalırsa, bir sorununuz var, dedi patlak lastiği göstererek.

– Evet, ama hallederim. Hemen yakında oturuyorum.

– Sizi evinize bırakayım mı? Arabam şuracıkta.

Birkaç metre yukarıdaki kocaman mavi pikabı gösteriyordu.

Adam, Juliette'e bakmıyordu, tek bir an bile durmadan, kaçamak bakışlarla çevresindeki her şeyi inceliyordu. Ortalama bir fizik, uzunca kahverengi saçlar, oldukça güçlü bir yapı; ama davranışında, geri kalanlarla uyuşmayan bir sahtelik. Juliette biraz rahatsızca cevap vermeden önce, birkaç saniye adamı inceledi:

– Oh hayır, çok naziksiniz, ama beş dakika sürmez.

– Emin olun, rahatsızlık vermez, dedi adam gülümseyerek.

"Çapkının teki" diye düşündü genç kadın. "Fizik olarak fazla bir özelliği yok, ama yakışıklı olduğunu biliyor."

Bir an için bu karşılaşmanın, tıpkı bazı yaşlı çiftlerin anlattıkları hikâyelerde olduğu gibi, belki de güzel bir anıya dönüşebileceğini düşündü. Oysa şu anda, bu adamın varlığından rahatsızlık duyuyordu. O geniş tebessümün ardında, adını koyamayacağı bir şey gizlendiğini hissediyordu.

"Gözler" dedi kendi kendine, "gözleri yüzünden okunanı yansıtmıyor."

Gerçekten de, adamın gözünde soğuk bir bakış parıldıyordu. Yüzünden dostluk okunmasını istiyor, bunun için elinden geleni yapıyordu, ama bakışlarında ölü bir balıktaki kadar bile hayat izi yoktu.

– Ee? diye sordu.

– Yürümeyi tercih ederim, iyi gelecektir, eminim. Yine de çok teşekkürler, dedi Juliette bir yandan da hafifçe gülümseyerek. İyi geceler.

Uzaklaşmaya başladığında arkasında tıpkı çalkalanan bir viski şişesi gibi, sıvı dolu bir kabın sallandığını duydu.

Daha ne olduğunu anlamaya fırsat bulamadan, pamuktan bir bulut yüzüne kapandı.

Gırtlağına dumanlı alevler doldu.

Çırpınmaya, debelenmeye çalıştı, ama onu tutan güçlü bir baskıydı.

Zihni anlaşılmaz bir resim selinde kayboluyordu.

Ciğerleri korkunç biçimde kavruluyordu.

Sonra, karanlığın çökmesi birkaç saniye sürdü.

Koridor karanlıktı. Bodrum katında bir yerlere düşen su damlalarının sesi duyuluyordu. Ama kuşkusuz en rahatsız edici olanı karanlıktı, insan iki metre ötesini seçemiyordu. Sonra o şey, tıpkı kutusundan fırlayan bir iblis gibi, birdenbire belirdi. Dev gibi ve iğrençti, geçilmez bir hızı olduğunu göstererek, büyülenmiş gibi bakakalan adama silahını kaldırma fırsatı bile vermeden, kafasını uçuruverdi.

– Allah kahretsin! dedi Joshua Brolin, video oyun konsolunu kapatmak için koltuğundan fırlarken.

Bulunduğu büro, Portland Polis Müdürlüğü binasının beşinci katındaydı, geniş camları sayesinde aydınlık ve –polis büroları için şaşılacak şey– oldukça genişti.

Kapı birden açıldı ve içeriye üniformalı birisi girdi. İri yapılı, saçları kırlaşmaya yüz tutmuş, gözleri siyah halkalarla çevrili Larry Salhindro'nun keyfi kaçıktı.

– Müfettiş olalı iki yıl geçti ama hâlâ kapının üzerinde bir işaret yok, dedi kendi odasına giriyormuş gibi rahat.

Hemen ardından portatif televizyon ile oyun konsolunu görüp ekledi:

– Ee Josh, hâlâ şu çocuk oyunları mı?

– İnan bana, bırakmaya çalışıyorum ama, sigaradan da beter! İşten başka bir şey düşünmemi sağlayan tek şey bu. Benim kişisel gevşeme aletim.

– Evet, gerçek bir antistres. Her neyse, işte sana evvelki gün nehirden çıkarılan zavallı kızımızla ilgili Adlî Tıp raporu, dedi Salhindro masanın üzerine şişkin bir dosya bırakarak. Mikroskobik incelemeler dün yapıldı, ama her şeyi yazacak zaman bulamamışlar, onun için raporu daha sonra alacakmışız.

Şişkin midesini rahatlatmak için ağır kemerini çekiştirerek oturdu. Bir ay sonra ellisine girecek, fazladan bir sürü kilo sahibi Larry Salhindro yirmi yedi yıldır Portland Polis Müdürlüğü'nde çalışıyordu. Devriye gezmenin verdiği sıkıntıya vücudun katlanabilmesi için çeşitli şekerlemelerle beslenerek geçen uzun yıllar.

Brolin dosyaya uzandı, kılıfından çıkardığı gözlüğünü burnunun üzerine yerleştirdi. Alnına düşen kahverengi perçemleriyle, fındık rengi gözleri, doğuştan gülümseyen ağzı ve köşeli çenesiyle gözlükler adama alışılmadık bir ciddiyet kazandırıyordu. Otuz bir yaşına girmek üzere olan Brolin, Cinayet Masası'nın en genç müfettişiydi. Çoğunlukla müfettişten çok, bir futbol yıldızına benzediği için eleştirilirdi ya, QB[1] lakabını da bu nedenle almıştı. Mesleğe girişi hakkında konuşmaması gerektiğini hatırlatmanın bir çeşit yolu işte.

Joshua Brolin genellikle yapılanın tersini gerçekleştirmiş, aksi yönde ilerlemek yerine FBI'den polis müdürlüğüne geçmişti. Cebinde psikoloji diploması, zihinsel patolojileri incelemek için gerçek yeteneğiyle, Davranış Bilimleri Birimi'nde (DBB) çalışarak tüm zamanını araştırmaların içinde geçirmek için FBI'ye girmek istemişti. İşte o zaman Quantico'ya ya da FBI Akademisi'ne kabul edilmek için testler başlamıştı, ardından da o bıktırıcı eğitim dönemi. İlk giriş sınavını başarıyla geçmiş, ilk sıralarda yer alıp DBB üyelerinin dikkatini çekerek, dostluklar geliştirmişti. Kurduğu ilişkilerin dışında, kriminolojinin çeşitli alanlarındaki öğrenme arzusu ve kusursuz notları, DBB'ye özgü eğitim programına, birimin geleneklerinde pek görülmemiş bir biçimde yatay geçiş yapmasına imkân verdi. Orada da bildiklerini soruşturma verilerine katarak, katiller hakkında son derece sağlam sonuçlar çıkarma yeteneğiyle sivrildi.

İşte işler o aşamada bozulmaya başladı. Brolin DBB'de eğitim programını bitirir bitirmez profil uzmanı olunmayacağını biliyordu; böyle bir istekte bulunabilmek için, genellikle başka bir birimde birkaç yıllık bir hizmet tamamlamış olmak gerekiyordu: bir polis ajanının iyi bir profil uzmanı olup olamayacağını gösterebilecek tek şey, sokakta kazanacağı tecrübeydi. Oysa Brolin büyük bir saflıkla, sınavların çoğundan aldığı "pekiyi"lerin, yöneticilerin büyük bir bölümüyle geliştirdiği ilişkilerin yardımıyla, stajyer olarak da olsa, DBB'ye doğrudan giriş sağlayacağını düşünmüştü. Düşündüğü gibi olmadı. FBI'ye girişini iki yıl süren bir eğitime ve kriminoloji çıraklığına borçlu olacaktı.

---

1. Quaterback: Amerikan futbolunda takım kaptanı, çoğunlukla da takımın yıldız oyuncusu.

DBB, soğuk ve acımasız görünüşünün arkasında, aslında kimsenin meslektaşının yardımına koşmaktan, fikir vermekten geri kalmadığı geniş bir aile gibiydi. Bu işbirliğinin başlıca nedeni, hepsinin de korkunç yaralamalar, kâbus gibi cinsel işkenceler ve bunlara benzer insanlık dışı davranışlar üzerinde çalışmalarıydı. Omuz omuza veriyorlardı, çünkü başka seçenekleri yoktu. DBB'de birkaç yıl çalıştıktan sonra başka bir birime geçmek isteyenlerin sayısı hiç de azımsanacak gibi değildi; insan kabul edilebilir toplumsal bir anlayışa sahip olmak istiyorsa, burada fazla yıllanmazdı. Bir DBB ajanının gündelik çalışması, ülkede işlenmiş en korkunç cinayetlerin fotoğraf klişeleriyle, hatta filmlerle, Adlî Tıp ya da polis raporlarıyla desteklenmiş halinin incelenmesinden ibaretti. Gerçekten de günler, insan ruhunun en karanlık derinliklerine inmekle geçerdi.

Tuhaftır, Brolin'i eğitim için birimde geçirdiği birçok yıl boyunca en çok rahatsız eden şey bu değildi. Bütün benliğiyle bir soruşturmanın içine dalmayı, tüm verilerle donanarak katilin postuna bürünmeyi, davranışlarını tekrarlamaya çalışmayı, sonra da bu rolden soyunarak Joshua Brolin olmayı kusursuzca beceriyordu.

Uzun bir eğitim gününden sonra, bir akşam, DBB'nin müdürü Robert Douglas, Brolin'e özel hayatını ve işini birbirlerinden ayırma yeteneği yüzünden, onu doğuştan profil uzmanı olarak gördüğünü açıkladı. Bir profil uzmanı en büyük güçlüğü, tüm benliğiyle katilin psikolojisiyle özdeşleşmek zorunda olduğu zaman yaşar. Neler yapabileceğini önceden tahmin edebilmek, onu tümüyle tanıyabilmek için katilin davranışlarını eksiksiz anlaması gerekir. Bunu başarmak uzun soluklu bir çalışma gerektirir, profil uzmanı soruşturma ve kurbanlar hakkında tüm öğrendikleriyle bütünleşir; katilin kişiliğini "yakaladığını" söyleyebilmek için, gece gündüz, kurbana yapılanlar üzerinde yoğunlaşır.

Sonra, katilin kendisi olur.

En azından, davranışını ve özellikle de davranışının nedenlerini, içinden geçenleri ve harekete geçtiği sırada onu yöneten dürtülerini anlar, işte katilin profilini ancak o zaman çizebilir, çünkü katilin kim olduğunu bilmekte, amaçlarını anlamakta ve gelecekteki tehlikeyi tahmin edebilmektedir.

Douglas'a göre, katilin bileklerine kelepçe geçirilmesinden sonra, Brolin'in güçlü kişiliği sayesinde önemli bir psikolojik travma yaşamaması, bir profil uzmanında görülebilecek en önemli yetenekti. Gerçekten de Brolin'in asıl gücü basit bir aldırmazlık değil, inanılmaz bir empati göstermesiydi. Bütün bunları anlamaya çalışmıyor, bu gerçeğin irdelenmesini daha da ileriye götürmek istemiyordu; merak da etmiyordu, hepsi bu. Onun istediği, yeni bir cinayet işlemeden, katilleri kıstırmaktı. Quantico'da, DBB'ye komşu birimlerin koridorlarında, tüm profil uzmanlarının FBİ ajanı olduklarından kimsenin şüpheye düşmediği, ne var ki çocukluklarında ufak bir farklılık olsaydı, fotoğraflarının bugün ülkenin en korkunç katillerininkinin yanına, duvara raptiyelenmiş görüleceği fısıldanırdı sık sık.

Kanıtları ayıklamak, örnekler almak, psikolojik profilleri oluşturmak, katil avını ilerletmek; işte FBİ'ye girdiğinde Brolin'in başlıca görevleri bunlardı. Rozetini taktığında, yirmi sekizini geçmişti. Robert Douglas'ın bürosunda beklediğini söylediler.

– Artık kuruma girdiğine göre, benim birimimde çalışmak istediğini biliyorum. Yine de, sabretmen gerek. Daha önce de söyledim, sende çok iyi bir profil uzmanı olmak için ne gerekiyorsa var. Ama...

– Ama? dedi Brolin, ağzında düş kırıklığının acı tadıyla.

– Ama, istisna yapmak niyetinde değilim. Sahada kazanılacak tecrübenin sezgiyle birleşmesi gerek; bütün dosyaları ezbere bilmene rağmen, sahada tecrübe kazanmanı istiyorum. Bu dediğim dört beş, en çok altı yıllık bir şey. Senden öyle imkânsız şeyler değil, sadece bu süre boyunca bir ajan gibi yaşamanı istiyorum. Hem inan bana, şehir denilen o cangılda öğreneceğin çok şey var. Sonra, buradaki yerin hazır. Aramızda.

Brolin'in yüzünde düş kırıklığının somurtmasını görünce de:

– Yoksa sen başka bir şey mi düşünüyordun? Belki bu iş için yaratıldın ama ben birime yeterli tecrübesi ve olgunluğu olmadığı için ilk dosyada burun üstü çakılma riski taşıyan birini alamam. Burada çalışanlara bir baktın mı? Hepsi en azından otuzlarının sonunda. İşine yarayacak bir göreve verilmeni sağlayacağım, birkaç yıl sonra da bizimle çalışmaya başlarsın, dedi.

Brolin, Douglas'ın bazı şeyleri söylemediğinin farkındaydı ya, gerçek çok açıktı: DBB çalışmaları sayesinde haklı bir üne kavuşmuştu ve bu şöhreti aptalca bir hatayla kaybetmemek için yeteneklerini tekrar tekrar kanıtlamış ajanlarla çalışmak istiyordu. DBB hiçbir riske girmeyecekti.

Birkaç gün sonra, yeni görevini, Boston'daki yerel büroya atandığını öğrendi. Devre arkadaşlarından birçoğu bu tayinine gıpta ettiler ya, Brolin için bu görev sekiz uzun yıldan beri en çok ilgilendiği konuyla karşılaşamadan altı yıl daha dayanmak anlamına geliyordu. Bu da söz konusu olamazdı.

Brolin eğitimi sırasında, John Rissel adlı bir kriminal psikiyatri hocasıyla samimi olmuştu. Rissel çok candan, çok dostça davranmıştı. Ayrılmasının nedeni Rissel oldu. Katillerin kişiliklerini tanımlamak konusunda gerçek bir yeteneği olduğunu, sabretmesi gerektiğini söylüyordu. Ne var ki, Brolin'in ısrarlı muhalefeti karşısında, teslim olmaktan başka çaresi kalmadığını gördü. İşte o zaman istifa edip polis olmasını önerdi. Orada, Brolin gibilerine ihtiyaçları vardı; kuşkusuz, tecrübe kazanması için sahaya gönderilecekti, fakat orta büyüklükte bir kentte görevlendirilirse, kısa sürede, ama FBİ'ye göre çok daha kısa sürede cinayet dosyalarını, böylelikle de profil oluşturma işini üstlenebilecekti. Rissel, Brolin'in kişiliğini tanımlamış, etrafındakiler hakkında her gün biraz daha fazla şey öğrenmek kararlılığıyla kendine avantaj sağlayacağı belirli bir çevrede, sabit temeller üzerinde çalışma isteğini görmüştü. Rissel her FBİ ajanının özelliği olan yalancı gösterişlerle dolu bir hayat yerine, büyük bir kentte yerleşmesini öğütlemişti. Eğer burada birkaç yıl daha sabredemeyecekse, o zaman en çok işe yarayacağı ve kendini en mutlu hissedeceği yere gitmesi daha doğruydu.

Kısacası Brolin doğduğu kente, Portland'a, elinde psikoloji diploması ve ardında kriminoloji eğitimiyle geldi, altı ay sonra da müfettişliğe terfi etti. On bir ay boyunca hiç ilgisini çekmeyen dosyalarla uğraşmak zorunda kaldıysa da, bir caninin doğasını anlamaktaki yeteneği ortaya çıktığında üstlerinin beğenisini kazanmakla kalmadı, giderek daha ilginç konulara eğilme fırsatını buldu.

O andan itibaren, hayatının en büyük fiyaskosu olmakla birlikte, meslek açısından bir zenginlik olarak gördüğü FBİ geçmişinden bir daha hiç söz etmedi.

Portland gibi bir kentte, bir FBİ geçmişine sahip olmak sanki olağanüstü bir iddiaymış gibi, insanın adını lekelemeye yeter. Aynasızlar Brolin'e baktıklarında dişleri keskin genç bir kurt gördüler. Oysa bu, kendi durumlarına hiç benzemiyordu ya, yine de adamı daha yakından tanımak gerekirdi; ne var ki Salhindro dışında hiç kimse bu zahmete katlanmadı.

– Laboratuvardakiler kızın kimliğini belirleyemediler daha, öyle değil mi? dedi Brolin başını masasından kaldırmadan.

– Oh! Hayır, kızcağızın durumunu düşünürsen, kimliğini belirlemek hiç de kolay olmayacak! Gazlar bütün şeklini değiştirmiş, yüzünün rengi de...

Yirmi yaş büyüğü olmasına rağmen, Brolin bir el hareketiyle meslektaşını susturdu:

– Larry, kızı bulduklarında oradaydım. Peki öyleyse, neden ölmüş?

– Soluksuz kalmış.

– Boğulmuş, demek istiyorsun, diye düzeltti Brolin.

– Hayır, yeterince hava alamadığı için ölmüş demek istiyorum. Sülükler soluğunu kesmiş.

Bu kez, Brolin kafasını kaldırdı ve gözlüklerinin üzerinden Salhindro'ya baktı:

– Ne?

– Tuhaf olduğunun farkındayım ama yazılanlar bunlar.

Salhindro dosyaya uzandı, aradığını bulana kadar fotoğrafları ve sayfaları çevirdi:

– İşte, okuyorum: "... Nefes yollarında varlık nedenleri açıklanamayan altı sülük kalp sektesinden hemen önce sağ karıncığa fazla yük bindirmiştir. Bu altı yabancı yaratık çeşitli bölgelerde bulunmuştur: yemek borusunda, yutak cidarlarında ve gırtlakta. Örnekler daha fazla ayrıntı için bir sülük uzmanına teslim edilmiştir. Ağızda, dişlerde ve dildeki doku bozuklukları –anatomopatoloji incelemeleri bu izlerin *ante mortem*[2] olduğunu doğrulamaktadır– sülüklerin kurbanın yutağına ölümünden önce sokulduklarını göstermektedir. Sülüklerin kan emebilmek için kurbanın gırtlağına inmeye çalıştıkları düşünülmektedir. Vücudun çürümesi bazı gerçekleri saklamakla birlikte, deri ve mukozada hematomlar, çürükler gibi belirgin kendini savunma izleri görülmektedir. Çenenin dibindeki iç ve dış belirtiler ve ağızdaki çeşitli doku bozuklukları, sülüklerin yerleştirilmesi için kurbanın ağzını açmaya zorlandığını göstermektedir. Anatomopatoloji incelemelerinin ciğerlerde su bulunmasının anlamını açıklayacağı ve kurbanın boğulduğunu mu, yoksa suyun kurbanın nehirde kaldığı süre boyunca, *post mortem*[3] aşama sırasında mı ciğerlere dolduğunu yorumlayacağı kesindir." Sülükler kan içe içe şişmişler ve nefes almasını engelleyerek, boğulmasına neden olmuşlar. İşte, hepsi raporda.

Salhindro'nun sumene bıraktığı dosya şaklayarak düştü.

– Tamam, karşımızda insanların gırtlaklarına sülük tıkayarak öldürmekten hoşlanan biri var, ama beni asıl ilgilendiren, bunu yapanın bizim aradığımız adam olup olmadığı! dedi, yavaş yavaş sinirlenmeye başlayan Brolin. Öyleyse, alındaki iz konusunda bana söyleyeceğin bir şey var mı? Bir haber geldi mi?

Salhindro genç müfettişin karşısına oturmuş, gözünün önüne kavuşturduğu parmaklarının arasından, pencereden gökyüzüne bakıyordu.

– İyi ya işte, asıl oraya gelelim diyordum. Çok ilgini çekecek.

Brolin iki gün önce, bir kadın cesedinin bulunduğu Tualatin Nehri kıyısına çağrılmıştı. Adlî Tıp uzmanı gelir gelmez kadının alnının üzerinde tuhaf bir iz görmüştü. Çürümeye yol açan gazlar ve uzun süre suyun altında kalmış olması izin neden kaynaklandığını belirlemeyi engelliyordu. Yerel müfettiş hemen Joshua Brolin'in çağırılmasını istemişti.

İki ay içinde, böyle korkunç derecede yaralı iki kadın cesedi daha bulunmuştu.

Kurbanlardan birincisi yirmi iki yaşındaydı; garson olarak çalışıyordu, evine giderken kaçırılmıştı. Balıkçılar tarafından tesadüfen, bölgedeki bir gölcükte, suyun üzerinde sırtüstü bulunmuştu. Kolları dirseklerinin hizasından kesilmişti.

Canlı canlı.

Kolları kesildiğinde canlıydı. Bilinmeyen bir nedenden dolayı alnı da yakılmış, yerinde yıldız biçiminde geniş bir iz kalmıştı. Fazla derin olmamakla birlikte, yara oldukça büyük zarar vermiş, kadıncağızın bütün alnını bir volkan gibi patlatmıştı. Cesedin kötü durumda olması bu sefer de yaranın nedeninin belirlenememesine sebep olmuş, Adlî Tıp yetkilisi "Muhtemelen asit" demekle yetinmişti. Ceset, daha fazlasının söylenmesine izin vermeyecek kadar suda kalmıştı.

İkinci kurban yirmi üç yaşında bir plastik sanatlar öğrencisiydi. Bir gece kulübünün park yerinden kaçırılıp, Tualatin Nehri'ne götürülmüştü. Bu genç kadının da elleri kesilmişti ve alnında aynı iz bulunmuştu. İz bu kez çok daha derindi; yüzün üst kısmının büyük bir bölümünü yutacak kadar derin. Her iki cinayette de kurbanların birçok yara aldığı belirlenmişti; cesetlerin suda kalış süreleri bu konuda kesin bir şey söylenmesine izin vermemekle birlikte, kadınların cinsel tacize uğradıkları da sanılıyordu. Ölüm, her iki cesette de belirgin olan çok sayıda darbeden ve kanamadan kaynaklanmıştı.

Cinayet serisinin bu kadarla kalmayacağı belliydi. Hem bu cinayetleri işlemedeki kararlılıktan, hem de elleri böylesine kesmek ve insanları bu şekilde öldürmek için gerekli acımasızlıktan katilin yeni bir kurbanın peşinde dolaşan tehlikeli bir psikopat olduğu sonucu çıkarılıyordu.

Brolin FBİ'deyken benzer cinayetleri incelemişti, soruşturmadan çıkan verilere dayanarak katilin psikolojik profilini çıkarmayı biliyordu; en önemlisi, Portland polisleri arasında seri cinayet meraklılarını onun kadar tanıyan başka birisi de yoktu. İki gün önce nehirden alnında aynı yara izini taşıyan, ama bu kez elleri kesilmemiş genç bir kadın cesedi çıkarıldığında, dedektif Ashley de vardı. Ashley soruşturmayla görevli Brolin'i hemen olay yerine çağırmıştı.

Konu seri cinayet olunca, her zaman katile takma bir ad yakıştıracak bir akıllı bulunur. Bu kez fikir, Brolin'in meslektaşlarından birinden geldi. Katilin kurbanlarına uyguladığı işkencelere ve bıraktığı yaralara bakıp, adını "Portland Celladı" koydular. Kısa sürede sızan bu adı, gazeteciler hemen benimsediler.

Şimdi Brolin ta içinden bildiği gerçeğin artık doğrulanmasını bekliyor, bu kadının alnındaki izin de asitten kaynaklandığına inanıyordu.

Salhindro ciddiyetle söze girdi:

– Öteki iki kadınla aynı iz. Otopsi kostik sıvının yüzün üst bölümüne yayılması için büyük bir gayret sarf edildiğini belirlemiş. Daha öncekiler gibi, cesedin uzun süre suyun içinde kalmış olması, yaranın neden kaynaklandığının belirlenmesini engelliyor, ama asit kullanıldığı hemen hemen kesin. Kısacası, önceki iki kurban gibi, bir törensellik söz konusu.

Meslektaşı ve dostu Joshua Brolin'in aksine, Salhindro, Quantico'daki profil uzmanları eğitimine hiç gitmemişti. Ne var ki polis psikologlarının, katillerin yanında bulunmakla, rapor okumakla geçen yıllar, bir cinayet sahnesiyle karşılaştığında kendi fikrini oluşturacak kadar bir şeyler öğrenmesini sağlamıştı.

Brolin başını sallayarak onayladı:

– Bunu yapan bizim adamımız, diye kısık sesle mırıldandı. Kullandığı yöntem farklı olsa da, imza aynı. Acı çektirme ihtiyacı, acımasızlıkta yükselmek, her sefer daha fazlasını yapma gereği. Bir de, kurbanların alnını asitle yakmak, diye ekledi daha da alçak sesle.

Genç müfettiş çok ağır bir yükün altında kalmış gibi içini çekti, sonra gözlüklerini çıkardı. Bütün bunların toparlandığı bir nokta olmalıydı. Katil neden ilk iki kurbanının kollarını kesmişti de, üçüncününkilere dokunmamıştı? Ya alnındaki asit?

Brolin şakaklarını ovdu ve anlama sürecini başlattı. Ona verilen gerçek raporlar ile empatiyi büyük bir beceriyle harmanlıyordu.

"Seri cinayetler işleyen bir katilin yaptıklarından hiçbiri tesadüfen orada bulunmaz, en zoru o hareketin katilin hayalinde tuttuğu yeri bulmaktır" diye düşündü genç müfettiş. "Belki de elleri fetişizm gibi bir takıntı nedeniyle kesiyor, sanki bir ganimet gibi saklamak için. İyi de, neden elleri? Ya kurbanlar... Kurbanlarını neye göre seçiyor, tesadüfen mi, yoksa belirli kriterlere göre mi?"

Kurbanlarının tümü "düşük riskli" diye tanımlanan genç kadınlardı; düşük riskli, çünkü hepsi de az veya çok sporcu görünüşlü, yani kendilerini savunacak durumdaydı ve hiçbiri kuşkulu mekânlara gidenlerden değildi. Kısacası, katil bu kadınları kaçırarak büyük bir gözü karalık göstermişti. Çıtayı yükseğe koyuyordu, sanki bir iddia gibi. Her kaçırmada tanıklar olabilir, kurban kendini savunmaya girişip, yoldan geçenlerin dikkatini çekebilirdi. Oysa bunlardan hiçbiri olmamış, her şey çabucak olup bitmişti.

Karşılarında kurnaz bir insan vardı; düzenli çalışan, sadist bir katil.

Brolin hiç güçlük çekmeden adamı kurbanlarıyla sohbet ederken, sonra onları korkutup yavaş yavaş ırzlarına geçerken gözünün önüne getirdi. "Belki de yakışıklı biridir, tıpkı Ted Bundy gibi karizmatik bir adam" diye düşündü Brolin. Ne var ki, cinayet dürtüleri üstün gelmeye başladığında, adam hükmetme hırsıyla yüklü, iktidar ihtiyacının acımasızlığa sürüklediği bir canavara dönüşüyor. Bu dürtü, adamı çekiştiren bu cinsel istek usulca başlıyor. Sonra sokakta ya da televizyonda gördüğü genç bir kadın adamda tahrik olmayı tetikleyen o şiddet duygusunu uyandırıyor. O zaman, ava çıkıyor. Belki de başını döndürecek muhtemel bir kurban bulamıyor, o zaman da araştırmalarını birkaç gün sürdürüyor. Bazen arzusu sönüyor ve adam daha sakin bir hayata dönüyor, ama isteğin kaybolmadığı ve bütün o ulaşılmaz kadınları görüp katlanarak arttığı zamanlar da oluyor. Böylesi durumlarda, içindeki düş kırıklığı ve kadınlara karşı beslediği hınç daha da büyüyor. Bunu onlara pahalı ödetecek. Sokakta, dergilerde, televizyonda, her yerde gördüğü bütün bu kadınların gözünde onun bir değeri yok, onlara istediğini yapamaz. Bekledikçe, kini daha da artıyor. Sonra birden, bir fırsat doğuyor ve bir süreden beri izlediği kadını (yoksa belirli bir bölgeyi mi izliyor?) uygun koşullarda buluyor. Heyecan doruktadır, kadını kıstıracak ve sonra... Sonra ona sahip olabilecektir. Kadını kaçırıyor ve rahatsız edilmemek için uzaklara götürüyor, belki de işkencelerini istediği gibi yapabilmesi için bir ini var. Başlangıçta, dehşet içindeki kurbanıyla eğleniyor, benliğini saran kin dürtülerine hâkim oluyor. Korkuyla oynuyor, kadının ırzına geçtiğinde onda yarattığı dehşeti belki gülerek ya da kurbanına vurarak yudumluyor. Sonra, biriktirdiği kin dalgaları yavaş yavaş taşınca, aşırı bir şiddet aşamasına giriyor ve darbeler yağıyor. Cesetlerde görülen izler bunlar. Kadın şiddetten ölüyor. O, şiddetten doyuma ulaşıyor.

– Neyse, Yüzbaşı Chamberlin tepeme binmeden ben işimin başına döneyim, dedi Salhindro ayaklanırken.

Düşüncelerinden birden sıyrılan Brolin dalgınca başını salladı.

– Seni habersiz bırakmam.

Salhindro çıkmadan önce ağır kemerini düzeltti.

Brolin yalnız kaldığında birkaç saniye boyunca kent merkezinin binalarını seyretti, sonra otopsi raporunu açtı.

Juliette acıyla yutkundu, boğazı ve başındaki ağrılar korkunç ıstırap veriyordu. Birkaç dakika önce, yavaş yavaş kendine gelmeye başlamıştı, derin bir paniğe kapılarak. Başlangıçta korkudan titremiş, gözleri yaşa boğulmuştu. Çevresini tanımaya başladıkça, karakteri onu sakinleşmeye zorlamıştı. Hiçbir şey yapamıyordu; arkasına kavuşturulmuş ellerini ve ayak bileklerini sıkı sıkıya saran ipler çok sağlamdı. En azından, saldırganın onu öldürmek istemediğini düşündü, yoksa bunu çoktan yapardı. Neden beklesin ki? Ama içinden bir ses fazla hayale kapılmamasını ve hemen başka bir şeyler düşünmesini buyurdu. Söylemesi kolay. Soğuk ve nemli toprağın üzerine uzanmış, derin bir loşlukta elleri ve ayakları bağlı, kendini çıldırmanın sınırında hissediyordu.

Bulunduğu yeri bakışlarıyla yeniden tarayabilmek ve kaçırdığı bir ayrıntı olup olmadığını anlamak için başını çevirdi. Kehribarımsı bir aydınlık duvarlara tehditkâr gölgeler gönderiyordu. Bulunduğu yer üç metreye dört metreden fazla değildi. Zemin topraktı, yer yer çukurlu, sanki böylesi bir işe pek uygun olmayan bir aletle kazılmaya çalışılmış gibi.

"Sanki ayaklarımla kazmak istemişim gibi!" diye düşündü. "Oh, hayır! Tanrım, bu düşündüğüm olmasın!"

Ama daha şimdiden içinde başka bir kurbanın hayali canlanıyor, o kadını korkudan tir tir titrerken, ayaklarıyla ahşap duvarın altından bir delik açarken, çılgınlar gibi debelenirken görüyordu. Juliette görüntüyü aklından kovalayabilmek için başını salladı, kloroform buğularını yeniden hissedince baş dönmeleri patlar gibi oldu. Sükûnetini yeniden bulmak ve ağrılarını hafifletmek için derin nefesler aldı.

"Sen iyisi mi, çevreyi incelemeye devam et, haydi, her şeyi görmeye çalış."

Duvarlar kapkaraydı: bir dağ kulübesininki gibi istiflenmiş kütükler... Odada tek bir eşya bile yoktu. Sadece bir köşeye yerleştirilmiş küçük bir mum insanın çevresini az da olsa görmesini sağlıyordu.

Juliette ürperdi. Hava serindi. Saatin kaç olduğunu bilmiyordu, zaman kavramını yitirmişti. Hâlâ gece olabilir mi? Mümkün, kütüklerin arasından bir parça bile ışık sızmıyordu. Birden, içini çok daha endişe verici bir düşünce kapladı. Çevreyi iyice tanıyabilmek için kendi etrafında yuvarlandı ve kuşkusu birden dehşete dönüştü.

Kapı yoktu.

Ne bir pencere, ne de herhangi bir başka geçit... Oda sıkı sıkıya kapalı görünüyordu; geniş bir tabut gibi.

"Bağırma, sakın bağırma" diyordu Juliette içinden, ama iradesinin sesi bile isterinin sınırındaydı. Saldırgan ağzına tıkaç tıkama zahmetine katlanmadıysa, korkacak bir şey yok demekti. Kuşkusuz herkesten uzak bir yerdeydi şimdi, yoksa ellerini ve ayaklarını bağlayan adam, şu ya da bu şekilde sesini kesmeyi ihmal etmezdi. Korkunun etkisiyle soluğunun kesik kesik çıktığını fark etti, paniğe teslim olmamak için insanüstü bir çaba harcadı. Daha birkaç saat önce Camelia'nın yanında keyifle oturuyor, şarap içip gülüyordu, oysa şimdi dünyadan uzak bir kulübede, tanımadığı birinin insafına terk edilmiş, hapisti. İçini keder kapladı.

Kimse nerede olduğunu bilmiyordu; kendisi bile. En kötüsü de, en ufak bir kurtulma çaresi olmadan, burada bulunmasıydı. Kendini hiçbir şeyin farkında olmaksızın yürürken, bir saniye sonra da boğulur gibi gördü, ardından elleri kolları bağlı olarak uyanışını hatırladı. Hayatı birden bir kâbusa dönüştü. Hiçbir neden olmaksızın hayattan koparılmış, bu tabuta tıkılmıştı. Şimdi artık korkularına derin bir adaletsizlik duygusu karışıyordu. Kimse bundan kaçınamaz, böylesi herkesin başına gelebilir; işten çıkarsın, yolunun üzerinde hasta biriyle karşılaştığının farkına bile varamadan, kendini dehşetin ortasında bulursun.

Juliette yüz çizgilerinin gerildiğini, gözyaşlarının tomurcuklandığını hissetti.

Sonra, ani bir hırs dürtüsüyle haykırarak doğruldu ve oturur durumda kalmayı başardı. Öfkesi ve hıçkırıkları dindiğinde, dikkatle çevresine bakındı. Sağında, üç metre ötede, toprakta bir delik vardı; tam duvar ile zeminin birleştiği yerde. Korkusunu bastırdı ve girintiye doğru sürünmeye koyuldu. Mum odanın bu bölümünü aydınlatamadığından, deliğin içini görebilmesi için yere uzanması ve kafasını eğmesi gerekiyordu. Bir basketbol topundan azıcık daha geniş olan delik, tıpkı bir tavşan yuvası gibi, duvarın altına doğru uzanıyordu. Deliğin zeminini kaplayan uzun ve paralel izleri görünce ürperdi. Paniğe kapılmış, tırnakları parçalanıncaya kadar toprağı kazan kadın görüntüsünü kafasından hemen kovdu.

Belki de, başını öbür tarafa uzatarak, dışarıyı görebilirdi! Ya da en azından nerede bulunduğunu, çevresinde neler olduğunu anlayabilirdi. Ama elleri arkasında bağlı, ayak bilekleri hareketsizken deliğin içinde kayar ya da kafasını kaldırmak için bir yere dayanamazsa, omuzlarına kadar duvarın altında, deliğin içinde kapana kısılmış gibi kalırdı. Alınabilecek bir risk.

Juliette bir tırtıl gibi sürünmeye başladı, duvarın altındaki karalığa daldı. Sırtüstü uzanabilmek için debelendi ve öte tarafı görebilmek umuduyla kafasını kaldırdı. Alnı taşa çarptı.

Öteki tarafta hiçbir şey yoktu.

Gerçek içine doğmaya başlayınca, titremeye başladı: zindanının ne kapısı, ne de penceresi vardı, duvarları da tonlarca kayayı gizliyordu! Toprağın altında hapisti; çıkışı olmayan bir dünyada, bir ölüm evreninde.

İçini yine korku kapladı.

Sonra, kısa bir gıcırtı odayı doldurdu. Yukarılarda bir yerde bir kapak açılmıştı.

"Tabiî ya! Tavanı unuttum!" diye haykırmak istedi Juliette. Karanlık, odanın o bölümünü gizlediğinden, tavandaki ayrıntıları görememişti. Odanın bir çıkışı olması fikriyle biraz rahatladı, dünyadan tümüyle koparılmış değildi, bir ortak nokta, bir kaçış imkânı vardı. Ne var ki, sevinci kısa sürdü. Sırtında bir kumaş hışırtısı duydu; herhalde bir kol ya da bacak hareketi. Yeniden paniğe kapıldı. Dapdaracık deliğe kafası ve omuzlarıyla sıkışmış, omuzlarının altında olan biten karşısında kör. Saldırgan hemen oracıktaydı, yanında, debelenişini büyük bir keyifle izliyor olmalıydı.

Ses ölümcül bir çan sesi gibi, tavandan geldi; bal gibi yumuşacık, fakat adlandırılamayacak bir acımasızlık yüklüydü:

– Vaktimiz geldi sevgilim.

Juliette delikten çıkabilmek için kıvrandı, panikle birlikte gözlerine yaş doldu, kasıp kavuran bir kasırgaya benzeyen dehşet yüzünün üzerine kapandı.

* * *

Joshua Brolin daha fazla sigara tüttürmemek için çay içmeye başlamıştı.

Aslında, gerçek bundan biraz daha değişikti ya, midesini kokulu sıcak suyla doldurduğunu görüp endişelenenlere böyle diyordu. Yaz sırasında, yani bundan iki ay önce, son Winston paketini atarken, bir yenisini almamaya yemin etmişti. İlk günler, kelimenin gerçek anlamıyla azap içinde kalmış, ciğerlerinin sütten kesilmiş çocuk gibi kavrulması yerine, sigara içmenin daha az zararlı olup olmayacağını merak eder olmuştu. Sonunda, uzun süredir sigara içen bir tiryakinin eksikliğini duyduğu şeyin sigaranın kendisi değil, parmaklarının arasında onun varlığı olmaksızın gündelik hareketleri yapamamak olduğunu çarçabuk anlamıştı. Günlük alışkanlıklara, bu kez boş bir elle yeniden başlamak gerekiyordu. Kolun ucunda tonlar ve tonlar çeken, alışılmadık kullanılabilirlikte bir el. Elinde sigarayla kahve içmesini, soluksuz kalmak ile kafein yanığının birbirini kovaladığı basit bir anı bile şiddetli stres krizlerine mal olmuştu. Brolin'in kahvenin tadına ancak nikotine boğulduğunda dayanabildiğini anlayabilmesi için otuz yıl beklemesi gerekmişti. Duman dozundan vazgeçebilmek için de kapuçinonun yerini çay almıştı. Mümkünse çok kokulu, kurutulmuş meyve bulmak zor olmasına rağmen; varsa yaban meyveleri tadında.

Sıcak çaydan bir yudum alıp, kalın fincanı otopsi raporunun karton kapağı üzerine bıraktı.

İşte o zaman gözü cesedin kaldırılmasından önce çekilmiş fotoğraflardan birine takıldı. Ceset çürümeye neden olan gazların ve suda geçirdiği sürenin verdiği zararlar yüzünden öylesine şekilsizleşmişti ki, resimdekinin genç bir kadın olduğuna inanmak gerçekten güçtü. Yüzü şişmiş, cildi kahverengi ve yeşile dönmüş; gözkapakları Texas cevizi kadar büyük, dudaklarsa sanki son bir öpücük vermek istemiş gibi şiş ve donuk. Nehirdeki birçok hayvan, kadıncağızın cesedi üzerinden kendilerine ziyafet çekmiş, çekerken de derisinde bir sürü kırmızı iz bırakmışlardı. Ceset sudan çıkarılalı yaklaşık iki saat olmuştu. Burun deliklerinde ve ağızda kahverengimsi köpükten mantarlara hiç rastlanmamıştı. Bu, Brolin'in diğer FBİ dosyalarından hatırladığı özel bir işaretti. Köpüğün kurbanın suyun içindeyken nefes almaya çabalaması sırasında oluşan bir hava, su ve balgam karışımı olması, o kişinin boğularak öldüğünün kanıtıdır. Ne var ki bu kurbanın üzerinde mantara rastlanmamıştı.

Sülükler.

Bu kez, kadıncağız aldığı yaralardan ölmemişti. Doğrudan yaralar yüzünden değil. Katil yöntem değiştirmişti.

Ama Brolin'in en çok ilgisini çeken, asidin alın üzerinde bıraktığı yıldız biçimindeki izdi. Asit ya da soda gibi, sönmemiş kireç gibi çok keskin, başka bir madde...

"Bunu neden yapıyor ki?" diye merak etti genç müfettiş. "Kurbanlarının alnını neden yakıyor? Yoksa bu törenin bir parçası mı? Elleri muhtemelen anmalık olarak kesiyor; daha sonra onlara bakarak, hatta belki de onlara dokunarak ya da biriyle oynarken diğerine kendini okşatıp onlardan yedek birer el gibi yararlanarak, yaptıklarının zevkine varmak için. Bu oldukça mümkün de, peki, neden son kurbanının ellerini kesmedi? O kurbanın diğerlerine göre ne özelliği var?"

Bu son kurban Brolin'in gözüne farklı görünmüştü. Katil kadıncağıza öldürünceye kadar işkence yapmamıştı, ama yavaş yavaş boğulmasını beklemesi de pek tercih edilir gibi değildi.

Brolin içinde çay kalıp kalmadığını anlamak için fincanını eline aldı. Boşalmıştı. "Aynı kafam gibi" diye düşündü, bir taraftan da çaydanlığı nereye bıraktığını araştırırken.

Soruşturma, aralarında laboratuvar teknisyenleri, ceset üzerinde çalışan ve en ufak bir ayrıntıyı bile konuşturmaya çabalayan Adlî Tıp uzmanı ve kurbanlar hakkında ne kadar bilgi varsa toplamakla görevli on kadar kişiyi kapsıyordu. Oysa hâlâ ellerinde bir şüphelinin gölgesi bile yoktu. Brolin bölgedeki tüm psikiyatri kliniklerinde araştırmalar yaptırmıştı, ama son on iki ay boyunca o kliniklerde kalan hastalardan hiçbiri aradıkları katilin profiline uymamıştı. Bu aslında muhtemel bir şüpheliyi yakalamaktan çok, üstlerini sakinleştirmeye yönelik aldatıcı bir yöntemdi.

Birinci kurbanın üzerinden eser miktarda sperm almayı başaran uzmanlar, böylelikle katilin genetik mirasını ellerine geçirmiş oldular. Oysa veritabanlarındaki izlerle yapılan karşılaştırma hiçbir sonuç vermedi, adam henüz fişlenmemişti.

Brolin çaydanlığı dosyalarla dolu bir etajerin üzerinde bulunca kalktı, fincanına doldurduğu çayı küçük yudumlarla içti.

FBI'de geçirdiği iki yıl boyunca, cinayetin verilerini inceleyerek katilin psikolojik profilini çıkarmayı öğrenmişti. Ne var ki ceset suda uzunca bir süre kaldıktan sonra bulunduğunda, bu "sanatın" çok önemli bir güçlüğü çıkıyordu. Vücudun pozisyonundan bir sonuç çıkarmak imkânsız olduğu gibi, katilin cesetten kurtulmadan önce gezindiği yerleri incelemek de söz konusu değildi. Suda yüzen bir ceset, suya atıldığı yerden kilometrelerce ötede bulunabilirdi. Üstelik, sudaki yolculuğu tüm izleri, sperm kalıntılarını, kan izini, katile ait saç tellerini de yok ediyordu... En azından böylesi bir yöntem belirli bir kurnazlığı kanıtlıyordu: bütün bunları yapan, yakalanması için en ufak bir ayrıntının bile göz önünde bulunduralacağını biliyordu. Adam düzenli ve akıllıydı.

Brolin katil hakkında notlarla doldurduğu karatahtaya yaklaştı. Zaman kaybetmeden, bu üçlü cinayet konusunda aldığı bütün önemli notların sentezini yapmak istiyordu.

Yüksek sesle, tümdengelim yoluyla öğrendiklerini saymaya başladı:

– Katil beyaz biri; seri cinayetler işleyen bir kişi hemen her zaman kendisiyle aynı ırktan olanları hedef alır. Görülen şiddet uzun zamanda geliştirilmiş, ama genellikle iyi dizginlenmiş fantezilerin kanıtı; adam göze çarpmadan riskler alıyor. Üstelik, kurbanına onunla cinsel ilişkiye girebilecek derecede hâkim. Daha da kötüsü, kolların üst bölümlerinde görülen ve kendini savunmaya bağlı sayısız hematom ve bereler, adamın birleşme sırasındaki hırsının göstergesi; ben şahsen, ırza geçme sırasında işkenceye yönelik hareketler olduğuna da inanıyorum; böylesi bu gibi kişiliklere çok uygun. Demek ki, adamımız dürtülerini belirli bir aşamaya kadar denetleyebilecek yaşta, yani oldukça olgunlaşmış biri. Oysa kullandığı şiddet yıllar boyunca bastırmayı başardığı kin ve nefretin belirgin özelliği. Ne var ki bilgisayarlarda buna benzer durumlar görülmüyor.

Brolin soruşturmayla görevlendirilir görevlendirilmez, iki cinayetle ilgili verileri FBI'nin VİCAP⁴ programına aktarmıştı. Bu programın görevi Amerikan topraklarında işlenen ve şiddet içeren tüm suçlarla ilgili bilgileri toplamak ve her türlü araştırmaya izin verecek bir veritabanı oluşturmaktı. Bu şekilde, eğer bundan iki yıl önce İllinois'te kurbanlarının ellerini kesen bir katil görülmüşse, VİCAP programı Brolin'in derhal durumdan haberdar olmasına ve katilin eyaletten eyalete gezerek geçtiği yolu belirlemesine imkân tanıyacaktı. Ne var ki, programda bir "el kesici"yle ilgili hiçbir veriye rastlanamamıştı.

Brolin karatahtaya çiziktirdiği yaş makasının çevresini çerçeveledi. Yirmi üç ile yirmi sekiz arası.

"Yirmi üçe daha yakın derim ben; yirmi beş. Cinayetleri kafasında uzun uzun tekrarlamak için istediği kadar zamanı olduysa da, yıllardır kendini frenlemiş olması imkânsız. Oldukça sportmen ya-

---

4. "Şiddet Suçları Kayıt Programı" anlamında, açılımı "Violent Criminal Apprehension Program" olan ve Ulusal Şiddet Suçları Analizi Merkezi (National Center for the Analysis of Violent Crime-NCAVC) ile FBİ arasında bağlantı sağlamak üzere oluşturulmuş bir soruşturma destek programı.

pılı kadınlara hâkim olduğuna göre, güçlü bir vücuda sahip. Hedef-
ledikleri, düşük risk grubuna giren kurbanlar: örneğin, bir fahişe-
nin aksine, kişilikleriyle, çevreleriyle ve meslekleriyle tehlike kay-
nağı olamayacak insanlar. Ve yine bilinenlere dayanarak, kurban-
ların risk derecesi yüksek mekânlardan kaçırıldıkları belli: biri var-
lıklı bir mahallenin oldukça kalabalık bir caddesinden, diğeri göz-
de ve kalabalık bir gece kulübünün otoparkından. Oysa her ikisin-
de de tanık yok. Adam riske giriyor, kumar oynuyor. Anlaşılan,
kendinden oldukça emin ve düzenli. Kaçırma işini çok önceden
planlamış olmalı. Güçlü bir stresin pençesinde olmasına rağmen
kendisinden öylesine emin ki, ona bir şey olamayacağını düşünü-
yor. Zaman geçtikçe daha fazla riske girecek ve hata yapacak. İyi
de, bunun için kaç kurban gerekecek? Risk derecesi düşük bir me-
kânda, risk derecesi düşük bir kurban: bu da belirli bir tecrübenin
işareti. Dürtüleriyle hareket etmiyor, durumdan çok büyük bir he-
yecan çıkarıyor olmalı; buna rağmen soğukkanlılığını koruyor.
Onun için asıl önemlisi, kurbanına yaklaşma aşaması; tavlama dö-
nemi de büyük bir keyif kaynağı. Kadına ne diyeceğini düşünürken
bile onunla konuşuyor, zavallıyı kandırmaya çalışıyor olmalı. Kur-
banı üzerindeki hâkimiyetini bu aşamada gösteriyor kuşkusuz."

Müfettiş karatahtaya "25 yaşında + veya –" yazdı.

Bütün bu bilgiler daha şimdiden üzerinde çalışılacak izlerdi ve
Brolin'in tavsiyelerine uyularak gece kulübünde çalışanlar ile ku-
lübün müdavimlerini sorgulamak için saatler tüketilmişti. Ne var
ki bütün bu gayretlerden hiçbir şey çıkmadı.

Uzakta, başka bir odada, adamın biri suçlandığı için isyan edi-
yor ve masum olduğunu haykırıyordu. Brolin çayını bitirdi ve ma-
sasının başına oturdu.

"Bahse girerim ki bu alçak, kurbanlarını tavlamaktan ya da en
azından onlarla konuşmaktan büyük zevk alıyor. Buna ek olarak,
cinayetlerini belirgin aralıklarla işlemiyor. İlk iki cinayet arasın-
da beş, ikinci ile üçüncü arasındaysa iki hafta var. Hızlanmış, iki
cinayet arasındaki süre azalıyor."

Bunu düşününce, Brolin içinin daraldığını hissetti. Bütün bunla-
rın hiçbir anlama gelemeyeceğini biliyordu, seri cinayetler işleyen
katiller kısa sürede üst üste bir sürü cinayet işleyebilir, sonra da
"dinlenmeye" çekilebilirlerdi. Bir de, tutuklanmaları ya da ölümle-
riyle sona eren karşı koyulmaz bir tutkunun pençesinde, giderek
sıklaşan aralıklarla öldürenler vardı. Tek isteği, her şeyi düzenle-
mek, aklındakileri denemek için yeterince zamana sahip olmaktı.
En ufak ayrıntıları süzgeçten geçirmek ve o hasta herifi yeni bir ci-

nayet işlemeden kıstırabilmek için zamana ihtiyacı vardı.

Bir de, şu sudan yararlanarak cesetlerden kurtulmak alışkanlığı...

"Alçak herif peşinde olduğumuzu biliyor, çok iyi biliyor ve yakalanmak istemiyor, çünkü bunu bir daha yapacak, bir daha ve yine bir daha, yine öldürecek, çünkü buna ihtiyacı var."

Brolin derin bir öfkenin pençesinde, başını ağır ağır salladı.

Son kurbanın fotoğraflarını incelerken telefon çaldı.

– Müfettiş Brolin, dedi ahizeyi kaldırıp.

– Joshua, ben Carl. Elimde seni ilgilendirecek bir şeyler var. Anatomopatolojik incelemelerle ilgili.

Carl DiMestro Kriminal Polis Laboratuvarı'nda çalışıyor, görkemli binada Adlî Tıp doktorlarının da yardımıyla, geçici olarak Biyoloji Bölümü'nün yöneticiliğini yapıyordu.

– Kurbanın kimliği belirlendi mi? diye sabırsızca sordu Brolin.

– Hayır, ama diş verileri üzerinde çalışarak kimliğini belirlemeye çalışıyoruz. Öte taraftan, ilgini çekecek bir şey var. Dokularında diyatome buldum.

– Ne buldun, ne buldun? dedi Brolin, Quantico'daki kriminalistik derslerini hatırlamaya çalışarak.

– Diyatome. Tuzlu olsun, tatlı olsun, bütün durgun ya da akarsularda bulunan silisli, mikroskobik bir yosun türü. Kadıncağızın ciğerlerinde su vardı, ama bu bize fazla bir şey anlatmıyordu; oysa mikroskobik inceleme sırasında ciğerlerin, karaciğerin ve kalbin dokusunda diyatomeler belirledik. Demek, kurban ölmeden önce solukborusundan su yutmuş. Böylelikle, soluksuz kalma teşhisine bir de suda boğulma gerçeği ekleniyor; kadının sülüklerce soluksuz bırakılarak öldüğü doğru, ama katil kurbanının kafasını suya batırarak işi hızlandırmak istemiş. Her şeyden önce, kesin olan bir şey var: ciğerlerdeki musluk suyu değil, florası ve faunasıyla doğal ortam suyu.

Brolin izlenecek yol için ipucu olabilecek sağlam bir açıklama bekliyordu. Oysa duyduğu Portland Celladı'na özgü bir barbarlık, vahşet, *ante mortem* bir işkenceden başka bir şey değildi. Biraz umudu kırık, sessizce onaylamakla yetindi.

– Hepsi bu kadar değil, diye sözünü sürdürdü Dr. DiMestro, bu yosunlar bize çok ilginç şeyler anlatabilir.

Brolin soruşturmayı ileriye götürmese de her türlü mikroskobik ayrıntı karşısında keyfe gelen Carl DiMestro'dan çekinirdi.

– Diyatomelerin alındıkları yerlere bağlı olarak birbirinden çok farklı ve orijinal yapılara sahip olduklarını söylemem gerekir.

– Dur bir dakika, diye sözünü kesti Brolin, yoksa kurbanın bulunduğu nehirle, yuttuğu suyun aynı yerden gelip gelmediğini anlamak mümkündür mü demek istiyorsun?

– Diyatomeleri inceleyerek, evet. Oysa elimizdeki durumda, dokularda belirlenen diyatomeler, cesedin bulunduğu yerden aldıklarımızın benzeri değil. Kurbanın, cesedinin bulunduğu yerde boğulmadığını kesinlikle söyleyebilirim. Daha da iyisi sana yüzde 70 ihtimalle ciğerlerindekinin Tualatin suyu olmadığını da söyleyebilirim, dokularda bulduğumuz diyatomelerin yapısı nehirdekilerin yapısından oldukça farklı.

Carlo DiMestro içinde büyük bir yorgunluğun fark edildiği, özenli bir sesle konuşuyordu.

– Söylesene, eğer Tualatin Nehri'nin yakınındaki bütün akarsulardan ve göllerden su örnekleri alınsa, kıyaslama yaparak kadının nerede boğulduğunu kesin olarak belirleyebilir misin?

Doktor en ufak bir tereddüt bile etmeden, belirleyebileceğini söyledi. Sesinin tonu değişmiş, çok daha ciddileşmişti:

– Asistanım Peter'la birlikte Portland'ın güneyine gittik ve Tualatin Nehri'nin en az otuz kilometre yakınından geçen bütün göllerden, birikintilerden ve akarsulardan alabildiğimiz kadar örnek topladık. Diyatome kıyaslaması sonunda netice verdi. Kadının yuttuğu suyu buldum. Stafford'ın güneydoğusunda, küçücük bir gölcük.

Brolin'in sanki sesi kısılmıştı. Başlangıçta umudu kırılmışken, şimdi şaşkınlık içindeydi. İki laboratuvar çalışanının bu kadar kısa zamanda tamamladıkları karıncavarî çalışma gerçekten de tutarlıydı.

– Ama... Emin misin? diye kekeledi.

– Yüzde 95 eminim.

– Bu inanılmaz bir şey Carl, harika bir iş, gerçekten. Şimdi artık biraz dinlenmeye çalış, bunu çoktan hak ettin.

– Doğrusunu istersen, bütün gece uyumadım. Dün bütün gün, akşama kadar örnek topladık, sonra da, bugün öğleden sonraya kadar analizleri yaptık. Talihimiz varmış, o gölcüğe rastladık. Ormanların arasında kalmış, gözden uzak bir yer, bölge haritalarında küçücük bir nokta. Sana vardığım sonuçlar da dahil, eksiksiz bir dosya hazırlıyorum.

– Git birkaç saat uyu, dosya yarına da kalabilir. Bu arada, bana gölcüğün adını ver, hemen gidip bir göz atmak istiyorum.

Brolin, Carl DiMestro'yu başardığı iş için bir kez daha kutladıktan sonra telefonu kapattı. Tüm hızıyla düşünüyor, kriminoloji becerilerini elindeki dosyadan bildikleriyle birleştiriyordu.

Ceset bir yerden başka bir yere taşınmıştı, bu da dudaklarda mantar olmamasını açıklıyordu. Nehir suyu mantarları yıkayıp yok etmişti.

İnsan bir cesedi sebepsiz yere taşımaz. Bir katil, esaslı bir nedeni olmadan bir cesedi bir yerden başka bir yere götürmez. Genç kadını bütün gözlerin uzağında bir gölcükte boğduktan sonra, cesedi başka bir akarsuya atmak için kilometrelerce taşımak, böylece yakalanma riskini daha da artırmak, neden? Neden cesedi ormanın ortasında, birinin bulabilmesi için çok zaman geçmesi gereken o gölcükte bırakmadı?

Çünkü o gölcükle katil arasında bir bağ var! Çünkü biri, diğerini çağrıştırıyor.

Boşverilmeyecek bir ipucu.

Joshua Brolin ayaklandı, ceketini aldı, Cinayet Soruşturmaları Müdürlüğü santralının dört rakamlı numarasını tuşladı. Bir kadın cevap verdi.

– Cathy, ben Müfettiş Brolin. Clackamas bölgesi şerifine onunla konuşmaya geldiğimi bildirin ve Stafford girişinde beni bir arabanın beklemesini söyleyin. Teşekkürler Cathy.

Sonunda bir ipucu yakalamıştı. Tam da FBI'de eksikliğini çekeceği gibi, onu sahaya çeken bir ipucu. Belki de günün birinde, bürodaki başarısızlığını hayatta başına gelebilecek en iyi şey olarak görecekti, kim bilir?..

Soruşturma ilerliyordu, Brolin bürosundan çıkarken içini bir heyecan kapladığını hissetti. İyi bir iz sürdüğü, yakında bir şeyler olacağı duygusu yüreklendiriciydi.

Gelişecek olayları tahmin etmekten uzaktı.

Derinden derine homurdanan dehşeti de.

* * *

Juliette paniğin pençesinde, çılgınca debelendi, kasıldı, sıkışıp kaldığı delikten bir an önce çıkabilmek için kısa hamlelerle sürünmeye çalıştı. Sırtında bir şeyler hareket ediyordu.

Birkaç saniye sonra, kendini kafası karanlık deliğin dışında, yatar halde buldu. Sırtüstü döndüğünde, tepesine dikilmiş, onu seyreden ürkütücü gölgeyi gördü. Karanlık, adamın çizgilerini seçmesini engelliyordu, ama üzerinde bakışlarını hissediyordu.

– Genellikle, böylelerini seçmem, dedi yavaş ve kendinden emin bir ses.

Juliette, korku içinde, kıpırdamadan kalmıştı; kaçıp kurtulmayı bile düşünemiyordu.

– Ama buradaki son sevgilim temiz değildi.

Sanki çok büyük bir önemi varmış gibi, "sevgili" sözcüğünü özellikle vurgulamıştı.

– Tamam, biliyorum, benim hatamdı. Gidip, önüme ilk çıkan yerdeki kadınlara asılmamam gerekirdi. İnsan bir gece kulübünün otoparkında kız tavlamaya kalkarsa, iyi biriyle karşılaşmayı beklememeli. Apaçık, belli.

Adam onunla aynı odada bulunduğu andan beri, ilk kez arkasındaki ince uzun şeyin ne olduğunu anlamak için dikkatlice baktı Juliette. Bir merdiven. En az iki metre yukarıdaki kapaktan inen bir merdiven.

– Seninle, başıma aynı şeylerin gelmeyeceğini biliyordum. Birbirimizi tanıyoruz, iyi bir kız olduğunun farkındayım.

Juliette gırtlağında top gibi bir şey hissetti, yine de konuşmaya çalıştı. En önemlisi, zaman kazanmaktı, herif keçileri kaçırmıştı, genç kadın adamın tek başına konuşmasına kesinlikle izin vermemek gerektiğini düşündü. Kelimeler ağzından zorlukla çıktı, kısık sesle, güçlükle telaffuz edilmiş gibi:

– Ne... Ne istiyorsunuz?

Adam sanki konuşma yeteneğine sahip bir yaratıkla karşılaştığına şaşırmış gibi, aniden doğruldu.

– Ama bunu iyi biliyor olmalısın, dedi birkaç saniye sonra, sana internette de söylemiştim, "Seni tanımak istiyorum" demiştim.

Juliette irkildi. Beynini dolduran kargaşa onlarca düşünceyi, görüntüyü ve çağrışımı birbirine karıştırdı. Sonra içinde bir isim donup kaldı.

Oberon.

– Bana her zaman iyi davranmadın, dedi adam kasıntılı bir sesle, ama bunu telafi edeceğiz.

Usulca yaklaştı. Juliette duvara yapışarak dertop oldu.

– Hayır, hayır, hayır, dedi adam kafasını ciddiyetle sallayarak. İyi davranmamı istiyorsan, uslu olman gerek. Yoksa, seni cezalandırmak zorunda kalırım.

Sesi, Camelia'nın evinden çıktığında onu evine bırakmayı öneren adımınkinin aynısıydı. Oysa o sırada çekici olmak istiyordu, şimdiyse sesi tehdit ile çılgınlık arasında bir yerdeydi. Aynı adam olduğundan en ufak bir kuşkusu yoktu. Aynı atletik siluet, aynı ses tonu.

Adam eğildi, Juliette'i omuzlarından kavradı. Juliette tıraş losyonu kokusunun burun deliklerine dolduğunu hissetti.

– Karşı koyma, canını acıtmayacağım.

Bir anda genç kadını kaldırdı, merdivene doğru taşıdı. Juliette debelenmek üzereydi ya, adamın sesinde bir şey direnmemesi gerektiğini söylüyordu sanki. Sesin tonundan, itaat etmezse canının yanacağı anlaşılıyordu. Bu bir şaka değildi, üstelik karşısındaki adamın para kazanmak için adam kaçıranlarla en ufak bir benzerliği de yoktu. Bu daha başka bir şeydi, çok daha sinsi, derinde yatan bir acı verme kararlılığı. Juliette iç karartıcı düşüncelerin elinden kurtulmaya çalışıyor, mutlaka söyleyecek ya da yapacak bir şeyler olabileceğini düşünüyordu, zaman kazanması gerekiyordu.

Adam onu merdivenin dibine bıraktı.

– Kımıldama.

Yukarı çıktı ve bir makaranın ipinin ucuna bağlı çengel gibi bir şey indirdi. Mumun alevinde parıldayan, madenî bir kanca.

– Bana ne yapmak istiyorsunuz? diye usulca sordu Juliette, sesinin korkuyla titremesini engelleyemeden.

Hemen cevap vermedi, ipi yöneltmekle meşguldü. Sonra indi, kancayı Juliette'in bağlarına taktı. Her şey kusursuzca düzenlenmişti. Juliette kendini bir fabrikanın dişlileri arasındaymış gibi hissediyordu. Sanki her şey bin kere tekrarlanmış bir sahneden biriydi: işkencecisinin hareketlerindeki akıcılık, yerin altında hazırladığı oda, amacını gerçekleştirecek makara ve kanca.

"Sanki bunları alışık hareketlerle yapıyormuş gibi" diye düşündü Juliette, içini bir dehşet dalgası sararken. Adam kancayı arkasındaki iplere takarken cevap verdiği sırada, Juliette ensesinde sıcak bir nefes hissetti.

– Seni ne kadar sevdiğimi göstereceğim...

Ondan sonra her şey anlatılamaz bir kâbusa döndü. Buradan asla canlı çıkamayacağını düşünüyordu.

Bu korkunç zindan bir mezbahadan başka bir şey değildi.

Clackamas bölge şerifi yanında bir yardımcısıyla birlikte gelmişti. Joshua Brolin kendi yetki alanı dışındaki ziyaretinin amacını açıklamış, sonra da birlikte güneydoğuya, Stafford ormanına yollanmışlardı. Oradan Brolin'in emektar Mustang'inin geçmekte zorlandığı dar ve virajlı bir patikaya sapmışlar, sonunda da ormanın ortasındaki gölcüğe varmışlardı. Yaklaşık yüz metre uzunluğunda, her tarafı otlarla, yukarıya doğru açılarak uzamış sazlarla çevrili, fazla derin olmayan küçük bir su birikintisi.

Oraya vardıklarında, çevrenin ıssızlığı ve sükûneti Brolin'i çarptı. "Hiç kimseye görünmeden cinayet işlemek için kusursuz bir yer" diye düşündü.

Öyleyse cesedi Tualatin Nehri'ne kadar neden taşıdı?!

Anlamsız. Katilin tüm yaptıkları belirgin bir özdenetimin ve zekânın göstergesiydi, oysa cesedi burada bırakmak varken, yakalanma tehlikesine neden atılsın?

– Çok kişinin geldiği bir yer midir? diye sordu, ağaçların dibini araştıran şerife.

– Yok, hayır, belki işten hiç anlamayan birkaç balıkçı; yoksa burada balık yoktur. Arada sırada bazı gençler akşam gırgır, şamata yapmak için gelirler, hepsi bu. Bölgenin meraklıları daha çok Washington Park'a gider.

Brolin başını salladı. Gölcük, cesedi bırakmak için kusursuz bir yerdi. Yapılanlar, katilin profiliyle uyuşmuyordu. "Bir açıklaması olmalı" diye düşündü Brolin, "katilin cesedi taşıma riskini haklı gösterecek bir ayrıntı olmalı."

– Bunun son günlerde işlenen cinayetlerle ilgili olduğunu söylemiştiniz, dedi şerif, Portland Celladı'yla ilgili. Yoksa buraya geldiğini mi düşünüyorsunuz?

– Onun gibi bir şey, diye homurdandı müfettiş.

Aldığı cevaptan hiç de tatmin olmayan şerif, sanki bir geminin gelmesini bekliyormuş gibi suyun yüzeyine bakarak uzaklaştı. Yardımcısı biraz geride bekliyordu, o ana kadar söylenenlerden hiçbir şey anlamamıştı.

Brolin çevreyi görmek için gölcükten uzaklaştı. Bu arada, ormanın içine de göz gezdirirken bakımsız bir patika gördü. Şerif yüz metre ötede, karşı taraftaydı, Brolin adamın dikkatini çekmek için bağırdı:

– Burada bir yol var. Biliyor muydunuz?

Şerif işaretle duymadığını belirtti, ağır adımlarla Brolin'in yanına doğru yürüdü. Brolin adamın genç ve sağlıklı olduğunu, söylediklerini duymazdan geldiğini düşündü, ama üzerinde durmamaya karar verdi. Şerif yanına vardığında, sorusunu tekrarladı.

– Oh, basit bir patika, belki de avcılar açmıştır.

– Burada avlanmaya izin var mı?

– Hoş görülüyor diyeyim, daha doğru olur. Buralarda orman bekçisi yok, ne demek istediğimi anlıyorsunuz değil mi? Benim de böyle bir ormanı korumaktan çok daha önemli işlerim var!

– Bu civarda oturan kimse yok mu?

– Yok, burası Tanrı'nın unuttuğu bir yer, fikrimi sorarsanız kimse böyle bir izbede oturmak istemez. Üstelik çok da bakımsız, dedi şerif, kafasının üzerindeki şapkasını düzelterek.

Brolin bakışlarıyla bir süre patikayı, sonra da ormanın kıyısını taradı. Orman sıktı, çeşitli türden ağaçlarla doluydu. Ağaçlar çalılıklara, böğürtlen çitlerine, ağır ağır çürümeyi bekleyen yıkık kütüklere karışmıştı.

Bir yırtıcının tiz sesi, ağaçların ötesinden yankılandı. İki adam başlarını aynı anda kaldırdılar.

Tepelerinde uçan şahinin siluetini görünce, şerif eliyle çenesini sıvazlayıp mırıldandı:

– Şimdi hatırladım, ormanda yaşayan biri var gerçekten, buradan pek uzak sayılmaz.

Brolin şerife döndü:

– Onunla tanışmak işime yarayabilir, birkaç soru sormak isterdim, dedi. Adı neydi?

– Leland. Leland Beaumont. Çok sessiz biri olduğu için, daha önce aklıma gelmemişti. Sadece şahini görünce hatırladım. Şahinlere bayılır. Aslında her türlü yırtıcıya; sanırım besledikleri de var. Hayvanları çağırmak için düdükler, çığırtkanlar kullanıyor.

– Islıkla, diye düzeltti ses çıkarmadan yanlarına gelen şerif yardımcısı. Yırtıcı kuşları ıslık çalarak yetiştirir.

– Bu konuda epey şey biliyor gibisiniz. Leland Beaumont'u tanıyor musunuz? diye sordu Brolin.

– Pek tanıyorum diyemem. Kuşlarıyla birlikte tarlalarda birkaç kez gördüm, çiftçiler şikâyet ettiklerinde onu tarlalardan çıkarmak bana düşüyor.

– Şu sizin Leland, neyle geçiniyor?

– Bir sürü ufak tefek iş. Ama asıl merakı, yırtıcı kuş yetiştiriciliği ve heykeltıraşlık.

Afallayan Brolin sorularını sürdürdü:

– Heykeltıraşlık mı? Peki, neyi tıraşlıyor?

Şerif yardımcısı omuzlarını kaldırdı:

– Pek bilemiyorum, Dediklerine göre, saçma sapan bir şey, anladığım kadarıyla ellere tutkunmuş.

Brolin donup kaldı. Şerif ve yardımcısı sanki hayalet görmüş gibi suratına bakıyorlardı.

– Ne oldu, iyi misiniz müfettiş?

– Beni şu Leland Beaumont'a götürün, bir de ikinci bir araba isteyin. Bana kalırsa, bir şeyler bulduk.

Şahin ağaçların üzerinden tiz bir çığlık atıp, hemen kayboldu.

Makara son bir kez gıcırdadı ve kaslı bir kol Juliette'i blucininden kavradı. Genç kadın titriyordu. Adam kancayı iplerden sökmek üzereyken, birden durakladı. Kadının gömleğinin altındaki vücudunun ürpertilerini hissediyordu. Yavaş bir hareketle elini uzattı, usulca Juliette'in beline koydu. Kadıncağız irkildi, şaşkınlıkla inlemeyi engelleyemedi. Hâlâ titriyordu. Adam elini yine usulca hareket ettirdi, omurga boyunca yükseldi ve kürekkemiklerinde durdu. Juliette'in güçlükle yutkunduğunu duydu. Adı İştar'dı. Ona öyle demişti. İnternetteki bütün o sohbetleri bu anın, karşılaşmalarının girizgâhıydı. Ve şimdi, birbirlerini gerçekten tanıyacaklardı. Biri, diğerini. Biri, ötekinin içinde. Espriyi düşündüğünde içindeki adrenalinin yükseldiğini, kamışının sertleştiğini hissetti. Titremeler daha zayıftı, ama hâlâ hissediliyordu.

– Korkuyor musun? diye sakince sordu.

Juliette cevap vermeden önce birkaç saniye geçti:

– Evet... Size bir şey yapmadım... dedi mırıldanır gibi.

Erkeğin yüzünde bir tebessüm belirdi:

– Yaptın, yaptın.

Sesi yumuşak ve çok sakindi. Oysa Juliette kendini kandırmadı. En kötüsünü yapmaya hazır gibiydi, sesi doğallıktan uzak, oyun oynar gibi.

– Bilgisayarımın ekranında gördüğüm o cümlelerle beni baştan çıkardın, diye itiraz etti. Gelip seni kaçırmamı isteyen sendin. Ben senin prensinim.

Artık hiçbir kuşku kalmamıştı. "Bu adam gerçekten kaçık" diye düşündü Juliette. "Hasta bu."

Elini sırtından çekince, Juliette odanın zeminine yığıldı. Tezgâhları aletlerle kaplı, uzun ve loş bir salon. Birkaç metre ötede park edilmiş bir pikap. Bir putrele asılmış iki garaj lambasının yaydığı ışık atölyenin hemen her köşesine yerleştirilmiş tuhaf süslerin üzerinde yansıyordu. Eller. En az otuz tane vardı, insanın içinden "kalıp" demek geliyordu ya, bazıları kalıptan çıkmışa benzemiyordu, çok kabaydı. Bütün bu eller kilden tıraşlanarak yapılmış, her biri birbirinden farklı pozisyonlarda donup kalmıştı.

– Biliyor musun, ikimiz için nefis bir yemek hazırladım. Biraz şarap bile var.

Juliette adamı görebilmek için başını çevirdi.

Oydu, evet, ona yardım etmeyi öneren adam. Tek farkı, şimdi adamda hiçbir çekicilik bulamıyordu. Taranmamıştı, saçları tıpkı inatçı başaklar gibi, kafasının üzerinde dikiliyordu. Tıraş da olmamış, üzerine önü fermuarlı basit bir tamirci tulumundan başka bir şey giymemişti.

Juliette'in ona baktığını görünce, yumuşak bir sesle özür diledi:

– Biliyorum, insan içine çıkacak durumda değilim, ama bu akşam için her şeyi hazırlayacağım. Kıyafetime gelince, üzgünüm ama bu şey için en uygunu... Şey işte, canım, ne demek istediğimi anlıyorsun işte...

Ağzını iyice yayarak gülümseyince, Juliette dehşetten kanının donduğunu hissetti. Daha da kötüsü, adamın tulumun üzerinden bacak arasını okşadığını gördü. Bakışı soğuk ve acımasızdı; Juliette o an adamın kendisiyle eğlendiğini anladı. Gerginliği usul usul yükseltmekten, fısıldar gibi bir sesle konuşmaktan zevk alıyordu. Onunla, kedinin fareyle oynadığı gibi oynuyordu.

– İnsanın bu günlerde internette neler yapabileceği akıl alır gibi değil. Birkaç el kitabı sayesinde, insan istediği her şeyi bulabiliyor; tanrıça adlarını bile, dedi kusursuzca dizili, hatta lüzumundan fazla düzgün dişlerini göstererek.

Kafasını yatırdı, gözlerini genç kadının ellerine dikti:

– Ama her şeyden önce, bana bir hatıra ver, dedi Juliette'i odanın ortasına çekerek.

Zemine tutturulmuş halkalardan geçen zincire uzanıp, tutsağının ellerine ve ayaklarına dolamaya başladı. Bunun için, Juliette'in bağlarını çözdüğünde, genç kadının içinden debelenip kaçmak düşüncesi geçti. Ama kollarındaki acı, onu büyük bir güçle sarstı. Her şeye rağmen, kalçasını zincirden kurtarmayı başardı, çevik bir bel hareketiyle doğrulmaya çalıştı. Böbreklerinin üzerine şiddetli bir yumruk yiyince bir çığlık attı ve soğuk betonun üzerine yığıldı. Birkaç saniye sonra, yüzükoyun yatıyordu, yeniden zincirlenmişti, bu kez yerdeydi ve kolları ile bacakları açıktı.

– Artık çıktığım kızlara dikkat ediyorum, dedi adam, sanki sakince sohbet eden iki eski dostmuş gibi. Biliyor musun, sonuncusu şırfıntının tekiydi, küçük bir amatör orospuydu.

Daha fazla açılmaktan çekinir gibiydi.

– Beni fazla para almadan, emeceğini söyledi. Sen böyle bir şeyi normal mi buluyorsun?

Buz gibi zemine uzanmış Juliette bir yandan da işkencecisini izlemeye çalışıyordu. Ne var ki adam görüş alanının dışına çıkıp, kayboldu. Hâlâ odada olmalıydı, çünkü genç kadın yakında bir yerden gelen düzenli soluklarını ve madenî bir şeyden gelen sürtünme sesini duyuyordu.

Uzun merdivenin dibinde, bir şeyle uğraşıyor olmalıydı. Birkaç saniye sonra, ellerini ovuşturarak, Juliette'in sağında belirdi.

– Tabiî, istemedim. O orospuyu demek istiyorum. Tezgâhın

üzerinde sıralanan kilden yapılmış ellere hayranlıkla bakabilmek için, bir süre durakladı. Koleksiyonum için bile. Hay Allah, unutuyordum!

Etajerlerden birinin üzerine eğildi ve toz içinde kalmış eski bir kasetçaları çalıştırdı. Atölyenin içini barok müzik doldurdu. Adam sonra döndü ve gölgelerin içinde kayboldu. Juliette'in yanına vardığında, ellerinde korkunç duman çıkaran iki ütü vardı.

– Dağlamak için. Yoksa bayılır, bir daha da hiç ayılmazsın. Halbuki sana biraz önce de söylediğim gibi, birlikte akşam yemeği yiyeceğiz.

Juliette iki ütünün ellerinin yanına yerleştirildiğini gördü. Sonra adam çalışma masasının üzerinde kayarken çınlayan madenî bir şeye uzandı.

Pırıl pırıl bir skalpel. Bir kafa derisini kesip almaya hazır bir bıçak.

– Sonra, uzun zaman benimle kalacaksın. Çok uzun zaman.

*　*　*

Bir Ford Mustang ile iki polis arabası ormanın göbeğinde, patikanın ortasında durmuşlardı.

– Yanılıyor olabilirim, ama o herif aradığımız adam, diye uyardı Brolin. Onun için, beceriksizlik istemiyorum. Sizler kendinizi belli etmeden, geride duracaksınız, ben önce onunla sadece konuşmak istiyorum. Eğer beklediğim gibi çıkarsa, tutuklama emrini bir saatte çıkartırım. Ama eğer adam gerçekten de aradığımız katilse, bir koku alması muhtemel. İşler çatallaşırsa, "Polis" diye bağırırım, siz de müdahale edersiniz.

– Oraya tek başınıza gitmek istediğinizden emin misiniz? dedi, böylesi durumlardan hiç hoşlanmayan şerif.

– Kesinlikle. Eğer oysa, ürkütmemek gerek. Evinde bir polis üniforması görmek adamı sinirlendirebilir. Hiçbir şeyi riske atmak istemiyorum. Ona safça birkaç soru sorarım, özellikle de gölcük hakkında bir şeyler duyup duymadığını falan, hepsi bu. Onu sadece görmek, tartmak istiyorum.

Şerif istemeye istemeye onayladı.

– Herkes yerine, diye seslendi müfettiş. Ve sakın unutmayın, ben sizi çağırmadan karışmak yok.

Dört üniformalı evi sarmak için ormana dağıldılar. Brolin birkaç saniye daha sabredip harekete geçti. Dört beş dakika sonra hedefine vardı. Ev tek katlı, pencereleri kirden grileşmiş, asıl renkleri belirsiz perdelerle kaplı küçük denilebilecek durumdaydı. Hemen yanında, böğürtlenlerle çalılıkların arasına saplanmış gibi bir atölye. Çok geniş değildi, ama muhtemelen derindi, tek bir penceresi bile yoktu; sadece aralık duran ve tiz bir müziğe geçit veren iki kanatlı bir kapı. Evin sağ yanında, acemice yapılmış bir kafes, içinde de genç müfettişi dikkatle izleyen bir çift kahverengi şahin. Brolin yırtıcıların önünden hızla geçip, kafesin yanından dolandı. Evin etrafını çabucak gözden geçirdi, ama hiçbir arabaya rastlamadı. Bir an tereddüt etti, sonra atölyenin aralık kapısına yöneldi.

* * *

Juliette kalp atışlarının hızlandığını hissetti, ama ağzından tek bir ses bile çıkamadı. Adam yüzünde geniş bir gülümseyişle yaklaşıyordu.

– Endişelenme, başta çok acı verir, ama seninle ilgileneceğim.

Kocaman bir elin blucinin üzerinden kalçalarını okşadığını hissetti. Tulumunun fermuarı yarım açıldı, arasından güçlü bir göğüs belirdi.

Yeniden şiddetle titremeye başlayan genç kadının kolunun altına bir tahta parçası yerleştirdi.

– İşte böyle, bıçağın ağzını yere değdirip bozmamak için, anladın mı?

Juliette'in başı dönüyordu, korkunun da etkisiyle çılgınlığın zihnini esir aldığını hissediyordu.

– Bıçağın ağzına bak! diye çocukça bir heyecanla haykırdı adam.

Ve uzun skalpeli havaya kaldırdı. Gözleri yuvalarından fırladı, bin bir ışıkla parıldadı, dehşet verici bir öfke ve kinle kıvılcımlandı.

Juliette tüm gücüyle bağırdı ve bıçak havayı yardı.

Ses ani oldu.

Öldürücü.

O korkunç atölyenin zemininde uzanıyordu ve koluna sıcak bir şey akıyordu. Acı bile hissetmedi.

Daha sonraları, Juliette patlamayı hiç hatırlayamadı. Belleğinde sadece gökgürültüsünün güçlü bir yankılanması kalmıştı.

Sonra korka korka gözlerini açtı ve adamın boylu boyunca, bıçağının yanına devrildiğini gördü. Kafatasının bir bölümü kopmuştu; Juliette'in koluna akan, adamın kanıydı. Elini oynattı: eksiksiz.

Juliette çevresinde olanlardan hiçbir şey anlamıyordu artık. Kulağına hızlı bir ayak sesi geldi, sonra çığlıkların izlediği bir haykırış ve oldukça uzaktan bir kargaşa.

Hatırladığı tek şey, yüreğini ısıtan o ciddi ve sakinleştirici sesti:

– Artık korkacak bir şey kalmadı, ben polisim...

Gerisi gözyaşlarına, sonra da bilinçsizliğe boğuldu.

İkinci bölüm

Ölü değildir, sonsuza dek uyuyan,
Ve çağlar boyunca o ölümün de öldüğü görülür.

H. P. Lovecraft

Bir yıl sonra

4

Güneş yüksek West Hills tepesinin ardında yavaşça alçalırken, kentin binalarının üzerine, kâh gölge tabakaları, kâh yanardöner parıltılar gönderiyordu. Belirsiz saçaklar bir an için de olsa, insanın gözünü almanın sessiz savaşını verirken, daha da uzakta, pas rengi mahalleler gecenin karanlığına teslim olmadan önce usulca toprak rengine bürünüyorlardı. Bu güneşin günlük balesi, Joshua Brolin'in her gün bürosunun camından bakıp hayranlıkla seyretmekten hoşlandığı gösteriydi. Kendi sevdiği deyimiyle, "güneşin küçük ölümü". Her seferinde, içinde birkaç dakikalık bir umutsuzluk kabarıyor, gecenin karanlığı düştükten sonra da morali dörtnala yükseliyordu.

Eylül ayı bitmek üzereydi; yaz sıcağının hâlâ devam etmesinden yararlanan kalabalıklar sokaktaydı. Barların bulunduğu mahallenin sokakları, özellikle de yerel biradan satanların bulunduğu köşeler adam almıyordu: öğrenciler, biraz neşe peşinde vatandaşlar, hatta "Beervana"[1] birahanelerinin sıcaklığını yerinde yaşamaya gelmiş bir avuç turist. Oysa Brolin'in içinde birkaç bardak boşaltma hevesi yoktu hiç. Yaz geçip gittikçe, morali ufak ufak törpülenmiş, yerini özellikle sabah uyanırken ve günbatımında hançer gibi kesici bir hırçınlığa bırakmıştı. Yalnızlığın anahtar anlarında.

Karakter anlamında kötümser olmadığı –tam tersine iyimser olduğu– için, böylesi bir değişikliğin nedenlerini sorgulamış, ama hiçbir cevaba varamamıştı. Bazen, bunun mesleğiyle hayatın en alışıldık görüntüleri arasındaki mesafeden kaynaklanıp

---

1. "Bira" anlamına gelen İngilizce *beer* kelimesiyle yapılmış kelime oyunu. ABD'de satılan biranın yüzde 10'unun yapıldığı fabrikanın bulunduğu Portland kentinin halk arasındaki adı.

kaynaklanmadığını merak ediyordu. Harika bir günün, pırıl pırıl güneşin, masmavi göğün aynı zamanda bazıları için kâbusla eş anlamlı olacağını kabul etmedeki zorluk. Ağustosta kuzey mahallesine, 5 numaralı otoyolun yakınındaki bir apartmana çağrılmıştı. O gün son derece çarpıcı bulduğu çelişkiyi hâlâ hatırlıyordu. Daha o sabah pırıl pırıl bir güneşin altında, Mustang'in direksiyonunda, radyo dinleyip U2'nin notalarına uyup mırıldanarak gitmişti polis merkezine. Güzel bir günün başlangıcıydı. Daha aradan iki saat bile geçmeden, bu kez kuzey mahallesinde bir apartmanın eşiğinden ıslık çalarak geçerken, gerçek bir katliamla karşılaşmıştı. Topu topu yirmisindeki Afroamerikalı kadın, uzun örgüleriyle çok güzel olmalıydı. Oysa şimdi öldürülmüş ve güneşin altına yayılmış bir et ve sıvı karmaşasından başka bir şey değildi. Genç kadının bağırsaklarını gözler önüne serme dürtüsü veren, baş döndürücü bir nefret. Bütün bunlar, bir sevgilinin kıskançlığı yüzünden.

Karıkoca cinayetlerinden şiddet kullanma sonucu ölümlere, cinsel saldırılara kadar çeşitli olaylarla geçen yazın üç ayı hiç de dinlendirici olmamıştı. Tam tersine, iğrençti.

Brolin mesleğinden hoşlanıyordu hoşlanmasına, ama bazen üzerindeki gerginliği atamamanın ağırlığını yaşıyordu. Spor vücudu dinlendiriyor olsa da, beynin başka şeye ihtiyacı vardı. Kışın dört ayı boyunca, belediyenin iletişim işleriyle görevli bir uzmanla yaşanan gelecekiz bir ilişki... İşte son duygusal tecrübesi buydu.

Otuz iki yaşına gelmesine ve sinema jönleri kadar yakışıklı olmasına rağmen, Brolin derin bekârlık kuyusunun batağından kurtulamıyordu bir türlü. Uzun yalnızlık dönemleri arasında seyrek ilişkicikler yaşıyordu. Ciddi bir ilişkisi hiç olmamıştı. Brolin Logan'da, Portland'ın otuz kilometre ötesindeki küçük bir köyde büyümüş ve burada sevgi dolu anılar edinmişti. Orada herkes herkesi tanıyordu. Yeşilliklerin, tarlaların, ormanların ve tepelerin eksikliği çekilmiyordu; üstelik, kent de arabayla topu topu yarım saatlik yoldaydı. Yirmi yılını orada, Hood Dağı'nın görkemli siluetinin gölgesinde geçirmiş, sonra da Portland kampüsüne taşınarak bağımsızlığı, çamaşır yıkama ve ütü yapmanın keyfini tanımıştı. Fakültenin asıl armağanı, duygusal maceralar ve düş kırıklıkları kortejiydi. Tatsız flörtlerden, eğitimine Washington'da devam etmek için iki yıllık bir ilişkiden sonra onu terk eden genç bir kadına kadar pek olağandışı bir şey yoktu. Daha sonra, FBI'ye olan bağlılığı Brolin'e adından söz edilecek bir ilişki kuracak kadar boş zaman bırakmamış, her girişimi de başarısızlığa mahkûm olmuştu. Zaman geçtikçe, belki de birisiyle bir hayat paylaşmak üzere yaratılmadığı fikrine alışır olmuştu.

Uzakta, güneş yüksek binalardan birinin pürüzsüz cephesini aleve kesiyor, bina da devasa bir olimpiyat meşalesi gibi parıldıyordu.

"Bari biraz çıksam..." dedi Brolin, bir çalımla, alaycı. İçinde, annesinin sesi yankılandı: "Sen kendine yardım etmezsen, kimse gelip kapını çalmaz, hayat filmlerdeki gibi değil, her şey mutlu sonla bitmez!"

Ve bütün kötüler sonunda kaybetmiyor!

Dilinin ucuna böyle gelivermişti işte, ta beyninin derinliklerinden. Kısa bir süredir güney mahallelerindeki bir antrepoda bulunmuş, kömürleşmiş bir ceset üzerinde çalışıyordu. Birkaç ilginç ipucu bulmuştu, ama içinde bu işin çok zaman alacağı duygusu vardı.

Kapının üzerindeki duvar saatine baktı: 20.02. Eve dönme ve bütün bunları unutarak yarına kadar gevşeme saati. Bunu düşünürken bir gün önce video konsolunda oynadığı bir Resident Evil 3 anısı, gülümsemesine neden oldu. Anlaşılan Salhindro haklıydı, bu aletten hiç kurtulamayacaktı. Sokağa çıkıp bir kadeh içmek, belki de biriyle tanışmak düşüncesi çoktan süpürülüp atılmıştı bile.

Brolin ceketine uzandı, çevreyi birazcık da olsa toplamayı aklından bile geçirmeden bürodan çıktı.

Willamette Nehri'nin karşı yakasında Alder Sokağı'nda oturuyordu; onun için eve gitmesi yirmi dakika bile sürmedi. Minimalizme uygun bir sadelikle döşenmiş iki oda, mutfakta hâlâ bir akşam öncesinin bulaşığı, kanepenin üzerinde Orson Welles'in sahneye koyduğu bir *Otello* taşbaskısı, her şeyi birbirine bağlamak için de, tozdan bir örtü. Bekâr evi.

Brolin portatif bilgisayarını çalıştırıp elektronik postasına baktı. Hiç mesaj yoktu. Ne işten, ne de aileden bir haber. Annesi telefonu bilgisayara tercih ediyor gibiydi, kadıncağız o "yeni teknoloji" meraklılarından değildi ve video oyunlarından nefret etmesi de Brolin'i oldukça eğlendiriyordu. Babası bundan altı yıl önce, beklenmedik bir kalp krizi sonrasında genç sayılacak yaşta ölmüş, Ruth, Brolin'i Logan'daki kocaman evde tek başına bırakmıştı. Kadın kocasının ölümünden birkaç yıl önce yaptırdığı sigorta sayesinde hatırı sayılır bir maaş alıyor, saatlerce çalışarak resim yapmayı öğreniyor, verandasından gördüğü orman ve dağ manzaralarını tuvale aktarmaya çabalıyordu.

Brolin kendine kocaman bir bardak çilekli süt doldurup kanepeye yerleşti. Arkadaşlarından çoğu onun bu çilekli süt tutkusunu gülünç bulurdu, hele böylesine bir içeceğe düşkün olmanın bir FBİ görevlisi için kötü gözle görüldüğü Quantico'da; ama John Edgar Hoover'ın dönemi kapanmış, ajanların özgürlüğü geri verilmişti işte. Büyük Patron hayatta olsaydı, onun imparatorluğunda, özellikle de "FBİ'deki Mormon mafyasından" söz edildiği çağda, böylesi bir tutku kabul edilemezdi kuşkusuz.

"Seçeneklerim Wagner, Rickie Lee Jones veya Chris İsaak ya da video konsolda güzel bir oyun" diye düşündü Joshua bakışlarını müzik seti ile televizyon arasında gezdirirken.

En büyük iki zevkinden birincisi düşünme yeteneğini köreltmeden dinlenmesini sağlıyordu; ikincisine gelince, oyunlar günün gerginliğini atmak için bulduğu en iyi yoldu; onu kendi dünyalarına çekiyor, düşünme hakkı tanımıyor, içinde yaşadığı korkunçluklardan hiçbir görüntünün su yüzüne çıkmasına izin vermiyorlardı. O kadar ki, sonunda iki konsol birden alıp birini evine, ötekini de gerçekler fazla bunalttığında şöyle bir nefes alıp, o gerçeklerden kaçabilmek için büroya yerleştirmişti. Bazıları böylesine bir kaçışın aslında Brolin'in mesleğe uygun olmadığını kanıtladığını düşünebilirlerdi, ama o içinde gerçekten bir polis ruhu hissediyordu, sadece arada bir gevşemeye ihtiyacı vardı.

Sonunda, askıda bıraktığı Resident Evil 3'te karar kıldı. Otuz dakika sonra konsolun kumandasını bir forsanın zincirine asıldığı gibi çekiştiriyordu. Israrı sonucunda zor aşamaları teker teker geçiyor, oyunun sonuna yaklaşıyordu. Telefonun zili onu içinde gezindiği sanal dünyadan birden kopanıverdi.

Homurdandı, konuşmayı olabilecek en kısa zamanda bitirmek kararıyla telefona uzandı:

– Josh Brolin, dinliyorum.

Ahizenin diğer ucundan tatlı ve çekingen bir kadın sesi geliyordu.

– İyi akşamlar, ben Juliette. Juliette Lafayette. Umarım beni unutma...

Şaşkınlık her türlü hırs dürtüsünü silip süpürdü. Joshua kanepeye daha rahat yerleşmek için kumanda aletini halının üzerine bıraktı.

– Juliette, diye genç kadının sözünü kesti, başka ne söyleyeceğini bilemeden. Ne sürpriz! Nasıl gidiyor?

Juliette bu sıcak karşılama karşısında kekelemeye başladı:

– Şeyy... Fena değil, evet... İyi.

"Sesi söylediğiyle uyuşmuyor" diye düşündü Brolin, karşı taraftan gelen sesi dinlerken. Fazla titrek ve fazla ciddi. Ahizeyi kaldırırken bir arkadaşının sesini duymayı beklemişti, hatta annesininkini; ama Juliette'i aklından bile geçirmemişti.

– Uzun zaman oldu, diye devam etti Juliette.

– Evet... Dinle, son zamanlarda ortalıkta görünmediğim için gerçekten üzgünüm, ben... Bağışlanacak gibi değilim. Suç bende.

– Yok, yok, hayır, benim kabahatim, her neyse, özür dilemen gerekmiyor, benden de hiç ses çıkmadı. Berabere kaldık.

Birden bir sessizlik oldu.

– Ben... Tuhaf olduğunu biliyorum, ama sesini duymaya ihtiyacım vardı. Dakikalar boyu bunu söylemeye hazırlanmasına rağmen, Juliette'in sesi hâlâ tereddütlüydü.

Şaşkınlığı daha da artan Brolin cevap vermedi.

– Yoksa rahatsız mı ediyorum?

– Hayır, kesinlikle etmiyorsun.

Brolin uzaktan kumandayı aldı, dikkatini dağıtan televizyonu kapattı. Juliette'i hatırlamak, beynindeki acılı anıları harekete geçiriyordu.

– İtiraf etmeliyim ki, sesini duymayı hiç beklemiyordum, dedi bacaklarını kanepeye uzatarak.

– Evet. Aslında... Ben... Ben sesini duymak istemiştim... Geçen yıldan beri gerçek bir sohbet etmeye fırsat bulamadık... Yani aramızda, demek istiyorum, olaya değinmeden. Ne demek istediğimi anlıyorsun, değil mi?

Nostalji ile belki kendinin de tam anlayamadığı korku arasındaki bu duyguyu açıklamak için kelimeleri ararken, beceriksizce ilerliyordu.

– Aslına bakarsan, diye devam etti Juliette, sana hiç doğru dürüst teşekkür edemedim. Olaya dışarıdan bakacak zaman bulduktan sonra, kafam sakin, olan biteni daha gerçekçi görebilecek durumdayken. İyileşmeye başladığımda, birbirimizi gözden kaybettik... Sakın bunu bir sitem olarak algılama, tamam mı? Demek istediğim, sen beni o dramın ağırlığı zihnimde henüz tazeyken tanıdın; oysa şimdi daha iyi olduğuma göre, sana teşekkür etmek istemiştim. Samimiyetle... Ya da bilinçli olarak, artık nasıl istersen.

Brolin birden elinin ayasını alnına vurdu. Hiç doğrulamaya gerek olmadığını bilmesine rağmen, gözleri mutfak kapısındaki takvime takıldı. 29 eylül salı. Bütün bir hafta boyunca, o tarihin yaklaştığını düşündükçe yüreği daralmıştı, oysa şimdi, hem de tam o gün, anıları o kadar derine gömmüştü ki, her şeyi unutuvermişti.

Juliette'in kaçırılmasından bu yana tam bir yıl bir gün geçmişti. Brolin bunu unuttuğu için kendine kızıyordu. İşte bu da zihnin oynadığı ilginç bir oyundu. O gün hayatında bir dönemeç olmuştu; bilinçaltı aksini istemedikçe hafızasından silinmeyecek bir tarih. Bütün bir hafta boyunca, o gün geldiğinde Juliette'e telefon etmeye, hatta onu yemeğe davet etmeye karar vermişti, ama o ürkütücü günü beyninden kovmaya çalışa çalışa, sonunda her şeyi günlük sorunların ardına gizlemeyi başarmıştı.

Juliette'le altı aydan fazla bir süredir konuşmamışlardı, ama genç kadını araması gerektiğini biliyordu. En azından onun için, onu rahatlatmak için.

– Hayır, bana teşekkür etme. Aslında, seni aramadığım için özür dilemesi gereken benim. Nasılsın?

Sessizlik.

– Pek keyfin yerinde değil gibi, diye devam etti. Senin için yapabileceğim bir şey var mı?

– Sadece sesini duymak istemiştim. Şimdi bir yıl oldu ve kafamda her şey o kadar uzak ki; oysa içimde, çevremde, çok yakın.

Brolin kafasını kanepenin arkalığına dayayıp, gözlerini yumdu.

Bilinçli teşekkür üzerine kurulu bütün bu laf kalabalığı önceden hazırlanmış bir konuşma gibi yapmacıktı, Brolin'i aramak için bir bahaneydi. Ama sesini duymak istediğini söylediğinde, Brolin kuşkuları ve korkularıyla tanıdığı doğal Juliette'i görüvermişti.

– Eğer bir şey söylememe izin verirsen, sana arkadaşlarınla çıkmanı öneririm, dedi. Saldırıya uğramış bir kadın tanımıştım, üzülüp kalmaktansa, her "yıldönümünde" arkadaşlarıyla bir restorana gidip olayı anarak acısını paylaşıyordu.

Juliette "Haklısınız" der gibi belli belirsiz bir şeyler mırıldandı.

– Ailenin yanında mısın? diye sordu Brolin.

– Hayır, annemle babam gün boyu aradılar, hâlâ Kaliforniya'dalar. Annem gelip birkaç gün kalmak istiyordu, onu buna pek gerek olmadığına inandırdım, iyi olduğumu söyledim.

– Doğru mu bu?

Cevap vermeden önce tereddüt etti:

– Aşağı yukarı.

– Arkadaşının adı neydi? Sana yakın oturanın?

– Camelia.

– Geceyi Camelia'da geçirsen iyi olur, yalnızlıktan kurtulmuş olursun böylece.

– Evet, belki.

Juliette hissettiklerini nasıl anlatacağını bilemiyordu. Ailesiyle ya da arkadaşlarıyla beraber olmak değil de, hayatını kurtaran adamın sesini duymak istediğini nasıl söylemeliydi? Adamın konuşmasını dinledikçe, onunla teması kestiği için kendinden utanıyordu. Katlanmak zorunda kaldığı her şeyi gören, onu içinde bulunduğu korkunç durumdan kurtaran adamın sesi sakinleştiriciydi. Bu birdenbire oluvermişti; akşama doğru. Elindeki DSM-IV'ü[2] karıştırırken, tuhaf bir ağırlık tüm gücüyle göğsüne çökmüştü. Bütün bir hafta boyunca her şeyin yolunda gideceğini, o uğursuz günün de herhangi bir gün gibi geçeceğini telkin etmişti kendi kendine; "Bunu dert etmek aptallık" diye tekrarlıyordu. Oysa kendini iyi hissetmiyordu, beynini kemiren güvenlikte olma ihtiyacı değil, asıl bu konudan kimseye bahsedememekti. Ne annesi, ne de Camelia ne demek istediğini anlayamayacaktı; akıl verecek durumda da değillerdi, çünkü bilmiyorlardı. Ve her zaman sempatik bulduğu Joshua Brolin'in yüzü gözünde canlanmaya başladı. Çekingenliğinin ötesine geçmekten başka bir şey yapamayıp, müfettişin numarasının bir yıla yakın zamandır hafızasına kayıtlı olduğu telefonun ahizesini kaldırıncaya kadar.

– Sormayı unuttum, numaramı nereden buldun? diye şaşırarak sordu birden, adım kırmızı listedeydi.

Ses tonundaki ani değişiklik ile aynı anda aynı şeyi düşünmeleri Juliette'in hoşuna gitti.

– Numarayı... Numarayı geçen yıl bana kendin vermiştin, hani belki bir şey... dedi bu akşam çıkaracağını hiç sanmadığı çalımlı, alaycı bir sesle.

Brolin o anda hatırlamadığı için kendine küfretti, zamanında "belki bir şey" derken vurguyu nereye koyduğunu hatırlamaya çalıştı. Juliette güzel bir kızdı, "Hatta çok güzel" diye düzeltti Brolin. Ne var ki başından beri işi ile özel hayatını birbirinden ayırmaya gayret göstermiş, hiçbir istisnaya meydan vermemişti. FBİ zamanından kalma temel kurallardan biri. Ne kadar güzel olursa olsun genç kadına güzelliğinin ve çekiciliğinin etkisinde kalmış bir erkekten farklı bakmak için kendini zorlamıştı.

– Doğru, şimdi hatırladım, diye yalan söyledi. Bir kez daha tekrarlıyorum, dediklerimi dinle, böyle zamanlarda evden çık, eğlen; gece boyunca geçmişte olanları düşünmenin sana bir yarar sağlamayacağına eminim, sonunda depresyona girersin. Olanları önemsiz görmeye çalışma tabiî, ama bu olaya kilitlenmene izin verme.

Brolin saldırıyı izleyen aylarda Juliette'in tedavisiyle ilgilen-

---

2. Diagnostic and Statistical Manual of Mental Disorders (Zihinsel Hastalıkların Tanısal ve İstatistiksel Elkitabı): psikanalizde tüm patolojik tanımlamalar için başvurulan elkitabı.

mişti; genç kadın o dönemlerde Portland Polis Merkezi'nin Viktimoloji Bölümü'ne gidip geliyordu. Orada, biraz da yakın birinin ölümünü kabul eder gibi, ona olup bitenleri kabul etmeyi, ömrünün sonuna kadar olayın korkusuyla yaşamamak için, tuttuğu yasa bir yerde son vermeyi öğretmişlerdi. Travmayı yüreğinin derinliklerine gömüp, yavaş yavaş çürümeyi beklemektense, ona bir bakıma, bir kez de olsa adamakıllı nasıl ağlanacağını göstermişlerdi. Josh genç kadının çelik gibi bir irade gösterip, tedaviden başarıyla çıktığını biliyordu, ama böyle bir saldırıya uğrayan çoğu kişinin eski haline dönmesi oldukça sık görülen bir şeydi; özellikle de olayın yıldönümünde.

Juliette'in soluğu telefonun ahizesini doldurdu:

– Ne aptalım, seni aramamalıydım, özür dilerim.

– Böyle söyleme. Çok hoşuma gitti, diye yarım ağız itiraz etti. Aslında, ben telefon etmek istiyordum, ama... İş kafamı karıştırdı. Biliyor musun, o gün orada olanlar benim için de çok önemliydi.

Juliette'in gergin olduğunu, düşüncelere daldığını hissediyordu.

– Bundan söz etmemizi ister misin? diye bir yokladı.

Genç kadın fırsatı kaçırmadı:

– Buna cesaret edememiştim. Bunu yersiz bir davet gibi göreceğinden korkuyordum. Buraya gelmen çok mu zor olurdu?

Brolin gözlerini açtı, önerisi düşündüğü çerçeveyi aşmıştı. O telefonda sohbet etmeyi düşünmüştü, baştan başa bütün bir kenti geçmeyi değil. Juliette'in sessizliği reddetme niyetini söndürdü, üstelik Juliette için bu kadarını yapabilirdi. Aslında ve üstelik kendine rağmen, Juliette'te çok sevdiği ve basit profesyonellik kapsamını çoktan aşmış bir şeyler vardı. Genç kadının kişiliğinde ve yaşama tarzında.

"Hepi topu bir ya da iki saat" dedi kendi kendine. "Onun için, ona yardım etmek için, sonra gelir, yatarım."

– Tamam, geliyorum. Bardakları çıkarıp, kanepeyi ısıt. Cep telefonumu bulabilirsem, kırk dakikada oradayım.

Telefonun öteki ucundaki tebessümü görür gibi oldu. Juliette rahatlamıştı.

* * *

Beyaz Mustang Portland'ın varlıklı mahallesi Shenandoah Terrace'a girdi, kente tepeden bakan büyük evlerin önünden geçti. Shenandoah'nın ucundaki yolun bitip ormanın başladığını gösteren, karşılıklı iki büyük evin önünde durdu. Biraz sonra, Brolin villalardan küçük olanının sekisindeydi.

Kendi çevresinde dönerek, "Konum olarak ilgi çekici" diye düşündü. Fazla komşu yok, evin çevresinde koşu için uygun açık alanlar ve orman. İnsan daha ne ister ki?

Kapı açıldı.

Juliette yüzünde doğal ve konuksever bir tebessümle, kapının eşiğinde duruyordu:

– Geldiğin için teşekkürler, dedi içeri girebilmesi için kenara çekilirken.

Brolin genç kadının tebessümüne biraz da beceriksizce karşılık verdi, ne yapması gerektiğini pek bilemiyordu. Juliette'i görmeden geçen birkaç ay, genç kadının ne denli çekici olduğunu unutturmuştu. Elleri cebinde, hole doğru yürüdü.

Juliette salona açılan kapıyı gösterdi:

– Kahveyi getiriyorum, sen rahatına bak, dedi, mutfak olması muhtemel bir yere doğru yürürken.

Brolin evin salonuna girdi; oldukça görkemli bir salon, kanepeler, koltuklar, sehpalar, bir de yüksekliği insan boyuna varan bir şömine. Asmakatın tırabzanı salona ve büyük pencereye tüm uzunluğuyla hâkimdi. Josh orada bulunmanın tuhaflığını düşünerek güldü. Ayağındaki spor ayakkabıları, üzerindeki eski püskü blucin ve emektar deri ceketiyle mekânın zevkliliğine bütünüyle ters düşüyordu.

– Sanırım, sert seviyorsundur, diye mutfaktan seslendi Juliette.

Brolin sigarayı bıraktığından beri kahve içmediğini söyleme gereği duymadı, bu akşam alışkanlıklarında bir istisna yapacaktı. Arkasına döndü ve çevresinde yeşil bitkilerle, siyah cilalı ve kuyruklu harika bir Bösendorfer gördü. Yaklaştı, kapağını kaldırarak parmaklarını usulca tuşlarda gezdirdi.

– Çalar mısın? diye sordu Juliette arkasında.

Brolin hemen elini çekti, özür diler gibi gülümsedi:

– Hayır. Annemlerin evinde bir tane vardı, ama babam dokunmamı bile istemezdi.

– Ne tuhaf. O zaman, evde piyano ne işe yarar?

– Sanırım, kendi annesinin ve babasının hatırası olarak saklamak istiyordu, ama belki de çalmamı istemiyordu. Bilemiyorum. Ya sen?

Juliette kaşlarını kaldırdı:

– Sekiz yaşımdan beri. Aslında, bu kadar çalışarak virtüöz olmam gerekirdi ya, bizimkilerin bütün hayallerini yıktım ve ancak kötü bir müzisyen oldum.

Yanaklarının çukurunda bir gamze oluştu. Brolin kıza baktı, şakacı hali hoşuna gitmişti. Dalgalar halinde omzuna düşen abanoz rengi saçları ve yakut mavisi gözleriyle ne denli güzel olduğunu unutuvermişti. Hele gözler: öylesine yoğun bir mavi ki, uzunca süre bakan bir insanın aklı başından gidebilir. Sonunda, Juliette karşısındaki konumunu belirlemeyi hiç başaramadığını anladı. Hayatını kurtarmıştı, o korkunç günden sonra birlikte zaman geçirmişlerdi ama o özel bir ortamdı, Juliette hiç kendisi gibi değildi, Brolin ise ona hep bütün o polis barikatlarının arkasından görünmüştü, bir dost gibi değil. Düşündükçe, tam bir yıl sonra burada olmasının şaşırtıcı olduğunu düşündü. Birbirlerine çok güçlü bir ortak tecrübeyle ve olayların yarattığı karşılıklı güvenle bağlıydılar, ama birbirlerini hiç tanımıyorlardı. Genç kadının durumu günden güne biraz daha düzelmeye başladığında, Brolin işinden başını kaşıyacak vakit bulamadığından, ama bir anlamda da bu fazlasıyla güzel genç kadınla uzun süre ilişkide bulunmak istemediğinden, geri çekilmişti.

Brolin göz açıp kapayıncaya kadar bir süre o zarif ve kararlı dudaklara dokunmak istedi, gözleri göğüslerinin biçimini ortaya çıkaran kazağa takıldı. Patinaj yapmaya başladığını hissederek, U şeklinde yerleştirilmiş üç kanepeyi gösterip sordu:

– Polislere ayrılmış olan hangisi?

– Hangisini en çok beğendiysen o.

Brolin kanepeye rahatça yerleşti.

– Gülümsemeyi unutmadığını gördüğüme memnunum, diye duygusunu dile getirdi. En önemlisi de bu.

– Elimden geleni yapıyorum.

Gülümsemeyi bundan sadece bir saat önce, Brolin geleceğini söylediği zaman hatırladığını itiraf edebileceği aklına bile gelmezdi. Bu adamdan çevresine güven verici bir şey yayılıyordu; sakin bir güç. Juliette oldukça koyu kahve dolu fincanı önüne koydu.

– Ee, nasılsın bakalım? diye sordu Brolin.

– Senin izlerine basarak ilerliyorum, dedi genç kadın hiç bekletmeden. Psikoloji eğitimi almıştın değil mi?

Bir kez daha, hafızasıyla Brolin'i şaşırtmıştı. Leland Beaumont ya da Portland Celladı olayından sonra, Brolin kızcağızın yaşadığı kâbustan kurtulmasına yardım etmek istemişti. Kendisi de aynı olayın büyük etkisi altında kaldığından, bu bir anlamda da kendine yardım etmek gibiydi. Hayatında ilk kez, bir insanın korkularını yatıştırmıştı. Bunu Juliette'e hiç açıklamamıştı, zaten ona kendisiyle ilgili fazla bir şey anlattığını da sanmıyordu ve aradan neredeyse bir yıl geçmiş olmasına rağmen, genç kadın anlatılanlardan çok azını hatırlıyordu. Bir ara Juliette'in bütün bunları bir çeşit çekim yüzünden aklında tuttuğunu düşündü, ama genç kadının tutumu hiç de o yönde değildi. Sevecendi ama yakın ve içten değildi.

– Ne hafıza! dedi Brolin. Etkilendim.

– Senin dediklerini yerine getirebilmek için, psikoloji eğitimimin dördüncü yılındayım. Biraz daha gayretle diplomayı alacağım.

– Ya sonra? Sonra ne yapacağın hakkında bir fikrin var mı?

– Pek yok. Geçen yıl başımdan geçenler, bana yeni bir bakış açısı sağladı. Böylesi canavarları yakalamak için çalışma fikri oldukça hoşuma gidiyor. Belki FBİ'de. Gerçekten senin izinde ilerliyorum.

– Dikkat et, yoksa günün birinde kendini Portland polisinde bulursun, diye şakayla karşılık verdi.

Brolin kahveden bir yudum aldı, hâlâ kaynar denecek kadar sıcaktı ve o anda damağını bir nikotin tadı gıdıklamaya başladı. Göğsünün içinde ciğerleri şişti, bir sigara tüttürmek istiyordu. Sessizlik koca salonu kapladı. Uzakta, bir duvar saatinin çarkı, yorulmaksızın saniyeleri sayıyordu. Joshua tüm dikkatini Juliette'e vererek, bunca zamandır kendini hissettirmeyen o arzuyu düşünmemeye çalıştı.

– Bu son zamanlar pek kolay olmadı değil mi? diye sordu.

– Pek fena değildi. Birkaç aydan beri, akşamları yalnız başıma çıkıyorum, bazen Camelia'nın evinden yürüyerek dönüyorum. Agorafobiyi atlattım diyelim. Ama önce de vur patlasın, çal oynasın diyenlerden değildim, sonra da değişmedim! dedi içten bir gülümsemeyle.

– Ya internet? Hâlâ o kadar zaman ayırabiliyor musun?

– Çok daha az! dedi Juliette kaşlarını kaldırarak. Çok daha az. Bakışları kahve fincanına daldı.

– Seni gördüğüme sevindim Brolin, diyen sesini duydu.

– Josh. Artık ön adlarımızı kullanabiliriz bence.

Genç kadın eklemeden önce başını salladı:

– Belki biraz aptalca gelecek ama, seni görmeye ihtiyacım vardı. Bu sanki zihinsel alıştırma gibi bir şey; bütün bunların gerçekten olduğuna inanmak için, seni görmek.

Zihinsel bir alıştırmanın bir bölümü olmak düşüncesi Brolin'in irkilmesine neden oldu. Üzüntüsünü saklamayı beceremedi. Daha fazla bir şeyler olduğuna inandığından değil, ama dost olmasa da, tanıdık başlığı altında anılmayı tercih ediyordu.

– Kendimi iyi ifade edemedim, diye düzeltti Juliette, olayın nasıl gerçekleştiğini bildiğin için burada olmanı istedim. Seni görmek... Bunu yaşayan ve yanında olduğumda kendimi o günden bahsetmek zorunda görmediğim tek insan sensin. Biliyorsun, eğer istersem ve de bütün ayrıntıları tekrarlamaktan kaçınırsam, beni anlayabilirsin. Ne demek istediğimi anlıyor musun?

Brolin'in yüzündeki üzüntü yerini sevgiye bırakmıştı. Başını salladı.

– Ne harika olurdu biliyor musun? dedi. Şömineyi yakmak... Yıllar var ki yanan şömine görmedim. Ondan sonra uzun uzun konuşuruz, tıpkı çocukluğumdaki gibi.

İki siluet örtülerin altındaydı, her biri bir kanepede. Ateşin çıtırtıları sessizlikle oynarken, salonda gölgeler ve kızıl kıvrımlar itişip duruyordu. Arada bir, Brolin Juliette'e Juliette de Brolin'e bir şeyler fısıldıyordu. Ev sakindi, gece epey ilerlemiş ve Juliette'le iki buçuk saatlik bir sohbetten sonra Brolin eve dönmekten vazgeçmişti. Juliette'in ona, anlayışlı bir dinleyiciye ihtiyacı vardı; Brolin'inse yakın bir varlığa, biraz da sıcaklığa; her ne kadar o sıcaklık dostluğun sıcaklığı olarak kalacaksa da, böylesi daha iyiydi.

Cümleler yavaş yavaş yorgunluktan yollarını şaşırmış kelimelere dönüştüler, sonra gece onları kucağına alıp, sabahın erken saatlerine kadar kollarında salladı.

5

Larry Salhindro, Yüzbaşı Chamberlin'in bürosunun kapısını itti. Elinde, birkaç dakika önce polis merkezine gelirken yolda aldığı bir kutu dolusu donut vardı.

– Günaydın Larry, dedi, sabahın erken saatinden rahatsız olmuşa benzemeyen Chamberlin.

– Günaydın şef. Donut? diye ikram etti Salhindro açık kutuyu uzatırken.

– Bu pislikler yüzünden zamanından beş yıl önce öleceksin Larry, oysa kilona dikkat etmen gerekir. Neyse, şu çalıntı araba kaçakçılığı konusu ne âlemde?

– İlerliyoruz. Kiewtz ve Balenger ilgileniyor.

– Ya antrepodaki ceset, bir şey çıktı mı?

Salhindro cevap vermeden önce güçlükle yutkundu:

– Brolin ilgileniyor, gerektiğinde ben de yardım ediyorum. Cesedin kimliği henüz belirlenemedi, ama Adlî Tıp uzmanı radyografilerin üzerinde çalışıyor.

Chamberlin başını salladı:

– Larry, burada üniformalı memurlarımız ile Cinayet Masası arasındaki iletişimi sağlamak için bulunduğunu sakın hatırından çıkarma; Müfettiş Brolin'e asistanlık yapmak için değil. İşbirliğinizin alışkanlık haline gelmesine izin verme, böyle bir işbirliği sonuç da verse, esas görevin bu değil.

Salhindro homurdanarak, belli belirsiz bir şekilde onayladı. Üniformalı memurlar ile Cinayet Masası arasında iletişim sağlamaya başlayalı iki yıldan fazla, gerektiğinde Brolin'e yardım etmeye başlayalı da bir buçuk yıl olmuştu. En başta bazı önemsiz bilgiler, sonundaysa belirli soruşturmalarda gerçek bir yardımlaşma. Salhindro elli yaşında bir polis teğmeniydi, ama lumbagosu ve öteki sağlık sorunları arabayla çıkılan devriye görevlerden muaf tutulmasına yol açmıştı. Sahadan gereğinden fazla uzaklaşmış gördüğü aracılık görevine mahkûm olunca Cinayet Masası'ndaki meslektaşlarına yardım etmek için hiçbir fırsatı kaçırmıyordu.

– Daha gelmedi mi? diye sordu yüzbaşı, ince siyah bıyığını sıvazlayarak.

– Sanmıyorum.

– Onu gördüğünde, soruşturmanın son durumunu görüşmek için büromda beklediğimi söyle. Bir de Kiewtz ile Balenger'e saat on birde bir brifing yapacağımızı haber ver.

Salhindro kalkmadan önce başını salladı. Yüzbaşı elini uzatıp adını söylediğinde, kapıdan çıkmak üzereydi.

– Neyse, şu yediğin pisliklerden bir tane ver bari.

Brolin geldiğinde Cinayet Soruşturmaları Bölümü'nün holündeki duvar saati 9.50'yi gösteriyordu. Tıraş olmamış, gömleğini bile değiştirmemişti, kimsenin gözüne çarpmadan bürosuna girmeye çalıştı.

– Şuraya bakın hele, dedi tanıdık bir ses, yoksa müfettişimiz geceyi dışarıda mı geçirmiş?

Brolin, Salhindro'nun göbekli ve ağarmış siluetine doğru dönmeden önce içini çekti.

– Hayır! Sakın yalan söylemeye bile yeltenme, diye devam etti beriki, sen geceyi bir kadınla geçirmişsin.

– Sandığın gibi değil.

– Tabiî... Daha suçlanmadan kendini savunmaya kalkan biri, bak bu pek masum birine benzemiyor! dedi Salhindro, dondurulmuş şekere bulanmış parmaklarını yalayarak.

Brolin teslim olur gibi ellerini havaya kaldırdı:

– Seninle neden tartıştığımı anlayamıyorum. Sadece bir arkadaştı.

Salhindro'nun fırlattığı bakış karşısında yenilgiyi kabul edip, bürosuna çekildi.

Berikinin alabildiğine tatlı sesi peşinden geldi:

– Yüzbaşı seni görmek istiyor, Don Juan!

Sabah saatleri Chamberlin'e raporla uğraşıp Adlî Tıp yetkilisine ve laboratuvarlara telefonlar açarak hızla akıp geçti ve öğlen yemeği saati çabucak geliverdi. Tabiî Salhindro dedikodu kaynağı rolünü kusursuzca oynadığından, birçok müfettiş, Brolin'i gördüklerinde şaka yapmaktan, ona birbirinden sevimli adlar takmaktan sonsuz keyif aldılar.

Sandviç olduğu iddiasında iki dilim ekmekle bir dilim salamı mideye indiren Brolin, bir önceki gecesini düşündü. Uzun zamandan beri böylesine içten konuşmamıştı. Salhindro'nun yanında geçirdiği bir iki akşam dışında, uzun uzun ve samimiyetle sohbet etme fırsatını gerçekten de bulamamıştı; oysa Juliette'le olan tam da buydu işte. Kişisel anekdotlardan en genel düşüncelerin açıklanmasına kadar, her birinin diğerini merakla dinlediği, gerçek bir alışveriş. Böylelikle, birbirlerini tanıyarak saatler geçirmişlerdi. Birbirlerine Portland Celladı trajedisi sebebiyle bağlı olmalarına rağmen, Joshua ikisinin de içlerini ne kadar kolaylıkla döktüğüne şaşırmıştı. Sanki uzun bir yokluktan sonra yeniden kavuşan iki dost gibi. Sabah, bir önceki akşam için teşekkür notu bırakıp oradan ayrıldığında, Juliette örtülerin altında uyuyordu.

Şimdiyse, kendini beceriksiz hissediyordu. İçinden yine böyle bir gece geçirmek için ona telefon etmek geçiyordu ya, elini kolunu bağlayan Juliette'in ne düşüneceği korkusuydu. En istemediği şey yalnızlığını karşısına çıkan ilk kişiyle gidermeye çalışan bir zavallı gibi görülmekti.

Juliette'i akşam olmadan aramaya karar verene kadar on dakika geçti.

Hem bu onun hakkı değil miydi? İsterse Juliette aptalca bulsun, ne yapalım.

6

Rusty McGeary bisikletini toprakta kaydırdı ve bayırı tırmanmak için pedala sıkıca bastı. Washington Park dağ bisikletiyle gezmek için kusursuz bir yerdi. Bir dizi tepenin üzerine tırmanmış orman, kentin batı mahallelerine hâkimdi; kilometrelerce uzanıp gidiyor, bu arada da dar ve dolambaçlı sayısız patikayla bölünüyordu.

On iki yaşını bitirmek üzere olan Rusty ağaçların gölgesinden nasıl geçileceğini biliyor, patikaların ve çukurların çoğunu, en kısa zamanda belirli bir noktaya varabilmek için geçilecek kestirmeleri seçmekte zorlanmıyordu.

Oysa şimdi, hayatını kurtarmak için basıyordu pedallara.

Nefes nefese, peşinden gelen olup olmadığını görmek için dikkatlice dönüp arkasına baktı, sonra yokuşun sonuna kadar inip olabildiğince hızlandı, ağaçların arasına bir şimşek gibi daldı. En uygun yolu seçme yeteneği hayatta kalmak için tek şansıydı. Eğer yanlış bir patikaya saparsa, işi bitik demekti. Ölü yapraklarla kaplı zeminde bir kaysa, Rusty McGeary sizlere ömür. Hata yapma hakkı yoktu.

Bu düşünce içinde daha inatçı bir kararlılığın doğmasına neden oldu, pedalların üzerinde ayağa kalkıp, bütün gücünü bacaklarına verdi.

Uçuyor gibiydi, bitkiler çevresinden yeşil ve kahverengi uzun bir halı gibi, karmakarışık akıp gidiyordu.

Önüne, dönemecin dibinde küçük bir açıklık, açıklığın ortasında da koşucular için düşünülmüş parkurun ahşap kulübeleri çıktı. Rusty kayarak durdu ve akşamın kuru ayazında bir toz bulutu havalandırdı. Daha iyi işitebilmek için soluğunu tuttu. Hiç ses yoktu. En korkuncu, aşılması en güç olanı düşmanları hakkında hiçbir şey bilmemekti. Neredeydiler? Yakında mı? Yaklaşıyor mu, yoksa uzaklaşıyorlar mıydı? Yetişmelerine imkân vermemek için durmaksızın hareket etmek zorundaydı; yoksa bir yetişmeye görsünler, tüm zafer düşlerine elveda demesi gerekecekti.

Birden görüş alanına kuzey yamacından inen birisi giriverdi; bir dakika sonra da açıklığa varmış olacaktı. Rusty durum değerlendirmesi yapmaya zaman harcamadan, bisikletini en yakındaki çalılıkların arasına fırlattı ve ağaçların arasında koşarak uzaklaştı. Kocaman bir böğürtlen çalılığının etrafından döndü, soluklanmak için bir kütüğün ardına gizlendi.

Uzaktan, gelenin sesi ormanın sessizliğini delip geçti:

– Rusty! Patikalardan ayrılmak yasak! Hile yapıyorsun!

Aldırmıyordu. Eğer kurallara uyarsa, yine kaybedecekti. Bu insan avında üçe karşı bir kişiydi ve günün mağlubu olmak istemiyordu.

Sonra Rusty'nin kalp atışlarının tüm vücudunda yankılandığını duyduğu uzun saniyeler süren bir sessizlik. Bir kalleşlik sezdi, düşmanının ne yaptığını görmek için saklandığı yerden çıktı. Kevin Baines'in peşinden ormana daldığını gördü. Rusty yeniden harekete geçti; hareketsiz kalmaması gerekiyordu, yoksa ölü ilan edilecekti. Eğreltiotlarının arasından kendine bir yol açmaya çalıştı, ama korkunç bir gürültü çıkarmadan, özellikle de bu mevsimde, ormanda dolaşamayacağını hemen anladı. Bu sorunu nasıl çözeceğini düşünürken, eski bir binanın duvarıyla karşılaştı.

"Kusursuz bir sığınak" diye düşündü. Talih biraz yüzüne gülerse, Kevin yıkıntının farkına bile varmadan geçip giderdi.

Kırık dalların ve kuru yaprakların üzerine basmamaya özen göstererek yaklaştı. Bina, geçen yüzyılda oduncuların eve dönmeden birkaç hafta çalışabilmek için ormanda yaptıkları evlere benziyordu. Rusty bir kapı ya da herhangi bir açıklık bulabilmek umuduyla penceresiz bir duvarın etrafından döndü. İçeriden boğuk bir uğultu geliyordu. Bina Sular İdaresi ya da benzer başka bir kurum tarafından elden geçirilmiş olmalıydı, çünkü duyduğu usulca çalışan bir su tulumbasının sesiydi. Daha da iyi, saklanacak güzel bir yer. Rusty sonunda, öteki cephede içeriye sızabileceği kadar geniş bir açıklık gördü.

Abisinin hediye ettiği Zippo çakmağı bulabilmek için cebini karıştırdı, sonra çakmağı çaktı.

Uğultu arttı.

Kevin Baines çevresindeki seslere kulak kesilerek kütüklerin ve fundalıkların arasında ilerliyordu. Rusty'nin çok yakınlarda olduğuna dair iddiaya girerdi. Ama işler Rusty'nin istediği gibi olmayacaktı işte. Onu bulacak ve sonra "usta izci" unvanını gerçekten hak edecekti; sadece kendisi, başka hiç kimse değil.

Kevin solunda, biraz uzağında bir dal çıtırtısı duydu, hemen olduğu yerde çömeldi.

Sonra korkunç bir çığlık havayı yırttı.

Rusty McGeary'nin çığlığı.

Hiç dinmeden saniyeler boyu sürdü.

7

Doktor Sydney Folstom kırk yaşlarında, uzun boylu ve sert bakışlı bir kadındı; başta birlikte çalıştığı polisler olmak üzere, çoğu erkeği ürkütüyordu. Portland Adlî Tıp Merkezi'nin yöneticisi olarak, kılı kırk yaran aşırı titizliğiyle tanınmakla birlikte, meslektaşları arasında saygın biriydi. İşini layıkıyla yapanlardan hoşlanır, kolaya kaçanlardan nefret ederdi. Saatin 17.15'i geçtiğini ve Müfettiş Brolin'in hâlâ ortalıklarda olmadığını görünce homurdandı ve kendi kendine Brolin'e hayatı zehir etmeye karar verdi. Gecikme, her şeyden fazla nefret ettiği bir kusurdu.

Portland'ın Adlî Tıp binası, kent merkezinden biraz uzakta siyah ve yüksek pencerelerinde nadiren bir gölgenin görüldüğü kırmızı tuğlalardan yapılmış uzun bir binaydı. Bu biçimiyle İngiltere'nin geleneksel üniversitelerinden birinin doğruca Hammer filmlerinden çıkmış denilecek örneğini andırıyordu. Ana giriş, yakınlarından birinin cesedini buradaki adıyla teşhis salonlarından birinde görmeye gelen ailelere ayrılmıştı. Bina personeli arka kapıdan girip çıkmaya alışmıştı; yani iç avludan ve bodrumdan geçerek, otopsi için getirilen cesetlerin götürüldüğü yoldan. Brolin de binaya oradan girdi, yerleri elma yeşili linolyumla kaplı uzun bir koridordan, otopsi odalarının önünden yürüdü. Odalardan birinin önünden geçerken testerenin bir kafatasında çıkardığı sesi açıkça duydu.

Adımlarını hızlandırdı.

Buralarda sanki kimse yaşamıyordu, bütün bodrum gölgelere ve hayaletlere terk edilmiş gibiydi. Brolin bazen bir önlük hışırtısını ya da gırtlağını temizleyen birinin sesini duyuyordu ama görünürde kimseler yoktu, herkes otopsi odalarının yarı aralık kapılarının ardına sığınmıştı. Etraf insanı soluksuz bırakacak derecede güçlü bir antiseptik kokusuyla kaplıydı. Brolin birden toprağın altında olduğunu ve etrafta hiç pencere bulunmadığını fark etti. Sadece güçlü bir havalandırma vardı. İliklerine kadar ürperdi. Bir dizi tekerlekli sedyenin yanından geçip, giriş katına varmak için merdivenleri hızla tırmandı.

Cenaze odaları ve cenaze yakınlarının bekletildiği salonların dışında, analiz laboratuvarları da bu kattaydı.

Brolin merkez koridordaki özel kapıyı iterek merdivene yöneldi. Koridorun her iki yanındaki yüksek camlardan beyaz önlükler giymiş erkek ve kadın kalabalıklarının çalıştığı laboratuvarlar görülüyordu. Bir grup teknisyen bir köşede, ellerindeki verileri bilgisayara kaydederken, etkileyici birtakım makineler renkli diyotlarıyla parıldıyor, kanlı gömlek giydirilmiş bir manken de mermi hızının hesaplanması işini görüyordu. Brolin daha sonra üzerlerinde sadece "Kırmızı ışık yandığında içeri girmek yasaktır" yazılı levhalar bulunan, tepelerinde bazısı yanan kırmızı ampullerin olduğu tokmaksız ve yekpare kapıların önünden geçti. Burası spektrometre, fotoğraf ve balistik laboratuvarlarıyla *nit-yag* gibi karmaşık aletlere, yani Opti-Scan'in ya da çok güçlü bir bilgisayarla kütle spektrometresine bağlanmış bir gaz kromatografına ayrılmış özel bölümlerdi. En ufak belirtileri bile yakalamaya yönelik eksiksiz bir malzeme, bir kum taneciğine nereden geldiğini, hatta ülkede nereleri gezdiğini bile anlattırabilecek sayısız bilgisayar. Burası giriş katındaki laboratuvarların sorumluları Carl DiMestro ile Lynn Song'ın krallığıydı. Oysa şimdi Brolin'in, bürosu ikinci katta olan Doktor Folstom'la randevusu vardı. Geç kaldığının bilincinde, Carl'a merhaba diyerek daha fazla zaman kaybetmek istemedi, arkadaşının yine karanlık işlere daldığını düşünüp, basamakları tırmandı. Toksikoloji laboratuvarlarının, genetik araştırma bölümünün ve büroların bulunduğu ikinci kat daha sakindi. Brolin aradığı yeri bulmakta gecikmedi, kapıyı vurmadan içeri girdi.

Sydney Folstom konuğunu karşılamak için ayağa kalktı. Saçlarının perması mükemmel gözüküyordu, yeşil gözleri Brolin'i bir bıçak gibi deldi geçti. İfadesiz yüzünden canının mı sıkıldığını, yoksa her zaman mı böyle olduğunu kestirmek mümkün değildi. Kadından soğuk ve neredeyse zalim bir güzellik yayılıyordu.

"Meslekî değişim" diye düşündü Brolin, karşısındakine gülümseyerek. "Gün boyu insanları birer et parçasıymışlar gibi kese yara, insan etkilenir tabiî. Bu görülenler, ölümün izleri." Bu benzetme çok hoşuna gitti ve ilk fırsatta bir yere not etmeye karar verdi.

– Sizi gördüğüme çok sevindim Müfettiş Brolin, gecikmiş bile olsanız, dedi Folstom girizgâh niyetine. Yanılıyor muyum, yoksa sizi buraya çeken bir şeyler mi var? Son zamanlarda sizi sık sık görüyorum da.

Çok uzun bir üniversite hayatı yaşamış insanlara özgü, çok akademik bir dikkatle konuşuyordu. Okul ilkelerine uydurmak için sözcüklerin seçimine ve düşüncelerin düzenlenmesine dikkat etmekle geçen neredeyse otuz yıl, tıpla haşır neşir geçirilmiş o uzun ve yoğun yılların kazandırdığı kendine güven hareketlerini, söylediği en ufak sözcüğü etkiliyordu.

– Elimde olsa, hiç gelmezdim; sakın üzerinize alınmayın ama çevredeki bu ölüm havası beni çok rahatsız ediyor, diye cevap verdi Brolin.

Doktor Folstom soğukça gülümsedi:

– Oysa Cinayet Masası'nda çalışıyorsunuz, orası da benim "ölüm havası esiyor" diye adlandıracağım bir yer.

– Ama canlıları kapsıyor, dedi Brolin hiç bekletmeden ve bakışlarına sevimli bir ifade vermeye çalışarak.

Daha yeni başlamış sohbet ağız dalaşının sınırında bir tartışmaya dönüşecek gibiydi. Brolin tuzağa düştüğünün farkına varıp söylediklerinden dolayı pişmanlık duydu; oysa yumuşak başlı davransa, inatçı ya da size hayatı zehir etmeye kararlı birisi karşısında işini yürütmek için en uygun yolu seçmiş olacaktı.

Doktor Folstom tayyörünün eteğini düzeltti ve konuğuna naneli şekerlerle dolu bir külah uzattı:

– Siz bir katili yakalamak için bir ölünün hayatını anlamaya çalışırken, ben de aynı şeyi yapıyorum, ama hayatını kurcalamak yerine cesedini didikliyorum.

Brolin ağzındaki şekeri emerken başını salladı, tebessümü daha da büyüdü:

– O açıdan bakınca... Yanlış anlamadıysam, şu benim kömürleşmiş ceset hakkında bana söyleyecekleriniz var.

Çatışmadan sıyrılmanın zamanıydı, Sydney Folstom öyle kolay insanlardan değildi ve Brolin, aralarındaki meslek ilişkisinin düzeyini bozmamak için, havayı yumuşatmak gayretindeydi. Servis yöneticisi ile genç müfettiş birbirlerini henüz iyi tanımıyorlardı, Brolin genellikle daha alt seviyede Adlî Tıp yetkilileriyle çalışırdı, ama bir soruşturmanın sonuçlandırılmasında otopsinin son derece önemli olarak görüldüğü geçen ilkbahardan beri Folstom'u daha yakından tanımayı ve işbirliklerini geliştirmeyi kendine görev bilmişti. Son beş ay boyunca en az on kere buraya gelerek onunla çeşitli teknik konuları görüşmüş, her seferinde birkaç dakikadan fazla konuşmamalarına rağmen, Brolin karşısındakinin kişiliği hakkında belirli bir fikir sahibi olmaya başlamıştı. "Doktor Folstom ciddi, ilk bakışta huysuz görünmesine rağmen kötü biri değil, sadece biraz kırıcı" diye düşünmüştü, bu da polislerinki gibi maçoların bol olduğu bir dünyada kendini kabul ettirmenin başka bir yoluydu mutlaka.

Doktor Folstom, sanki Brolin'in aklından geçenleri okuyormuşçasına, her zamanki sert görünümünden farklı, rahat bir tavır takınıp elini saçları arasında gezdirdi.

– Haklısınız, otopsi olayın cinayet olduğunu doğruladı. Ama her şeyden önce size cesedin bazı fotoğraflarını göstermek istiyorum, göreceksiniz, o resimler hiçbir tereddüde yer bırakmayacak kadar açıklayıcı.

Folstom bir etajerden karton kaplı bir dosyayı almak için ayağa kalktığında, Brolin bunun doktorun üstünlüğünü kabul ettirmek için başvurduğu bir yol olduğunu anladı. Bu ölüm kokan mekândan iğrendiğini belli eden Brolin şimdi kendini açılmış cesetlerden birinin –renkli ve yakın plan– fotoğraflarının önünde bulacaktı. Doktorsa en önemli noktaların altını çizme fırsatını kaçırmayacak, uzmanı olduğu konuyu, yaraların tarifini sevdiği bir oyun gibi kullanacak, böylelikle karşısındakine üstünlüğünü kesin olarak kabul ettirecekti. Brolin en korkunçlarına tanık olmasına rağmen, yine de böylesi görüntülerden nefret ediyordu. Otuz yıllık bir meslek hayatından sonra bile, polis arkadaşlarının çoğu gibi, bir cesetle karşılaştığında rahatsız olacağını biliyordu. Yürekleri nasır tutmuş "aynasız"ların bir ceset karşısında heyecanlanmadıkları tek yer, filmlerdir. Zaman ve tecrübe olaylara biraz soğukkanlı bakmayı öğretse de insan böyle bir manzaraya hiç ama hiç alışamaz. Belki de her insanın diğerlerinden farklı olduğu ve herkes kendine göre bir ölümle, ölümün o an vücutlarımıza verdiği iğrenç bir kasılmayla öldüğü için. Hep ihtiyarlamanın insana onurunu kaybettirdiği, ölümün ise bu onuru geri getirdiği söylenir; bu görüş ancak bir şartla doğru olabilir: bir cesedin az çok onurlu sayılabilmesi için oradan geçmesi şartıyla. Çünkü ölümün insanı en beklemediği anda vurmaktan hoşlanmak gibi garip bir huyu vardır.

– Anlayacaksınız, dedi Doktor Folstom, Brolin'i daldığı düşüncelerden çıkararak.

Brolin cebindeki telefonunun titreşimlerini duydu:

– Lütfen beni bağışlayın, diye kekeledi, telefonu deri ceketinin cebinden çıkarırken.

Sydney Folstom'ın öfkeli bakışlarını üzerinde hissetti.

– Brolin, dinliyorum.

– Joshua, ben Salhindro. Hemen gelmen gerekiyor, sirkin yakınındaki ormanda bir ceset bulduk.

Salhindro'nun sesi kötü bir haber almış gibi gergindi.

– Neden ben? Bir soruşturma üzerinde çalışıyorum Larry.

– Senden gelmeni istiyorsam, bildiğim bir şey var demektir.

– Dinle, şimdi meşgulüm, üstelik bu işle Güneybatı karakolunun ilgilenmesi gerekiyor, orası onların bölgesi. Bu kadar önemli mi?

– Sana haber vermemizi isteyenler, Güneybatı'daki çocuklar. Cesedi gördüklerinde, bunun seni ilgilendireceğini anlamışlar.

– Beni ilgilendireceğini mi? dedi şaşırarak, sabırsızlanmaya başlayan Brolin. Bütün bunların anlamı ne?

– Fazla itiraz etme de Kensington Drive'ın sirk tarafındaki girişinde beni bul. Bu iş önemli. Gerçekten de.

Salhindro'nun sesi onda pek kolay görülemeyecek bir endişe yüklüydü ya, bu da insanı ürkütüyordu. Brolin kabul etmek zorunda kaldı. Telefonu kapadı, bu rahatsız edici müdahaleye sinirlenmiş görünen Doktor Folstom'a döndü:

– Çok üzgünüm, ama bütün bunları biraz ertelememiz gerekecek, acil bir iş için çağrılıyorum, dedi hafiflediğini belli etmemeye çalışarak kalkarken.

Sydney Folstom gözlerini Brolin'den hiç ayırmamıştı; üzüntüyle içini çekti. Brolin özür dileme anlamında belli belirsiz bir el işareti yaptı.

Bir trajediye tanık olacakmış gibi, birden içini keyif kaçırıcı bir his kaplayıverdi.

8

Brolin Mustang'ini yolun kenarına park etti. Bir saksağan[3] –oysa daha yeni mavi ve beyaza boyanmıştı– bekliyordu onu. Salhindro arabanın kaputuna oturmuş; karşısında da üniformalı biri. Biraz daha ötede hareketsiz bekleyen iki polis arabasından bir tanesi de olay yeri inceleme uzmanlarının kamyonetiydi.

– Nedir, ne oluyor? dedi Brolin, Salhindro'nun yanına vardığında.

Beriki iğrenmiş gibi yüzünü buruşturdu:

– Genç bir kadın. Onu bir çocuk buldu, iki saat önce, arkadaşlarıyla oynarken. Bunun çocukça bir şaka olup olmadığını anlamak için, Güneybatı bölgesinden iki kişi göndermişler. Adamlar döndüklerinde yüzleri kâğıt gibi, bembeyazmış.

– Peki, doktor geldi mi? diye sordu Brolin.

– Geldi, kadının öldüğünü doğruladı, ama hiçbir şeye dokunmadı. Etrafını çevirip, gelmeni bekledik.

– İyi ama, neden ben? Şefin haberi var mı?

– Evet, Güneybatı'dan arkadaşlar bize telefon ettiler ve sana haber vermemizi onun istediğini söylediler.

Brolin meslektaşının konuyu nereye getirmek istediğini anlayamıyordu. Bir soruşturma üzerinde çalışırken, başka bir cinayet mahalline gitmesi isteniyordu; üstelik, kendi yetki alanının dışında bir yere.

– Neden burada olduğumu bana ayrıntılarıyla bir açıklasan, dedi Brolin.

Salhindro cevap vermeden önce bir an üniformalı polis memuruyla bakıştı.

– Kendi gözlerinle görmen gerek, yoksa bana hiç inanmazsın.

3. Polis arabasına siyah beyaz renginden dolayı halk arasında verilen ad.

Ormanda yüz metrelik bir mesafeden sonra, yıkıntılara girişi engellemek için ağaçların arasına bir güvenlik kordonu çekilmişti. Birkaç polis memuru sağa sola gidiyor, dikkatle zemini inceliyor, notlar alıyordu. Gri önlüklerini giymiş iki olay yeri inceleme uzmanının ellerinde ağır valizler vardı. Dikkatle evin etrafındaki zemini araştırıyorlardı. İçlerinden biri de elli santimlik şeffaf bir şeridin üzerine sarı bir toz döküyor, böylelikle bir taşın üzerinden ayak izine benzeyen bir iz alıyordu.

– Uzmanlar içeri girmek için senden yeşil ışık bekliyorlar, diye uyardı Salhindro.

Brolin onu buraya neyin getirdiğini hâlâ anlamamakla birlikte başını salladı. Bunun nedeni ne rütbesi olabilirdi, ne de şöhreti. Üst makamlarda, önemli bir soruşturmaya gönderilmesini sağlayacak tanışları da yoktu. Tamam, bir cinayet mahallinden topladığı verilerle katilin psikolojik profilini oluşturabilecek polislerden biriydi, hatta tek polisti, ama bu cinayetin üzerine böyle bir esrar perdesi örtmek neden? Gerçekten de, orada bulunmasını gerektirecek tek bir neden göremiyordu. Oysa herkes, sanki oradaki varlığı belirleyiciymiş gibi onu izliyordu. Üniformalı bir memur yanına yaklaştı:

– Sizi bekliyorduk Müfettiş Brolin, ben Güneybatı bölgesinden Teğmen Horner. Ekiplerimizden birini işlenen cinayetle ilgili görevlendirmek üzereyken, Çavuş Faulings kurbanı tarif etti.

Brolin birden Juliette'i düşündü. Genç kızın kanlar içindeki yüzünü hatırlayınca, yüreği daha hızlı vurmaya başladı. İmkânsızdı, kimse Juliette'le görüştüğünü bilmiyordu, hele Güneybatı'dakiler, asla.

– Ee, öyleyse? diye sabırsızlandı Brolin. Beni düşünmenize sebep olan ne?

Teğmen ve Salhindro bakışlarıyla anlaştılar.

– Gel de gör Josh.

Salhindro, Brolin'i yıkılmak üzere olan evin yan tarafına doğru götürdü ve cebinden Mag-Lite'ını[4] çıkarıp yaktı.

Brolin uğultuya benzeyen bir ses duydu. İki adam duvardaki yarığın önünde durdular. Taşların üzerinden tırmanan, dallarını dokunaçlar gibi uzatan sarmaşıklar, evin tek girişini kısmen kapatmıştı. Bulunduğu yerden yarığa bakan Brolin'in içinde, sarmaşıktan perçemleri arasından yemeğinin verilmesini sabırla bekleyen kocaman bir ağzın karşısında duruyormuş gibi tatsız bir duygu geçti.

---

4. ABD'de polis teşkilatı tarafından da kullanılan tamamı özel alaşım metal, su geçirmez fenerlere verilen ad. (yay.n.)

Burun deliklerine ekşi bir koku doldu. Brolin'i içeride neyin beklediği hakkında hiç yanıltmayan bir koku. İlk kez bir ölüden çıkan kokuları duyduğunda yaptığı kötü benzetmeyi hatırladı, o kokuyu yaşlı bir hastanın osuruğuyla kıyaslamıştı. Ama bu kokladığı onu asla güldürememişti; tam tersine...

Salhindro eğilip deliğin içinde kayboldu, kısa bir süre sonra Brolin de peşinden gitti. Işığı arkalarında bırakarak, o kapkara ağzın karanlığına daldılar. Sanki bu hava almaz duvarların ardına iç bulandırıcı bir şeyler hapsedilmiş gibi, koku daha da dayanılmaz oldu. Brolin iğrenerek öksürdü, Salhindro da hemen ardından.

Yerdeki molozlara basmamak için, fenerin ışığını aşağıya doğru tutuyorlardı. Lataları dönüp kamburlaşmış, küflenmiş, üzerinde her çeşit parazitin yaşadığı bir fauna ile flora oluşmuş antika bir parkenin üzerinde yürüyorlardı. Ağır bir hava vardı, "Ölüm yüklü" diye düşündü Brolin. Geçtikleri kısmen bitkilerle örtülü yarıktan çevrelerindeki herhangi bir şeyi görmelerine yetecek bir ışık sızmıyordu. Kapılar ve bütün pencereler sanki bir kabir gibi sımsıkı kapatılmak istenmiş, taşlarla ışık sızdırmayacak şekilde örülmüştü.

Birkaç metre sonra iki polis tümüyle karanlıkların içine daldı, tek kılavuzları Salhindro'nun Mag-Lite'ıydı. Ağır ağır ilerliyorlardı. Bazen fener duvarı aydınlatıyor, Brolin de duvarların ince bir rutubet tabakasıyla, küfle ve soğana benzeyen mantarlarla örtülü olduğunu görüyordu. Zemin ise taşlarla, çok uzun zaman önce bırakılmış bira şişeleriyle ve termitlerce kemirilmiş ahşap kirişlerle kaplıydı.

Uğultu arttı; tıpkı mahallenin elektrik trafosundan çıkan ses gibi.

Brolin'in gözleri karanlığa alışmaya başlamıştı ve Salhindro'nun önlerinde gezdirdiği cılız ışık yeterli oluyordu. Ama etraflarında her şey simsiyahtı, mutlak karanlık evi kalın bir perde gibi örtüyordu, boşlukta tek bir aydınlık yarığı açan da fenerin ışığıydı. Karanlığın belirlediği ve sadece fenerin buğulu ışığında var olan bu karmakarışık çevrede, bu tek boyutlu düzlemde dikkatle yürüyorlardı. Sanki her şeyden uzak, bir gölgeler uçurumunun dibinde, dünyadan soyutlanmış, kaybolmuş gibiydiler. Gittikçe yaklaştıkları o aralıksız uğultunun dışında tek bir ses bile duyulmuyordu. Bir de onları giderek daha soluksuz bırakan, mide bulandırıcı, iğrenç kollarını duyularına saran o çürümüşlük kokusu. Brolin ağırlaşmış havada meslektaşının soluğunu duyuyor, ayağını bastığı yere dikkat etmeye çalışıyordu.

Brolin'in ayağı bir bitki kümesine dalıp, parkenin çürümüş latalarının altında kaldığında evin derinliklerinden yumuşak bir çatırtı yükseldi. Paslı bir çivi ayakkabısını deldi ve topuğuna battı. Brolin dengesini sağlamak için kolunu uzattı ve eli eski bir soba borusuna değdi. Aynı anda tespihböceklerinin elinin üzerinde koşuşturduklarını hissetti.

– İyi misin? diye sordu Salhindro, feneri Brolin'e tutarak.

– Evet, yalnız şu hayvanlardan nefret ediyorum, dedi Brolin davetsiz misafirleri kovmak için elini sallayarak.

– Hay Allah kahretsin, yaralanmışım.

Parmaklarının arasından ılık bir sıvı akıyordu.

– Neredeyse geldik, dipteki duvarın arkasında.

Salhindro'yu dinlerken, Brolin sanki ürktükleri ya da saygı duydukları bir mekândaymış gibi alçak sesle konuştuklarını fark etti.

"Burası gerçek bir kabir" diye düşündü.

Dikkatli adımlarla, parkeleri gıcırdatarak yürümeyi sürdürdüler. Evi örümcek sürüleri teslim almışlardı sanki. Brolin böylesine dar bir alanda bu kadar çok örümcek gördüğünü hatırlamıyordu. Duvarlar rüzgâra göre titreşen ve içinde sekiz bacaklı küçük siyah gölgelerin koşuşturduğu sis gibi hafif bir örtüyle kaplıydı. Belki yüz tane vardı. En ufağından en kocamanına, bir çay fincanı boyunda olanına kadar. Aç kalmış yırtıcılar misali, kendi dokudukları ipek örtülerin üzerinde koşuşturuyorlardı. Brolin giderek daha çok sıkıntı çekiyor, bu izbedeki rutubetin iliklerine işlediğini, binlerce böceğin vücuduna dokunduğunu hissediyordu. Neredeyse hayvancıklar derisinin üzerini kaplayacaktı. İlerledikçe, cesedi bulan çocuğa daha çok hayranlık duyuyordu. Çocukların bazen sanıldığından daha az etkilendiklerini bilse bile bu ürkütücü mezara girmenin olağanüstü bir cesaret gerektirdiğni düşündü. Bir çocuğu böylesi bir karanlıkta ilerlemeye ancak büyüleyici bir korkuyla birlikte merak itebilirdi.

Fenerin ışığı bir an dokusuyla jöleyi andıran portakal renkli bir yığının üzerinde durdu. Kızıl bir mantarın salgıladığı köpük.

Çeşitli varlıklar her tarafa kımıl kımıl bir karmaşa görüntüsü vermeye çalışıyor, bu arada da çürümüş insan kokusu burun deliklerine saldırmayı sürdürüyordu.

Böceklerle kaplı duvarı geçtiklerinde Salhindro durdu, elini Brolin'in koluna koydu.

– Manzara olarak pek güzel değil, dedi dupduru bir sesle.

Fenerin ışığı tozlu havayı kırbaçladıktan sonra önlerine, yere yöneldi.

Kadın orada yatıyordu.

Vızıldayarak uçuşan sineklere terk edilmiş.

İki taşın arasından sızan bir güneş huzmesi bu soğuk derinin solukluğunun altını çizmek ister gibi, kadının çıplak kalçasına vuruyordu. Bacağının mermer gibi sertleşmiş bir yerinden dikilen bir iki sarı kıl hareketsiz, zaman içinde donmuştu.

Fenerin ışığı vücudun üst tarafına tırmandı.

Tümüyle çıplaktı, çevresinde, yerde koyu renkli, yayılmış bir leke vardı. Onlarca sinek doğal olan ya da olmayan deliklerine konuyor, yumurtalarını dökecek kadar bir süre kalıyorlardı.

Brolin kadının kalçalarını gördüğünde, birden yerinden sıçradı.

Kadının mahremiyet bölgesinden bir bıçak sapı görünüyordu ve dudakların altında donmuş, ince bir kan sızıntısı. Birden bıçağın sapında yağlı ve kapkara bir yaratık belirdi, yüzlerce hempasıyla birlikte kendilerine ziyafet çekmek için daldığı karkastan kurtulmak için bacaklarını gerdi.

– Aman Tanrım! dedi Brolin, eliyle ağzını kapatarak.

Fenerin ışığı vücudun üzerinde kayınca, neden burada olduğunu anladı.

Onu içinden kemiren bu böcek bulutunun arasında yatan genç kadının kolları yoktu; dirseklerin altından kesilmişti.

Ama daha da kötüsü, alnı, sanki aside yatırılmış gibi, yapış yapış bir et yığınıydı.

Bu, Portland Celladı'nın imzasıydı.

Bir ölünün imzası.

9

Juliette kapının kilidini açıp, eve girdi. Alarmı devreden çıkarmak için şifresini girdi, eşyalarını kanepelerden birinin üzerine bıraktı. Üniversitede uzun ve yorucu bir gün geçirmiş, bir dershaneden diğerine koşmak zorunda kalmış, sonunda da yıl sonu incelemesiyle ilgili notlar çıkarmak için beş saat boyunca kütüphaneye kapanmıştı. Gözü kucağında bir yemek tepsisiyle televizyonun karşısında geçirilecek sakin bir akşamdan başka bir şey görmüyordu.

Posta kutusundan, annesinin ve babasının bir mektubu çıktı. Annesi ev kiralamaktansa bir yer almayı düşündüklerini yazıyor, böylece yakın bir gelecekte Portland'a dönmeyeceklerini ima ediyordu. Keyifle yazılmış bir mektuptu, "San Diego güneşi" diye düşündü Juliette, her tarafından sağlık fışkıran annesini gözünün önüne getirerek. Alice Lafayette kızını görmek için ayda bir hafta sonunu Portland'da geçiriyor, bazen, çalıştığı şirket cumartesi izin vermek lütfunu gösterdiğinde, Ted de karısına eşlik ediyordu. Ama genel anlamda, Juliette kendini çok yalnız hissetmiyordu. Hatta hayatını kendi istediği gibi yaşamaktan belirli bir zevk almaya bile başlamıştı; yirmi dört yaşında zorluk çekmeden ayaklarının üzerinde durması gerekiyordu. Annesiyle haftada iki kere telefonda konuşuyordu, ayrıca en iyi arkadaşı Camelia'nın evi de hemen yakındaydı.

Hayır, her şeyi düşünüp tarttığında, yeniden "normal" bir aile hayatına dönmek için en ufak bir istek duymuyordu. Bir yıl önce kaçırılması onu biraz daha kuşkulu bir insan yapmıştı, ama yine de yaşam tarzını değiştirmemişti. Dayanışma seanslarında tamamladığı işin esas bölümü başından geçeni kabul etmeyi öğrenmekle ilgiliydi. Yaşadığı trajediyi içine hapsedip bir istiridye gibi kapanmamalıydı. Açılmak, saldırıya uğrayıp örselendiğini kabul etmek, ama bütün bunların insanı güzel ve dengeli bir hayat sürmekten alıkoyamayacağını bilmek gerekiyor. Onun yaptığı da buydu. Juliette uzun süre ağlamış, korkusunu gözyaşlarıyla boşaltmış, sonra da yaşama sevinci üzerine yeni bir güven kurmuştu. Alçak herif ölmüştü ve Juliette'in hayatını kararttığını görüp keyiflenemeyecekti. Olayı izleyen ilk haftalarda, kafasında ölüm anını defalarca yeniden canlandırmış, uyumakta zorlanıp kendine hâkim olmayı beceremeyerek çok acı çekmişti. Psikolojik yardım bölümü travma sonrası aşırı gerilim durumunun üzerinde çok durarak, Juliette'e ortaya çıkacak belirtilerin olayı yeniden yaşamak ve uykusuzluk olacağını açıklamış ve hep birlikte bu travmatik stresi azaltmanın yollarını bulmaya çalışmışlardı. Tüm aşamaları anlatmışlardı ve genç kız artık dengesini bulduğunun bilincindeydi. Ama, onların deyimiyle "gerçekleşmesi gecikmeli" bir stres yaşaması her zaman mümkündü, onun için hep dikkatliydi ve sevinçte ya da umutsuzlukta fazla ileri gitmeye kesinlikle izin vermemeye çalışıyordu. Brolin başta Juliette'e yardım etmişti, olayı izleyen ilk aylar sık sık ziyaretine gelmiş, her seferinde küçük bir hediye getirmişti; ne şeker! Sonra Brolin yavaş yavaş bir soruşturmanın altında kalıp kaybolmuş, birbirlerini giderek daha az görür olmuşlardı. Ardından da, aylar geçtikçe tek tük karşılaşmalar; istemeden de olsa birbirlerini gözden kaybedene kadar. Tıpkı insanın eski sınıf arkadaşlarıyla temasa geçmek istemesi, ama bu teması onların izlerini yitirinceye dek ertelemesi gibi.

Camelia'nın ve olaydan sonra Portland'a gelip haftalarca kalan annesi ile babasının desteğiyle kendini toparlamış ve her zamanki yalnız insan görüntüsüne geri dönmüştü. Bir buçuk aylık tedavisi sırasında yanından ayrılmayan annesi ile babasına San Diego'ya dönmeyi kabul ettirmek için, Juliette'in ısrar etmesi bile gerekmişti. Sükûneti, bu evin yalnız ona ait olmasını, herhangi bir zorlamaya ya da savunmaya tabi olmayan düzenini seviyordu.

Ne var ki hayatının o önemli dönemeci davranışlarında belirgin bir iz bırakmıştı tabiî. Şimdi daha az tereddüt ediyordu. Eskiden olsa, o akşam yaptığı gibi, gelip onunla birkaç saat geçirmesi için Joshua Brolin'e asla telefon edemezdi. Çekingenliğini yenmesi gerektiğini, hayata pamuk ipliğiyle bağlı bulunduğunu, bazen insanın kişiliğini zorlamasının şart olduğunu anlamıştı. O akşam bir üzüntü selinin altında kalmış ve Brolin de inanılmaz bir rahatlığa kavuşmasını sağlamıştı. Yeniden düşündükçe, rahatlığın sadece Brolin'in o akşam onunla birlikte olmasından kaynaklanmadığını, asla etkisi altında kalmayacağına inandığı bir erkeği eve getirmesinden doğduğunu anlamıştı. Esprili, ciddi, hoş bir adamdı ve Juliette o akşamı teskin edici bir özlemle hatırlıyordu.

Birden Brolin'i düşünürken keyiflendiğini fark etti; içinde geçen seferki gibi onu yeniden görmek, güven verici varlığının tadını çıkarmak ve huzur içinde bir uyku çekmek arzusu uyandı.

"Aklım bir karış havada" dedi kendi kendine. "Bunları Camelia'ya anlatsam, aşkın yokuşunda kayıyorum diye başımın etini yer."

İyi düşündüğünde, buna inanmıyordu. Joshua Brolin'e âşık olmuş değildi, bu sadece bir çeşit olay sonrası gelişen bağlılıktı. Birbirlerini aylardır görmemişlerdi ve yaşadıklarından sonra birdenbire yeniden karşılaşmanın bazı bağlar oluşturduğu açıktı. Üstelik, aralarındaki yaş farkı da çok önemliydi, Joshua'nın otuzlarında olması, Juliette'i rahatsız ediyordu. Camelia'nın sesi beyninde yeniden yankılandı: "En iyi yemekler eski tencerelerde yapılır." Juliette bu düşünceleri kovmak için başını sağa sola salladı, bunlarla uğraşmak istemiyordu.

Uzaktan kumandayı kaptı, bir ses duymak için televizyonu açtı. Sevdiği gibi, her tarafı kaplamaksızın sessizliği süsleyen, soğuk bir varlık.

Juliette televizyonda ne olduğuna bile bakmadan atıştıracak bir şeyler bulup tepsisini hazırlamak üzere mutfağa girdi.

Akşamın bir bölümünü kanepede, pek ilginç olmayan bir film izleyerek geçirdi. Kendini televizyon tüpünü fazla düşünmeden izlemeye kaptırmışken, kapının zili sessizliği yırtar gibi çalınca yerinden sıçradı.

Saat dokuza geliyordu.

Juliette yerinden birdenbire kalkınca başı dönmeye başladı. Geçmesi için duvara tutunarak kapıya yaklaştı. Kapının üzerindeki pencereden sadece gecenin karanlığı görünüyordu. Sahanlığın ışığı yanmıyordu, ampulü değiştirmeyi unutmuştu işte.

– Kim o? diye sordu Juliette. Sesinin daha kararlı çıkmasını isterdi.

– Benim, Camelia.

Juliette rahatlayarak kilitleri çevirdi, kapıyı açtı. Camelia yüzü gergin, bakışları sert, kapının önünde duruyordu. Juliette bir bakışta bir şeylerin yolunda gitmediğini anlayıp sordu:

– Ne var? Ne oldu?

– Girebilir miyim?

Juliette özür diledi ve arkadaşının hole girmesini bekledi.

– Anlaşılan haberleri dinlememişsin, diye söze başladı Camelia.

Duyar duymaz buraya koştum, seni yalnız bırakmak istemedim.

– Sen neden söz ediyorsun? Neler oluyor? dedi Juliette. İçinde, boşluktan gelen, adı konulamaz ve derin bir korkunun yayıldığını hissediyordu.

– Gel.

Camelia, Juliette'in önüne düşüp salona girdi, bölgesel kanala geçti. Haber bülteni ormanın kıyısındaki muhabirlerinin görüntülerini yayınlıyor, kameranın ışığına rağmen, muhabirin çevresini saran gece karanlığı açıkça görülüyordu.

"... Ceset bir çocuk tarafından bu akşamüstü bulundu; şu sıralarda polis hâlâ olay yerinde. Burada cesedin korkunç görüntüsünden söz ediliyor, bir kaynaktan alınan ve henüz polisçe doğrulanmamış habere göre bir yıl kadar önce bölgede Portland Celladı'nın işlediği cinayetlerle sarsıcı bir benzerlikten söz ediyor."

Juliette irkildiğini hissetti, elleri titremeye başladı.

"Kurbanın kollarının dirsek hizasından kesildiği ve bu bilgilerin polis tarafından doğrulanmadığı söyleniyor. Hatırlayacaksınız, Leland Beaumont ya da Portland Celladı bundan bir yıl önce..."

Camelia televizyonu kapatıp, Juliette'e yaklaştı. Genç kızın sırtını sıvazladı:

– Bu olanları duyarken yalnız olmanı istemedim, her şey çok geride de kalsa, seni tanırım...

Juliette göğsünde biriken soluğu sakince üfledi:

– Bu ilham sıkıntısı çeken bir deli olmalı. Leland Beaumont kafasına yediği bir kurşunla öldü, dedi bir solukta.

– Evet... Her şeyin yolunda olduğunu görmek istedim. Bu tip haberler...

– Her şey yolunda, diyerek sözünü kesti Juliette.

Camelia arkadaşının mavi gözlerinin içine baktı, gerçeği görmeye çalıştı. Sonra da sözlerine devam etti:

– Birer çay yapsam?

Juliette belli belirsiz gülümseyip, başını salladı.

10

– Anlıyorum yüzbaşı. Tamam.

Brolin telefonunu kapadı ve ceketinin cebine koydu. Salhindro gerisinde, en sevdiği yerdeydi: saksağan otomobilin kaputunun üzerinde.

– Ee, yüzbaşı ne dedi? diye sordu Salhindro.

– Yanık ceset soruşturmasını bırakıp, bunu ele almamı.

Brolin'in canı sıkılmış, kaşları çatılmıştı.

– Sanırım, benim de dönmemi söyledi.

Brolin kafasını salladı:

– Bana kalırsa basın saldırıya geçmeden bu pis hikâyeyi kapatmak istiyor. Seninle ilgili hiçbir şey söylemedi. Sen istersen eve dön, bu işle ben ilgilenirim.

Salhindro dikildi:

– Eve mi döneyim? Kimi öpmek için? Tavan arasındaki fareler ile bodrumdaki sıçanları mı? Boşversene, yapacak işlerimiz var.

Günün son ışıkları iki saat önce sönmüştü. Uzakta iki sağlıkçı ağaçların arasından bir sedye taşıyor, üç ayaklı direkler üzerine dikilmiş projektörlerin arasında zikzaklar çiziyordu. Olay yeri inceleme uzmanlarıysa, minibüslerine binmeden önce son notlarını alıyor ve şemalarını tamamlıyorlardı. Brolin de bu gerçek ötesi sahneyi izliyordu: ormanın ortasında son derece güçlü projektörler, siren lambalarından yayılan ışıkların kırmızısına boğulmuş bir açıklık, fotoğraf çeken polislerin son flaşları ve saksağan arabadan durmadan yükselen telsiz cızırtısı.

Ağzına toz tadı sinmişti. O yıkıntıda, incelemek için cesedin başında geçirilmiş uzun dakikalar. Cesedi gördükten sonra yaptığı ilk şey, ölüm saatini belirlemekti. Ölüm katılığı gerçekleşmişti. Brolin bu oluşumun (ölümden sonra kimyasal bir süreç sonucu kasların kasılması) genellikle ölümden on iki saat sonra gerçekleştiğini, iki gün sonra da kaybolduğunu biliyordu. Bunun anlamı genç kadının en az on iki, en çok da kırk sekiz saat önce öldürülmüş olduğuydu. Kısacası, izler daha tazeydi.

Kabir ziyaretinden sonra, Brolin iki olay yeri inceleme uzmanı teknisyenini, Scott Scacci ile Craig Nova'yı getirtmişti. İki adam ilk adımda güçlü halojen ampullerini kullanabilmek için yıkıntının yakınlarına bir jeneratör grubu yerleştirmişti. Sonra da harabeye dönüşmüş evin içini karış karış incelemişlerdi. Bütün malzeme ve aletleriyle: her türlü biyolojik izleri belirlemek için Polilight lambası, ayak izleri için elektrostatik yazıcı, izler için ninhidrin, gümüş nitrat, amido siyah ve kristal mor... Ne var ki cinayet mahalli büyük ölçüde kirlenmişti, önce cesedi bulan çocuk, sonra da Brolin ile Salhindro gelmeden önce eve giren iki polis memuru ve doktor tarafından. Bütün bunlara, her döneme ait ve her çeşit atığa bakılırsa, bir de birbirini izleyen evsiz barksızları eklemek gerekiyordu. Craig ve Scott küçük plastik torbalara bir sürü örnek koymuşlardı; saçlar, kıllar, daha ne olduğu belirlenmemiş çeşitli organik maddeler. Daha sonra her kullanımdan sonra yüzlerce kıvılcım çakan bir Polaroid CU-5'le cinayet mahallini her açıdan resimlediler. Ceset üzerindeki böcekleri inceleyerek ölümün tam saatini belirleyecek olan böcekbilimci için toprak örnekleri alındı. Brolin biraz geride beklemişti, ama yavaş yavaş sıkılmaya da başlamıştı. Çevresinde böylesi bir hareketlilik varken, mekânın havasına istediği gibi girebilmesi imkânsızdı, buraya daha sonra yine gelmesi gerekecekti, ama hiçbir şeye dokunmadan önce evin, özellikle de cesedin olabildiğince çok fotoğrafının çekilmesini istemişti. FBİ'deyken, bir dosyayı çoğunlukla polis ya da Adlî Tıp raporundan ve fotoğraflardan hareket ederek incelerdi. Olay yerine gitmesi hemen hemen imkânsızdı, Brolin'i en çok umutsuzluğa düşüren de buydu. Öte yandan, soruşturmayı adım adım izlemenin, özellikle de kurbanın öldürüldüğü yerde bulunmanın, katilin psikolojik profilini oluşturmada çok önemli bir avantaj olduğunun da farkındaydı. Çünkü olayı anlamak için katil gibi düşünmesi ve kendini katil gibi hissetmesi gerekecekti, bunun için de onu damgasını vurduğu yerde izlemekten daha iyisi olamazdı.

Şimdi de ormanın ortasında bir ışık çemberine boğulmuş sedyecilerin siyah bir torbaya konmuş cesedi götürmelerini izliyordu. Olay yeri inceleme uzmanlarından Craig Nova yanına yaklaştı. Saçları pırıltılı kafasında bir taca benzeyen ve içinde bulunduğu duruma rağmen neşeli görünen ufak tefek bir adamdı.

– Elimizden geleni yaptık ama sonuç almak için beklemek gerekebilir, orada her çeşit pislik vardı, dedi mendiliyle alnını kurularken. Her şeyi inceleyeceğiz ama bizden mucize bekleme, sana birkaç gün rapor okutmaya yetecek kadar ayak izi ve saç bulduk. O harabe gerçek bir pislik!

Brolin içini çekti. Bir soruşturma, başlangıçta hep karmaşık görünürdü, insanın elinde belirli veriler olmadan her şeyi düzenlemesi gerekirdi. İlk raporlarla birlikte, yollar açılmaya başlardı. En azından, öyle olmasını umuyordu.

– Yine de ölüm saatini belirlemen için sana biraz zaman verebilirim, diye sözlerine devam etti Craig.

Tulumunun cebinden karmaşık şemalar ve diyagramlarla dolu bir defter çıkardı.

– İşte... İşte... Tamam. Termokuplla ateşini ölçmeden önce, anüs çevresinde hiçbir yarası olmadığını belirledik. Adlî Tıp uzmanı değilim, ama en azından, anüsten tecavüze uğramadığını söyleyebilirim. Portland Meteoroloji İstasyonu'yla biraz önce konuştum, bana buranın ortalama sıcaklığını söylediler, bu da son kırk sekiz saat boyunca az bir farklılıkla 22°C ediyor.

Brolin termik genliklerle vücut ağırlığını ilgilendiren çeşitli verilerin birleşimi olan bu yöntemi ezbere biliyordu: bu verileri karmaşık düzeltme değerleriyle çarparak, yaklaşık bir ölüm saati bulunabilirdi. Filmlerde sıkça görülenin tersine, ölümün kesin saatini belirlemek hiç de sanıldığı kadar basit değildir, tam aksine bu çalışma, oldukça çok yanılmayla karşılaşılan bir uzmanlık işidir.

Craig Nova konuşmasına devam ediyordu:

– Kurbanın ağırlığını 55 kilo olarak tahmin ediyoruz, rektum derecesi de 26. Çıplak olduğunu ve çevrenin nemini de hesaba katarsak...

Craig Nova not defterini açtı, normografik eğriyle düzeltme ölçütlerini aradı. Kurşunkalemle üç çizgi çekti, gecenin onunu geçtiğini gösteren saatine bakarak başını salladı.

– Yirmi saat oluyor. Hata payıyla birlikte, dün geceyarısı ile sabahın dördü arasında öldürüldüğünü söyleyebiliriz. Bu da ölüm katılığına uyuyor.

Demek kız bir gece önce kaybolmuştu, bu durum kimliğinin belirlenmesinde işe yarayacaktı, tabiî eğer birkaç gün bir yerde alıkonulmamışsa. Oysa ayak bileklerinde iz görülmemesi, bu olasılığı ortadan kaldırıyordu. Craig parmaklarını şaklattı.

– Az daha unutuyordum.

Kurbanın yüzünü gösteren bir dizi kaliteli Polaroid fotoğraf çıkardı.

– İlk kimlik belirlemesi için, dedi.

Brolin resimleri alıp, cebine koydu.

– Tamam, teşekkürler Craig, sonuçları bana olabildiğince çabuk ilet.

– Bu Carl DiMestro'nun işi.

Craig eliyle belli belirsiz bir selam verdi, biraz da alayla ekledi:

– İyi geceler!

Sonra da, yardımcısının bütün malzemelerinin saklandığı dev valizleri yerleştirmeyi bitirmek üzere olduğu minibüse doğru yürüdü.

Brolin arkasına döndüğünde Salhindro ile Horner'ı derin bir sohbetin içinde buldu. Koşulların özelliği nedeniyle soruşturmayla ilgilenmeyeceklerini ve bu görevin Müfettiş Brolin'e verildiğini anlatıyordu herhalde. Geniş bir program. Buraya geleli neredeyse üç saat olmuştu, ama kafasında cinayetle ilgili pek bir şeyler açıklığa kavuşmamıştı. Brolin hiç üşenmeden cesedin çevresinde dönüp durmuş, dikkatle incelemişti ve Portland Celladı'nın kurbanları ile ceset arasındaki benzerlik şaşırtıcıydı. Oysa Leland Beaumont on iki aydan beri toprağın iki metre altındaydı; solucanlara yem olarak. Yine de birilerine örnek olmuştu, çünkü hiç kuşku yok bu cinayet bir hayranlık göstergesiydi. Bu cinayeti işleyen, Leland Beaumont'un "eserini" beğendiğini herkese göstermek istemişti. Bu, polis jargonunda *copycat* –kelime anlamıyla "kopyacı"– olarak adlandırılıyordu; seri cinayetlere düşkün, genellikle ender rastlanan, ama son derecede tehlikeli bir katil türü. Öldürme arzularını çoğu kez ünlü bir katile duyulan hayranlık ya da kıskançlıktan aldığı ve kurban sayısı bakımından "ustayı" geçme isteğiyle birlikte aynı şekilde öldürme ihtiyacı yarattığı için, çok korkutucudurlar. Ve Portland Celladı mecburiyetten üç cinayette durmak zorunda kalmıştı.

Brolin kafasını salladı, daha en ufak bir sonuç çıkarılamayacak kadar başındaydı işin. Şimdilik Adlî Tıp raporunu dikkatle okuması ve kurbanın cinayet mahallinde çekilmiş fotoğraflarını incelemesi gerekecekti.

Sanki becerilerinden çok şey beklendiğini hissetmiş gibi, ilk belirlemeleri yapan Adlî Tıp uzmanı yaklaştı. Bu hekim de, kentteki bütün meslektaşları gibi Doktor Folstom için çalışıyordu. Brolin bunu hatırlayınca içinden gülümsedi, acilen gitmesi gerektiğini söylediğinde, Adlî Tıp uzmanının yüzü gözünün önündeydi.

– Craig anlatmış olmalı, ölüm anını tahmin etmeye çalıştık. Tabiî otopsiden sonra çok daha fazlasını biliyor olacağız.

Uzman, sanki kimsenin onları dinlemediğinden emin olmak istiyormuş gibi tereddüt etti, sonra ekledi:

– Bacaklarının arasını gördünüz mü? Çökertildiğini anladınız mı?

Brolin sessizce başını salladı, gözleri sabitti.

– Hangi çılgın böyle bir şey yapabilir? diye şaşkınlığını dışa vurdu Adlî Tıp uzmanı.

– Kafayı yemiş bir orospu çocuğu! diye seslendi iki adamın yanına yaklaşan Salhindro. Kafayı yemiş bir orospu çocuğu!

Uzakta kapanan kapıların sesi duyuldu, birkaç araba olay yerinden ayrılmaya başladı.

– Neyse, onu yarın açarız artık, muhtemelen öğleden sonra, otopsiye siz mi katılacaksınız? diye sordu hekim.

Salhindro acı acı gülümsedi:

– Sanki şimdiye kadar gördüklerimiz yetmezmiş gibi!

– Geleceğim. Cesetle ilgilenecek uzmana beni beklemesini söyleyin, yemekten hemen sonra gelirim, dedi Brolin ifadesiz bir ses tonuyla.

Otopsi sırasında orada bulunması katilin mekanik davranışlarını anlamak açısından yararlı olurdu sadece. Bir raporu okumak yerine katilin bıraktığı izleri görüp, her hareketini ve yaşadığı heyecanı gözünde canlandırarak olayı enine boyuna kavraması çok daha kolay olacaktı. Fikir olarak hiç de hoşuna gitmiyordu, daha önce birçok otopsi gördüğünden insanın iç dünyasında hoş olmayan bir etki, zihne yerleşen ve sonraki gecelerde uykuyu kaçıran marazî bir rahatsızlık bıraktığını biliyordu. Daha önce Doktor Folstom'ın raporundan nasıl kaçtığını hatırlayarak, "haklı bir ceza" diye düşündü.

Salhindro gözlerini iyice açmış, ona bakıyordu.

– Hem patron seninle birlikte gittiğimi duyarsa, beni artık mektupları dağıtmakla görevlendirir, dedi. Üzgünüm, ama oraya yalnız başına gideceksin dostum.

Adlî Tıp uzmanı biraz ileride bekleyen ambulansı gösterdi:

– Onu serin bir yere götürmem gerek, otopsi için size haber veririz, dedi arabaya doğru yürümeden önce.

Salhindro'nun gözleri hâlâ Brolin'in üzerindeydi. Brolin, derin bir düşünceye dalmış olmalı ki, kirpiklerini bile oynatmıyordu.

– Kafanın içinden neler geçiyor? diye sordu Salhindro, kocaman göbeğini sıkan kemerini çekiştirerek.

Hafif bir rüzgâr çıkmış, gece ormanın üzerine serin pelerinini örtmeye başlamıştı. Polis arabalarının siren lambalarından sonuncusu da, iki adamı Mustang'in tavan ışığının aydınlığıyla baş başa bırakarak uzaklaştı. Usulca dönen sükûnet ile son birkaç saattir ormanı sarsan hareketlilik arasında sarsıcı bir zıtlık vardı. Koca projektörler gitmişti, onlarla birlikte de cinayet mahallinin sinir bozucu aydınlığı. Artık doğa dikkatle hakkını geri alıyor, karanlık ve gizemden dokuduğu tülü yavaşça seriyordu.

Brolin birkaç saniye geçtikten sonra cevap verdi:

– Bunu yapan herif... Tam şu sırada neler yapıyor, onu merak ediyordum.

11

Daha yeni tıraş olduğu için, yanakları sürdüğü kolonya yüzünden kaşınıyordu. Brolin sadece beş saatlik bir uykudan sonra saat yedi buçukta, görünüşte dinç, ama hâlâ uykulu bir halde, polis merkezine geldi. Giriş katında fazla oyalanmadı, gece gözaltına alınanların çığlıklarını duymamak için hemen asansöre girdi. Beşinci kattaki Cinayet Masası'nda atmosfer daha sakindi; en azından, öyle görünüyordu. Brolin bürosuna bile uğramadan, doğruca kimlik tespit bölümüne gitti. Bundan daha birkaç saat önce, eve gitmeden buradan geçmiş, kayıp insanlar dosyasındakilerle karşılaştırılması için, kurbanın Polaroid fotoğrafını bırakmıştı.

Nöbetçi Max Leirner'dı, zaten gecenin ortasında fotoğrafları teslim alan da oydu. Brolin'in girdiğini görünce yüzünü yorgunluğun daha da belirginleştirdiği bir umutsuzlukla buruşturdu.

– Üzgünüm, ama hiçbir şey çıkmadı. Verdiklerini bütün verilerimizle, hatta çocuk bölümündeki dosyalarla karşılaştırdım, ama hiçbir şey bulamadım, diye bilgi verdi, Brolin'e tek bir şey söylemek fırsatı bile bırakmadan.

– Ulusal veri tabanında bir sorgulamaya giriştin mi? diye sordu Brolin.

– Evet, şimdilik bir sonuç yok.

Brolin dişini dudağına bastırdı. Eğer kadın Kaliforniyalı ya da İdaholu çıkarsa FBİ'nin federal sınırların aşılması bahanesiyle konuya el koyması kesin gibiydi.

– Bir şey bulur bulmaz bana haber ver, birazdan işe başlayacaklara da aynı şeyi söyle.

Max Leirner başını salladı, Brolin bürosuna doğru yürüdü. Gergindi, uykusunu alamamıştı ve kendisini uzun, sıkıcı bir günün beklediğini biliyordu. Bugün ilk sonuçlar gelecekti; Adlî Tıp'tan kimlik tespit bölümünden vb. Brolin sıkıntıyla bekliyordu, bir soruşturmanın gerçek bir araştırma ile dipsiz bir bok çukuru arasında nasıl bir seyir göstereceği genellikle ilk yirmi dört saatte belli olurdu.

Bürosuna girdiğinde, masasının üzerinde bir kutu donut bulunca şaşırdı. Bir saniye bile tereddüt etmedi, kutuyu kimin getirdiğini biliyordu. Yoksa Salhindro uyumaz mıydı? Daha şimdiden merkezin çeşitli servisleriyle gece devriyelerinin raporlarını görüşüyor olmalıydı. Brolin kutunun üzerine, aceleyle yazılmış notun arkadaşının elinden çıktığını anladı: "8'de yzb'nin odasında brfg."

Birkaç dakika sonra, lüks baskıyla yazılmış "Yzb. Chamberlin" tabelasının onun nerede olduğunu belli eden kapısını itiyordu. Yüzbaşı ellilerinde biriydi. Uzun boylu ve sıska, sinirli insanın tipik bir örneğiydi. Kaşlı ve bir keman teli gibi gergin bir vücut, çizgilerle dolu bir yüz, ince ve siyah bir bıyık. Oysa sorumluluğu altındaki bölümü çelik bir el ve adamlarının saygısını kazanmasına yetecek kadar ilgiyle yönetmenin ustasıydı. Brolin daha bu bölüme gelir gelmez amiriyle iyi anlaşacaklarını hissetti; ikisinin arasında önemli bir dostluk bağı kurulmamış olmasına rağmen burada geçirdiği iki yıl bu duyguyu doğrulamaya yetti.

Sabahın erken saatine rağmen, odada daha şimdiden bir sürü insan vardı ve başlarının üzerinde ağır bir tütün kokusu salınıp duruyordu. Cinayet Masası'ndan Yüzbaşı Chamberlin'in etrafında yardımcısı Lloyd Meats, müfettişler ile üniformalılar arasındaki iletişimden sorumlu Salhindro ve Brolin'in şimdiye kadar hiç görmediği, yelekli takım elbise giymiş iki kişi vardı. Brolin herkesi bir baş hareketiyle selamladı ve kendine geniş masanın çevresinde bir yer buldu.

– Müfettiş Brolin, bu beyler bölge savcıları Gleith ve Bentley Cotland...

Yüzbaşı Chamberlin bir süre ne konuşacağını düşündü, sonra hemen toparlandı:

– Bay Cotland çok yakın zamanda savcı yardımcısı olacak.

Brolin irkildi. Savcı Gleith'in burada bulunması açıklanabilirdi, adam kentin adalet mekanizmasının göbeğindeydi, ama henüz yardımcılığa atanmamış birinin burada, özellikle de bir soruşturma toplantısında hiç işi olamazdı. Sanki bunu doğrulamak istermiş gibi, Yüzbaşı Chamberlin, Brolin'e döndü:

– Beyler yöntemlerimizi denetlemek ve özellikle de Bay Cotland'a göreve başlamadan önce çalışma sistemimiz hakkında bir fikir vermek için buradalar.

Brolin içinden bir küfür savurdu. Bu bürokratlar gelip onun işlerine burunlarını sokmaktan ne zevk alırlardı ki? İşi zaten başından aşkınken.

Chamberlin, Brolin'in gerginliğinin farkına vardı ve ağır bir bakışla susmaya davet etti.

Söze bölge savcısı Gleith başladı. Her şeyden önce bir bürokrat olarak, yumuşak, saldırgan olmamakla birlikte kararlı bir ses tonuyla konuşuyordu ve kırk yaşının sağlıklı görünüşünü yansıtan yüzünün arkasında parlayan, hırslı insanlara özgü o ikiyüzlü ışık Brolin'in gözünden kaçmadı.

– Amacımız sizi rahatsız etmek değil, yardımcımın eğitimine bir katkıda bulunmak. Görevine polisimizin sistemini gerek teorik, gerek pratik alanda iyi tanıyarak başlamasını istiyorum. İşte bu yüzden, bütün bu soruşturma boyunca sizinle birlikte olacak Müfettiş Brolin. Bu sürenin de çok uzun olmayacağını düşünüyorum, öyle değil mi?

Brolin öfkesinin kabardığını hissetti. Ama karşısında kimin olduğunu iyi bildiğinden, kendini frenledi.

– Savcı Gleith, şu anda size kesin bir şey söyleyemem; bir soruşturmanın politik bir plana benzemeyeceğini siz de bilirsiniz, bir soruşturma bütün ayrıntılarıyla önceden hazırlanamaz. Ancak bulacağımız izlerin hızıyla ilerleyeceğimizi söyleyebilirim.

Bu kelimeleri duyunca savcının kasıldığını hissetti, ancak adamın yüzünde politik bir tebessüm oluştu.

– Bu arada eklemem gereken bir şey daha var, diye devam etti Brolin. Bu soruşturma tehlikeli olabilir ve bu arada kimsenin güvenliğini...

Savcı Gleith bir el hareketiyle müfettişin sözünü kesti:

– Bentley sizinle olay mahalline gelmeyecek; en azından, suçluyu yakalamaya gittiğinizde. O soruşturmayı biraz geriden izleyecek. Ben sizden sadece onun aranızda bulunmasını kabul etmenizi istiyorum; gözlemci olarak, çırak olarak, siz nasıl isterseniz.

Bu bir rica değil, bir emirdi, kimse bunu anlamayacak kadar aptal olamazdı. Ama en önemlisi Brolin savcının samimiyetini fark etmişti: Gleith yardımcısından bahsederken önadını kullanmış ve babacan bir ifade takınmıştı. Birkaç saniye boyunca, biri diğerinden en az yirmi yaş daha genç olan bu iki kişi arasında nasıl bir ilişki olduğunu düşündü. Akraba mıydılar, yoksa... Amirinin sesi Brolin'i düşüncelerinden çekti aldı.

– Tamam, şimdi artık konumuza dönelim, dedi konuşmanın sertleşmesini hiç istemeyen Yüzbaşı Chamberlin. Gerçek şu ki, dün akşam, saat beşten biraz sonra büyükçe bir çocuk, kimliği henüz belirlenememiş ve çok kötü şekilde hırpalanmış bir kadın cesedi buldu. İlk incelemeden sonra, kadının vücudundaki yaraların Portland Celladı olarak bilinen Leland Beaumont'un geçen yıl kurbanlarının üzerinde açtığı yaralarla benzer olduğu belirlendi. Güneybatı bölgesindeki meslektaşlarımız o soruşturmanın Müfettiş Brolin tarafından sonuçlandırılmış olduğunu göz önünde bulundurarak bize haber vermenin daha doğru olacağını düşündüler.

Chamberlin Brolin'e döndü:

– Eğer yanılmıyorsam, bana yara izlerinin birbirinin eşi olduğunu söylemiştiniz, değil mi?

Brolin başıyla onayladı:

– Kesin sonuç için otopsi raporunu bekliyorum, ama izler gerçekten Leland'ın yaptıklarına benziyor. Tam dirsek hizasında çok temiz bir kesik, ama en önemlisi, alındaki asitle gerçekleştirilmiş yanık izi. Şimdilik asıl endişe verici olanı bu.

O ana kadar bir şey söylemeden dinleyen Bentley Cotland sessizliğinden sıyrıldı:

– Neden?

Brolin gözlerini hemen ona çevirdi. Onu hiç tanımıyordu, ama daha şimdiden ondan hiç hoşlanmayacağını biliyordu. Kusursuz bir çizgiyle ikiye ayrılmış saçlarıyla, ısmarlama dikilmiş yelekli takım elbisesinin içinde, kendinden fazlasıyla emindi. Çok genç görünüyordu; sanki üniversiteden yeni mezun olmuş gibi. Kendi de fazla yaşlı olmamasına rağmen, Brolin'de hiç böylesi bir kendini beğenmişlik yoktu.

Ne olursa olsun, savcı yardımcısı olmak için çok genç.

– Çünkü Portland Celladı'nın kurbanlarının alnına asit döktüğünü kimse bilmiyordu, diye araya girdi Salhindro. Tüm soruşturma boyunca bu ayrıntıyı basından gizlemek için akla karayı seçtik; dosya kapandıktan sonra da böylesi iç karartıcı bir ayrıntıya girmeyi hiç istemedik.

Bentley Cotland şaşırmış görünmüyordu:

– Bana kalırsa çağrışımları kolaylaştırmak için. Eğer sizden ve katilden başkasının asitten haberi yoksa, böylesine özel bir iz taşıyan bir ceset bulduğunuzda, bu cinayeti onun işlediğinden emin olmanız gerekir. Bunun anlamı da... İyi ama, Leland Beaumont'un öldürüldüğünü sanıyordum?

Brolin sessizce soluğunu boşalttı. "Bu kadarı da fazla!" dedi kendi kendine. "Başımıza bir tümdengelim ustası sarmışlar. Öğretilenleri ezbere bilen, ama dünyadan habersiz, gerçek bir salak!"

– Bu doğru, dedi Salhindro. Leland Beaumont öldü ve gömüldü.

– Öyleyse, asitten başka kimin haberi olabilir? Bir polisin? diye sordu Bentley Cotland; soruşturmanın ilk adımlarına katıldığı için oldukça gururluydu.

Brolin, Bentley Cotland'in neden onlara emanet edildiğini anlamaya başlamıştı. "İşte hiç tanımadığı bir ortama torpille, paraşütle indirilen, orada felaketler yaratacak bir zengin çocuğu" diye düşündü.

– Her neyse, şimdilik acele sonuçlar çıkarmayı düşünmüyoruz, dedi Yüzbaşı Chamberlin gözlerini herkesin üzerinde gezdirerek. Brolin, işi siz yapıyorsunuz, Meats yardım etmek için yanınızda olacak, eğer araziyi düzeltmek için üniformalılara ihtiyacınız olursa, Salhindro'ya başvurursunuz. Baylar, bu işi olabildiğince çabuk kapatmanızı ve özellikle de bir hata yapmamanızı istiyorum; böylesi bir işten sonra basının peşimizden bir adım bile ayrılmayacağından eminim. Onun için, aymazlığa yer yok.

Gözlerini bölge savcısına dikti:

– Savcı Gleith, eklemek istediğiniz bir şey var mı?

Savcı ayaklandı:

– Sadece her birinize teşekkür etmek ve başarılar dilemek istiyorum.

Bakışı Brolin'in üzerinde herkesten fazla durdu. Sonra herkesi selamladı ve odadan çıktı. Ötekiler de aynı şeyi yapmaya hazırlanırken, Chamberlin, Brolin'e seslendi.

– Evet yüzbaşı?

– Biraz bekleyin, size söyleyeceklerim var.

Brolin herkesin çıkmasını bekledi, sonra kapıyı kapattı.

– Şu Bentley denen adamı yanınızda istemediğinizi biliyorum...

Brolin başını salladı, cevap vermek istedi, ama Chamberlin sesini yükselterek müfettişi susturdu:

– Ama seçim hakkınız yok, çünkü benim de yok. Bentley Cotland Savcı Gleith'in yeğeni, zaten genç yaşına rağmen bu göreve atanmasının nedeni de bu.

Tabiî ya, savcı ve genç yardımcısı arasındaki samimiyetin sebebi de buydu işte. Brolin kafasını salladı ve Chamberlin sözlerine devam etti:

– Gleith bu kentin gerçek hâkimi, hatta yerel seçimler döneminde verilmiş sözde bir rüşvet nedeniyle valiye arka çıktığı bile söyleniyor. Unutmayın, vali aynı zamanda bizim de amirimiz.

Chamberlin masasının çevresinden dolaşıp, Brolin'in yanına geldi. Elini müfettişin omzuna koydu:

– Sizden tek istediğim, ona birkaç gün dayanmanız, onu peşinizden sürükleyin, göreceksiniz, otopsilere, cinayet tatbikatlarına katıldığı için bir hafta boyunca doğru dürüst uyumadığını gördüğünde, amcasından yeniden masa başına gönderilmesini isteyecektir.

Brolin bir şey söylemeden yutkundu.

– Gerçekten başka seçeneğimiz yok, onun için size güveniyorum Brolin.

Chamberlin dostça omzunu sıvazladı:

– Ve size yalvarıyorum, kavga yok.

12

Profesör Thompson dolmakalemiyle karatahtaya vurdu.

– "Stockholm sendromu" ikilemlerle dolu bir davranış denebilir, dedi tebeşirle çizilmiş şemayı göstererek. Kurban ya da kurbanların saldırganlarının tarafına geçtikleri bir durum değişikliği. Adını, 1973'te İsveç'te yapılan ve rehinelerin kendilerini tutsak eden kişiye sempati hatta gerçek bir güven duymalarıyla sonuçlanan bir olaydan alır. Bu durumu kurtarılmaları sırasında güvenlik güçleri ile suçlunun arasına girmeye, şikâyetçi olmayıp tanıklık etmemeye kadar götürdüler. Her neyse, oldukça belirgin bir örnek de saldırıya uğrayanlardan birinin birkaç yıl sonra onu kaçıranla evlenmesiydi.

Tüm sınıf, bir filmde gösterilse saçma diye nitelendirilecek bu inanılmaz öykünün etkisindeydi.

Juliette karatahtaya bakıyor, ama anlatılanlara kulak veriyordu. Bu dersi bir yıl önce de dinlemişti ve Profesör Thompson o günden bu yana pek değişmemişti. Genç kadının bakışı düşün mutlaklığında eridi, duygular beyne hâkim oldu. Artık hiçbir şey dinlemiyor, hiçbir şey duymuyordu. Yine Portland Celladı'nınkilere benzer cinayetin yarattığı korkunun pençesindeydi.

Leland Beaumont.

Ölmüştü, Juliette, adamın, kafatasının büyük bir bölümü Joshua Brolin'in sıktığı kurşunla parçalanmış halde yere yığılışını çok iyi hatırlıyordu. Bir kez daha basın bu olayın peşine düşmüş, gerçekleri tahrif etme pahasına da olsa, olaydan çıkarabileceği ne kadar sansasyon varsa çıkarmıştı. Birkaç gün sonra, cinayetlerin o kadar da benzer olmadığının açıklanacağından adı gibi emindi. Sonra hemen bütün dikkatler katilin, Leland Beaumont'a benzemekten fersah fersah uzak bir zavallının yakalanmasına çevrilecekti. "Bütün bunlar basının abartması" diye düşündü.

Camelia, Juliette uzun süre bu haberden etkilenmediğini iddia etse de, genç kadına güven vermek için elinden geleni yapmış ve geceyi onun yanında geçirmişti. Doğru muydu? Kendini, bu yeni cinayet haberinden etkilenmeyecek kadar uzak mı hissediyordu? Tabiî ki hayır. Daha Leland Beaumont'un adını duyduğunda, kanı dondu. "İtiraf et, dehşet içindesin, evet!"

Tıpkı gecenin ortasında, Camelia uyurken duyduğu çıtırtı sırasında olduğu gibi, eli yeniden titremeye başlamıştı. Evin batı cephesine çarpan rüzgâr, hepsi bu.

Profesör Thompson heyecanlanmıştı, Juliette "doğrudan ya da dolaylı kurban etme" terimlerini belli belirsiz duyduysa da gerçek anlamlarını hatırlamaya çalışmadı.

"Buraya gelmemeliydim" dedi kendi kendine. "Salağın tekiyim! Psikososyoloji diploması almak istiyorum ama daha kendime teşhis koymaktan âcizim! Camelia'nın dediği gibi, bu sabah evde kalmalıydım."

Oysa analizin ilk ve temel kuralını ezbere biliyordu: insan ne kendini, ne de yakınlarını inceleyemez, çünkü böyle durumlarda tarafsızlıktan söz etmek imkânsızdır.

"Eve dönüp, sıcak bir çay yapacağım, sonra da gelmediğim günleri telafi etmek için kitapların başına oturacağım; gece de, iyi uyumak için bir uyku ilacı. Yarın her şey daha güzel olacak."

Düşündüklerinde sahte olan bir şeyler vardı, ama ne olduğunu kestiremiyordu.

Çevresindeki herkes ayaklandı, Juliette dersin bittiğini bile anlamamıştı. Öğrencilerin arasında tanıdığı biri, Thomas Bloch ya da Brock, pek hatırlamıyordu, gülücüklerle yaklaştı:

– Ders sırasında seni izledim, anlaşılan Thompson'ın anlattıkları pek ilgini çekmiyor! dedi.

Juliette bomboş bloknotunu çantasına yerleştirdi ve oğlana yarım yamalak gülümsedi.

– Bana kalırsa, Thompson'ın anlattıklarını pek takip etmemişsin, eğer kafeteryaya gidersek, sana tuttuğum notları veririm.

Uzun ve güneşten yanmış sörfçü görüntüsünün ardında, samimiye benziyordu. Tüm yazı Kaliforniya plajlarında geçirmiş insanlar gibi, koyu bir teni ve yaldızlı bir cildi vardı. Bakışı dürüst, tebessümü doğaldı ve çevresine sıcak bir hava yayıyordu. Başka koşullarda olsa, Juliette böyle bir daveti belki kabul ederdi.

– Hayır, çok iyisin, ama hallederim, dedi çantasının kayışını omzuna geçirirken. Bu dersleri geçen yıl da aldım, onun için sadece bir tekrardı.

Öğrencilerin gülüşüp itiştikleri kapıya doğru yürüdü.

– Tamam, anladım. Stockholm sendromu hakkında bir ödev hazırlıyorum, tüm ayrıntılarını anlamama yardım edersin diye düşündüm.

Juliette durdu, oğlanın karşısına dikildi:

– Dinle... Thomas. Teklifin beni gerçekten duygulandırdı ama şimdi bunun zamanı değil, onun için beni rahat bıraksan... Teşekkürler.

Kapıdan çıkıp Thomas'a sırtını dönmek üzereydi ki beklemediği bir cümle hançer gibi saplandı:

– Bütün bunlar, dün akşamki o korkunç cinayet yüzünden, değil mi? Geçen yıl başından geçenleri biliyorum, bana anlatılanlara göre...

Ağzı açık dinleyen Juliette hemen toparlandı:

– Hayır, hiçbir şey bilmiyorsun! diye haykırdı öfkeyle. Onun için, beni rahat bırak.

Topuklarının üzerinde döndü ve loş koridorda elinden geldiğince hızlı adımlarla yürüdü. Gözlerinin dolduğunu hissedip, yumruğunu tırnakları avuçlarına batana kadar sıktı. İnsanlar onu neden rahat bırakmıyorlardı? Kaçırılmasından sonra karşı karşıya kaldığı medya saldırganlığı yüzünün üniversitede birçok kişi tarafından tanınmasına yol açmıştı, Allah'tan ilgi geldiği gibi hızla yok olmuştu. Yine de olayın sonuçlarına bütün hayatı boyunca katlanacaktı ve kendinde böyle bir güç göremiyordu. Tek istediği, huzurdu. Unutulmaktı.

Açık havaya çıkınca, sakinleşmek için derin bir nefes aldı. Kalın bulutlarla kaplı gök griydi, ekim her yıl olduğu gibi bulut ve yağmur kortejiyle birlikte geliyordu işte. O zavallı çocuğa bu kadar kaba davrandığı için pişmanlık duymaya başlıyordu. Juliette'i üzmek istemediği belliydi, onu yanlış anlayan kendisiydi. Belki de çocukçağız sadece yardım etmek istiyordu.

"Anlaşılan hiçbir fırsatı kaçırmıyorsun" diye kendi kendini suçladı.

Genç bir kız öğrenci hemen yandaki telefon kulübesinde bir kahkaha atınca, Juliette irkildi.

"Aman Tanrım, galiba gerçekten de eve gidip gevşemem iyi olacak."

Ne var ki o koskocaman evdeki yalnızlıkla buluşma fikri hiç de hoşuna gitmiyordu, akşamın alacakaranlığıyla birlikte en ufak bir gürültüde bile ödü kopacaktı, biliyordu. Bütün gece boyunca gözünü kırpmayacaktı.

Uzun zamandan beri ilk kez annesinin ve babasının varlıklarıyla hayat verdikleri o evde olmalarına üzüldüğünü hissetti. Oysa annesi onu bir taraftan şımartacak, bir taraftan da iyi olup olmadığını anlamak için soru yağmuruna tutacaktı. İstemediği de buydu.

Gözlerinin önünde Joshua Brolin'in yüzü belirdi, varlığıyla sağladığı güvenin, yaptığı esprilerin rahatlatan ve ona gülümsemeyi hatırlatan anısı. Neler anlattığını anlatmanın gereği yoktu, o bütün bunları zaten biliyordu, Joshua'nın bu özelliğini seviyordu. Bir kez daha Joshua'ya dönecekti.

Kendine başka tek bir soru bile sormadan, kampüsün çimenleri üzerinden yürüyerek geçti ve bulduğu ilk boş telefon kulübesine girdi. Bilinmeyen numaralar servisinden Portland Polis Merkezi'ndeki Cinayet Masası'nın telefonunu aldı, sonra hemen hattı bağlattı.

– Cinayet Masası, sizi dinliyorum, dedi hiçbir sıcaklığı olmayan bir kadın sesi.

– Müfettiş Brolin'le konuşmak istiyordum lütfen, dedi Juliette.

– Kim arıyor diyelim?

– Juliette Lafayette.

– Hatta kalın lütfen.

Juliette cama dayanıp bekledi. Birkaç saniye sonra santral memuresinin sesi yeniden duyuldu:

– Şu anda burada değil, bir mesaj bırakmak ister misiniz?

– Şeyy... Hayır, önemli değildi.

Telefonu kapayıp, Brolin'in evinin numarasını tuşladı, ama karşısına telesekreter çıktı. Mesajı sonuna kadar dinleme isteğine direnip, ahizeyi yerine koydu. Üzüntüyle başını çenesi göğsüne değecek kadar eğdi.

"Onu böyle her dakika rahatsız edemem. Kendimi denetlemeli ve yıkılmamalıyım. Bütün bunlar geçmişte kaldı, öldü ve benim daha ilk cinayette keçileri kaçırmamam gerekir. Güçlü olduğumu göstermeliyim. Yeterince gözyaşı döktüm, artık kafamı kaldırıp yepyeni bir hayata başlamanın zamanı geldi."

Ciğerlerindeki havayı yavaş yavaş boşalttı.

"Bu bir deneme, gerçekten iyileşmek için geçmem gereken bir sınav" diye tekrarladı. "Eğer bu sınavı geçmeyi tek başıma başarırsam, bu hikâyenin üzerine bir çizgi çeker ve bir daha hiç dertlenmem."

Omzundaki çanta kayışını düzeltti, arabasına gitmek için telefon kulübesinden çıktı.

Mavi Vosvos Shenandoah Terrace'a döndü, müzik arabanın içini dolduruyordu. Juliette kapısının önüne park etmiş minibüsü fark ettiğinde, bir Beatles şarkısı mırıldanıyordu. Yavaşladı. Minibüsün üzerinde arapsaçına dönmüş bir antenler ve çanaklar kalabalığı vardı. Kenarında KFL Portland'ın, yerel bir televizyon kanalının logosu.

Gazeteciler buraya Juliette için gelmişlerdi. Üzerine atlamak, onu sorularla serseme çevirmek için minibüslerinde sabırla bekliyorlardı mutlaka. Herifin birinin kendini Portland Celladı sanmasının onu nasıl etkilediğini öğrenmek istiyorlardı. Muhtemelen bir damla gözyaşı ya da sarsıcı tepkiler, yani ekranda heyecan yaratacak bir şeyler bekliyorlardı.

Juliette dikkatle minibüsü izledi, motoru rölantide çalışıyordu. Şoförün oturduğu koltuğun camından duman yükseliyordu, zaten birkaç saniye sonra o camdan bir kolun uzandığını ve caddeye bir izmarit fırlatıldığını gördü.

– Benden hiçbir şey alamayacaklar, dedi dişlerinin arasından.

Vosvos Cumberland Caddesi'ne kadar geri geri gitti, oradan da Kuzeybatı bölgesine doğru saptı. Birkaç dakika sonra da tüm kente hâkim bir tepenin üzerinde durdu. Beş yüz metre ilerde, sağda Juliette'in villasını gözlerden saklayan bir ağaç kümesi vardı, ama hiç kuşkusuz mavi minibüs hâlâ orada bekliyordu. Genç kadın döndü, Camelia'nın evine giden basamakları tırmanmaya başladı.

Eğer gazeteciler onunla gerçekten konuşmak istiyorlarsa, sabretmeyi öğrenmeleri ve geceyi soğukta geçirmeleri gerekecekti.

13

Brolin bürosuna girdiğinde geniş pencerenin önünde uslu uslu bekleyen Bentley Cotland'le karşılaştı. Güneş adamın elbisesinin kıvrımlarında parlıyordu. Brolin, Cotland'i kollarını kavuşturmuş, camdaki aksini seyreder görünce yüzünü buruşturmadan edemedi.

– Peki, size nasıl hitap etmemi istiyorsunuz? "Savcı Yardımcısı Cotland" mi?

– Yo, hayır, aramızda böyle şeylere gerek yok. Bana "Bentley" deyin, yeter. Sizlerin yanında fazla göze batmamak istiyorum.

"'Aramızda böyle şeylere gerek yok...' Yakında kendisinin takım elbise, benim de boka batırdığı spor ayakkabılar olduğumu anlatmak için bildiği ne kadar güzel söz varsa, onları söyleyecek!" diye düşündü Brolin, soruşturmanın üzerine bir de Bentley'ye katlanmak fikrine bir türlü alışamıyordu.

– Pekâlâ Bentley. Ben de Joshua.

"Bentley... Fakat bu isim de nereden çıktı?" Brolin karşısındaki genci inceledi. Olsa olsa otuz yaşında, insana tepeden bakan bir ukalanın daniskası; ünlü bir üniversiteden en az bir hukuk mastırıyla yeni çıkmış. Briyantine buladığı siyah saçları madenî telleri andırıyor, yeni oluşmaya başlayan gıdısı adamın daha da korkunç görünmesine sebep oluyordu. "Yoksa bu, gen transferi yapılmış insanların ilk örneği mi?" diye içinden alay etti.

– Nereden başlıyoruz? dedi Bentley Cotland.

Brolin hemen yüzünün kızardığını hissetti. Bentley belki katlanılması güç, torpilli bir zengin çocuğuydu, ama en azından parmağını esas noktaya basmasını bilmişti. Laklakla vakit harcamak niyetinde değildi. Artık daha fazla zaman kaybetmeden, soruşturmayla ilgilenmek istiyordu.

– Önce ilgililerle bir konuşacağız.

Brolin telefona doğru yürüdü ve Lloyd Meats'i arayarak odasına gelmesini söyledi. Salhindro'yu da çağırdı.

– Teğmen Salhindro soruşturma için kurulan birimin üyesi mi yoksa? diye şaşırarak sordu Cotland.

Brolin samimi bir cevap vermeyi kararlaştırmadan önce birkaç saniye tereddüt etti:

– Larry Salhindro'nun bu kattaki müfettişlerin çoğundan daha iş bilir olduğu kesin, onun yanımızda olması bize çok şey kazandırır. Üstelik kenti herhangi birinden çok daha iyi tanıyor. Bu da işimize yarar.

Cotland anladığını belli etmek için başını usulca salladı, ama Brolin adamın bakışını kaçırmamıştı: kurallara göre hareket edilmemesi hiç hoşuna gitmemişti.

Lloyd Meats yanlarına geldi, az sonra da dört kişi içinde üniforma taşıyan tek kişi olan Salhindro. Toplantı masasının çevresinde yer aldılar. Brolin'in bürosu genişti; içinde dosyalarla dolu etajerler, uzun geceler için bir kanepe vardı, duvarları da duvar kâğıdıyla kaplanmıştı. Bir bakıma, Brolin'in yönettiği soruşturmaların sinir merkezi, yani komuta yeri.

Lloyd Meats kapkara sakalıyla masanın ucuna, Bentley'nin yanına yerleşirken Salhindro jaluzilerin kanatlarını kapattı, oda daha da dinlendirici bir loşluğa büründü.

– Pekâlâ, konuyla ilgili neler biliyoruz? dedi Brolin, önündeki ince dosyayı açarken.

Salhindro karnını içine çekti; notlarına, defterine bakmaksızın konuya girdi:

– Çarşambayı perşembeye bağlayan gece, bilinmeyen bir kişi tarafından öldürülmüş, kimliği henüz belirlenmemiş, yirmili yaşlarında bir kadın var. Burada önemli olan kadının cesedinin Portland Celladı olarak da bilinen Leland Beaumont'a özgü bir törenselliğin izlerini taşıması. Benim bireyselleştirici olarak tanımlayacağım bir yöntem.

– Adlî Tıp raporu elimize geçmeden heyecana kapılmamamız gerek, tamam mı? diye uyardı Meats. Neden öldüğünü ve katilin açtığı yaraların şeklini kesin olarak bilmiyoruz.

– Lloyd, ben cesedi gördüm, inan, kolları tam dirsek hizasından kusursuzca kesilmişti, diye somurtarak araya girdi Brolin. Alnında da asit izi vardı. Bunlar, Leland'in imzalarıydı.

Meats elini yanaklarını gıdıklayan sakalında gezdirdi.

– Kol fetişizmini herkes biliyordu, medya bu konuyu büyük bir keyifle işlemişti zaten. Ama alındaki asit? Bizim dışımızda, bunu bilen kimler var? diye sordu.

– Pek fazla bilen yok, dedi Salhindro. Geçen yıl konuyu soruşturanlar ki Brolin ve ben dahil, yirmi kişiyi geçmez.

Brolin başını sallayıp ekledi:

– Bilgi sızmış olması mümkün. Ağzı gevşek bir morg görevlisini ya da çaktırmadan birkaç kuruş kazanmak isteyen bir polis memurunu önleyemezsiniz, ama eğer medya bundan hiç bahsetmemişse, bu konuda bilgileri yok demektir. Yoksa, genellikle böyle şeyleri kaçırmazlardı.

– Daha iyisini bulamadığımız sürece, işte size bir ipucu, dedi Meats defterine bir şeyler karalarken. İşe bu bilgiye sahip olanların listesini çıkarmakla başlayalım, oradan da kaçağın nereden kaynaklandığına bakarız, dedi kendi söylediğine kendisi de pek inanmayarak.

– Tam karıncalara göre bir iş, üstelik iş on iki ay öncesine dayanıyor, asit işini bilen polislerden birkaçının yakınlarına bundan bahsetmiş olmaları kaçınılmaz, diye itiraz etti Brolin. Hayır, bana kalırsa bu imkânsız.

– Sen ne öneriyorsun?

Meats cevap beklerken, gözlerini Brolin'e dikmişti.

– Önce, Adlî Tıp'tan gelecek raporu bekliyorum, ondan sonra katilin Portland Celladı'nın yöntemlerini nereye kadar taklit ettiğini hep birlikte görürüz. Eğer gerçekten benzerlikler varsa, o zaman Leland Beaumont dosyasını yeniden çıkarır ve mercek altına alırız. (Brolin, Salhindro'ya döndü.) Larry, üniformalıların Washington Park çevresinde devriyeye çıkmalarını ve bazı kişilere, özellikle de oranın müdavimlerine sorular sormalarını istiyorum. Belirli saatlerde koşmaya gelen insanlar ya da bebeklerini gezdirmeye gelen anneler. Adamların çarşamba akşamüzeri ya da perşembe sabahı erken saatlerde dikkat çekici bir şeyler görüp görmediklerini sorsunlar. İşe gitmeden önce jogging yapmazlarsa dünyanın yıkılacağına inanan birkaç koşu müptelası vardır muhakkak. Bir de bir polis arabasının sık sık cinayet mahallinin çevresinde dolaşmasını sağlayın. Bana kalırsa, bu cinayet cinsel bir ağırlık taşıyor, onun için katilin fantezisini yeniden yaşamak amacıyla oraya dönmesi hayli muhtemel. Dikkati çekecek ilk kuşkulunun üzerine çullanıp, sorgulamayla sersemletmelerini istiyorum. Eğer sorgulamadan sonra da kuşkulu görünüyorsa, kimliğini araştırırız.

Salhindro başını sallayarak onayladı.

– Öte yandan, cesedi bulan çocukla da konuşmak gerek. Nerede şimdi?

Lloyd Meats kokusu Brolin'in burnuna kadar yayılan bir sigara yakmıştı. Bir buçuk yıldan beri sigara içmemesine rağmen, dumanın gelip onu alaya almasına dayanamıyordu müfettiş.

– Galiba bugün okula gitmedi, dedi Meats ağız dolusu duman üfleyerek, bizim psikoloji servisinin uzmanlarıyla birlikte, anlaşılan epey sarsılmış.

– Kim sarsılmazdı ki, dedi Brolin. Güzel. Biri çocuğun ifadesini almaya çalışsın, belki bizim kaçırdığımız, ama hâlâ cinayet mahallinde var olan araştırılmamış bir şeyler görmüştür. Bana kalırsa bu işi bir kadına verin, çocuk daha az etkilenir.

– Çocuk Masası'ndan Leslie Taudam, dedi Meats, böyle işlerde üzerine yoktur.

– Tamam, diye onayladı Brolin. Şimdi Adlî Tıp'a gidiyorum, olup bitenleri görüşmek için akşamüstü burada buluşuruz.

Meats ve Salhindro ayaklandı. Brifingin başından beri ağzını açmayan Bentley herkesin hareketlendiğini görünce, tereddütlü bir sesle sordu:

– Ya ben? Ben ne yapıyorum?

Brolin ve Salhindro bakıştılar.

– Siz benimle geliyorsunuz, dedi genç müfettiş, bir otopsiye katılmış olmak ileride işinize yarar.

Bentley Cotland güneşin altında kalmış bir dondurma gibi bozuldu.

14

İki adam morgun bodrum katında, yeşil linolyumla kaplı zeminin üzerinde yürüyordu. Bentley kendini güvende hissetmiyor, ayak seslerinin yankısının, bodrum katına neredeyse masalsı, devasa bir boyut verdiğini düşünüyordu. Kırmızı tuğlayla örülmüş bu duvarları, tavana asılarak uzayıp giden, her bölmenin ardından yeniden beliren bu kalorifer borularını da sevmiyordu. Aslında, soluk bir ışık yayan, ona göre yeterince aydınlatmayan bu küçük ve beyaz tavan lambalarını da sevmiyordu. Tamam, ortalık temizdi temiz olmasına ama çevrede boğucu bir atmosfer hâkimdi, bir... Evet, ölüm atmosferi. Brolin birkaç adım önde gidiyordu, Bentley biraz hızlandı, rahatsızlığını gözler önüne sermeyi hiç istemiyordu.

Brolin birdenbire durdu ve sola saptı. "Mekânın karmaşık mimarîsine hâkim gibi görünüyor" diye düşündü Bentley. Geldiklerinde, müfettiş sadece bir gece önce gelen kolinin nerede inceleneceğini sormuştu. Nöbetçi onu tanıyor ve neden söz edildiğini anlıyor olmalıydı ki istenen bilgiyi almak için bir telefon etmekle yetinmişti. Bu arada otopsiyi bizzat Doktor Folstom'ın yapacağını eklemesi Müfettiş Brolin'i derin bir sessizliğe sürüklemişti. Bentley bu haberin müfettişin hoşuna gitmediğini düşündüyse de, nedenini sormaya cesaret edemedi. Sorun yaratmak istemiyor, Cinayet Masası'ndaki varlığının iyi bir şey olarak algılanmadığını hissediyordu; şimdilik tek dileği Cinayet Masası'nın çalışma sistemi hakkında olabildiğince bilgi sahibi olmak ve başına dert açmamaktı. Savcı yardımcısı olarak başarısının anahtarı da buydu. Yardımcılığı sırasında başarılarıyla dikkat çekerse, bir sonraki seçimlerde aday olabilmesi muhtemeldi. Uzun vadeye gelince; Bentley kendini adliye sisteminde parlak bir meslek hayatı yaşarken düşlemekten hoşlanıyordu, daha sonra da, neden olmasın, bir belediye başkanlığı ya da senatörlük görevi.

Daha modern morglarda, bir düğmeye basıldığında kapılar mekanik bir ses çıkararak otomatik olarak açılır, koridorlara bir *Star Trek* dekoru havası verirlerdi. Oysa Portland morgu hâlâ çarpma kapı döneminde kalmıştı; hani o kovboy barlarındaki kapıların benzerleri.

Brolin geniş bir odaya girdiğinde, Bentley meslek hayatını planlamakla öylesine meşguldü ki, kapanan kapının suratının ortasında patlamasına ramak kalmıştı.

Ayaklarının altındaki linolyum yerini kahverengi karolara bırakmıştı. Girişteki küçük dolaplarıyla, mikroptan arınmak için kullanılan iki geniş tekneli, paslanmaz çelik malzemesiyle; güçlü aydınlatması ve özellikle de ortadaki otopsi masasıyla oda tümüyle işlevseldi. Bentley sanki üzeri kanlı bir Aztek sunağının karşısındaymış gibi dondu kaldı.

– Hoş geldiniz, dedi bir kadın sesi biraz önünde.

Sydney Folstom elini uzatarak iki erkeğe doğru yürüdü. Adlî Tıp uzmanının delici bakışı bir an Bentley Cotland'in üzerinde durakladı. Beriki onu incelemekte olan canlı ve keskin gözü görür görmez, Berkeley Üniversitesi yıllarından beri alışkın olduğu yırtıcılara özgü bakışı tanıdı.

– Amiriniz Bay Cotland'in geleceğini haber vermişti, dedi Doktor Folstom, bizim için güzel bir sürpriz, savcının bürosuna mensup birinin bilgilenmesine katkıda bulunma onuruna her gün erişmiyoruz...

Siyasetçilere özgü kendine güven birden yeniden su yüzüne çıktı ve Bentley uzatılan eli kuvvetle sıkarken doktorun sesindeki alaycılığı kaçırmadı.

– Biz kanun adamları için adlî sisteme hizmet eden bütün unsurları yakından tanımak bir görevdir, dedi her kelimeye aşırı bir vurgu yükleyerek.

– Güzel, öyleyse otopsi sırasında her şeyi açıklamaya çalışacağım, diye karşılık verdi Doktor Folstom, sesinde en az Bentley'ninki kadar bir güvenle.

Bu kadarı bile, berikinin benzinin biraz daha solması için yeterliydi.

Sydney Folstom, Brolin'e dönüp ekledi:

– Bu kadar zamandan beri ilk kez birlikte çalışacağız müfettiş!

Brolin kadının sesinde çalımlı bir alay duyar gibi oldu; şimdi artık son görüşmelerini kabaca bitirmesinin kadında hiç de olumlu etki bırakmadığından emindi. Hiçbir şey söylememeyi yeğledi.

– Tamam, artık başlayabiliriz, hazırlanmak istiyorsanız, dedi girişteki dolapları göstererek, orada tek kullanımlık eldivenler ve muşamba bir önlük bulacaksınız. Yüz maskesini unutmayın sakın.

İkisi de söylenenleri yaptıktan sonra aletlerini hazırlayan Doktor Folstom'ın yanına döndüler. Brolin aletlerden önemli olanlarını biliyordu: tek kullanımlık uzun bıçaklı bisturi, Kocher pensleri, eğri makas, Farabeuf ekartörü, koroner makası ve Karındeşen Jack'i kıskançlıktan öldürecek bir sürü başka alet.

Adlî Tıp uzmanı daha sonra içinde ön raporun ve cinayet mahallinde çekilen fotoğrafların bulunduğu polis dosyasını açtı. Daha birkaç dakika önce, dosyadaki raporu etraflıca incelemişti.

– Beni bağışlayın ama bir iki ön inceleme yaptım, dedi duvara asılı radyografi lambasını yakarken.

Gözlerinin önünde bir dizi radyografi aydınlanırken, Sydney Folstom tavandan bir adaptör kablosuyla sarkan küçük diktafonu çalıştırdı.

– Radyografiler cesette herhangi bir mermi çekirdeği bulunmadığını gösteriyor. Şahıs beyaz ırktan, yaklaşık yirmi beş yaşında bir kadın. Boyu 1,76 metre, ağırlığı da 59 kilo.

Diktafonu durdurup, interfonun düğmesine bastı.

– José, cesedi getirir misiniz lütfen.

İki dakika kadar sonra beyaz önlüklü bir adam, önündeki üzeri örtülü sedyeyi iterek içeri girdi. Sanki altındaki kadavrayı rahatsız etmemek onun için son derecede önemliymiş gibi, çarşafı dikkatle kaldırdı.

Ceset neredeyse Brolin'in bir akşam önce bulduğu pozisyondaydı: çıplak, kollar dirsek hizasında kesik, ama asıl önemlisi bacaklar açık, cinsel organında da siyah bir bıçağın sapı görünüyordu. Ayakları, plastik poşetlere sarılmıştı. Çıplak vücudu bir sürü kırmızı krater ve uğursuz gözleri andıran sayısız siyah delikle kaplıydı.

Bentley hemen arkasını döndü, yüzünde ameliyathane maskesi olduğunu unutup, elini ağzına götürdü.

"Ne kadar insan!" diye düşündü.

Kendi hakkında kötü bir izlenim bıraktığını fark edince, içinden küfretti ve toparlanmaya çalıştı.

"İyi de, ne bekliyordun ki? Tabiî insana benzeyecek!" diye bağırdı içindeki kısık bir ses.

Oysa kadının böylesine gerçek, bu kadar yakın olacağını beklememişti. Derisi beklediği gibi tebeşir beyazı değil, pembemsiydi. Allah'tan gözleri kapalıydı, en azından gözlerine bakmak mecburiyeti olmayacaktı.

Sydney Folstom ve yardımcısı cesedi basit bir seyahat çantasıymış gibi kaldırdılar, otopsi masasının soğuk çeliğinin üzerine bıraktılar.

– Hâlâ şu tekerlekli otopsi masalarından edinemedik. Bunlar biraz antikadır ya, kendiniz de göreceksiniz, burada en son teknoloji ürünleriyle çoktan değiştirilmesi gereken emektar aletleri yan yana kullanıyoruz. Gerekli parayı bulmaktan umudumu kestim. İlgililere bir iki kelime söyleseniz? dedi maskesinin üzerinden Cotland'e bakarak.

Beriki kadavranın karşısında donup kalmıştı.

Cesedi sedyeden masaya öylesine fütursuzca aktarmışlardı ki! En ufak bir özen göstermeksizin, sanki sıradan bir iş yapıyorlarmış gibi. Bentley gözlerine inanamıyordu, sanki önünde herhangi bir et parçası taşınıyor gibiydi.

– Oh! Az kalsın unutuyordum, diye haykırdı Adlî Tıp uzmanı.

Önlüğünün cebinden bir Vicks merhem kavanozu çıkardı.

– Bundan burnunuzun altına sürmenizi tavsiye ederim. Cesedi açtığımızda, etrafa oldukça güçlü bir çürümüş et kokusu yayılır...

Bentley sözü ikiletmedi, merhemi üst dudağının üzerine sürmek için eldivenlerini çıkardı.

– Siz sürmeyecek misiniz? dedi şaşkınlıkla.

Doktor Folstom soğuk ve düzen âşığı gözlerini Bentley'ye dikti.

– Eğer bir Adlî Tıp uzmanı maskesinden geçecek kokuya dayanamıyorsa, başka bir iş düşünüp, canlılarla ilgilenmesi daha iyi olur diye düşünüyorum, dedi sertçe.

Bentley Cotland doktorla aynı düşüncede olmadığı halde başını salladı. Folstom küçük bir kas içi şırınga aldı, paslanmaz çelik masanın üzerinde yatan soğuk kadavranın gözünü açtı.

– Şimdi ne yapıyorsunuz? diye sordu Brolin. Daha önce bunu hiç görmemişti.

– Saydam tabakadan sıvı alıyorum. Yarım milimetre bile ölüm saatini kesin olarak belirlememizi sağlar. Şimdilik en kesin ve en güvenilir yöntem bu. Çürüme sırasında alyuvarlardan çok düşük ve sabit hızda salgılanan potasyum saydam tabakada birikir. Bu miktarı inceleyerek, kolaylıkla ölüm anına varırız.

Kas içi iğne şimdi soluk gözakına saplanmıştı. Küçük cam tüpün içinde kalın bir sıvı yükselmeye başladı, doktor minicik çelik iğneyi çekip, eviyenin kenarındaki kabın içine bıraktı.

Kadavra hiç kıpırdamadı, ne bir ürperme, ne bir kendini sakınma arzusu, hiç; bu da Bentley'yi şaşırtıyordu. Neredeyse eldivenleri atmalarını, maskeleri çıkarmalarını, "ölünün" doğrulmasını, mobilyaların arkasından insanların çıkıp, zavallının saflığını alkışlamasını bekleyecekti. Bunlardan hiçbiri olmadı tabiî, doğruydu, bu rutubetli, mikroptan arınmış bodrumda, ölüm varlığıyla üçünün birden tenini okşuyordu.

– Zaman kazanmak için bazı fotoğraflar çektim, vücudun ölçülerini aldım, diye bilgi verdi Doktor Folstom.

Otopsi sırasında alacağı örnekler için yeterince kap olup olmadığını hızla kontrol etti ve diktafonu yeniden çalıştırdı. Sonra cesede yaklaşıp, dikkatlice incelemeye başladı.

– Göze ilk çarpan, her iki kolun da önkol kemiğinin başı ve dirsek ucu hizasından kesilmiş olmaları; bu yüzden toplardamar ve damarlar da kesilmiş, bu da önemli bir kan kaybına neden olmuş.

Sydney Folstom, Brolin'e dönüp sordu:

– Bulduğunuzda, cesedin etrafında çok kan var mıydı?

– Büyük miktarda, hayır, ama kan vardı ve kurumuştu; aslında, bu dediğiniz tutuyor. Çünkü cinayetin işlendiği yer ile cesedin bulunduğu yerin aynı olduğu anlaşılıyor.

Müfettiş bu ayrıntının ne denli önemli olabileceğini biliyordu. Önce, laboratuvarın gün ışığına çıkaracağı ipuçları, daha sonra da oluşturulacak profil açısından. Brolin, katilin cinayetini orada gerçekleştirdiğinin bilincinde olarak, cinayet mahalline dönebileceğini düşündü; o havayı orada solumuştu çünkü. Herhangi bir başka yerin değil de, özellikle oranın seçilmiş olması da profil oluşturulması sırasında önemli olacaktı.

Sydney Folstom cesedin sağ kalçasını yoklayarak ve bacağını hafifçe kıvırarak sözlerine devam etti:

– Ölüm katılığı –rigor mortis– neredeyse tümüyle yok olmuş. Ölüm morlukları cesedin bulunduğu sıradaki pozisyonuyla uyum içinde, demek cesedin yeri değiştirilmemiş. Cesedin bulunduğu yerin, aynı zamanda cinayet mahalli olduğu doğru.

Bentley kaşlarını çattı:

– Cesedin bulunduğu yer, cinayet mahalli, ölüm morlukları mı? diye sordu. Yasaları ezbere bilmesine rağmen, Adlî Tıp konusunda en ufak bir bilgisi yoktu.

– Ölüm katılığı bir kadavranın canlı asit durumdan, alkali bir duruma geçtiği zaman gerçekleşir: kaslar gerilir ve cesedin evirilip çevrilmesini güçleştirir. Eğer cesedin başka bir pozisyon almasını isterseniz, bu katılıkları "kırmak" gerekir. Bu aşama, kimyasal değişimler organizmayı eski asit durumuna, yani esnek haline döndürünceye kadar on iki ile kırk sekiz saat arasında sürer.

Cesedin sırtını gözler önüne sermek için kadavrayı biraz kaldırdı, eldivenli elini böbrek hizasındaki kırmızı lekelerin üzerinde gezdirdi:

– *Livor mortis* ya da ölüm morlukları, burada ve burada gördüğünüz kırmızı lekelerdir, dedi. Bu düzenli dolaşımın durmasının sonucudur. Diğer bir deyişle, kan dolaşımınız durduğunda, yerçekimi görevini yapar ve kanı vücudunuzun alçak bölgelerine çeker; yani örneğin yatıyorsanız sırtınıza, ayaktaysanız da bacaklarınıza. Vücudunuzun yere dayandığı bölgeler –sırtüstü yatan birinin örneğinde omuzlarla kalçalar– etkilenmez, yerin deri üzerindeki basıncı nedeniyle, kan buralarda toplanamaz. Bizim için önemli olan, bu soluklukların ölümden on beş yirmi dakika sonra "sabitleşmeleridir". Bunun için, bir ceset soluklukları sabitleştikten sonra başka yere taşınsa da, beyaz izler ile morlukların yeni dayanak noktalarıyla uyuşmadığını görürüz.

– Cesedin bulunduğu yer ile cinayet mahalli arasındaki fark çok büyüktür, diye araya girdi Brolin. Çünkü cesedin cinayetin işlendiği yerden farklı bir mahalde bulunması sık görülen bir şeydir.

– Anlıyorum. Dediğiniz gibi, bu morluklar çok önemli! diye söylendi savcı yardımcısı.

– Bu arada, size oldukça kaba bir resim çizdiğimi ve istisnaların oldukça sık görüldüğünü eklemek zorundayım. Adlî Tıp'ta kolay olan hiçbir şey yoktur, sakın unutmayın. Devam edelim.

Bentley Cotland doktorun uzun bıçaklı bir bisturi aldığını görünce biraz geriledi.

– Cesedin üzerinde çürükler görülüyor, parlak kırmızı renkler, çürüklerin ölümden kısa süre önce oluştuğunu gösteriyor; kurban muhtemelen dövülmüş. Sayısız yara izi var, keskin ve madenî bir aletle, muhtemelen bir bıçakla gerçekleştirilmiş ve...

Doktor Folstom kalçalardaki sayısız kırmızı krateri daha yakından inceleyebilmek için cesedin üzerine eğildi.

– Sanki ısırık izi gibi küçücük, büyük olasılıkla kemiriciler ya da bir tilki.

– Bunda şaşılacak bir şey yok, diye sözünü kesti Brolin, cesedi ormanın ortasında bulduk, orada neredeyse yirmi dört saat kalmış.

– Evet, diye cevap verdi Adlî Tıp uzmanı. Ama bir de yumruk büyüklüğünde kraterler var. Bunlar bir hayvanın bıraktığı izler değil, üstelik bol miktarda kan bulunmaması da bu izlerin *post mortem* olduklarını düşündürüyor. Katilin kurbanının vücudundan parçalar kesmiş olması muhtemel. Burada ve burada, karın hizasında, böğürlerde iki tane; hepsi de öldükten sonra.

Gözlerini Brolin'e dikti.

– Sizin adınıza üzgünüm baylar, ama bundan sonraki bölüm uzun sürebilir. Bıçakla açılmış her yaranın boyunu ve derinliğini ölçmek, raporumda her yaranın ayrıntılarını anlatmak zorundayım. Burada en azından yirmi delik var, onun için işim biraz uzun sürecek.

Doktor Folstom ondan sonraki on beş dakikayı elinde çektiği fotoğrafların flaşını yansıtmayacak bir cetvelle, her yarayı inceden inceye araştırmakla geçirdi. Bütün gördüklerini yüksek sesle diktafona okuyordu. Bentley söylenenlerin çoğunu anlamamıştı, kullanılan sözcüklerin bazılarına yabancıydı.

– Hipokondriyum bölgesinde, kolonu enine delmiş derin yara. "Üç santime yarım santim. Bıçağın sapının deri üzerinde bıraktığı belirgin iz ve yaklaşık on dört santim derinliğinde yara. Daha ayrıntılı inceleme ceset açıldığında yapılacak.

Dudaklar düzgün ve yassı, iki tarafı keskin bir bıçakla açılmış yumurtamsı yaralar."

Bentley bütün bunları ne anlama geldiğini tam olarak kavrayamadan dinliyordu. Sabretmeye çalışırken Brolin'in doktorun yaptıklarını büyük bir dikkatle izlediğini, sanki konuşulan dil ona tümüyle yabancı değilmiş gibi arada sırada başını usulca salladığını, önemli bilgileri sindirdiğini fark etti. O sırada Sydney Folstom ilk izlenimini açıklamak için başını kaldırdı.

– Demek cesette kesici bir aletle, bence aynı bıçakla gerçekleştirilmiş yirmi iki yara izi var. On dört ya da on beş santim uzunluğunda, üç santim eninde ve her iki yüzü de keskin bir bıçak. Bu yaraların bazıları ölüm sebebi olabilir, bunu ancak cesedi açtıktan sonra doğrulayabilirim. Onun da sırası gelecek. Bir de, bizi fazla ilgilendirmeyen, kemirgenlerin ya da bir tilkinin bıraktığı sayısız iz var; ama beni asıl rahatsız edenler, kalçaların üst bölgesindeki iki delik. Yaralar simetrik değil, fazla derin de değil, sanki katil bu bölgeyi kendine ayırmış gibi.

– Belki de kalçanın iki yanında katilin alelacele yok etmek istediği dövmeler vardı, diye şansını denedi Bentley.

– Ben daha çok ısırılmış olmasına ihtimal veriyorum, dedi Brolin büyük bir ciddiyetle. Adamımız kızcağızı iki kere ısırmış, işin tam ortasındayken, kudurmuş gibi ısırmış. Daha sonra, bize diş izleri bıraktığının farkına vararak, dişlerinin deride bıraktığı izleri yok etmek için o bölgeleri kesmiş. Böylesi bir cinsel cinayet için tipik bir davranış.

Doktor bir düğmeye bastığında güçlü bir havalandırma sistemi belli belirsiz bir gürültü çıkararak çalışmaya başladı.

– Gerçekten de dediğiniz gibi olabilir, dedi.

Bu kez, kurbanın yüzünü incelerken, dikkatini bir şey çekti. Burnunu ölünün ağzına değdirecek kadar eğildi. Parmaklarıyla çeneyi açtı, sonra de bir cımbızla dudağın kenarındaki beyaz ipliği aldı.

– Nedir o? diye sordu Brolin.

– Bir iplik parçası, belki de pamuk.

İpeksi iplik parçası etiketli bir plastik poşetin içine yerleştirildi; daha sonra nereden geldiğinin ve orada bulunma nedeninin anlaşılması için dikkatle incelenecekti.

Doktor Folstom uzun bıçaklı bisturiyi alıp kurbanın kalçasının üzerine değdirdi. Sonra da kararlı ve ani bir hareketle deriyi ikiye böldü. Tıpkı olgun bir meyve gibi, dokular yarı dinî bir tören sessizliğiyle açıldı, kırmızı kasları ve çok ince bir sarı yağ tabakasını gözler önüne serdi. Sydney Folstom aynı işi öteki kalçada, sonra da kollarda, pazı hizasında tekrarladı. Orada durdu, kolun dokusunu incelemek için, derinin iki kenarını kabaca birbirinden ayırdı.

– İşte, şu koyu kırmızı renge bakın. Yüzeyden görülmeyen, bir iç bere.

Bentley Cotland'e dönüp, ekledi:

– Kollar, "kavrama bölgesi" olarak adlandırdığımız bir bölgedir. Katil kurbanına kötü davrandı mutlaka, onu çekmek ya da sürüklemek için kollarından tuttu, bu çürük de parmaklarıyla uyguladığı baskının izi. Deri üzerinden görünmeyen böylesi izleri belirlemek için dokuyu keseriz. Doku, şiddet izlerini daha uzun süre korur.

– Peki, bunu görmeniz ne işe yarar? diye sordu savcı yardımcısı.

– Bütün bunların yapılmasından önce ölmüşse, vücudu böylesi izler barındırmazdı, diye açıkladı Brolin. Şimdi artık herifin ona kötü davrandığını, kızcağız canlıyken vurduğunu, çekiştirdiğini ya da kolundan şiddetle yakaladığını biliyoruz; üstelik bütün bunlar sırasında kurbanın bilinci de yerindeydi, yoksa katilin kadıncağızı kolundan yakalaması gerekmezdi. Kurban debelenmiş olmalı, ama bunu kesinlikle bilmemiz için ellerini ve tırnaklarını incelememiz gerekirdi.

– Bu arada, diye söze girdi o sırada kesik dirsekleri inceleyen Doktor Folstom, adamımızın biyolojiden az çok anladığını söyleyebilirim. Kesim çalışması çok temiz, bir bisturi ya da skalpel kullanmış ve dirsek ile kolkemiğini ortaya çıkarmadan önce deriyi ustalıkla kesmiş. Öte yandan, eklem yeri ve pazıların olduğu bölümlerle fazla oyalanmamış.

– Bunun anlamı ne? diye sordu, cevabı önceden tahmin eden Brolin.

– Deri ve kemiklere fazla zarar vermek istemediği, geriye kalanlarla pek ilgilenmediği.

Brolin gözlerini yumdu.

Leland Beaumont, bir yıl önce, alınlarını asitle yakıp, kollarını dirsek hizasından keserek üç genç kadını öldürmüştü. Her seferinde Adlî Tıp yetkilisi bunun biyoloji konusunda bir şeyler bilen, bisturiyle ve skalpelle çalışmaktan ürkmeyen birinin gerçekleştirdiği "temiz bir iş" olduğunu söylemişti. Ama daha da ilginç olanı, Leland'ın deriyi kesme ve kemikleri çıkarma aşamasını büyük bir dikkatle gerçekleştirdiği, kaslarla ve bağlarla üstünkörü ilgilendiğiydi. Tarih, başrol oyuncusu olmamasına rağmen, kendini tekrar ediyordu.

Sydney Folstom eldivenlerini çıkardı, alnını kuruladı, yeni bir çift eldiveni şaklatarak ellerine geçirdi.

– Her neyse, alındaki asit yanığı makroskopik incelemede bir şeyler anlatamayacak kadar büyük, onun için yarayı daha sonra mikroskopla inceler, sizi de bulduklarımdan haberdar ederim. Şimdi cinsel organdaki yaraya geçelim.

Eğildi, kalçaları biraz daha aralarken ürkünç bir gürültü çıkmasına neden oldu, birkaç örnek aldıktan sonra cinsel organının iki dudağının arasından dışarı taşan siyah sapı çıkarmaya başladı. Otopsi masasının paslanmaz çeliği üzerine ince ince siyah ve sulu kan sızdı. Doktor Folstom vajinadan, yaklaşık yirmi santim uzunluğunda, üzeri çeşitli biyolojik maddeden, özellikle de kandan yapış yapış olmuş iki yüzü keskin bir bıçak çıkardı.

Bentley sabah kahvaltısının boğazına doğru yükselmeye başladığını hissettiğinde, odada boğuk bir çığlık yükseldi. Sydney Folstom genç savcı yardımcısının çökeltme eviyesine doğru koşup kustuğunu görünce, içini çekti. Ağzını çalkalarken belli belirsiz özürler kekeledi, ama otopsiyi sonuna kadar izlemek zorunda olduğunu söyleyerek dışarı çıkma teklifini reddetti.

– Sanırım, vücudun geri kalanı üzerinde kullanılan bıçağı bulduk, dedi Doktor Folstom, pek şaşırmaksızın. Biraz önce cinsel cinayet olup olmadığını mı sormuştunuz Müfettiş Brolin?

– Evet. Irzına geçilmiş mi? Sperm kalıntısı var mı?

Brolin sperm varlığı konusunda olumlu bir cevap almayı umuyordu; böylece DNA sayesinde katilin kimliğinin belirlenmesini sağlayabilirdi. Hemen ardından, umutlandığını fark etti; genç kadının ırzına geçilmiş olduğunu umması, katili bulabilmek içindi. "Tanrım, nasıl böyle bir canavar oldum?" diye düşündü. Meslekî biçimlenmenin duygularını etkilemesi, durumu kavramasını güçleştiriyordu. Acı çekmemek için kendini kurbandan öylesine soyutluyordu ki, acıma hissi nedir, unutmuştu.

– Sanmıyorum, dedi Adlî Tıp uzmanı. Birkaç dakika içinde kesin cevabımı veririm.

Yeniden bisturisini aldı ve yaraların çevresinden dolanarak çeneden göbek deliğine kadar indi. Bentley Cotland göğüs kemiğini kırmak için Doktor Folstom'ın bahçıvan makasına benzer bir alet kullandığını görünce, arkasını dönmeden edemedi. Çelik çenelerin ısırığı altında bel veren kaburgaların çıkardığı ses, ayak altında kalıp ezilen bir tavuk iskeletini anımsatıyordu. Sonra, yüzü bembeyaz kesilerek tüm içorganların boşaltılmasını izledi; Doktor Folstom bıçağın açtığı her yaranın üzerinde ayrı ayrı duruyor, öldürücülük derecesini belirlemeye çalışıyordu.

Kadavradan yayılan koku ameliyat maskesinden geçiyor ve Bentley'nin dudaklarını yakan Vicks tarafından bile önlenemiyordu. Her tarafa doluşan, elbiselerine sinen bir ölü et, eski ve küflü bir şey kokusu. Yine de en korkuncu bu içgüdüsel ölüm algılamasıydı; sanki tüm vücudu insan ölümünün kokusunu duyuyor, söz konusu olan aynı türden bir varlık olduğundan, tüm benliği ürperiyordu. Bu hissi asla unutmayacaktı, ölüm bilinci ve kokusunun tüm vücuduna, genlerine kazındığını biliyordu; bu koku ile bu bilinç her erkekte, her kadında mevcuttu ve hiçliğin çağrısını duyar duymaz uyanacaktı.

Sydney Folstom, Bentley'ye ve Brolin'e plastikten yapılmış bir siperlik verip, alçı testeresini andırır bir alete uzandı. Testere hemen her tarafa kemik parçacıkları saçarak kafatasını açtı, beyni ortaya serdi. Doktor başta sertzardan örnek almanın önemi olmak üzere, anlaşılmaz yorumlar yaptı. Aynı zamanda ağızdan örnekler alıp, yeniden göğsün derinliklerine döndü.

Sydney Folstom rahmi bir eldiven gibi tersyüz ettiğinde, Bentley bayılacak gibi oldu; çevresinde olan biteni anlayacak kadar kendini toparladığında da, Adlî Tıp uzmanının yaranın dibindeki kanı kepçeye benzeyen küçük bir araçla boşaltmaya çalıştığını fark etti.

Bentley yanındaki iki kişiye baktı. Görünüşlerinden hiçbir şey anlaşılmıyordu, en ufak bir heyecan belirtisi bile yoktu. Oysa dikkatli bakıldığında, kurbanın oldukça güzel, uzun boylu, zarif hatlı ve ince yüzlü bir genç kadın olduğu görülüyordu. Şaşkınlığını daha fazla saklayamadı ve biraz ürpererek sordu:

– İyi de, böylesi bir manzara karşısında bir şey hissetmiyor musunuz?

Doktor Folstom, bakışlarında her zamanki soğuk ifade, ona döndü:

– Bu meslekte, açtığınız her kurbana acımaya zamanınız olamaz. Her birine olabildiğince saygılı davranmaya çalışıyorum, ama mesleğim ailelerin bilmek istemeyeceği yöntemler kullanmamı gerektiriyor. Olaya teknik açıdan bakmak, sağlığında çok güzel olan ve erkekleri oldukça etkileyen bir genç kadın olarak düşünmemek gerekiyor.

Bentley kadın hekimin kendi özel hayatında en ufak bir duyguya sahip olup olmadığını merak etti, ama daha fazla soru sormadı; kadının, gözlerini gözlerine dikip, derinliğini ölçmeye kalkma âdetini sevmemişti. Öte tarafta Brolin daha ölçülü görünüyordu, hatta olan biten karşısında daha da duyarlı; ama mesleği zaaf göstermesini yasaklıyordu. Genç müfettişle tanıştığından –bu sabahtan– beri ilk kez ona karşı sempati gibi bir şey hissetti. Aslında kötü biri değildi, sadece meslekî biçimlenmenin etkisindeydi, o kadar.

– Evet, artık eldekilerin bir özetini ve zamanlamasını çıkarabilirim. Tabiî histoloji ve histoimünoloji testleri çıkardığım sonuçları daha da kesinleştirmemi sağlarlar, ama bu gibi yöntemler, yani fibronektin ve çokçekirdekli nötrofiller hem çok sıkıcı, hem de çok zaman alıyor. Şimdilik size söyleyebileceklerim özellikle göğüs bölgesine, en azından dördü ölümcül olan yirmi iki bıçak darbesi almadan önce dövülmüş olduğu. Daha sonra olanlar konusunda, anatomopatoloji testlerini görmeden fazla bir şey söylemek istemiyorum. Yine de adamın çıldırıp kadıncağızın vücuduna saldırdığını düşünüyorum, ısırıklar ve cinsel organdaki yara bunun göstergesi, sonra da cesedi terk etmiş olmalı. Alındaki asit yanığı izine gelince; örnek alıp, her şeyi inceleyeceğim. Olabildiğince ayrıntı bulmaya çalışırım ya, siz yine de benden bir mucize beklemeyin; bu yaradan dişe dokunur sonuçlar çıkaramamaktan korkuyorum.

Bentley Cotland masanın üzerindeki cesede döndü. En azından insan vücuduna benzeyen bir bölüm vardı, gerisi kızıl renkli bir et yığını. Boşaltılmış kafatası, ortadan ikiye yarılmış kolları ve bacakları, göbek deliğinden çeneye kadar kesilmiş göğüs bu siluetin bütün hayat kalıntılarını silip süpürmüştü. Masanın iki yanından sarkan iki deri parçası, yağ tabakasının tavandan gelen bembeyaz ışık altında güçsüzce parıldaması, bütün bunlar göğsün uzun ve açık bir çanta gibi görünmesine neden oluyordu.

Doktor Folstom'ın eldivenlerini biyolojik atık tenekesine atması, Bentley'yi şaşkınlığından kurtardı.

– Vardığım sonuçları zaman kaybetmeden faks ve e-postayla gönderirim Müfettiş Brolin.

Beriki başını salladı, yeniden cesede döndü.

Katilin uyguladığı yöntemde tuhaf bir şeyler vardı. Yaralamadaki çılgınlık, rahim çevresinde görülen sayısız bereler, bütün bunlara rağmen geride hiçbir şey, ne sperm, ne tükürük, ne de iz bıraktırmayan bir zekâ. Eğer kalçanın iki yanındaki ısırıklarla ilgili teori doğruysa, katil işlediği cinayetten sonra yeniden bilincine kavuşuyor demekti. Çılgın bir dürtüye uyuyordu kısacası.

Önüne geçilemez bir yaralama, nefret ve öldürme dürtüsü. Yine de, akıllıydı ve cinayeti işledikten sonra kendini toparlamayı beceriyordu.

– Teşekkürler doktor, ne kadar çabuk gönderirseniz, o kadar iyi, diye kekeledi. İçimde, zamanımızın kısıtlı olduğu gibi tuhaf bir his var.

Tekrarlayacaktı.

Ve kurbanına korkunç şeyler yapacak, ona hiçbir yaşama şansı bırakmayacaktı.

15

Juliette misafir odasındaki yatakta, durmaksızın yer değiştiriyor, dönüp duruyordu. Gazetecilerden kaçtıktan sonra, geceyi geçirmek üzere Camelia'ya sığınmıştı. Bundan sonra ne yapacağını tam olarak bilemiyordu, ama basından sonsuza dek kaçamayacağı da açıktı, er ya da geç eve dönmesi gerekecekti ya, şimdilik kendinde o kuvveti göremiyordu. Bütün bunların medyada doğuracağı fırtına yüzünden değil, daha çok sorulacak sorulardan, acısının yeniden uyanacağından korkuyor, onu eve mahkûm edecek bir çeşit agorafobiden çekiniyordu. Kendi payına düşen acıyı ve ıstırabı çekmiş, zihin sağlığını yeniden yakalamak, başkalarına güvenmeyi tekrar öğrenmek için uzun bir mücadele vermişti. Şimdi her şeyi berbat etmenin lafı bile edilemezdi.

Camelia her zamanki gibi Juliette'i büyük bir sevgiyle karşılamış, özen göstermiş, önemli ölçüde destek olmuştu. Âdeti olduğu gibi, başlangıçta ciddi ve rahatlatıcı olmayı bilmiş, sonrasında da Juliette'i gevşetmek için esprilerini ustaca kullanmıştı. Sonunda, her iki kadın da kahkahalarla gülmüşlerdi. Juliette de ertesi gün dersi olmamasından yararlanarak, Camelia'nın sunduğu kokteylleri geri çevirmemişti. Çılgın kahkahalardan daiquiri'lere,[5] gece hızla geçmiş, iki genç kadın yorgunluklarını hisseder olmuşlardı.

Biraz da alkolün etkisiyle, Juliette yatar yatmaz uyuyacağını düşünmüştü ya, hiç de beklediği gibi olmamıştı. Kendini yorgun, son olaylardan sonra bitkin hissetmesine rağmen, zihnini düşler ülkesine gitmeye yetecek kadar özgür bırakmayı beceremiyordu. Kafası yastıkta, bugün öğleden sonra cehenneme gönderdiği şu Thomas bilmem neyi düşünüyordu. Çocukcağız Juliette'in hiç kötülüğünü istememişti, tam tersine, davranışındaki iyilik Juliet-

---

5. Beyaz rom, yeşil limon ve şekerle yapılan bir kokteyl türü. (yay.n.)

te'in de gözünden kaçmamıştı; tek istediği genç kıza yardım etmekti. Juliette de onu başından savmıştı. Kendini kontrol etmesini gerçekten öğrenmek zorundaydı; kendini kontrol etmeyi, özellikle de duygularının, korku ve paranoyanın mantığına hâkim olmasını engellemeyi. Hem zaten, söz konusu olan neydi? Bir zamanlar Leland Beaumont'un kullandığı yöntemlerle kadınları öldürmeye takmış bir zırdeli mi? Bir çılgın ya da doğru terimi kullanmak gerekiyorsa, bir *copycat*.[6] Katil Leland Beaumont değildi, o öldürüleli bir yılı geçmişti ve gömülmüştü.

Juliette gözlerini açtı. Oda karanlıktı, sessizlik tüm evi kaplamıştı, Camelia da en azından yarım saattir uyuyor olmalıydı.

Yatağında oturup, başucundaki lambayı yaktı. Kısa zamanda uyuyabilmenin kolay olmayacağını anlayarak çantasında taşıyıp durduğu romanı aldı. David Lodge'un kitaplarından birisi. İngiliz romancılara olan bu düşkünlüğünün nereden kaynaklandığını bilmiyordu, ama yutarcasına okudukları onlardı; David Lodge, Nick Hornby ya da Ken Follet... Onlarda her türlü iddiadan uzak bir yazarlık zekâsı buluyordu, bu romanlar hayattan bazen en büyük aforizmalara layık savlarla söz ediyor olmalarına rağmen, iddialı ya da kendini beğenmiş değillerdi. Şimdi de 60'lı yılların sonuna doğru Amerika'da, cinsel devrim günleri sırasında kaybolan İngiliz profesörün hikâyesine dalmasına rağmen gülümsemeyi beceremedi.

Birkaç sayfa sonra, gözlerinin kelimeler üzerinde gezindiğini, ama beyninin hiçbir şeyi algılamadığını fark etti. Kafası başka yerdeydi.

Bir gece evvel olanları, ormanda ölü bulunan genç kadını düşünüyordu. Durmadan yatağında kıpırdanıyordu, rahat değildi. Medyanın iddia ettiği gibi, genç kadının Portland Celladı'nın kurbanlarınkine benzer biçimde öldürülüp öldürülmediğini merak ediyordu. Bu soru aklını kurcalıyor, daha da kötüsü zihnini bulandırıyordu.

Juliette rahat etmek istiyordu.

Bu gerçekten de Leland Beaumont'un yaptıklarını taklit eden bir *copycat* miydi, yoksa bütün bunlar gazetecilerin uydurdukları spekülasyonlardan ibaret olabilir miydi?

Bu soruya cevap verebilecek, en azından bilgi edinebilecek tek kişi Joshua Brolin'di. Durmaksızın adamcağızın başının etini yiyemezdi, saygı duyması gereken bir özel hayatı vardı mutlaka. Yine de tek bir telefonla, ziyaretine gelmeyi kabul etmişti. Gecenin

---

6. Taklitçi. (yay.n.)

büyük bir bölümünü konuşarak geçirmişler, sonra aynı odada uyuyakalmışlardı. Bu kadarı bile Brolin'e telefon etmesi için yeterli görünüyordu, ne kadar ince olursa olsun, bir dostluk hakkı işte. Daha bunu düşünmeye başlar başlamaz, yarından tezi yok Brolin'i arayacağından emindi.

Ona soracağı pek fazla bir şey de yoktu, sadece bilmek istediği bir şey vardı.

Leland Beaumont ölüydü.

Ama belki hayaleti yaşıyordu.

16

Portland Polis Merkezi'nde cumartesi tatiline yer yoktu. Suçlular ne tatil biliyorlardı, ne de hafta sonu. Vakit öğlene yaklaşıyordu. Kaloriferlerin yanması duvarların çıtırdamasına sebep oluyordu. Gün daha öncekilere göre, çok daha serin başlamış, gri bir gökle batıdan gelip evlerin cephelerini ısıran serin rüzgâr kent sakinlerinin şaşırarak uyanmalarına neden olmuştu.

Günlerden 2 ekim cumartesiydi, sonbahar oyalanmaya çalışan pastırma yazını kovarak yerini almıştı sonunda. Çocuklar daha şimdiden Cadılar Bayramı'ndan birkaç gün önce birkaç güzel fırtına patlayacağını umup heyecanlanıyor, Oregon'un bağcıları da yaz sonunun böylesine güzel geçmesinin iyi bir hasada yol açacağını düşünüp seviniyorlardı.

Salhindro büronun penceresinin arkasında homurdanıyordu. Keyfi yoktu, kışa giriyor olmak fikri de hiç hoşuna gitmiyordu. Büronun çok soğuk, kahvenin de fazla sıcak olduğu kanısındaydı. Gün de sıkıntılı geçecekti, bundan emindi. Aslına bakılırsa, bütün hafta sıkıntılı geçmişti, hafta sonunun daha iyi olması için bir neden yoktu. Bütün bunlara bir de ormandaki cinayetle ilgili toplantı eklenmişti; katılması istenen şu toplantı. Orada bulunmasını Brolin'in istediğinden haberi vardı, ama bu soruşturmayla doğrudan ilgilenmesine Yüzbaşı Chamberlin'in iyi gözle bakmayacağını da biliyordu. Chamberlin durmadan hatırlatıyordu: "Salhindro, sen genel koordinasyondan sorumlusun, soruşturmanın kendisinden değil!"

Salhindro bunu iyi biliyordu, büroda bu göreve getirilmesi de taşıdığı fazla yükten kaynaklanıyordu. Yağlı göbeğini sokakta güçlükle gezdirmektense, burada, devriyeleri denetlemesini tercih etmişlerdi. Onu sakınmak için mi, yoksa Portland polisinin imajını korumak için mi? Salhindro'yu rahatsız eden buydu. İyi bir soruş-turmacı olduğunun farkındaydı, Brolin de ufak tefek yardımlar için yanında olmasından hoşlanıyordu, o zaman neden yapabildik-lerini göstermesine izin vermiyorlardı, neden? Rütbe ve saygıya hak kazanmış, kendini kanıtlamış bir halde emekliliğini bekler-ken, Salhindro buraya, bu ekranın ardında çürümeye gönderilme-yi kabullenemiyordu.

Asıl canını sıkanlardan biri de o "istiridye kafalının" toplantıya katılıyor olmasıydı. Bentley Cotland, yani Savcı Gleith'in müstak-bel yardımcısı, diplomalarına bakıp kendini herkesin üzerinde gören bir ukaladan başka bir şey değildi. İyi de, bir polisin haya-tı hakkında ne biliyordu bakalım? O sadece koca kıçını saatlerce 600 dolarlık koltuğundan kaldırmayıp, bir şirketin hisselerine ta-lip olmayı en dokunaklı biçimde nasıl yazıya dökeceğini bilirdi; Salhindro bunu anlamanın bile imkânsız olduğunun farkındaydı, ama hiç olmazsa küçük dağları yaratmış havası takınarak insan-larla dalga geçmiyordu. Bentley Cotland otuz yıllık hayatını teori ve güven depolamakla geçirmişti, ama en azından şu fazlasıyla pragmatik suç dünyasında, bu bildikleri ile pratik arasındaki kor-kunç uçurumdan habersizdi. Aslında, bu biraz da bundan üç yıl kadar önce, FBİ'den buraya geldiğinde Brolin'in verdiği görün-tüydü. Ne var ki Brolin hiç beklemeden teori dâhisi görüntüsünü silmeye çalışmış, çalışmalarında da en azından bu kadar başarılı olduğunu göstermek istemişti.

Salhindro elini başının üzerinde dikilen seyrek saçlarının ara-sında gezdirdi.

Üstelik kim ne derse desin, bu Bentley Cotland'de hoşuna git-meyen bir şeyler vardı. Evet, evet, büyük ve fırlak gözleriyle, azı-cık kepçe kulaklarıyla, tuvalet aynasının karşısında olabildiğince sık düzeltilen zarif kesimli saçlarıyla tam bir "istiridye kafa".

Salhindro birden adamı hiç tanımadan Cotland'i mahkûm etti-ğini anladı. Onu topu topu bir saat görmüştü; ama basit dış görü-nüşü ve tavırları nedeniyle adama belirgin bir antipati duyuyor-du. Öyleyse, kendisi de uzakta bir göreve atanıp gitse, insanlar onun hakkında ne düşüneceklerdi? Taşan kiloları, kötü huyu ve kendine güveniyle? Herhalde nefret edeceklerdi, oysa Salhindro fena bir herif olduğunu sanmıyordu.

Şu Cotland'in Savcı Gleith'in isteğiyle burada bulunmasına her-kes isyan etmişti ya, aslında hepsi de, öfkenin etkisiyle olacak, adam hakkında biraz acele karar vermişlerdi. Oysa zavallı sadece grubun içine karışıp kaybolmak, eksiklerini tamamlayarak öğrenmek istiyordu. Ne de olsa, daha baştan adamı işkence direğine bağlamışlardı ya, durumu düzeltmesi için bir fırsat verilmesi daha doğru olmaz mıydı?

Salhindro bu düşünceyi başını sallayarak onayladı.

Öğleden sonra bundan Joshua'ya bahsedecek, Bentley Cotland'e karşı daha yumuşak davranılması gerektiğini söyleyecekti; sonucun ne olacağını hep birlikte göreceklerdi nasıl olsa.

Mutlulukla göbeğini sıvazladı.

Ama asıl konu bu değildi. Soruşturma konusunda yeni bir şeyler bulmuştu, önemli olanı da buydu.

Bloknotunu alıp bürodan çıktı.

17

Portland'da müfettişliğe atandığından bu yana, Brolin kendi bürosunda toplantılar düzenlemeyi alışkanlık haline getirmişti. Cinayet Masası'na girdiğinde, Yüzbaşı Chamberlin, yürümekte olan soruşturmaların gelişmeleriyle ilgili durum değerlendirmesi yapmak, daha sonra da eldeki adamları soruşturmalara göre görevlendirmek için yardımcılarıyla hafta başında bir brifing yapıyordu. Ne var ki bir müfettişin, olağanüstü haller dışında, hafta içinde ani bir toplantı düzenleyip, yürüttüğü soruşturmanın sentezini yaptığı pek görülmemişti. Brolin FBİ'den getirdiği bu prensibi giderek yerleştirmiş, bu da bazı meslektaşlarının gözünde bir baş belası olarak görülmesine neden olmuştu. Oysa düşündüğünün yıkıcı bir hırsla en ufak ilgisi yoktu. Tek amacı, olabildiğince çok bilgiye varabilmek için birçok aklı aynı yönde yürüterek bir beyin fırtınası yaratmaktı. Bu da zaman gerektiriyordu ya, genellikle Cinayet Masası'nın eksikliğini duyduğu da, zamandı. O gün Brolin'in bürosunda toplananların hepsi hafta boyunca, hatta bazen gecenin geç saatlerine kadar yürümekte olan soruşturmalarla ilgili çalışmışlardı. Hepsi de biraz dinlenmek, ailelerine azıcık da olsa zaman ayırmak istemelerine rağmen, Brolin'in çağrısına uyup gelmişti.

Kısacası, Brolin'in odasında toplananlar, Yüzbaşı Chamberlin ile yardımcısı Lloyd Meats, Teknik ve Kriminal Polis Laboratuvarı sorumlusu Carl DiMestro, Savcı Yardımcısı Bentley Cotland ve tabiî Larry Salhindro'ydu.

Brolin kapıyı kapatmak için ayaklandı:

– Pekâlâ, elimizde yeni bilgiler var, diye söze başladı. Ama ne düşündüğümü anlatmadan önce, bugüne kadar yapılanların ve varılan sonuçların özetlenmesini istiyorum. Cesedi bulan çocukla ilgili durum ne?

Meats, sanki cesaret veriyormuş gibi sakalını sıvazlayarak söze girdi:

– Onunla Çocuk Masası'ndan Leslie Taudam ilgileniyor. Çocuk hâlâ olayın yarattığı şokun etkisinde ve Leslie'nin tüm çabalarına rağmen, henüz bir şey öğrenemedik. Cesedin kimliği hâlâ belirlenemedi mi?

– Ben de oraya gelecektim zaten, dedi Brolin. Carl, sende işimize yarayacak bir şeyler var mı?

Carl DiMestro öylesine güçlü bir nefes aldı ki, burun deliklerinden ıslığa benzeyen sesler geldi. Çok şık bir takım elbise giymiş, çift mercekli gözlükler takmıştı.

– Pek istediğimiz gibi başlayamadık. Cesedin bulunduğu yıkıntı tam bir çıfıt çarşısı; gençler, marjinaller, uyuşturucu bağımlıları ve evsizler için barınak. Elimde neredeyse kentin dörtte birini suçlayacak kadar, inanılmaz miktarda örnek var! Daha önemlisi, her çeşitten sayısız iplik; hangilerinin katil, hangilerinin cinayetten birkaç gün önce, bir evsiz barksız tarafından bırakıldığını anlamak imkânsız. Çıkmaz bir sokaktayız gibime geliyor. Biyolojik madde olarak elimizde ne varsa inceleyip sınıflandıracağız. Şimdilik yapabileceğim bu sadece. Öte yandan, sizi ilgilendirebilecek bir şey buldum. Bulunan birkaç damla kimyasal maddeyi inceledim. Söz konusu madde merkaptan, yani genellikle evlerin korunmasında kullanılan bir ürün. Caydırıcılığı çok kuvvetli, en ufak bir alarmda püskürttüğü birkaç damlayla insanın on metrelik bir dairede teke gibi kokmasına neden oluyor.

Brolin ne düşünmesi gerektiğini bilemeden notlar alıyordu. Şimdi de bu merkaptan nereden çıkmış olabilirdi ki?

Salhindro iskemlesinde kıpırdadı:

– Bir dakika bekleyin, dedi heyecanla, buna uyacak bir şeyler var! Konuştuğumuz gibi, cesedin bulunduğu Washington Park bölgesine birçok devriye arabası gönderdim. Tanık manık yok, kimse çarşambayı perşembeye bağlayan gece bir şeyler duymamış. Bu arada, geceleri oralarda çok fazla dolaşanın olmadığını da söylemem gerek. Ama adamlarımızdan biri o bölgede dolaşıp duran evsiz barksız bir grup evsize sorular sormuş. Hafta başında geceyi geçirmek için o viraneye gittiklerini, ama içeriye giremediklerini anlatmışlar.

Asabî bir tik Brolin'in yanağının seğirmesine neden oldu. Birden dikkat kesilivermişti.

Salhindro devam ediyordu:

– Pazartesi gecesi saat on bire doğru terk edilmiş eve geldiklerini söylüyorlar. Evin girişi ahşap bir panoyla kapatılmış ki, daha önce hiç böyle bir şey görmemişler. Yolu açtıklarında, iğrenç bir kokuyla karşılaşmışlar. Adamların deyimiyle, "çocukların oynadığı pis kokulu toplara benzeyen, çürümüş yumurta ve kusmuk karışımı mide bulandırıcı bir koku". Üçü de, koku yüzünden geceyi orada geçiremeyip uzaklaşmış.

– Bunun soruşturmayla ne ilgisi var? diye itiraz etti Bentley. Demek istiyorum ki, bu oyun oynamak isteyen çocukların marifetidir.

– Çocukların bazen muziplik yaptıkları doğru, ama onlar kokulu top gibi şakalı aldatmacalar kullanırlar, merkaptan değil. Üstelik, böylesi bir yaramazlığı genellikle bir pasajda, süpermarkette ya da okulda yaparlar; kimsenin yapılanın farkına bile varmayacağı, ormanın ortasındaki bir yıkıntıda değil, diye düşüncesini açıkladı Lloyd Meats. Öte yandan, eğer ne idüğü belirsiz bir viraneye saçmak için merkaptan kullanıyorsam, aklımda oldukça tuhaf bir fikir var, demektir. Orada merkaptan kullanan her kimse, bizim katil olabilir.

– Biraz aceleci davrandığınızın farkında mısınız? dedi Brolin, kaşlarını çizgi filmlerdeki komik bir karakteri andıracak kadar kaldırarak. Herifin biri merkaptan döküp terk edilmiş bir evin girişini kapatıyor, siz de hemen adamı tehlikeli bir psikopat yapıveriyorsunuz!

– Aksine. Böylesi bir kimyasal madde bulundurmanın tek bir nedeni olabilir, diyorum. Katil yıkıntıya zaman zaman başka insanların da geldiğini biliyordu, içeriye merkaptan koydu, kokunun dışarı çıkmasını önleyip, yoğunlaşması için girişi kapattı, böylelikle de başkalarının gelip yıkıntıya yerleşmelerini önlemek istedi. Kurbanıyla geri döndüğünde, çevreyi ıssız bulacağından emin olmak derdindeydi. Bu da cinayetini birkaç gün önceden, en ince ayrıntıları düşünerek hazırladığını gösterir; belki de cinayetten birkaç saat önce yıkıntıya gidip havalandırmıştır, kim bilir? Bu tehlikeli bir psikopat!

Bentley Cotland, Meats'e sanki Tibetçe konuşuyormuş gibi bakıyordu.

– Siz bu söylenenlere inanıyor musunuz? diye sordu Brolin'e.

– Kabul edilebilir bir açıklama olarak görüyorum. Söylesene Carl, merkaptan kolayca bulunacak bir madde mi?

– Maalesef evet. Başta güvenlikle ilgili dükkânlar olmak üzere bir sürü satış noktası var; sadece güvenlik malzemesi satanlar bile kitap kadar uzun bir liste oluşturur. Eğer adamımız düşündüğümüz kadar akıllıysa, merkaptanı peşin parayla almıştır. Bir de ülke çapında, posta yoluyla satış yapan yüzlerce işyeri var. Eğer hepsinin müşterisini taramak niyetindeyseniz, size kolaylıklar dilemekten başka yapacak bir şey kalmıyor!

Brolin dudaklarının ucuyla bir "Hayır" mırıldanarak kafasını salladı.

– Ya katil, onun profilini çizmeye başladınız mı Joshua? diye sordu Yüzbaşı Chamberlin, Brolin'e bakarak.

– Daha başlamadım. Şimdilik olabildiğince çok bilgi toplamaya çalışıyorum, elimde yeterince veri bulunduğunu düşündüğümde, işe girişeceğim. Elimde durumu doğru değerlendirebilmeme yetecek kadar veri olmadan, yanlış bir yola sapmak istemiyorum.

Meats, Salhindro ve DiMestro başlarını sallayarak Brolin'i onayladılar.

– Sanırım elimde çok daha ciddi bir bilgi var, diye devam etti genç müfettiş. Her şeyden önce, cesedin kimliğini hâlâ belirleyebilmiş değiliz. Yüzünün üst kısmının çok korkunç durumda olmasından, gazetelerde fotoğrafını yayımlatamıyoruz. Öte yandan, kayıp insanlar dosyası, elimizdekine uygun sonuç vermiyor, ama araştırmaya devam ediyoruz. Kısacası eldeki diş dosyasını bölgedeki bütün dişçilerin dosyalarıyla karşılaştırmak zorunda kalıyoruz; bir sonuç elde etmeyi umsak bile, epey zamana ihtiyacımız olacak. Ama çok daha büyük bir sorun var, otopsi sonuçları Leland Beaumont'un yöntemiyle rahatsız edici benzerlikler olduğunu gösteriyor.

– O derecede ha? diye şaşırdı Meats.

– Açık konuşmak gerekirse, tabloyu tamamlamak için, sadece "Portland Celladı" imzası eksikti.

Brolin bir süre durakladı.

– Bu cinayeti işleyen herif, alındaki asit yanığından haberdardı; oysa, daha önce de konuştuğumuz gibi, bu gizli tuttuğumuz bir şey. Ama daha da kötüsü, kolları tamamen aynı yöntemle kesmiş, deriye ve kemiklere zarar vermemeye özen gösterirken, kaslarla bağları es geçmiş. Ormandaki katilimiz, tıpkı Leland Beaumont gibi, biyoloji konusunda temel bilgilere sahip ve aynı *modus operandi*'yi kullanıyor.

Salhindro, Bentley'nin soru soracağını anlayıp, ondan önce davrandı:

– *Modus operandi* ya da çalışma yöntemi, bir katilin kullandığı yöntemdir. Yani kurbanını öldürmek için izlediği yol ve kullandığı araçların tümü. Fantezisini gerçekleştirme anlamına gelen imzasıyla karıştırmamak gerekir; katilin iki cinayetteki imzaları birbirine benzer, çünkü öldürme nedeni budur, yani imzasında hile yapamaz, imzası gerçekleştirdiği fantezisinin önemli bir parçasıdır. Bir katil fantezisinin gerçekleşmesini daha da geliştirmek için çalışma yöntemini değiştirebilir, ama mantığından da kuvvetli olan imzasını asla; imza ondaki öldürme isteğinin gerçek kaynağıdır, onu kontrol edemez.

Bentley anladığını belirtmek için başını salladı.

– Oysa şimdi önümüzde aynı çalışma yöntemi var, diye sorunu açıklamaya çalıştı Brolin; kurbanlarını kollarını keserek ve alınlarına asit dökerek öldürme biçimi; ama bu kez imza bana farklı görünüyor.

Tüm gözler Brolin'in üzerine çevrildi.

– Anlat, dedi Meats.

– Pekâlâ, belki sonuç çıkarmak için daha erken, ama bana kalırsa bizim katil duruma tümüyle hâkim olmayı becerememiş, kendi hızına kapılıp kendini koyuvermiş. Oysa Leland Beaumont böyle bir zaaf göstermezdi, o tam tersine bu kusursuz kontrolden, hem duruma, hem de kurbanına hâkim olmaktan zevk alırdı. Ama bu konuda fazla bir şey söylemek istemiyorum; şimdilik istemiyorum, önce profili üzerinde çalışmam gerek.

– Peki, o halde Leland Beaumont hakkında bildiklerimizi özetlememiz gerekecek, dedi Yüzbaşı Chamberlin. Eğer çarşamba geceki cinayeti işleyen katil onu taklit etmek istemişse ve hakkında bizim bildiğimiz kadarını biliyorsa, o zaman biz de çalışmalarımızı aynı yöne çevirmeliyiz.

Brolin kalktı, metal bir dolabın başına gidip üzerine keçe kalemle "Portland Celladı, Leland Beaumont" yazılı kalın bir klasör çıkardı.

– İlk önce, genel bir özet yapalım. Hakkında ne biliyoruz?

Salhindro sadece belleğini kullanarak söze girişti:

– Yaklaşık yirmilerindeki Leland Beaumont, bir eksantrikler ailesinin tek çocuğu. Babası alüminyum doğrama sanayiinde zanaatkâr, mesleğinden pek bir şey kazanamadığı için, genellikle trampadan geçiniyor. Leland'in ölümünden sonra, oğlu hakkında sorular sormak için buraya getirdik, son derecede terbiyeli ama tümüyle kayıp biri olarak göründü, zavallının zekâ düzeyi oldukça düşük. Öte yandan, babanın anlattığına göre, Leland'in annesi bütün ailenin sevip saydığı birisiymiş, Leland de onu çok sever, zamanının çoğunu onunla geçirirmiş. 1994 yılında, en az kendisi kadar eksantrik bir komşusuyla giriştiği kavgaya dönüşen tartışma sırasında ölmüş; dövüşürlerken komşu kadın, satırla önce Leland'in annesinin elini, sonra da gırtlağını kesmiş. Akraba evliliklerinin insanları yozlaştırdığı kenar mahallelerde ara sıra rastlanan bir "kaza" tipi.

– Leland'i tetikleyenin bu "kaza"dan doğduğunu düşünüyoruz, diye araya girdi Brolin. Annenin ölümü çok sarsıcı oldu. Bize kalırsa intikamını idealleştirmek için, kurbanlarının kollarını kesiyor, öteki kadınlara annesine yapılanları uyguluyordu. Kestiği kolları anmalık olarak sakladığından, ölümcül bir fetişizm. Beaumont ailesinin yaşamlarının büyük bir bölümünü ülkenin dört bir yanını gezerek, gittikleri her yerde de ancak bir iki yıl kalarak geçirmeleri de ilginç. Sonunda Portland'a gelip yerleşmişler. Leland yalnız bir insandı, çekingenliğini üzerinden atma fırsatı bulamadığı hemen hemen kesin gibi. Hep değişik bölgelerde yaşadıkları için, çocukken arkadaş edinebilmiş de olamaz. Tam arkadaş edindiği sırada da, Beaumont ailesi babanın işi dolayısıyla yeniden taşınmak zorunda kaldığından, Leland için her şeye yeniden başlamak gerekiyordu. Baba bize pek açık olmamakla birlikte "sempatik" göründü, ne kendisinin, ne de karısının Leland'e asla kötü muamele etmediklerini söyledi. Bu konuda kuşkuluyum, ama gerçeği hiç öğrenemeyeceğiz. Baba çoğu kez evden uzaktaydı, belki de Leland'e dayak atan, kötü davranan da oydu. Leland hep yanında olan, onu hep seven annesine yöneldi. Yalnız bir çocuktu, üstelik gelişme dönemini yaşıyordu; çevresinde fantezi üreteceği başka kadın bulunmadığından özellikle annesinin kişiliğine yönelik bir sevgi geliştirdi.

– Gençliğinde en ufak bir aşk hikâyesi olmadı mı demek istiyorsunuz? dedi Bentley Cotland şaşkın bir halde.

– Muhtemelen olmadı. Babanın bize anlattıklarına göre, Beaumont ailesi huzur bulmak için kentin uzağında bir yerlere yerleşmek istermiş. Bu da farklı bir aile ortamında yaşayan ve çok yalnız biri olan Leland'in kendi yaşıtları gibi gelişmesini engellemiştir mutlaka. Gözünüze aşağılayıcı görünmek pahasına da olsa, Beaumont ailesini bazı insanların bizimkilerden tümüyle farklı bir hayat sürdükleri, kırsal bölgelerde yaşayan Amerikalıların en kötü örneklerine benzetmekte tereddüt etmediğimi söyleyeceğim.

Daha da önemlisi, Beaumontlar aralıksız seyahat ediyor, arkalarından çektikleri kocaman bir karavanda yaşıyordu. 1994 yılında, Abigail Beaumont karanlık bir arazi sorunu nedeniyle öldürüldüğünde, Leland on sekiz yaşındaydı. Bunlar Oregon'da, Mont-Hood Ormanı'nın batısında oldu. Hayatının en önemli insanıyla birlikte, Leland dayanak noktalarını da yitirmiş oldu. Bir otomobil hurdacısında ufak bir iş buldu, babasının emektar karavanlarının etrafına inşa ettiği evden ayrıldı. Orada toplum hayatını öğrendi, birkaç yıllığına da olsa düzenin az ya da çok parçası olmayı başardı. Oldukça yakışıklı ve sağlam yapılı olmasıyla birlikte, değişik yerler tanıması nedeniyle saf insanları istediği gibi kandırabileceğini gördü. Bana kalırsa giderek kandırmayı, hâkim olmayı öğrendi, bundan belirli bir keyif aldı, köylü kızlarını tavladıkça kendine olan güveni arttı. Çünkü babasının aksine, Leland saf biri değil, oldukça akıllı bir çocuktu. Giderek başına bir şey gelmeyeceğine inanmaya başlayıp, dengesiz ve ürkek çocukluk geçmişini, kendine güvenen ve çekici delikanlı görüntüsüyle değiştirdi. Leland Beaumont'ta beni en çok şaşırtan, yaşına rağmen görünüşüydü. Ölümü sırasında yirmi üç yaşında olmasına karşın, görenler ona en az yirmi beş derlerdi.

Brolin bir an tereddüt etti. O günü hatırlamaktan hoşlanmıyor, her seferinde işaretparmağının tetik üzerindeki baskısını hissediyor, Leland'in kafasının dağılma sahnesini yeniden görüyordu.

– Peki, kendine böylesine güvenmesine ve kadınları tavlamayı becerebilmesine rağmen neden öldürme isteği duydu? diye sordu soruşturmanın asıl bu yönünü merak eden, ama sorumluluğunun sınırını aşmak istemediği için konuya fazla eğilemeyen Carl DiMestro.

– Çünkü uzun zamandan beri cinayet yolunda yürüyordu, dedi Brolin, istediğinden de güçlü çıkan bir sesle. Kişiliği, tüm çocukluğu ve gençliğinin büyük bir bölümü boyunca oluşup saldırıya uğradı, annesinin ölümünün travmasıyla karşı karşıya kaldığında, artık çok geçti. Geçen yıl bazı gazeteler Leland'in annesiyle cinsel ilişkiye girdiğini bile yazdılar; bana kalırsa bu iddia tümüyle asılsız görünmüyor! Leland yalnız yaşamaya karar verdiğinde, epey sıkıntı çekti ama başardı. Ömrü boyunca yalnızlık çekmiş bir konargöçer ve belki fazla güçlü olduğu için herkes tarafından itilmiş o Leland kendini kabul ettirmeyi becerdi. En önemlisi, birçok kadınla macerası oldu! Ama asıl hâkim olmanın verdiği gücü tadıp, bundan hoşlandı. Neden harekete geçtiğini bilemiyorum, bunu onunla konuşmak gerekirdi. Ama ilk kurbanı annesine şaşılacak kadar benziyordu, bunun da kendi başına bir neden olduğu kanısındayım.

– İyi ama, son kurbanını internet üzerinden belirlememiş miydi? diye sordu Bentley.

– Juliette'i mi? dedi Brolin. Lütfen onu kurban olarak adlandırmayın, son derece sağlıklı. Ötekilere gelince... Leland kurbanlarını fantezilerine bağlı kalarak, yaşam tarzlarına, belli bir yüz şekli ve vücut yapısına göre seçmişti... Juliette'e gelince, onunla internet sohbetleri oldu, ama Juliette onu reddetti, ondan kaçtı, bu da Leland'i kinlendirdi. Hikâyenin gerisini biliyorsunuz. Aslına bakarsanız, Leland çok üstün bir öğrenme yeteneği olduğunu kanıtladı, karmaşık bir aile ortamından kurtulduğu andan itibaren dünyaya açılıp, inanılmaz şeyler öğrendi. Çocukken bir CD'yi bile çalıştıramayan Leland, internette istediği gibi dolaşacak kadar bilgi ve beceri sahibi olmuştu. Evinde büyük bir bölümü internet ve bilgisayarla ilgili olmak üzere sayısız kitap bulduk. Bunu söylemek biraz üzücü ama, başka bir ailede yaşasaydı, Leland'in iyi biri, meslek sahibi biri olacağını düşünürüm.

Bütün bu olanlarda Beaumont ailesinin sorumluluğu var mı? Hiçbiri bu duyarlı tartışmayı başlatmak istemedi.

Oda sessizliğe büründü. Sonra bir rüzgâr koptu ve sanki bir şey demek istermiş gibi, ıslık çalarak cama çarptı.

– Ya biyoloji? dedi DiMestro, biraz önce biyoloji konusunda temel bilgilere sahip olduğunu söylemiştin. Bu bilgileri nereden edinmiş?

– İşte bu da Leland'in mezara götürdüğü sırlarından biri, dedi Brolin, biraz mahcup. Bilmiyoruz, evinde konuyla ilgili tek bir kitap bile bulamadık, babası da bütün bunları balık tutarak öğrendiğinden başka bir şey söyleyemedi...

– Balık tutarak? diye tekrarladı Bentley.

– Evet, baba biraz salak, diye söze girdi Salhindro.

– Skalpel konusunda önemli bir becerisi vardı, bu beceriyi kitaplardan öğrenmesi imkânsız. Ama daha önce ne üzerinde çalışarak uzmanlaştığını söylemem de olanaksız. Hayvanlar üzerinde olabilir.

– Yine de insan ve hayvan biyolojileri arasında önemli farklar var, dedi DiMestro.

Brolin omuzlarını silkti.

– Size söyledim, bu konuda bir fikrim yok.

– Peki, kurbanlarının kestiği kollarını ne yapıyordu? diye sordu Bentley Cotland.

– Sonunda, yontuları için kalıp olarak kullandığını öğrendik. Bozulmalarını önlemek için bir sürü yöntem denemiş, kimyasal maddeler enjekte etmeye ya da alçıya daldırmaya kalkmış ama bu küçük deneyleri bir sonuca varmamış.

Rüzgâr yeniden cama vurdu.

– Ama oturduğu evi görseniz, şaşardınız. Çok gerekli eşyaların dışında, neredeyse bomboş. Yaşamayan, kişiliksiz, sadece işlevsel bir yer. O kadar ki, soruşturmadan sonra birçok kişi Leland'in sırlarını sakladığı daha özel bir evi olduğundan, yani asıl ini olarak kullandığı bir yerin varlığından şüphelenmişti, ama kimse böyle bir yerin gerçekten var olduğunu kanıtlayacak en ufak bir iz bile bulamadı.

Lloyd Meats siyah sakalını sıvazladı ve sessizliği ilk bölen kişi o oldu:

– Pekâlâ, şimdi çabalarımızı nereye yoğunlaştırıyoruz? Leland'in çevresine mi?

– Çarşamba akşamki cinayeti işleyen kişi, Leland hakkında çok şey biliyor, dedi Salhindro, sadece bizim ve Leland'in bilebileceği şeyler yaptı. Demek katil ya Leland'i iyi tanıyan biri, yani bir arkadaş veya bir meslektaş ya da dosyalarımıza ulaşabilen birisi.

– Bir polis mi, demek istiyorsun? dedi Yüzbaşı Chamberlin.

– Neden olmasın? Her yerde çılgınlar var, dedi Salhindro.

Meats öfkelendi:

– Daha neler! Bunu aramızdan birinin yaptığını iddia etmek için...

– Ben öyle bir şey...

– Beyler! diye sözlerini kesti Yüzbaşı Chamberlin.

Brolin'e döndü:

– Joshua, bu sizin soruşturmanız, siz ne diyorsunuz?

Joshua elini çenesinden geçirerek düşündü:

– Cesedin bulunduğu yıkıntının çevresine devriye çıkarılmaya devam edilmesini istiyorum, adamımız fantezisini bir daha yaşamak için pekâlâ oraya dönebilir. Öte yandan bütün arşivleri araştırmak, geçen yılın Adlî Tıp raporlarına erişebilmiş herkesin listesini çıkarmak gerek. Onları okuyabilmiş olanların sayısı azdır, bu da soruşturma kapsamını daraltır. Yine de o tarafta fazla bir şey bulunacağını sanmam. Bunu yapan Leland'i bizim raporlarımızdan değil, şahsen tanıyor, eminim. Doktor Folstom'ın kesin sonuçlarını bekleyip, katilin psikolojik profiline eğileceğim. Sonra da Leland'in eski iş arkadaşlarını görmeye giderim.

– Müfettişlerimden ikisini arşivde görevlendirebilirim, dedi Meats.

– Ben de bir devriyenin sık aralıklarla cinayet mahalline göz atmasını sağlarım, diye ekledi Salhindro.

Bentley Cotland ne söylemesi, ne yapması gerektiğini bilemeden, çevresindeki hareketliliği izliyordu, bir kez daha, kendini arabanın beşinci tekerleği gibi hissediyordu.

Yüzbaşı Chamberlin ona doğru eğildi:

– Pazartesiden tezi yok, Müfettiş Brolin'e yardım edeceksiniz, ama bu arada herkes gibi yapıp, biraz dinlenin.

Bentley başını salladı, yüzbaşının konuşmak için takındığı otoriter havadan pek hoşlanmamıştı, ama bir günlük dinlenme haberi her türlü tartışma arzusunu yok etti. Hiçbir iş yapmadan bir gün geçirmeyeli yıllar olmuştu.

Brolin dışında herkes ayaklandı. Ortalığı kasıp kavuran bu yeni katili, Leland'in yöntemleri hakkında bilgi sahibi olan *copycat*'i düşünüyordu. Davranışlarında farklılıklar olsa da, bunlar ayrıntıdan öteye gitmiyordu; Brolin birden soğukla hiç ilgisi olmayan bir ürperti hissetti. Tam da o anda Leland Beaumont ölmeyip hapiste olsa, telefonu kaldırıp Portland Celladı'nın hücresine bir göz atılmasını isteyeceğini düşünmüştü.

Sanki gizemli bir tehdidi savurmak istermiş gibi, rüzgâr yine şiddetle cama abandı.

18

Juliette, uykusuz ve huzursuz bir gecenin yorgunluğuyla, ertesi sabahı Camelia'nın evinde uyuklayarak geçirdi. Camelia ise, her zamanki gibi, büyük bir canlılık içindeydi, Juliette'e nefes alacak fırsat bile tanımaksızın, durmadan genç kızın çevresinde dönüp duruyordu. Gardırobunu açtı, genç arkadaşına uyacak, vücut hatlarını en güzel şekilde ortaya çıkaracak giysileri büyük bir özenle seçmeye çalıştı. Camelia kendini Juliette'le ilgilenmekle görevlendirilmiş gibi hissediyordu: "Bir insanın bu kadar güzel bir yüze, böylesine düzgün bir vücuda sahip olmasına rağmen bunlardan yararlanmayı bilmemesi için aptal olması gerekir!" diyordu her fırsatta. Ve o gün, Camelia kadın kadına çıkmanın ve Juliette'e kendini olduğu gibi hissetmeyi öğretme zamanının geldiğini düşünüyordu: Juliette en az güzelliği kadar çekiciliğe sahip muhteşem bir kadındı. Geriye, işin en güç yanı kalıyordu: Juliette'i harekete geçirmek.

Camelia bal toplamaya çıkan bir arı gibi koşuşturdu, bir dolaptan diğerine seğirtti, banyoyu güzel kokulu köpüklerle, sıcak sularla doldurdu; makyaj masasının üzerini güzellik ürünleriyle –kremler, allıklar, tırnak cilaları ve eksiksiz bir dudak boyası takımı– donattı, kahvaltı için taze sıkılmış meyve suları getirdi.

Juliette başlangıçta âdet yerini bulsun diye itiraz etti, ama Camelia'yla tartışmaya girecek cesareti yoktu, kendini bunun için fazlasıyla yorgun hissediyordu. Kısacası tüm bedenini saran, vücudunu banyonun serinliğinden koruyan sıcak suyun içinde bir saat geçirdi. Meyve kokan köpüklü suyun içinde usulca uykuya daldı, Camelia'nın kapının arkasından ıstakoz olmak isteyip istemediğini soran sesiyle uyandı. Camelia'nın seçtiği pantolon hoşuna gitmemişti. Kalçalarını sarıyor ve bacaklarına doğru genişliyordu. Bu da "kıçını harika gösterdiği için" Camelia'nın bayıldığı bir şeydi. Fazla dekolte olmakla birlikte, en azından kazak zevkine uygundu. Juliette sonunda makyaj seansını kısa tutmayı başardı, zaten çok az makyaj yapardı, gözlerinin mavisini belirginleştirmek için göz kalemi, bir de, eğer çok gerekiyorsa, belli belirsiz bir ruj. Camelia, Juliette'in tenine yanık ve parlak bir görünüm veren fondötende karar kılmadan önce her çeşit allığı denemeye kalkmıştı.

Bütün bu kargaşanın içindeyken, Juliette, Joshua Brolin'e her telefon etmeye davrandığında, Camelia arkasında belirip yapılacak bir şeyler önerdi.

Kent merkezine vardıklarında, o günlerin en gözde alışveriş merkezi Pionneer Place'e ulaşmak için kendilerini tramvaya attılar. Orada, alışveriş merkezinin ortasında gezinen erkeklere rağmen, Camelia çamaşırların en seksilerine bakmaktan çekinmedi. Juliette birkaç kez arkadaşına yanlarında sevgilileriyle dolaşan erkeklerin bakışlarıyla kendisini soyduğunu söylemek zorunda kaldıysa da, Camelia omuz silkip, belli belirsiz bir "Ne yapalım yani!" demekle yetindi. Sonunda, dapdaracık eteklere, gece elbiselerine bakan Camelia'yı göre göre, Juliette de kendini oyuna kaptırdı ve alışveriş merkezinden kolunun altında paketlerle çıktı.

Ondan sonra, Juliette'i Waterfront Park'ın tepesine çıkarmak için Camelia'nın tüm ikna becerisini göstermesi gerekti. Güneş batıyor ve uzun bir alev gibi akıp giden Willamette Nehri akşamın kızıllığını yansıtıyordu. Yatlar marinada usul usul salınıyor, parkın ağaçları üzerinden görünen binalar dev mumlar gibi teker teker aydınlanıyordu. Juliette ve Camelia tüm ülke çapında çok ünlü ve ilgi çekici bir yer olan "cumartesi pazarı" girişine vardı. Her biri diğerinden değişik yüzlerce ürünün dışında, cumartesi pazarı onlarca sokak gösterisini, türlü türlü yiyecek maddesini ve heyecan yüklü atmosfere sahip barları da kapsıyordu. İki genç kadın bu barların arasında İngiliz publarına benzeyen, her tarafı lambriyle kaplı, locaları aydınlatmak için gaz lambası taklitleriyle süslü bir tanesine girdiler. Televizyon ülkede henüz yeterince tanınmayan ama barın çevresine toplanan bir grup erkeğe kaçan her gol fırsatında kendilerinin daha iyisini yapacakları anlamına gelen çığlıklar attıran bir futbol maçı yayınlıyordu. Akşam taraftarların haykırışları ve puba asıl kişiliğini kazandıran İrlanda nağmeleri arasında geçti. Juliette beklediğinden de kısa bir zamanda masalarının üzerinin boşalan bardaklarla kaplandığını gördü, kısa süre sonra da sarhoş olduğunu fark etti. Başka zaman olsa, Camelia geceyi

birlikte geçirmek için yalnız bir erkek arardı, o böyle şeylere alışkındı. Oysa bu gece arkadaşının oyalanmaya her zamankinden
daha fazla ihtiyacı olduğunu biliyor, bunun da mutlaka bir erkeğin
varlığıyla halledilemeyeceğini görecek kadar iyi tanıyordu onu.
Juliette bunun için fazlasıyla yabanîydi, insanın barda arkadaşlık
kurmasını kabul edemezdi; sonuç aynı olsa da ona daha romantik,
daha duru bir şey gerekiyordu.

Yüzlerinde esrik bir tebessümle, taksiye bindiler. Juliette o gece kaygılanmaya fırsat bulamadı, Camelia'nın evinde olduğunun
farkına bile varamadan, uykuya daldı.

Ertesi gün, öğlen olduğunda Joshua Brolin'le konuşmaya karar
vermişti. Baş ağrısını geçirmeye çalıştığı tüm sabah boyunca bunu düşünmüş, onu aramamaya dayanabileceğini düşündüğü anda
da Brolin'in numarasını çevirmişti.

Brolin çok sempatik ve dostça davrandı. Konuya girmeye cesaret edemeden, havadan sudan konuştular, sonra Juliette öğleden sonrayı birlikte geçirmeyi önerdi, Brolin hemen kabul etti.
Bu önerinin onu heyecanlandırması, Juliette'in omuzlarından
ağır bir yük kaldırmıştı. Bir asalak gibi davranmaktan, Brolin'in
onu atlatmak için herhangi bir bahane uydurmasından korkuyordu. Oysa Brolin de kafasının içindekileri değiştirmeye ihtiyacı olduğunu söyledi ve akşamüstü Uluslararası Gül Bahçesi'nde buluşmak üzere sözleştiler.

Washington Park'ın içindeki Uluslararası Gül Bahçesi güllerinin
çeşitliliği ve görkemiyle dünya çapında ün kazanmıştır. Mayıstan
eylüle kadar beş yüzden fazla çeşit, parkı aydınlatır; sakin patikalara okşayıcı parıltılarını yayar. Ormanın ortasında, bir cennet kö
şesidir.

Juliette ve Brolin ekim başının henüz solduramadığı parlak çiçeklerin arasında, yan yana yürüyorlardı. Yaz gerçekten de yerini
sonbahara bırakmıştı, kurşunî gök öylesine yeknesaktı ki, en ufak
bir çıkıntı ya da nerede başlayıp nerede bittiğini görmek imkânsızdı. Serin bir rüzgâr esiyor, binlerce yaprağı ipek kumaşlar gibi
hışırdatıyordu.

– Fazla kalabalık yok, bir pazar günü öğleden sonrası için tuhaf, dedi deri ceketine sarınmış Brolin.

– Ekim başladığı içindir, herkes güllerin solduğunu sanıyor.

Rüzgâr Juliette'in beresinin altından çıkan siyah perçemleri havalandırdı. Uzakta, yerden bir yaprak bulutu koptu, döne döne havalandı.

– Ne kadar güzel! diye haykırdı Juliette, sanki bir gül fırtınası.

Brolin gözleri bir çocuğunkiler gibi parıldayan genç kadına bakarak başını salladı:

– Peki, moraliniz nasıl? diye sordu.

– Fena değil. Kapımın önünde pinekleyen gazetecileri atlatmak için tüm zamanımı Camelia'da geçiriyorum. Dersteyken dikkatimi toplayamıyorum, bana kalırsa psikolojideki son yılımda çakacağım! Onun dışında, her şey yolunda.

– Sonunda usanacaklar. Gazeteciler, demek istiyorum. Başka bir şeyle ilgilenecekler. Birkaç gün içinde seni unuturlar.

– Umarım.

Juliette bir yıl önce nasıl bir kararlılıkla üzerine atıldıklarını, mahrem sorularla nasıl canını sıktıklarını, hayatını gözler önüne serdikten sonra birkaç haftada nasıl unuttuklarını hatırladı.

– Joshua... Sormak istediğim bir şey var.

Rengârenk yapraklarla kaplı yolun ortasında durdular.

– Geçen gün şu kadını öldüren adam hakkında neler düşündüğünü anlatmanı istiyorum. Gerçekten de Leland Beaumont'u mu taklit ediyor?

Brolin cevap vermeden önce birkaç saniye geçti:

– Evet, öyle denebilir. Aynı şekilde hareket etmiş.

– Kesinlikle aynı yöntemle mi? dedi Juliette. Öğrenimi sayesinde bu çeşit deyimlere karşı yabancılık duymuyordu.

Brolin başını salladı. Yeniden yürümeye koyuldular.

– Dün öğleden sonra amirimle konuştum. Seni korumak için birini görevlendirmeyi önerdim.

Juliette'in gözleri açıldı:

– Beni korumak için mi? Ama neden? Bana bir kötülük yapmak isteyeceğini mi düşünüyorsunuz?

Brolin cevap vermeden önce tereddüt etti:

– Pek değil. Önlem olarak. Kendini güvende hissetmen için. Yüzbaşı Chamberlin kabul etti.

– Kendini Leland Beaumont sanan o zırdelinin Portland Celladı'nın yarım bıraktığı işi sonunda tamamlamak isteyeceğini mi düşünüyorsunuz?

Brolin dilini dudaklarının üzerinde gezdirdi. Bu olasılığı göz ardı etmiyordu, aslında Juliette'in korunmaya alınmasını önerirken düşündüğü de buydu.

– Sanmam, diye yalan söyledi. Tamamen aynı biçimde hareket etmiyor, ama hiçbir riske girmemek daha akıllıca olur.

Böylesi bir katilin kafasından geçenleri tahmin etmek güçtü, ama taklit ettiği caninin isteklerini, öldürme arzularını benimsemesi son derece ender görülen, hatta imkânsız bir şeydi. Juliette, Leland Beaumont'un kurbanı olmak üzereydi. Yine de, katilin başladığı işi bitirmek isteyeceği de düşünülebilirdi. Bir bağlılık ve saygı gösterisi gibi.

Joshua sözünü tamamlamadan önce birkaç saniye duraksadı:

– Aslına bakarsan, dün öğleden beri kapının önünde pek fazla dikkat çekmeyen bir araba var.

Juliette olduğu yerde kalakaldı:

– Bu kadar ciddi demek!

Gerçek bir sorundan öteye, bir durum belirlemesi.

– Daha güvende olman için, diyelim. Ama biriyle birlikte olduğun sürece, korkacak hiçbir şey olmaz. Camelia'nın evinde biraz daha kalamaz mısın?

Juliette kararlı bir şekilde başını salladı:

– Söz konusu bile olamaz! Bir çılgının hayatımı mahvetmesine izin vermeyeceğim, zaten payıma düşeni ödedim.

Brolin'in yüzündeki umutsuzluk ifadesi açıktı:

– Bu sadece birkaç günlük bir şey, en çok bir ya da iki haftalık bir iş, dedi, genç kadını yatıştırmaya çalışarak.

– Bundan iki hafta sonra parmaklıkların arkasında olacağını mı düşünüyorsun? diye sordu meraktan çok alayla.

– Bilmiyorum. Bu sadece seni korumak için.

– Hayır, teşekkürler. Leland Beaumont hayatımın bir bölümünün içine etti, hele yokuşu yeniden tırmanmaya başladığım bir anda alçağın birinin beni yeniden uçuruma yuvarlamasına izin veremem. Bu akşamdan tezi yok evime döneceğim ve orada kalacağım!

Sesi istediğinden de çok yükselmişti, Brolin'e kızdığı için pişmanlık duydu. Ne de olsa, Brolin sadece yardım etmek istemişti.

– Özür dilerim, dedi Juliette bir süre sonra.

– Anlıyorum. En azından adamlarımızın evini gözetim altında tutmalarına izin ver.

Juliette usulca başını salladı.

Rüzgâr uzun bir inilti kopararak yüzlerini kamçıladı. Bir gül yaprağı kalabalığı önlerinde dönenip durdu, sonra havalandı.

– Ne hava! diye söylendi Juliette uçmaması için elini beresinin üzerine bastırırken.

– Ekim ayında Portland işte!

– Kısaca Portland! dedi Juliette. Brolin gülümsedi.

Brolin rüzgârda sesini yükseltmek zorunda kalmamak için Juliette'e doğru eğildi:

– Seni sinemaya davet etsem? Dediklerine göre çok güzel bir komedi oynuyormuş...

Brolin eve dönmek istemiyordu. Bütün sabahı Leland Beaumont'un dosyasını okuyarak geçirmişti, şimdi de o kanlı cehenneme yeniden dalmadan önce soluklanmak için birkaç saate ihtiyaç duyuyordu.

Geniş bir tebessüm Juliette'in dudaklarını gerdi.

– Tam istediğim şey!

Brolin'in koluna girdi, etkileyici bir bitki topluluğunun ortasında, yüz geri ettiler.

Fırtına yaklaşıyordu.

19

4 ekim pazartesi hiç de iyi başlamıyordu. Şiddetli bir fırtına tüm kenti avucunun içine almış, Brolin de iyi uyuyamamıştı. Oysa ender tattığı bir rehavet duygusuyla girmişti yatağına. Juliette'le paylaştığı gün, son derece güzeldi. Sinema tatlı tatlı gevşemelerini sağlamış, dondurmacı Ben & Jerry'de geçirdikleri iki saat boyunca da hınzırca bir plan yapar gibi konuşup gülüşmüşlerdi. Joshua, Juliette'ten çok hoşlanıyordu. Aslında, kendi ölçülerine göre, ilgisi hoşlanmaktan da öteydi. O buğulu güzelliğin ve farklı kişiliğin kendini giderek daha çok çektiğini hissediyordu. Çıkmaktan ve ne pahasına olursa olsun eğlenmekten başka bir şey düşünmeyen yaşıtı kızlar gibi değildi o. Onun gizemli yanını, boşuna gizlemeye çalıştığı o modası geçmiş romantizmini seviyordu. Juliette yirmi dört yaşındaydı, Joshua'ysa otuz iki, ama genç kızı tanıdıkça, bunun sorun olmadığını görüyordu. Onu asıl rahatsız eden, paylaştıkları geçmişti. Onun için, hayatını kurtaran erkekti. Joshua da hayatında ilk kez, Juliette için birini öldürmüştü. Bunların sağlıklı bir ilişkinin temeli olamayacağından ürküyordu. Belki de Juliette o olay yüzünden kendini Joshua'ya yakın görüyordu, varlığını kutsallaştırıyor, katil ya da değil, bir adam öldürdüğü için kendince hiç hak etmediği bir kaidenin üzerine yerleştiriyordu. Juliette ona karşı, arkadaşlık dışında başka bir şey hissetmiyor muydu? Çok güzeldi, varlığıyla onu yakalamak ve kolları arasında sıkmak arzusu veriyordu. O sabah uyanırken, rüyasında Juliette'i gördüğünden emindi. Ağzında acı bir tat kalmıştı, düşlerinde Juliette'le pek yakındılar, vücutları birbirine değiyor, yüreği Juliette için hızla çarpıyordu. Oysa uyandıktan sonra, camları döven yağmurdan başka bir şey yoktu.

Gün başlayalı henüz birkaç saat olmamıştı, ama daha şimdiden

Juliette'i özlediğini anlıyordu.

Bürosunun kapısı açıldı, eşikte Lee Fletcher göründü. O da Cinayet Masası müfettişiydi. Şiş karnı, seyrelmeye başlayan saçları, meslekî ve duygusal başarısızlıklarını gizlemek için bıraktığı kalın bıyığıyla kırkına merdiven dayamıştı.

– Hey QB, işte Adlî Tıp raporu.

İçeri girdi, karmakarışık masanın üzerine birkaç faks sayfası bıraktı.

– Sanki Portland Celladı geri gelmiş gibi! Senin yerinde olsam kafasını 9 mm'yle deldiğim bu heriften korkardım!

Fletcher gülmeye başladı. Brolin'i sevmezdi, onu Cinayet Masası'nda, hele başına buyruk çalışamayacak kadar genç bulurdu. Bir FBİ eskisinin, üstelik futbol yıldızı kılıklı birinin gelip işini elinden almasından hoşlanmamıştı. Ona QB lakabını takan da Fletcher'dı zaten, bu adın genç ve yıldız sporcu görünüşüne uyduğunu düşünüyordu. "Yakışıklı bir herif, sağlam kaslar ama *feeling*[7] konusuna gelince, yıldızlı sıfır" diye sık sık bağırırdı Brolin'den bahsederken. İyi düşünüldüğünde, bu genç müfettiş eğer Cinayet Masası'na tepeden inme gelmemiş olsaydı, şimdi Portland Celladı soruşturmasını yürütenin bu sümüklünün yerine kendisi olacağını düşünüyordu. Leland'in ölümünden sonra, gazeteler Fletcher'ın resimleriyle dolacaktı. Hem kim bilir? Bütün bunlar belki de Liz'le arasındaki sorunları giderecek, boşanmalarını engelleyecekti.

– Hayalete dikkat QB!

– Bunu hatırlayacağım, sağol Fletcher.

Beriki göz kırptı, kapıdan çıkışını komik olmasını istediği bir "Bööö!" ile noktalayıp, kayboldu.

– Sersem... diye mırıldandı Brolin, Adlî Tıp dosyasına uzanırken.

Doktor Sydney Folstom anatomopatolojik incelemeleri tamamlamış, güçlü mikroskopları ve çeşitli gelişmiş teknik yöntemler sayesinde olayların sırasını belirlemişti. İnsan vücudunda bir yaralanma oluşur oluşmaz, çeşitli hücresel elementler düzenli bir sıra ve belirli görevlerle orada birikir, ondan sonra her yaradan toplanan verilerin anatomopatoloji uzmanı tarafından dikkatle değerlendirilmesi gerekir. İşte o zaman dokularda bazı elementlerin bulunduğunu, bazılarınaysa hiç rastlanmadığı belirlenir. Bu da hangi yaranın ötekilerden daha eski olduğunun anlaşılmasını sağlar. Daha da ötesi, aynı uzman olayların kronolojik sıralamasını da çıkarabilir.

Brolin otopsiye katıldığı için, otopsinin tanımı ve sonuçlarıyla

---

7. "Duygu" anlamında İngilizce sözcük. (yay.n.)

ilgili sayfaları hızla geçti ve sonrasıyla ilgilendi.

"*Post mortem* sitoloji ve özellikle saydam tabakadaki potasyumun incelenmesi ölümün 29 eylül çarşambayı 30 eylül perşembeye bağlayan gece, geceyarısı ile sabaha karşı dört arasında gerçekleştiğini doğrulamaktadır."

Bazı tanım satırlarını atladı. Bu satırlarda kullanılan yöntemlerin adları ve teknik açıklamaları vardı, bir de fibronektin, fosfataz asit sonra alkalin ya da C3a tamamlayıcısı gibi her biri Adlî Tıp'ın kesin terimleri, FBİ'de yetişmiş olsa bile, genç bir müfettiş için anlaşılması imkânsız deyimler vardı.

Kurbanın kan tahlili metan, oradan hareketle de kloroform varlığını koyuyordu ortaya. Kol hizasında belirlenen iç kanamalar ve ağızda bulunan pamuk lifleri saldırganın kurbana arkadan yaklaştığını, uyutmak için de ağzının üzerine kloroforma batırılmış bir tampon bastırdığını düşündürüyordu.

Kurbanın sonra yeniden kendine geldiğini kanıtlayacak hiçbir klinik bulgu yoktu. Katilin onu öldürmeden önce yıkıntıya kadar sürüklediği kesindi. Bıçak darbeleri ilk başta gerçekleşmişti, sanki katil kendini kontrol etmekte zorlanıyor gibi, her seferinde artan bir şiddetle bıçaklamıştı. Vajinal bölgedeki kanamanın yoğunluğu, katilin dikkatini kısa süre önce ölmüş kurbanının cinsel organına çevirdiğini göstermekteydi. Kolda temel damarların ve atardamarın varlığına rağmen, mikroskobik incelemenin de ufak çaplı olduklarını belirlediği kanamalar, katilin tıpkı kalçanın iki yanındaki yaralar gibi, kolların kesimine en son aşamada giriştiğini belirtiyordu. Bu iki olaydan hangisinin daha önce gerçekleştiğini belirlemek güçtü.

Bir de, alındaki asit yanığının mikroskobik incelenmesi, şimdilik bir sonuca varmaya izin vermiyordu. Hiçbir şey belli değildi, doğrulayacak tek bir kanıt olmamakla birlikte, asidin kurban daha hayattayken uygulanmış olması ihtimali düşüktü. Şu anda laboratuvardaki gaz kromatografı, kullanılan asidin türünü belirlemeye çalışıyordu.

Brolin Adlî Tıp raporunu, soruşturmayla ilgili tuttuğu ve bürosunun üzerine dağılmış sayısız fotoğrafı içeren dosyanın içine yerleştirdi. Profil oluşturmak için gerekli ilk veriler elinde sayılırdı. Viktimoloji ya da kurbanın, hayatının ve alışkanlıklarının incelenmesi de önemliydi, ama kurban şimdilik jargonda X olarak belirlenen birinden başkası değildi. İlk sonuçları, eksik verilere dayanarak belirlemesi gerekecekti.

Kafasında kesin bazı fikirler, soruşturma sırasında belirlediği özel veriler vardı tabiî, ama şimdi masanın üzerini temizleyerek her şeye sıfırdan başlamak ve katilin psikolojik profilini çıkarmak amacıyla başa dönmek zorundaydı.

Çaydanlığına biraz su doldurup, kendine bir çay hazırlamaya başladı. Kapalı hava büroya hiç de sıcak olmayan gri ve mavi bir ışıltı vermişti. Daha öğlen bile olmamasına rağmen, karşıdaki binalardan çoğunun ışıkları yanıyordu.

"Sanki insanlar geceden çıkmak istemiyorlarmış gibi" diye düşündü Brolin, pencereden manzarayı seyrederken.

Penceresinden tüm kenti görebiliyordu; kent gözüne kurum rengi bir gök ve ışıkla kaplı gibi göründü. Sanki her şey biraz bir mistisizmle halelenmiş gibi. Birkaç saniye boyunca, cadılık ve kara büyü masalları dinlemekten hoşlandığı çocukluk akşamlarını hatırladı.

"İnsan kendini düşsel bir filmde sanır" diye mırıldandı.

Çay hazır olduğunda, Brolin koltuğuna yerleşti, yanındaki lambayı yakıp dumanı tüten fincanını masanın üzerine bıraktı. Uzun, bıktırıcı ve sinir bozucu bir çalışma bekliyordu onu.

20

Salhindro ve Bentley Cotland odaya girdiklerinde, içerisi tatlı tatlı orman meyvesi kokuyordu. Salhindro müstakbel savcı yardımcısını büroları gezmeye götürmüş, bütün gününü ona Portland Polis Merkezi'nin çalışma yöntemlerini anlatmakla geçirmişti. Her şeyden önce bu, Bentley'yi Brolin'den uzaklaştırmanın, böylelikle de müfettişin tek başına, bütün dikkatini yaptığı işe vererek çalışmasını sağlamanın tek yoluydu.

İki adam karanlığa gömülmüş çalışma odasında Brolin'in masasının oluşturduğu ışık topuna baktılar.

– Burası amma da iç karartıcı! dedi Salhindro masaya yaklaşarak. Yoksa duyduğum çay kokusu mu?

Brolin kafasını notlarından kaldırmadan, dolmakaleminin ucuyla çaydanlığı gösterdi:

– Orada.

Salhindro ikramı ikiletmedi, Bentley önerilen çayı nazikçe reddetti.

– Ne durumdasın? diye sordu Salhindro.

– Notlarımı biraz daha anlaşılır hale sokuyorum.

Brolin dikilince, iki adam bir süre birbirlerine baktılar.

– İlk profil taslağını bitirdim.

– Bize ne anlatıyor?

– Size özetlemeye çalışacağım.

Brolin tüm dikkatini işine yoğunlaştırdığında, alnını uzun bir kırışık bölüyordu; Salhindro o anda pek iyi görünmediğini ve dinlenmeye ihtiyacı olduğunu söylemeye çekindi.

Seri cinayetlerin giderek daha da arttığı 70'li yıllarda, FBİ böylesi cinayetler işleyen katillerin davranışlarını belirlemek için bir dizi araştırma başlatmıştı. Uzun yıllar boyunca, onları harekete geçiren nedenleri anlamak için yüzlerce katille hücrelerinde görüşüldü, davranışları incelendi, binlerce parçaya bölünüp araştırıldı. Günümüzde cinsel ağırlıklı cinayetlerde başvuru birimi olarak tanınan NCAVC ve VİCAP gibi profil çıkarma programı da bu çalışmalar sırasında geliştirildi. Bu yöntem bir cinayete ilişkin bütün ayrıntıları (cesedin bulunduğu yer, cesedin durumu, kurbanın biyografisi) inceleyerek katil hakkında olabildiğince çok bilgi edinmeye dayanır. Zaman geçtikçe daha da geliştirilen bu yöntem son yirmi yılda çok sayıda suçlunun yakalanmasını sağlamıştır.

– Soruşturmadan sorumlu olduğunuza göre, katilin profilini de sizin oluşturmanız biraz garip değil mi? diye sordu, yöntemleri kavramaya çalışan Bentley.

Brolin kollarıyla itiraz hareketleri yaparak, kendisini dinlemelerini istedi:

– Her şeyden önce, profil çıkarmanın soruşturmaya yardımcı bir yöntemden başka bir şey olmadığını söylemek isterim; burada amaçlanan, parmağını uzatıp şu ya da bu suçluyu işaret etmek değil, soruşturmalara yön vermektir; ben de bu işi en iyi yapacaklardan biri olduğumu düşünüyorum. İkincisi, Portland polisinin soruşturmacılarına yardımcı olacak profil belirleme bölümünü henüz oluşturmadığını, benim de FBİ'den yardım istemeye hiç niyetim olmadığını ekleyeyim. Müfettişlik için çok genç olmama rağmen, böyle bir işin Lee Fletcher gibi tecrübeli biri yerine neden bana verildiğini hiç düşünmediniz mi? Sadece bu dosya işlenirken olaya psikolojik açıdan bakmak gerektiği ve benim de FBİ tarafından verilen böyle bir eğitimden geçen tek kişi olduğum için.

Bentley'nin kaşları kalktı:

– Yoksa Quantico'da mı eğitim gördünüz? diye sordu şaşkınlıkla.

Brolin içini çekti, eliyle çenesini sıvazladı. Savcı yardımcısıyla hayatının bu bölümünü konuşmak istemiyordu. Salhindro, Brolin'in rahatsızlığını hissedip, durumu kurtardı:

– Ee, vardığın sonuçları anlatmayacak mısın?

Brolin başını salladı, oturmalarını işaret etti. Salhindro masanın kenarını seçti.

– Tamam. Fotoğrafları ve otopsi raporunu inceledim, cinayet mahallini görmek fırsatına da sahip olduğumdan, bütün bunları bir araya getirip ilginç sonuçlar çıkardım. Bildiklerimizden hareket ederek, olayın kronolojisini oluşturalım. Kurbanı kimliği belirlenene kadar A olarak adlandıracağız. Çok güzel bir kadın. Görünüşe göre epeyce zayıf, atletik yapılı biri, bir manken de denebilir. Kurbanın karın ve bağırsak içeriklerine göre, son yemeğini öldürülmeden birkaç saat önce, yani çarşamba akşamı yediğini söyleyebiliriz. Katil ona güneşin batışı ile ölüm anı olarak tahmin edilen geceyarısı arasında bir anda saldırmış olmalı. Kurban hakkında bir şeyler öğrenmedikçe, saldırının biçimi üzerinde fazla oyalanmak istemiyorum. Sadece arkadan saldırıya uğradığını ve ağzına bastırılan kloroformlu bir pamukla uyutulduğunu söyleyeceğim. Debelenmeye çalıştığını kollarındaki çürüklerden anlıyoruz. Geceyarısı Washington Park'a, üstelik cesedinin bulunduğu o yıkıntıya kendi isteğiyle gitmiş olması son derece düşük ihtimal. Vücuduna gösterdiği özen ve kan tahlilinde göze batacak bir eksikliğin bulunmaması marjinal biri olmadığını, tam aksine, çok düzgün bir hayatı olduğunu gösteriyor. Yani, onu oraya taşıyan adamımız X. Yaralarda kumaş izleri bulunmaması, katil bıçağını saplamaya başladığında kurbanın çıplak olduğunu gösteriyor. Kısacası, katil kurbanını yıkık evin dibine taşıdığında saat geceyarısı ile sabahın dördü arasıydı. Bu arada, eve kimsenin girmemesini sağlamak için, içeri bol miktarda merkaptan saçtığını ve girişi kapattığını da hatırlatmak istiyorum. Gelmeden önce evi bir süre havalandırmış olmalı; yoksa evin içinde dayanılmaz bir koku olsaydı, cesedin yanında, o kokunun içinde duramayacağını düşünüyorum. Fantezisini gerçekleştirmek için, her şeyin kusursuz olması gerekiyordu.

Salhindro anlatılanları ara sıra başını sallayarak dinliyor, öykünün iç karartıcılığı arttıkça Bentley gözlerini biraz daha kısıyordu.

– Şimdi adamımız, baygın kadınla birlikte. Hava hâlâ karanlık, duyulan bazı sesleri de, yırtıcı hayvanlar çıkarmış olmalı. Kadını buraya getirmiş; bu da bir arabası olduğu anlamına geliyor ya da ormanın içinde, ağaçların arasından, sırtında bir insan vücuduyla üç yüz metreyi aşkın bir yürüyüş! Böylesine bir zahmete katlanması için, mutlaka kesin bir amacı olmalı.

– Belki de, rahatsız edilmeyeceğini bildiği tek yer orasıydı, dedi Bentley.

Brolin kafasını salladı:

– Hayır, kızı arabasıyla Kingston Drive'a kadar götürmüş olmalı. Böyle bir durumda doğuya ya da güneye doğru ilerleyebilir, cesedin uzun süre ya da hiç bulunamayacağı ormanlara ulaşabilirdi. Eğer onu buraya getirmeye karar vermişse, belirgin bir amacı var demektir. Cesedin bulunmasını istiyordu.

Her iki dinleyicinin de rahatsızlığı belliydi. Brolin sözlerine devam etti:

– Rahatsız edilmeden hareket edebileceği kadar gözlerden uzak bir yer seçti, ama yıkıntı evsizlerin sığınağı olduğu için cesedin er ya da geç bulunacağını biliyordu. Bu varsayımı doğrulayan başka noktalar da var, onlara daha sonra değineceğim. Kısacası, yıkıntının içinde kadının vücudunu zevkle seyredebilmek için, onu soymuş olmalı. Kadın o sırada sadece baygın. Kloroformun etkisi yavaş yavaş geçmeye başlıyor, kadın usulca kendine geliyor, sadece dayanılmaz bir baş ağrısı hissediyor. Adamımız onu soyuyor ama kadına dokunmaya cesaret edemiyor, kadın inleyip birazcık hareket ettiği için, fantezileriyle yetinmek zorunda kalıyor. Kadın onun elindedir, ona istediğini yapabilir, ama o kadın hayattayken ırzına geçmeyecektir. Kadın onun için sadece bir tatmin aracıdır; onu gördüğü, kendinin olacağını bildiği andan itibaren, kadın olma özelliğini yitirmiştir.

Brolin sözlerine devam etmeden önce bir an durakladı:

– Orada durmuş, kadının çıplak vücudunu seyrediyor; kadın ona aittir, onun malıdır. Oysa bir şey adamı hiddetlendirecek. Belki kadının gözünü açması ya da doğrulmaya, konuşmaya çalışması, her neyse, kadın hayat belirtisi gösterir, adamın denetleyemeyeceği bir şey yapar; o zaman kadının üzerine atılır ve bıçağını yirmi-yirmi beş kere art arda saplar. Kadın hareketsiz kalıncaya dek, çılgınca uğraşır. Kadın artık adamın istediği, arzu verici o şey olmuştur, kadını zevkinin bir aracı kılıp aşağılamak için, onu kişiliksizleştirmiştir. Bıçağını kadına saplarken onu sahiplenir, bu kendinden geçmek gibi bir şeydir, bıçağını tıpkı bir penis gibi saplayıp saplayıp çıkarır, kadının kanı meni damlaları gibi fışkırır, çılgınlığında kendini kaybeder ve iki kere kadının kalçasını ısırır. Kadının üzerinde hiçbir sperm izinin bulunamamasından anlaşılacağı gibi, kadına gerçek anlamda tecavüz etmez, ama kadın üzerinde oluşturduğu hâkimiyetten zevk alır. Ne yaptığının farkına vardığında, neler yapabilecek durumda olduğunu kanıtlamak için, bıçağını vajinaya saplar. Erkeklik organıyla özdeşleştirdiği bıçağı organın içinde döndürür; bununla bize kadına sahip olabileceğini gösterir. Bütün bu olay, bu hayvanca öldürme töreni sırasında sertleşme haline geçmiş, hatta cinsel arzusunu tatmin edip, pantolonunun içine boşalmış olmalı. Hiçbir yerde sperm izine rastlamadık, oysa burada koca bir cinsel anlam var, onun için kendini koyuverdiğini düşünüyorum. Sonra, yıllarca bastırdığı gerginlik gevşemeye başlayınca, yavaş yavaş ne yaptığının farkına varır; en azından sakinleşmesi için uzun zamana ihtiyacı vardır. Ama kafasını yeniden topaladığında, kadının kollarını keser;

hem bir anmalık olarak saklamak, hem de modeli Leland Beaumont'u taklit etmek için.

– İyi ama Leland Beau... diye söze girişmeye çalıştı Bentley.

Brolin onu bir el hareketiyle susturdu:

– İşte belirleyici fark da burada. Leland Beaumont'un yaptığı gibi, kurbanının alnını asitle yakar. Geçen yıl, Leland'in profilini oluşturduğumda, kurbanlarını tanıdığı, en azından göz aşinalığı olduğu için alınlarını yaktığını, yüzlerindeki insanlık görüntüsünü silerek suçluluk duygusundan arınmaya çalıştığını düşünmüştüm. Sonradan Leland ile kurbanları arasında hiçbir bağ olmadığı anlaşıldı, onları arzusuna göre, sokaktan ya da Juliette örneğinde olduğu gibi, internetten seçiyordu. İlk ikisi annesine benziyordu, ben de bundan annesinin cinselliğini sahiplenmeye çalıştığı ya da annesiyle bir ilişkisi olduğu iddiası doğruysa, o ilişkiyi yeniden yaşamak istediği sonucunu çıkarmıştım. Ondan sonra, kızların buna layık olmadıklarını düşünüyor olmalıydı. Nedeni açık, ona düşünü gördüğü heyecanı yaşatamamışlardı, o zaman da yüzlerini asitle yakarak, kızları kişiliksizleştiriyordu.

– Oysa Juliette öteki kızlara benzemiyordu, dedi Salhindro. Soruşturmaya hiç bu açıdan bakmamıştı.

– Juliette'in anlattıklarına göre, bir süredir Leland Beaumont'la internet aracılığıyla görüşüyorlardı. Leland, Juliette'le tanışmak için ısrar etmeye başlayınca, kız reddetti. O ana kadar üç kadın öldüren ve kendini neredeyse herkesin üzerinde gören Leland böylesi bir hakarete dayanamayıp Juliette'e sahip olmaya, daha öncekiler gibi kendi malı yapmaya karar verdi. Bu yapabildiğim tek mantıklı açıklama ve bu açıklamayla gerçeklere fazla uzak olmadığımı sanıyorum.

– Ya ormandaki katil? diye merakla sordu Bentley.

– Biraz daha güç. Birincisi, asidi ne zaman kullandığı konusunda en ufak bir bilgim yok, ama bunun *post mortem* ve yaptığı son hareket olduğu kesin gibi. Leland'e saygı gösterisinde bulunmak istemiş olabilir; bir çeşit bağlılık gibi, çünkü asit konusunu bizden başka kimse bilmediğine göre, Leland'i şu ya da bu şekilde tanıyordu. Kurban bulunduğunda çıplaktı, bacakları aralık, üzerinde örtü yoktu, bu da katilin onu aşağılamak istediğini gösteriyor; onu tanımış olsaydı, cesedi başka bir pozisyonda bırakır, az da olsa biraz saygınlık kazandırmaya çalışır ya da yüzünü görmek zorunda kalmamak için, üzerini bir şeyle örterdi. Demek ki, kurban A'yı aşağılayıcı bir durumda bırakmayı kararlaştırarak cinayeti işliyor, cinsel organına sapladığı bıçağıyla da ona ne yaptığını bize bütün açıklığıyla anlatıyor: kadını kaçırdı, kadına sahip oldu ve bize de gösterdiği gibi, tecavüz etti. Söz konusu olan bizim için bir bıçak, yani bir ikame de olsa, aynı bıçak o anda katil için vücudunun bir uzantısıdır, mizansenine hiç dokunmayarak, farkında olmadan bize istediğinin tam tersini kanıtlıyor: katil cinsel açıdan beceriksiz, kurbanına tecavüzden âciz birisi, bu da bekâr olduğunu düşündürüyor. Yirmi-yirmi beş yaş dilimiyle kısıtlayabileceğimizi düşünüyorum.

Brolin bir yudum çay içebilmek için biraz durakladı. Gözleri parlıyordu ve Bentley bu parlaklığın kurban için duyduğu acıma duygusundan mı, yoksa anlattıklarının verdiği heyecandan mı geldiğini merak etti. Birkaç dakikadır, genç müfettişte ince bir değişim gözlemliyordu; Brolin cesedin bulunduğu yerden söz ederken kısa bir süre için de olsa gözlerini yumuyor, katilin katliamına ya da duygularına değinirken neredeyse gülümsüyordu; Bentley aslında Brolin'in kendini basitçe katilin yerine koymak üzere olup olmadığını düşünmeye başlamıştı.

– Ama asıl önemli olan, katilin tipini belirlemek. İki ayrı tip vardır: psikopat adı verilen düzenli katil ile düzensiz ya da psikotik katil. Bir araya getirdiğimiz noktalarda, her iki tipten örnekler var.

– Bu işi iki kişi yapmış olabilir mi? diye sordu Salhindro.

– Hayır, sanmam. Bana kalırsa karşımızda, her ikisinden de biraz alan, acemi bir katil var. Cinayet mahallini özenle seçmiş, yanına çok önemli boyda bir bıçak almış: bütün bunlar düzensiz ya da psikotik katillerde pek ender görünen, hatta hiç rastlanmayan bir taammüt göstergesi. Kloroformu da hazır etmiş. Her şey, yaptıklarını ciddiyetle planladığını gösteriyor. Öte yandan, cinsel organdaki yaralar ile kurbanına tecavüz etmekteki aczi, cinsel bakımdan olgunlaşmadığını anlatıyor. Üstelik, kadını öldürdüğünde kendinden geçiyor, bıçağı cesede art arda saplamaktan kendini alamıyor, kadının kalçasını bence kendinden geçtiği o süre içinde ısırıyor. Sadece arkadan, kloroformla saldırmak bile bir psikotiklik örneği. Kadınla konuşmaya cesareti yok, harekete geçmeden önce onunla oynamaya, kendini üstün görmeye vakit ayıramıyor. Belki de beceremeyeceğini bildiği için. Oysa işini bitirdikten sonra, ısırık izlerini ortadan kaldırarak ne denli soğukkanlı olduğunu cinayeti işlediği yerdeki evsiz barksızların ardından her türlü izi karıştıracaklarını düşünüp, saç, kıl vesaire gibi örnekler almanın mümkün olmadığı bir yer seçerek de ne kadar akıllı olduğunu gösteriyor.

– Demek, karışık tipten bir katil, diye özetledi Salhindro.

– Öyle sanıyorum. Cinayetini önceden ve dikkatle hazırlıyor, ama cinayet sırasında kendinden geçiyor, sonra yeniden toparlanıyor. *Ante mortem* şiddet yok ya da pek az var, ani bir saldırı ve kurbanına şahsen tecavüz etmede beceriksizlik adamı "düzensiz psikotikler" sınıfına ayırıyor. Oysa kurbanını büyük bir ihtimalle dikkatle seçiyor, özenle hazırlıyor, cinayetten sonra da kafası kesinlikle berrak oluyor.

– Bütün bunlar soruşturma açısından ne gibi sonuçlar veriyor? diye sordu Bentley.

– Bize birçok şey öğretiyor, bay savcı.

Bentley müstakbel görevinin sözü geçince irkildi:

– Her şeyden önce, genel bir profil çıkarabiliriz. Demin de söyledim, yirmi ile yirmi beş yaş arasında olmalı. Beyaz tenli, atletik vücutlu ama biraz güçten düşmüş, örneğin yüzü ile vücudu arasında bir uyumsuzluk var, göğüs kısmı oldukça adaleli olmasına rağmen, dar ve uzun.

– Sadece yaptıklarını inceleyerek bir katilin neye benzediğini nereden çıkarabiliyorsunuz? diye sesini yükselterek sordu Bentley. Bu gibi yöntemleri kabule pek yatkın olmadığı açıktı.

– Çünkü bir kişinin fiziği ile psikolojik rahatsızlıkları arasındaki belirgin ilişkiyi kanıtlayan çok karmaşık çalışmalar var ve FBI'nin son yirmi yılı kapsayan istatistikleri, bazı psikotik katil tiplerinin, çoğu kez yaşadıkları sağlık koşulları ile belirgin bazı fizikî özelliklerinin birlikte anılabileceklerini gösteriyor.

– Ne olursa olsun, kloroformu koklatırken kurbanının kıpırdamadan durmasını sağlaması için iyi bir fizik kondisyonuna ihtiyacı var, diye müdahale etti Salhindro.

Bentley başını salladı, hâlâ pek ikna olmuş değildi.

– Ne diyordum? Evet, adamımız yirmi ile yirmi beş yaş arasında olmalı, böylesi katiller harekete bu yaş aralığında geçerler; üstelik kurban da yirmili yaşlarda gösteriyor. Seri cinayetler işleyen katiller çoğu kez kurbanlarını kendi yaş gruplarından ve kendi etnik köklerinden seçerler. Bunun aksi olan, ama örneğimizde görülmeyen tek bir nokta vardır. Kısacası, adam beyaz. Baskıdan kurtulması zaman almış olmalı, gerçekleştirdiği şiddet çok güçlü bir nefreti gösteriyor. Bana kalırsa kurbanını öldürdükten sonra, onun kollarını kesmeye girişmeden, kendini toparlamak için bir süre beklemiş olmalı. Kol kesme eylemi bundan aldığı zevkin kanıtı. Kurbanından bir parçayı yanında götürüyor. Üzerlerinde kurbanlarından bir şey taşıyan katillerin, insan etinden çıkacak koku nedeniyle genellikle diğerlerinden uzakta, yalnız yaşadıklarını biliyoruz oysa. Böylelerinde ölü sevicilik eğilimleri vardır, katilin de kendini kurbanının elleriyle tatmin ettiğini duysam, şaşmayacağım. Öte yandan, cinayetini ormanda işlemek istiyor. Portland'da cinayeti işledikten sonra cesedi terk edeceği yüzlerce yer varken, o Washington Park Ormanı'nı seçiyor. Ben, çevresinde güven verici, harekete geçmesine yardımcı ve tanıdığı bir şeyler olması istediğini düşünüyorum. Adamımızın ormanın içinde, herkesten uzak bir evde yaşıyor olması çok muhtemel. Seri cinayetler işleyen katillerin büyük çoğunluğu kendileriyle hemen hemen aynı sosyal sınıfta olan kadınları öldürürler. En azından ilk seferinde, harekete geçmeden önce kendilerini güvende hissetmek için yabancılık çekmeyecekleri ya da buralara benzeyen bir yer seçerler.

Salhindro başını salladı, fincanına çay doldurdu.

– Sosyal sınıf konusuna gelince, burada durum farklı, kurbanın ayak tırnaklarındaki cila, cildinin bakımlılığı, koltukaltında kıl bulunmaması ve bacak arasının tıraşlı olması katilde bulunmayan bir gelişmişliği işaret ediyor. Ancak cinsel açıdan olgunlaşmamış olması nedeniyle, ona çekici gelen, hoşuna giden de bu gelişmişlik; böylesi, kendi çevresinde görmeye pek alışkın olmadığı bir özellik. Bana kalırsa kırsal bir çevreden ya da düşük bir sosyal sınıftan geliyor. Bir köylü çocuğu belki ya da benzer bir şey. Toplumla pek özdeşleşmediği kanısındayım. Asıl dikkatini çekenin *post mortem* süreç olduğu açıkça görülüyor, eyleminin büyük bir bölümünü ölümden sonra yapıyor, bu bakımdan kurbanıyla ölümünden önce pek ilgilenmediğini düşünmek mantıklı görünüyor. Kurbanı daha baştan itibaren bir tatmin aracı olarak gördüğü için onunla konuşmuyor, onu hemen kişiliksizleştirmiş olması, katili çok tehlikeli bir yaratık yapıyor, kurbanının insanî yönünü görmüyor, o sadece bir zevk aracıdır ve kurbanının cesedine nefretle uyguladıklarını düşünürsek, onu enseleyene dek bu cinayetlere tekrar tekrar başvuracağını rahatlıkla söyleyebilirim.

Bir süre, kapının arkasından gelen sesler, çalan telefonların yankıları ile cama çarpan rüzgârdan başka bir şey duyulmadı.

– Özetleyelim, dedi Salhindro en sonunda. Yirmi-yirmi beş yaşlarında, toplumdışı kalmış, muhtemelen kırsal bir ortamda yaşayan, vücudu büyük bir ihtimalle çarpık ya da orantısız, ama yine de belirli bir güce ve bir taşıma aracına sahip bir beyaz arıyoruz.

Brolin başını salladı.

– Ben buna bir de sabıka kaydı olma ihtimalini ekleyeceğim; bu çizdiğimiz, otoriteye meydan okumaktan hoşlanan, toplumdışı ve genç bir suçlu profili. Harekete geçtiğinde tereddüt etmedi, cesaretlenmek için alkolden ya da haplardan yararlanmış olacağına ihtimal vermiyorum, çünkü harekete geçmeden önce ve harekete geçtikten sonra duruma çok hâkim görünüyor. Yine de geçmişinde halkın huzurunu bozmaktan dolayı dosyası olduğundan eminim, kurbanını yirmi kereden fazla bıçaklayarak öylesine çok öfke boşaltmış ki, nefretini uzun zamandan beri biriktirmiş olmalı; bu da uzun süredir dengesiz olduğu anlamına geliyor. Bu kadar nefret sonsuza dek bastırılamaz, onun için yaşı oldukça genç olmalı; oysa öldürmek çok zor ve o, cinayetten sonra soğukkanlılığını koruyor. Demek az da olsa bir tecrübesi var. Halkın huzurunu bozmak, özellikle de teşhircilik yüzünden fişlenen bütün bölge gençlerinin sabıka kayıtları incelenmeli; kurbanının ırzına geçmek için gerekli olan kendine güven duygusundan ve tecrübeden yoksun birinden bahsediyoruz.

Salhindro gözlerini genç müfettişe dikmişti.

– Başka bir şey var mı? diye sordu.

Brolin endişeli görünüyordu, profil oluşturmakla geçen koca bir günden sonra gözlerine oturan bulanık bakış birden kayboluvermişti.

– Şeyy, bana kalırsa, diye duraksayarak konuştu, karşımızda tehlikeli bir psikopat var. Neresinden bakarsanız bakın, düzenli bir katilde olması gereken her şeye sahip, bu sadece onun ilk cinayetiydi, duruma tümüyle hâkim olamadı, fantezisini gerçekleştiremedi; istediğine daha da yaklaşabilmek için çok yakında yeniden eyleme geçeceğinden korkuyorum. Zaman ve tecrübeyle kendini geliştirmeye çalışacak.

Brolin birkaç saniye düşündü:

– Ve cesedin bulunmasını istedi, diye devam etti. Ne yaptığının bilinmesi, herkesin varlığından haberdar olması, ondan bahsedilmesi ve korkulması için, cesedi bilerek orada bıraktı. Bu, kendini beğenmiş, cinsel içerikli suçlar işleyen katillerin en beteri, çocukluğunda, büyüyünce herkese karşı kin ve nefretle dolu olacak kadar çok acı çekmiş biri. Ve bununla yetinmeyecek, başka kurbanlar arayacaktır.

– Kendi kendine durması mümkün değil mi? diye sordu müstakbel savcı yardımcısı.

– Pek sanmam. Öldürüyor, çünkü yaşadıklarının intikamını almak istiyor, ama daha da önemlisi, şiddetin, karşısındakine tümüyle hâkim olmanın ve ölümün başrol oynadıkları bir özgürlük fantezisi geliştirmiş. Asıl istediği, uzun zamandan beri fantezisini kurduğu o doyuma erişmek. Oysa siz de, ben de fantezilerimizin

eksiksiz gerçekleşmesinin mümkün olamayacağını çok iyi biliyo-
ruz. O bilmiyor, bilse de kabul etmiyor. Tekrar tekrar deneyecek,
fantezilerinin gerçekleşmesini sağlayamamanın öfkesiyle, daha
insanlık dışı davranıp daha acımasız olacak.

Yağmur damlaları camlara usulca vurmaya başladı.

– Ve kurbanların sayısı da artacak, dedi Brolin güçsüz bir sesle.

Bentley Cotland otopsi masasının soğuk çeliği üzerindeki çıp-
lak kadın vücudunu hatırlayınca, kendini ürpermekten alamadı.

21

Otomobil, Columbia Nehri boyunca, orman manzarası içinde dönerek giden yolun siyah şeridi üzerinde ilerliyordu. Devrilecekmiş gibi duran bir tepeler engebesinin üzerinde derin boğazlar, etkileyici yalıyarlar ve göz alabildiğine uzanan çamlarla dolu bir bölge. Brolin bir yandan arabayı kullanırken, bir yandan da gençken gördüğü ve Dario Argento'nun yönettiği *Phenomena* adlı filmi düşünüyordu. İsviçre'deki vadilerin, unutulmuş boğazların havası, birkaç geceyi uykusuz geçirmesine sebep olmuştu. Evinin birkaç kilometre ötesinde aynı derecede ürkütücü bir manzara olduğunu bilse, bir gece bile gözünü kırpmazdı!

Bir saat kadar izlediği İnterstate 84'ten on kilometre kadar önce ayrılmış, doğuya doğru Portland'dan uzaklaşmıştı. Oregon'da bayıldığı şey buydu. Portland'da büyük bir kentte olması gereken her şey vardı, insan orada her istediğini bulabiliyor, bu arada da birbirlerinden sadece yüz kilometre uzaklıktaki denizin ve dağların tadını çıkarabiliyordu. İnsan direksiyona geçtikten bir saat sonra kendini doğruca Lewis ve Clark'ın[8] yolculuk anılarından çıkmış bir manzaranın ortasında buluveriyordu. Burada, doğa tufan öncesinden kalma gücünü gözler önüne seriyor, zirvelerini, uçurumlarını, çağlayanlarını, içine girilemez ormanlarını gururla sergiliyordu. İnanılması ne denli zor olursa olsun, burada hâlâ insan ayağının basmadığı yerler vardı.

Brolin katilin yolunun Leland Beaumont'tan geçtiğini biliyordu, başka türlüsü olamazdı. Katil bir bakıma kendine özgü fanteziler geliştirmiş ama Leland'in yaptıklarını taklit etmişti. Birbirlerini tanımışlar, Leland'in yöntemini açığa vurması, hatta belki de bazı şeyleri öğretmesi için oldukça uzun bir süre görüşmüşlerdi.

---

8. XIX. yüzyılın başlarında ABD'yi doğudan batıya geçen ünlü kâşifler.

Her ikisinin de cerrahlık konusunda bilgileri olduğunu, kurbanlarının kollarını aynı yöntemle kestiklerini görmek şaşırtıcıydı.

Brolin bilgi almak için Odell köyünde bir benzin istasyonun önünde vites küçülttüğünde, beyaz Mustang kükredi. Burada yolu sordu, depoyu doldurdu ve hemen hareket etti. Günlerden salıydı. Gün, harekete geçmekte zorlanır gibi ağır ağır ağarıyor, damların üzerinde gri bir örtü dalgalandırıyordu. Brolin bir önceki günü katilin profilini oluşturmakla, farkı ortaya koyacak ayrıntıyı aramakla, cesedin bulunduğu yerden toplanan sayısız örnekten takip edilecek hiçbir iz çıkarılamayacağını laboratuvardan öğrenmekle geçirmişti. Akşam da Leland Beaumont'la ilgili eski dosyaların yeniden okunmasıyla akıp gitmişti. Brolin, Leland'in yaşadığı yere gitmek, görüştüğü insanlarla konuşmak, belki babasını, Leland'i yetiştiren şu suskun ve huysuz keşişi sorgulamak istiyordu.

On kilometre kadar sonra, Wasco bölgesine giriyordu. İki yanı yüksek iğneyapraklılarla kaplı yol kıvrılarak ilerliyordu. Köylerden fazla dikkat etmeden geçiyordu. Brolin aradığı otomobil hurdacısının girişini gösteren levhaları gözlüyordu, ama aradığı yerin önüne varana değin, hiçbir işaretle karşılaşmadı. Yoldan çok patika denecek bir şerit uygarlığın katranından kopup, ormanın içine dalıyordu. Çitin önündeki kocaman levhanın da belirttiği gibi, "Hurdacı Wilbur"ün bulunduğu alana varana kadar, Brolin'in Mustang'i yoldaki çukurlara dalıp dalıp çıktı. Tellerin ötesinde sacdan yapılmış kadavralar dağlar gibi üst üste yığılmış, içleri ve kemikleri boşaltılmıştı, hepsi de orman havasında çürüyen arabalardı. Mustang çitin önünden geçerek girişin hemen ardındaki prefabrike binanın yanında durdu.

Üzerine bir tulum ve Patriotların amblemini taşıyan tişört giymiş biri, ellerini beze silerek yaklaştı. Ekim serinliğinin adamın gürbüz vücudu üzerinde en ufak bir etkisi yok gibiydi.

– İyi günler. Sizin için ne yapabilirim bayım? dedi güçlü bir ses ve değişik bir aksanla.

Brolin irkildi. Adam Texas'tan, Arkansas'tan, kelimelerin dudakların en ufak bir hareketi bile olmadan ağızdan kayıp gittiği yerlerden geliyordu.

Joshua Brolin rozetini gösterdi:

– Portland polisi. Yardımınıza ihtiyacım var.

Bu tip adamları zorlamak yerine onlardan yardım istemenin daha doğru olacağını biliyordu; bu herifin aynasızlardan, özellikle de şehirli aynasızlardan zerre kadar hoşlanmadığına bir aylık maaşı üzerine bahse girmeye hazırdı.

Tulumun içindeki iriyarı adam dudaklarını büzdü, çevresine bakarak dilini şaklattı. Brolin adamın arkasında bir hareket olduğunu fark etti, birisi uzaklaşıyordu. Önemli olmadığını düşündü.

– Bizim çocuklar temiz, kimse onları suçlayamaz.

– Buraya sizin çocuklar için değil, işçilerinizden biri, Leland Beaumont hakkında hafızanızı zorlamak için geldim.

Adam, sanki duyduklarının ağırlığını tartmak istiyormuş gibi, gözlerini Brolin'den ayırmıyordu. Birden Brolin bu hurdacıda karanlık birtakım işler döndüğü, yasadışı herhangi bir faaliyet yapıldığı hissine kapıldı. Karşısındaki herif gerçeği anlamaya, aynasızın buraya başka bir iş için değil de gerçekten Leland Beaumont için geldiğinden emin olmaya çalışıyordu. Boş zamanı olur olmaz Wasco şerifine bir not göndermeye karar verdi.

– Leland hakkında ne öğrenmek istiyorsunuz peki? O öldü.

Brolin başıyla onaylayıp, havayı yumuşatmak için dostça gülümsedi:

– Biliyorum, ben sadece onu biraz tanıyıp tanımadığınızı merak ediyordum.

Adam yüzüne aşırı bir üzüntü ifadesi takınarak kafasını salladı.

– Belki de sizin çocuklar arasında onu tanıyan biri bana yardımcı olabilir? dedi genç müfettiş.

Bu kez beriki başını yavaşça salladı:

– Gidip Parker-Jeff'le konuşun, şu kırmızı kasketliyle. Leland'i yakından tanır.

Adaleli koluyla araba hurdalarının kapladığı yolu gösteriyordu. Brolin adama teşekkür etti ve yağmur damlaları düşmeye başladığı sırada gösterilen yönde yürüdü.

Tulum giymiş iriyarı adam arkasından bağırdı:

– Polisler bir ölüyle neden ilgileniyor?

– Rutin bir soruşturma. Brolin verecek başka bir cevap bulamamıştı.

Üst üste yığılmış arabaların, pikapların, kamyonların, traktörlerin, kocaman bir kompresöre bir otomobil cesedi indiren vincin yanından geçip, parçaları eritilecek boya getiren uzun bir makinenin başına vardı. Makinenin başında blucinli, svetşörtlü ve kırmızı kasketli biri çalışıyordu. İriyarı, uzun saçları kasketinin altından yüzlerce iğne gibi fışkıran, sarışın biri. Yüzünde uçları çenesine kadar düşen uzun ve açık renkli bir bıyık vardı. Bu haliyle, Thor'un postmodern bir resmine benziyordu. Yağmur şiddetini artırdı, damlalar boğuk sesler çıkararak adamın kasketinin siperliğinden sıçradı.

– Parker-Jeff? diye sordu Brolin.

Beriki müfettişin yüzüne bakabilmek için geriye doğru döndü:

– Evet, ne istiyorsunuz?

Brolin rozetini gösterdi:

– Müfettiş Brolin. Size Leland Beaumont hakkında bir iki şey sormak istemiştim. Duyduğuma göre, onu iyi tanıyormuşsunuz. Onu hatırlıyorsunuz, değil mi?

Parker-Jeff yere tükürdü:

– Tabiî! İnsan öyle bir herifi unutamaz!

– Nesi özeldi ki?

– Her şeyi. Tuhaf biriydi. Nereden geliyorsunuz?

– Portland, dedi Brolin.

Onu endişelendirmemek, buraya sadece basit bir soruşturma için geldiğini söylemek üzereydi ki, Parker-Jeff kendini dinleyecek birini bulmaktan memnun bir halde nazlanmadan konuştu:

– Aramızda kalsın ama, ben Leland'in sonunun böyle olmasına hiç şaşmadım. Çılgının tekiydi.

– Neden böyle düşünüyorsunuz?

Parker-Jeff kasketini çıkarıp alnını sıvazladı. Yağmurdan yararlanarak, saçlarını arkaya attı.

– Tehlikeliydi. Ruh hali her dakika değişirdi. Bazen birbiriyle çelişen öyle tuhaf davranışlar sergilerdi ki, insan çift kişili olduğunu düşünürdü, onun gibi bir şey.

– Çift kişilikli.

– Tamam. Üstelik, sinirine dokunmamak gerekirdi, yoksa hiç korkmadan dalardı.

– Arkadaşları var mıydı, yani birlikte vakit geçirdiği insanlar demek istiyorum? diye sordu Brolin.

– Yoktu. Leland yalnız yaşıyordu, sanırım babası hâlâ hayatta, arada bir babasını görmeye giderdi, ama arkadaşı falan yoktu.

Parker-Jeff pis pis sırıttı:

– Arkadaşı olamayacak kadar balatayı sıyırmıştı!

Brolin içini çekti. Leland'in bir sırdaşı, birlikte vakit geçirdiği biri olmalıydı, tek açıklama buydu. Bağlantıyı bulması gerekiyordu.

– Başka biriyle birlikte olmadığından emin misiniz?

Parker-Jeff boğazını temizleyip, yeniden tükürdü.

– Size söyledim ya. Zamanının çoğunu onunla beraber geçiren bendim, eğer merak ediyorsanız söyleyeyim, birlikte çalışıyorduk. Siz benim söylediklerime bakın: Leland Beaumont çılgının biriydi ve karanlık fikirleriyle, salak büyücülükleriyle ödümü koparırdı.

Brolin kaşlarını çattı:

– Büyücülük mü?

Parker-Jeff sanki bundan bahsetmek çok ağır geliyormuş gibi içini çekip, sesini alçalttı, üzüntülü bir ifade takındı:

– Evet ya... Onun merakı büyüydü. Birlikte çalışmanın verdiği samimiyetle bana tuhaf şeylerden bahsederdi. Kara büyüyü, onun gibi salaklıkları anlatırdı. Ama emin olun, bunları onun ağzından duyduğunuzda, kafayı yiyordunuz. Leland dengesizlerin şahıydı. Bazen gelir, bütün bir gün boyunca tek bir kelime bile etmez, ertesi gün de neşesinden yanına varılmazdı. Ama sizi kenara çekip büyücülük kitabından ya da elindeki güçlerden bahsetmeye başladığında, emin olun, hiç de eğlenceli değildi. Öylesine inandırıcı oluyordu ki, sonunda ağzından alev çıkarmasını beklemeye başlardım.

Brolin başını salladı. Seri cinayetler işleyen katillerden birçoğunun, genellikle de eyleme geçme arefesinde, cinayetin öncesi ve sonrasındaki günlerde böylesi bir kişilik bölünmesi gösterdiklerini biliyordu.

– Fanatizm gibi bir şeydi, diye söylendi Parker-Jeff. Bütün o kızları onun öldürdüğünü ve kendisinin de öldürüldüğünü duymamızdan kısa bir süre önce, bana dudaklarımı uçuklatacak bir sırrını açıkladı, inanın bana! Olanları televizyonda gördüğümde, söylediklerini hatırladım ve o kadar korktum ki, bütün gece uyuyamadım!

Brolin sabırsızlandı, meraklandırılmaktan nefret ediyordu.

– Kafayı deldirmeden kısa süre önce, bana ne kimseden, ne de ölümden korktuğunu söyledi. Dedi ki: "Zavallı Parker, yüreğime bir kazma saplayıp, beni toprağın iki metre altına gömsen bile, gece gelip taşaklarını koparır, sana yediririm! Neden, biliyor musun? Çünkü beni kara büyü koruyor! Bana kimse bir şey yapamaz!" Bana böyle dedi Leland, yuvalarında dönen küçük yuvarlak gözleriyle, balatayı tümden sıyırmıştı.

Sadece anıları tazelemek bile Parker-Jeff'in tüylerini ürpertiyordu. Leland'den korkmuştu.

Brolin adamı dikkatle inceledi. Otuz yaşlarında, sağlam yapılıydı. Aradıkları adamdan daha yaşlı olmasına rağmen, Brolin psikolojik profil konusunda yanılmış olabileceğini göz ardı etmiyordu; böyle şeyler, özellikle de profilin tek bir cinayete dayanarak oluşturulduğu durumlarda görülebiliyordu. Katil ne kadar çok harekete geçerse, hakkında o denli bilgi ediniliyordu.

Parker-Jeff, Leland'in sözlerinin gerçekten etkisinde kalmış görünüyordu.

– Söylesenize, diye söze girdi Brolin, bu büyü hikâyesine gerçekten inandığını mı sanıyorsunuz?

– İnandığını mı? diye şaşırdı Parker-Jeff. Hayır, inanmıyordu, emindi! Gece olunca, o çılgın herif kedileri ve köpekleri boğazlıyordu!

– Öyleyse polise neden haber vermediniz?

– Haber verip ne diyecektim? Arkadaşım hayvanları kurban ediyor! Ertesi gece Leland'in boğazlayacağı ben olurdum.

Brolin anladığını göstermek için başını salladı, nasıl tepki vereceğini görmek için adamı zorlamak istemişti. Samimi görünüyordu, ama böylesi katillerin en önemli özelliklerinden birisi de buydu: bukalemun yeteneği. Hiç renk vermeden ortama uymak. Hiç riske girmemek için, Brolin büroya döndüğünde Parker-Jeff'le ilgili iyi bir araştırma yapılmasını isteyecekti.

– Hayır. Bazı açılma anlarının dışında, kendinden pek bahsetmezdi. Arkadaşı olduğunu sanmıyorum, akşamları çıkacaklardan değildi, kuşlarıyla ilgilenebilmek için evinde çöreklenmeyi tercih ediyordu.

Brolin kümeste gördüğü yırtıcı kuşları hatırladı.

Umudu kırılmıştı. Buraya gelirken, bir ipucu bulacağını, ilginç olabilecek bir isim ya da Leland'in bir tanıdığıyla karşılaşacağını ummuştu. Leland'in geçmişi yalnızlıktan, gizem ve acıdan örülmüştü. Geçen yıl sorgulanması sırasında söyleyecek hiçbir şeyi olmayan, biraz safça bir babanın dışında, tek bir tanık yoktu.

Umutsuzluğu yüzüne yansımış olmalıydı ki, Parker-Jeff özür diledi:

– Üzgünüm müfettiş, ama size anlatabileceğim başka bir şey yok. Leland kafadan kontak biriydi, hele şimdi, neler yaptığını bildikten sonra.

Brolin teşekkür etti ve aklına bir şey gelirse araması için kartını uzattı. Gitmek üzereyken Parker-Jeff uzanıp, kolunu tuttu:

– Ölümünden bir yıl sonra, neden hâlâ Leland Beaumont'la ilgileniyorsunuz?

– Dosyamızı tamamlamak için, diye yalan söyledi.

Parker-Jeff inanmışa benziyordu. Kasketini ıslanmış saçlarının üzerine yerleştirdi.

– Böylesi daha iyi, çünkü bir an için geri döndüğüne inandığınızı sanmıştım.

– Leland'in mi? diye şaşırdı Brolin.

– Evet, sanki elinizde gerçekten ölmediğini gösteren kanıtlar varmış gibi.

Parker-Jeff'in sesi oldukça ciddiydi. Gözleri gerçeklerden kaçıyor, uzaklardaki belirsizliklere bakıyordu.

Ovanın üzerinde bir yerde, parçalanan bir araba hurdasının sesi havayı yırttı.

– Yoksa, eğer bu dediğim doğru olsaydı, hepimiz ölüme mahkûm sayılırdık, dedi Parker-Jeff kısık sesle. Ölmeyen bir şeyle mücadele edilemez.

Brolin bir süre adama baktı sonra yüzünde pek doğal olmayan, zorakî bir tebessüm belirdi. Parker-Jeff'in rahatsızlığı şimdi Brolin'in içine sinmişti.

Müfettiş Brolin çamurlu yoldan yürüyordu. Gittikçe yoğunlaşan yağmur, otomobil hurdalığını biraz da bataklığa çevirmişti. Sırılsıklamdı, soğuk yağmur damlaları boynundan aşağı akıyor, saçları alnına yapışıyordu; ağız dolusu küfretti. Yolunun iki yanında her çeşit taşıtın oluşturduğu tepecikler rüzgârın ve paslanmanın ortak etkisi altında inliyorlardı. Çelik gıcırtıları, cam çıtırtıları, kauçuk ıslıkları, tüm hurdalık kocaman ve uğursuz bir soluk boşaltıyordu.

Leland Beaumont'un ölümünden sonra, Portland Celladı'na atfedilen her üç cinayetin de Leland tarafından işlenip işlenmediğini anlamak için, bir araştırma yapılmıştı. Bu araştırma, kanıtların çokluğu ve Juliette'in tanıklığı sayesinde kısa zamanda tamamlanmıştı. Oysa Leland Beaumont'un hayatına gereken önem verilmemiş, babası bir kez sorgulansa da, biraz ebleh oluşu nedeniyle ondan fazla bir şey öğrenmek mümkün olamamıştı. Cinayetlerini anlayabilmek için Leland'in üstünkörü bir biyografisi çıkarılmış, sonra da resmî kurumlar başka konularla meşgul olmaya başlamışlardı. Genellikle, medya konulara bu aşamalarda el atar. Böyle bir olay hakkında röportaj yapmak ya da kitap yazmak isteyen bir muhabir hep vardır. Oysa seri cinayetlerde dünya çapında görülen artış, gazetecilerin bu alandaki iştahını kabartmıştı; artık "sadece" üç kurbanı olan bir katille kimse ilgilenmiyordu, başka yerde çok daha iyisi vardı.

Brolin iyi düşündükçe duyduklarının ancak bugün su yüzüne çıkmasında şaşılacak hiçbir şey olmadığını görüyordu. Suçluluğu iyice kanıtlandığına göre, kim gelip Leland'in çalışma arkadaşlarına soru sorardı? Öz babası bile oğlunun işlediği suçları öğrendiğinde fazla şaşırmamıştı, onları baş başa bırakmalarını, yaptıklarından dolayı velede iyi bir kötek atmasına izin vermelerini istemişti. Oğlunun öldüğünü anlayabilmesi için koskoca bir öğleden sonra konuşmak gerekmişti onunla. Babayla konuşmanın da öyle imrenilecek bir tarafı olamazdı; böylesi sonsuza dek sürecek bir sayıklamanın ötesine geçemeyecekti.

Brolin yürümeye devam ediyor, cebindeki anahtar destesini evirip çeviriyordu ki, telefonunun titreşimini duydu.

– Brolin, dinliyorum.

– Josh, hemen buraya gelmen gerekiyor.

Brolin Salhindro'nun sesini tanıdı. Adam fazlasıyla heyecanlıydı.

– Ne var Larry?

– Bir mektup aldık. Katilden.

O an, iki adamın arasına bir sessizlik akımı yerleşiverdi.

– O olduğundan emin misiniz? dedi Brolin.

Bir bulut gölgesini müfettişin üzerine yaydı.

– Aslında, mektup dün gelmiş. Üzerinde kurumuş kan lekeleri var ve Meats bize haber vermeden önce kanı tahlil ettirmiş. Bizi yanlış iz üstüne sevk etmekten korktuğu için olayın bir aldatmaca olma ihtimalini ortadan kaldırmak istemiş. Laboratuvar sonucu az önce geldi: ormandaki kurbanın kanı. Yüzde yüz güvenilir, genetik uzmanlık raporu dostum.

– Serin yerde tutun, bir saate kadar orada olurum.

Brolin telefonu kapattı.

Üzerindeki gölgeyi gördü ve aynı anda bir çatırtı duydu.

Mesleğinin yetkinleştirdiği bir hayatta kalma dürtüsüyle, tüm kasları alabildiğine gerilmişti, başını kaldırdı.

Dev gibi bir otomobil kütlesi bir vincin pençesinde üzerinden geçiyordu.

İki tonluk hurda metal yığını, tepesindeki vinçten gülle gibi düştü.

Düşüş ani oldu.

23

Juliette fincanına biraz daha çay koydu. Yoğun çalışma günlerinde bardak bardak çay içiyordu. Çay zihnini canlı tutan, onu bekleyen iş kalabalığına istekle yaklaşmasını sağlayan bir uyarıcıydı. Çay odanın içine çiçeksi bir koku yayıyordu. Bilgisayarın mekanik homurtusu genç kadının migrenini azdırmak üzereydi. Ayağa kalkıp, kendine bir mola verdi.

Joshua Brolin'in tahmin ettiği gibi, gazeteciler beklemekten usanmış, Juliette de pazar akşamı eve dönerken kimseyle karşılaşmamıştı. İçinde iki kişi, iki polis memuru olan arabanın dışında, hiç kimseyle. Allah'tan üniformalı değillerdi, hiç olmazsa komşuların dikkatini fazla çekmiyorlardı. Bir terslik olmazsa, kimse iki muhafızının farkına varmaksızın yaşayıp gidebilirdi. Pazartesi derslere katılmak için üniversiteye gitmiş, çıkışını bekleyen yerel bir haber kanalının muhabirine yakalanmamak için acil kapısını kullanmak zorunda kalmıştı. Bugünse dersi olmamasından yararlanarak, son günlerde kaçırdığı konuları yakalamak istiyordu.

Öğlen olunca, kendine hafif bir yemek hazırladı, arabada bekleyenlere biraz yemek gönderip göndermeme konusunda tereddüt etti. Ne de olsa, böylesi şeyler filmlerde olurdu; peki neden gerçekte olmasın? Bir tepsi dolusu çeşitli yiyecekler hazırladı, yanına iki şişe soğuk bira ekledi; alkolsüz bira, böylece "Görevdeyken, asla" itirazı gerekmeyecekti. Selofan ambalajlarına sarılı biberli sandviçi yemeye hazırlanan iki memur, son derece sevindiler, Juliette'e tekrar tekrar teşekkür ettiler.

Genç kadın durumdan yararlandı, posta kutusuna baktıktan sonra komşusunun labrador cinsi köpeği Roosevelt'i sevdi.

Salona döndüğünde, evi ısıtmak için şömineyi yakmaya çalıştı. Sonra bir kanaldan diğerine zaplayarak tabağındakileri atıştırdı, televizyon programlarının her biri diğerinden daha fazla sıkıcıydı.

Çalışmaya devam etmek için üst kata çıkmak üzereyken, mutfak masasının üzerinde mektupları gördü; postayı tümüyle unutmuştu.

Faturalar, bir milyon dolarlık ikramiyenin talihlisi olabileceğinizi belirten reklamlar, bir de üzerinde hiçbir yazı olmayan bir mektup; neredeyse "profesyonelce" diye tanımlanabilecek bir şey. Zarfı açtı, bilgisayarda yazılmış ve kırmızı mürekkep lekeleriyle kaplı tek bir sayfa buldu:

Bırak da ilk türküyü ben söyleyeyim:
senin ihtiyacın olan bir rehber çünkü,
yolunu bulmanı, patikadan ayrılmamanı
sağlayacak.

Karanlık bir ormanda buldum kendimi,
Ah içimdeki korkuyu tazeleyen.
Gün bitiyordu, kararan hava
sarp, çetin yola girdim ben de.
"Burada her türlü korkuyu bırakmalı,
Ödlekliğin kökünü kazımalı."
"Her şeyi anlayacaksın" dedi
"Akheron'un hüzünlü kıyısında
adımlarımızı durdurduğumuzda."[9]

Juliette içinde tuhaf ve tatsız bir his oluşmadan önce, metni iki kez okudu.

Damlalar belki de kırmızı mürekkep lekesi değildi...

9. Dante Alighieri, *İlahî Komedya*, çev. Rekin Teksoy, Oğlak Yayınları, İstanbul. (yay.n.)

24

Tüm kasları alabildiğine gerilmiş olan Brolin dev gibi bir otomobil kütlesinin üzerine düşmekte olduğunu fark etti.

Bu çok ani oldu.

Brolin yerde, yüzü çamurun içinde, yavaşça başını çevirdi ve arabanın kapısını yüzünden beş santim ötede gördü. Kendini kenara attığı anda öldürücü metal yığını toprağı sarsmıştı. Daha fazla beklemeden, hurdaların gölgesine sığınmak için, yerde yuvarlandı, hemen dizlerinin üzerine doğrulup, Glock'unu çekti. Yağmur arabanın ezik saclarını dövüyordu.

Vincin uzun kolu hareketsizdi.

Brolin içindeki gerginliğin arttığını, adrenalinin kaslarına aktığını hissetti. Bir sıçrayışta ayağa kalktı, hurdaların arasında oradan oraya koşuşturmaya başladı. Sonunda aradığını buldu: kompresör, yanında da vinç. Vinçten, kısa boylu, keçi sakallı, sivilce izleriyle kaplı yanakları üzerine kadar inen favorileri olan biri inmişti.

Fıldır fıldır dönen gözleriyle Brolin'i fark etmekte gecikmedi.

Adam bir savan yırtıcısı gibi çevik, ileri doğru atılıp, çılgınlar gibi koşmaya başladı; sonra da sola, çıkışa doğru yöneldi. Brolin Glock'un kabzasını kavrayarak adamın peşine düştü, olabildiğince hızlanmaya çalıştı. Kovaladığı adam çevik ve güçlüydü, ondan çok hızlı koştuğundan, arayı açacağına hiç kuşku yoktu.

Brolin iki soluk arasında haykırdı:

– Polis! Sakın kıpırdamayın!

Ama adam koşmaya devam etti, terk edilmiş bir dizi arabaların yanına vardığında, Brolin tetiği çekmeye karar verdi. İyi atıcı olduğunu biliyordu, özellikle de geri tepmesi olmadığından acemilerin bile hedefi on ikiden vurdukları Glock'la; ama böyle bir durumun gerginliği her şeyi bozuyordu. Soluk soluğaydı, son derece heyecanlıydı ve hedefe koşuyordu. Adama istemediği bir zarar verebilir, örneğin bacaklarına nişan almışken onu sırtından vurabilirdi. Tetiğe bastı, bulutlara doğru bir alev fışkırdı.

Adam hiçbir tepki göstermeden araba hurdalarının arasında kayboldu.

Brolin bir küfür savurup elinde tabancası, hırsla adamın peşinden koşmaya devam etti. Hurdalığın sacları üzerinde tıkırdayan, su birikintilerinde yankılanan yağmur, ayak seslerinin duyulmasına izin vermiyordu. Brolin infaz saatini bekleyen bir tankere yapıştı ve hedefinin kaybolduğu köşeye dikkatle yaklaştı.

Kör açıdan sadece çelik bir çubuğun yükseldiğini gördü, darbenin yüzünde patlamaması için çok hızlı bir şekilde öne doğru eğildi. Aynı hareketi devam ettirerek, rakibini silahıyla tehdit etmek için ileri atılmak istemişti ama, beriki böyle yapacağını tahmin etmişti. Elindeki Glock daha hedefine doğrulamadan, Brolin bir tekmeyle sarsıldı. Bunun üzerine bir çığlık attı ve acının etkisiyle silahını düşürdü.

Çelik çubuk yine havaya kalktı.

Brolin bu kez darbeden kaçamadı, yeterince hızlı hareket edememişti. Şimşek gibi bir sızı vücudunu sarsarken, omzunun çatırtısını işitti. Sokak kavgaları "sanatı"nda ustalaşmış rakibi, hızlı ve kesin bir dirsek darbesiyle saldırıya devam etti, çenesine gelen darbe Brolin'e bir çığlık daha attırdı.

Müfettiş çelik çubuğun yeniden havalandığını gördü. Bu kez, kafasını hedef almıştı.

Öldürmek için vuracaktı.

Brolin öne doğru atılmak, rakibini yakalayıp yumruk yağmuruna tutmak istiyordu ama vücudunun pes ettiğini hissetti. Acının da etkisiyle iyice sersemlemişti; bir metre ötede, çamurun içinde yatan silahını gördü, aynı anda da silaha erişemeyeceğini anladı.

Madenî bir ıslık; demirin ete, kemiğe, yani bir canlıya çarpıp çıkardığı dehşet verici bir darbe sesi duyuldu.

Keçi sakallı ve favorili adam bir su birikintisinin içine yığıldı.

Parker-Jeff elindeki levyeyi yere attı, Brolin'in ayağa kalkmasına yardım etti.

– İyi misiniz müfettiş? diye sordu endişeyle.

Brolin neler olup bittiğini anlamak için gözlerini birkaç kere kırpıştırmaktan kendini alamadı.

Ölmemişti.

Henüz ölmemişti.

25

– Şu Parker'a bir kasa şampanya göndersen hiç fena olmaz! dedi Salhindro.

Brolin belli belirsiz gülümsemekle yetindi ve buz torbasını şişen yanağına dayadı. Doktor gözlüklerini kılıfına yerleştirirken Brolin'e dönüp onu uyardı:

– Kontrol dışı hareket yok, yoksa omzunuz yeniden çıkar. Üstelik bugün zamanınız olmadığına göre (memnuniyetsizliğini göstermek istiyormuş gibi, kelimelerin üstüne basa basa konuştu), en azından akıllı davranın da, yarın sabahtan tezi yok, röntgenlerinizi çektirin. Köprücükkemiğiniz konusunda pek iyi şeyler düşünmüyorum. Yarını beklerken, iltihabı önlemek için Tylénol alın. Müsaadenizle beyler.

Eliyle selam verip çıktı.

Salhindro, Lloyd Meats, Savcı Yardımcısı Cotland ve Brolin, Wasco bölgesi şerifinin bürosunda toplanmışlardı. Brolin, Salhindro'nun yolda gelirken aldığı yeni gömleği giyerken acıyla yüzünü buruşturdu.

– Şerif Hemsey şu anda saldırganın yanında, zaten kimliği belirlendi, dedi Meats, masanın üzerindeki faks kâğıdını alarak. Adı Henry Palernos, Kuzey Dakotalı bir kaçak. Şerifler dört aydan beri peşindeymiş. Hemen açıklamamda yarar var, yakalamaya çalıştığımız katilin o olmadığını düşünüyorum.

– Sabıka kayıtlarını inceletiyoruz, ama adam profile uymuyor. Biraz önce Şerif Simons'la telefonda konuştum, Palernos silahlı saldırı, adam kaçırma ve cinayetten iki yıldan beri hapisteymiş. Azılı bir herif olduğu kesin, ama seri cinayetler işleyen birine benzemiyor.

Brolin başını salladı:

– Doğru, diye hak verdi. Yine de geçen çarşamba akşamı için bir tanığı olup olmadığını araştırın. Hiçbir şeyi boşveremeyiz. Bu arada, adam ne durumda?

– Beyin sarsıntısı geçirmiş, diye cevap verdi Meats kısa sakalını okşayarak. Ama hayatı tehlikede değil. Aslında, bilinci tümüyle yerinde, sadece "şiddetli bir baş ağrısı".

Bentley Cotland sırıttı.

– Bana kalırsa, beni rozetimi gösterirken görmüş ve onun için geldiğimi sanmış olmalı, diye açıkladı düşüncesini Brolin. Soru sormadan vurdu, kurnazca...

– Eğer, böyle yapmasaydı, hâlâ özgür olacaktı, diye Brolin'i teselli etti Salhindro. Öte yandan, Parker-Jeff'e gelince, araştırdık, sabıkası var ama fazla ciddi bir şey değil, biraz marihuana ve bir kavga sırasında kocaman bir av bıçağıyla yakalanmış, ama psikopatlıkla ilgisi yok. Daha fazla araştırmamızı ister misin?

– Dosyayı belki lazım olur diye elimizin altında tutalım, ama tipi uymuyor. Yine de, çarşamba akşamı neredeymiş, bir araştırın bakalım. Hurdalığın patronunu da biraz ayıklasınlar, pek sağlam ayakkabı değil, bana kalırsa Palernos'u bile bile saklıyordu.

Lloyd Meats izmaritini bir kola kutusunun içine söndürdü ve hemen ardından yeni bir sigara yaktı.

– Peki. Şimdi, bu mektup neymiş bakalım? Getirdiniz mi?

Meats hemen gitti, deri bir keseden içinde bir kâğıt bulunan plastik bir torba çıkardı. Brolin kâğıdı aldı. Üzerinde birçok kırmızı leke vardı. Kurbanının kanı. Brolin elindeki metni okumaya başladı:

Bırak da ilk türküyü ben söyleyeyim:
senin ihtiyacın olan bir rehber çünkü,
yolunu bulmanı, patikadan ayrılmamanı
sağlayacak.

Karanlık bir ormanda buldum kendimi,
Ah içimdeki korkuyu tazeleyen.
Gün bitiyordu, kararan hava
sarp, çetin yola girdim ben de.
"Burada her türlü korkuyu bırakmalı,
Ödlekliğin kökünü kazımalı."
"Her şeyi anlayacaksın" dedi
"Akheron'un hüzünlü kıyısında
adımlarımızı durdurduğumuzda."

Gözlerini ürkütücü belgeden ayırmadan sordu:

— Laboratuvar sonuçları kesin mi, gerçekten de ormandaki kurbanın kanı mı?

— En ufak bir kuşku yok! dedi Meats. Genetik bölümü kesinleştirdi. Kısacası, bu bir şaka değil. Katil bizimle ayrıcalıklı bir ilişki kurmaya karar vermiş.

— Bu saçmalıklardan bir şey anlayabiliyor musunuz? diye sordu Cotland.

Brolin hiçbir şey söylemedi, mektubu tekrar okuyarak düşündü.

— Doğrusunu isterseniz... Beni biraz şaşırttığını itiraf etmeliyim.

Meats ve Salhindro bakıştı, Brolin'in bu metinden çözemedikleri bir mesaj çıkaracağını ummuşlardı.

Brolin düşüncesini açıkladı:

— Bize bir şeyler söylemek, yaptığını anlamamızı sağlamak için yazmış. Bu tip katiller genellikle basını tercih ederler ya, bizimki mektubu bize göndermiş.

Meats ve Salhindro içlerine kendilerinden başka kimsenin bilmediği bir şeyler doğmuş gibi, yeniden bakıştılar.

— Bence, ne yaptığını gördüğümüz için bize yazdı. Yani, bizimle konuşmak istemesi bir rastlantı değil. Hareketlerinin tanığıyız ve eğer kendini haklı çıkarmak, suçtan arınmak isterse, şaşmayacağım. Geriye, mesajının pek de açık olmaması kalıyor.

Brolin yeniden mektuba uzandı.

Karanlık bir ormanda buldum kendimi,
Ah içimdeki korkuyu tazeleyen.

— Bize cinayetinden, gerçekleştirdiği ve onda bir çeşit pişmanlık uyandıran hareketten bahsediyor, öyle değil mi? diye sordu Meats.

— Öyle gibi.

— Mektubun iki bölümünü birbirinden ayırmak gerek, diye dikkatlerini başka yöne çekti Salhindro, bu iki arada bir derede kalınarak alelacele yazılmış bir şey değil, her ayrıntısını dikkatle düşünmüş olmalı. Öyleyse, italik bölüm belirli bir önem taşıyor.

Brolin hırsla kafasını sallayıp bir sıçrayışta kalktı, omzuna yüklenince yüzünü acıyla buruşturdu:

— Çok karmaşık! Oluşturduğumuz fikirle uzaktan yakından ilişkisi yok! Fazla biçimli, fazla kesin ve fazla işlenmiş! Şu mısralara, şu kelimelere bakın, senin de dediğin gibi Larry, katil bu işe zaman ayırmış, bu onun için önemli, belirli bir nedenden dolayı italik ve...

– Belki de bir alıntıdır, diye araya girdi Meats. Bir kitaptan alıntı. Yine de oldukça güzel bağladığını kabul etmeliyiz, peşinde olduğumuz adam gibi bir zavallının böyle bir metin yumurtladığına inanmakta güçlük çekiyorum!

– Benim gözüme sorun olarak görünen de bu ya, diye karşılık verdi Brolin. Ormandaki katil hakkında bildiklerimize dayanırsak, dengesiz, cinsel açıdan olgunlaşmamış birinden söz ediyoruz; bütün bunlar beş dakikada olmaz, bizi bunları zavallı birinin yaptığına inandırmak için kurgulanmış bir mizansen de olamaz. O cinayette gerçek bir cinsel anlam vardı, ama cinsel dürtüye hâkim olunamamış, tıpkı kurbana kişilik kazandırılmadığı gibi; kurbandan buruşturup attığı bir kâğıt mendil gibi yararlanmış. Deli izlenimi vermek istemiş olabilirdi, ama o durumda imza farklı olurdu; farklı, sonuca ulaşmış cinsel şiddet izleri görülürdü.

– Yine de, bu mektubu bize gönderen her kimse, aradığımız katil o, tahlil sonucuna göre, damlacıkların kurbanın kanı olduğundan kuşku yok, dedi Salhindro. Muhtemelen metni bir yerden kopya etmiştir.

Brolin başını salladı, farklı bir durumdan bahsedecekmiş gibi parmağını kaldırdı.

– Gerçekten de, eğer bunlar bir alıntıysa, bunu bize göndermeyi düşünecek kadar akıllı olması gerekir, bu da oluşturduğum profile uymuyor! Katil yolunu kaybetmiş bir zavallı, toplumdışı kalmış, hatta belki de paranoyak biri. Aşırıya götürmeye kalkarsak, belki okuması yazması bile yok! Her iki bölümün kendilerine özgü önemleri olmalı, tıpkı ikinci bölüm için italiğin seçilmesi gibi. Bütün bunlar da bir zihin inceliği gerektirir! Bu da katil hakkında çizdiğimiz resme hiç mi hiç uymuyor.

– Öyleyse, belki de profil yanlıştır, dedi Cotland, alaycı bir tavırla.

– Hayır, doğru olduğundan eminim.

Brolin sözlerine devam etmeden önce birkaç saniye duraksadı:

– Bize yazan başka biri. Bir suç ortağı ya da tanık. Mesajı açık: "yolumuzu bulmamız için bize rehberlik etmek istiyor" ama kime, neye doğru? Belki de suç ortağı değil, ama katilin kim olduğunu biliyor, teslim etmeden önce de bizimle alay etmek istiyor.

– Bu durumda, kurbanın kanını nasıl elde etmiş olabilir? diye sordu Meats.

– Hiçbir fikrim yok, dedi açıkça Brolin. Cinayet sırasında o çevrede bulunması, katil gittikten sonra da içeri girmiş olması mümkün, hatta belki de bu ölümcül oyuna katılan bir arkadaştır, nereden bileyim. Ama bunun başka birisi olduğundan eminim.

Meats ile Salhindro yeniden birbirlerine baktılar.

Beriki bir an tereddüt etti sonra elini Brolin'in omzuna koydu.

– Öyleyse, bu başka birisi Juliette Lafayette'in varlığından haberdar.

Brolin başını hızla göbekli arkadaşına doğru kaldırdı.

– Bu sabah bu mektubun aynısını aldı, dedi Salhindro özür diler gibi.

Kalabalık grup, Brolin'in Portland'daki bürosuna taşınmıştı. Juliette de yanlarındaydı. Almış olduğu mektup, Brolin'in elindekiyle her bakımdan eşti. O da Portland Merkez Garı'ndan, bir gün arayla postalanmıştı.

– Bize haber vermekle iyi ettiniz, dedi Salhindro genç kadına. Yardımınızın bize çok faydası olacak.

Juliette cevap vermedi. Hâlâ şokun etkisindeydi. Bir hafta önce ortaya çıkan katilden mektup aldığı için şaşkındı. Korku duymuyordu, endişeli de değildi, sadece anlayamıyordu. "Neden ben?" diyordu, "Neden yaşadığım bu kötü olayı unutmama izin vermiyorlar?"

– Üzgünüm ama, üniversitedeki derslerinize ara vermek zorundasınız, dedi Meats.

Juliette safir renkli gözlerini Meats'e çevirdi. O gözlerde gök rengi yakutun güzelliği ve parlaklığıyla birlikte, taşın soğukluğu da vardı.

– Asla! Tek kelimeyle cevabı buydu.

– Bakın, Bayan Lafayette, bu sizin için çok tehlikeli, katilin sizi ne dereceye kadar hedef aldığını bilmiyoruz, anlıyorsunuz değil mi?

Brolin söylenenleri işitir işitmez, kabalığından dolayı Meats'e kızdı, her zaman lüzumundan fazla açık sözlüydü, sorgulamaya o denli alışmıştı ki, bazen karşısındakinin suçlu olmadığını unutuveriyordu. Bu davranışın ona bir gün Cinayet Masası'nda yüzbaşılık rütbesine mal olacağına inananların sayısı da yabana atılacak gibi değildi.

Genç kadının gözbebekleri iki görkemli yıldız gibi ışıldadı; Meats'in beklediği başka bir cevap yoktu.

– Peşinizde iki kişi olacak ve güvenliğinizi sağlayacaklar, diye durumu açıkladı Salhindro. Üniversitede de.

Juliette öfkeyle içini çekti:

– Ne zamana kadar? Ve siz eğer bu herifi yakalayamazsanız, bütün hayatım boyunca iki korumayla mı yaşayacağım?

– Tabiî ki hayır, dedi Meats sıkıntıyla, biz...

Elini kaldırarak Meats'in sözünü kesti:

– Tamam, vazgeçin. Ben... Ben sadece gerekli olduğu zaman evden çıkacağım.

Meats teşekkür etme anlamında kafasını salladı, Juliette ayaklandı. Yanağının üzerinde hayli dikkat çekici bir çürük olan Brolin'e baktı. Onunla yalnız konuşmak istiyordu. Neden yalnız? Bilmiyordu, öyle istiyordu, ihtiyacı vardı. İçini açabilir, kendini sıkmadan anlatabilir, bitkin düşene kadar içini boşaltabilir ya da sadece kollarının sessizliğinde teselli bulabilirdi. Oysa genç müfettiş hiçbir şey demeden ona bakıyordu. Duygularından hiçbirini dışa vurmadan.

Brolin'e bir şeyler demek için ağzını açtı, ama kelimelerin üstünde tökezledi, hiçbiri söylemek istediklerine uygun değildi. Çenesinin nasıl olduğunu sorarak söze girecekti. Allah'tan Brolin'in yüzüne darbe aldığını söylemişler, aynı zamanda da yarasının önemli olmadığını anlatarak içini rahatlatmışlardı. Sormadı. Denemeye bile çalışmadan vazgeçti, sessizce odadan çıktı. Aslında, kendini Brolin'le uzun uzadıya konuşamayacak kadar yorgun hissediyordu, adamın başka soru sormadan, hiçbir şey demeden onu kollarına alıp sıkmasını, bütün gün ve bütün gece öyle kalmayı istiyordu. Oysa bunun imkânsız olduğunun farkındaydı. Polis merkezinden çıktı, peşinde bir araba, eve döndü. Bütün bunların bilinmemesi için gayret sarf etmeliydi, özellikle de annesi ile babasının meraklanmalarını istemiyordu.

Brolin buz torbasını yine yanağına götürdü, gözü mektuptaydı.

Karanlık bir ormanda buldum kendimi,
Ah içimdeki korkuyu tazeleyen.

Bütün gün boyunca dinmeyen yağmur anlaşılmaz bir vurmalılar konseri verir gibi, camlara vuruyordu.

"Orman onda dehşet uyandırıyor, bu da cinayete tanıklık etmiş olabileceğini düşündürüyor. Günbatımından da bahsediyor, kaçırma anından da... Demek katilin kurbanını henüz canlıyken ormana ne zaman götürdüğünü de biliyor."

Terk edilmiş eve ulaşmak için Salhindro'yla geçtikleri patikayı hatırlayınca, Brolin usulca başını salladı. "Kendisinin de belirttiği gibi, sarp ve çetin bir patika, insanın korkularını terk etmesi gereken bir patika. Cinayeti gördü, olup bitenlere tanık oldu. Ormandan, patikadan, günbatımından, yani cinayetin işlendiği ortamdan söz ettiğine göre, cinayet mahallini biliyor. Ama asıl endişe verici olanı, bize Akheron'a ulaşmadan hiçbir şey anlayamayacağımızı açıkça anlatması."

– Akheron'un ne olduğunu bilen var mı?

Bentley sanki dünyanın en basit sorusuymuş gibi, en sonunda bir işe yaramaktan belli bir mutluluk çıkararak cevap verdi:

– Ölülerin, cehenneme girecek ölülerin geçtikleri bir yeraltı nehri. En azından, Yunan mitolojisine göre.

Salhindro sıcak kahvesinden bir yudum aldı:

– Neden hem bize, hem de Juliette'e gönderdi mektubu?

Brolin sükûnetinden bir adım bile ayrılmadan, çevresindeki küçük grubu şaşırtan bir güvenle cevap verdi:

– Her şeyden önce olayları birbirinden iyi ayırmak gerek. Bir tarafta psikotik ya da en azından düzensiz-karışık bir katil, öte tarafta da imzasız mektubu yazan kişi var ya da isterseniz soruşturduğumuz olay hakkında çok şeyler bilen bir karga diyelim. Katil Leland Beaumont'un izinde yürüyor ve Juliette'in onun hedefi anlaşılır, çünkü Juliette bir bakıma Leland'in ölümünün simgesi gibi bir şey.

– Aradığımız katil kurbanlarını kişiliksizleştiriyor, onlar kadın değil, birer zevk aleti ya da belki başka bir duruma erişmesi için birer araç, katil kadınlara en ufak bir değer vermiyor, en ufak bir hayat hakkı tanımıyor. Eğer onun eline düşerseniz, size acıması için en ufak bir sebep yok, çünkü onun kafasında siz ihtiyacı olduğu bir aletsiniz. Oysa bu mektupla karşımıza eğlenmek isteyen, bizimle oyun oynayarak keyif arayan bir sadist çıkıyor. Bu adam bir sadist, demek ki diğer kurbanlardan ve onlara nasıl acı verileceğinden haberdar; oysa bizim katilde bu özelliklerin hiçbiri yok. Bizim katilin kurbanları onun elinde bir alet haline geldiğinden, cinayetten sonra cesetten parçalar kesiyor, ölü kurbanıyla oynuyor. Karga gibi sadistler kurbanlarının acı çektiğini görmek, onun üzerindeki eksiksiz hâkimiyetlerinin tadını çıkarmak, haykırmalarından, yalvarışlarından zevk almak için kurbanının kollarını öldürmeden önce keser.

– Katil ile mektubu yazanın iki ayrı insan olduğundan emin misin? diye sordu hiç bilimsel olmayan yöntemlerle kesin sonuçlara varıyor olmaktan çekinen Meats.

Brolin başını güvenle salladı:

– Katil cinsel dürtülerle karışık ölüm ve nefret fantezileri üreten zavallı biri. Kesinlikle karmaşık ve acı dolu bir çocukluk dönemi geçirmiş, terk edilmiş, belki de itilmiş biri. Mektubun yazarı ya da taktığımız adıyla "Karga" çok daha aklı başında, çok daha zeki. Bize bu sır dolu mektubu göndererek, içindeki bir kötülükten arınmak istediğini düşünüyorum. Belki cinayeti görmenin, ya da katili tanımanın doğurduğu bir kötülük. Yine de hiçbir açık bilgi vermiyor, tam tersine, her şeyi yoğun bir bulutun ardına saklıyor. Bütün sadistliğiyle bizi parmağında oynatmaktan zevk alması da muhtemel. Belki katili göstermeye hiç niyeti yok, sadece bizimle eğlenmek, bizi kurnazlığıyla ve kötülüğüyle karşılaştırmak istiyor. Mesajın kalitesi adamın zekâsını gösteriyor, bu mektubu yazan zavallı bir sefil değil.

– Belki de bir kitaptan aşırdığı bir alıntıdır, diye itiraz etti Bentley Cotland.

– Öyle de olsa, bilerek yapmış bu alıntıyı, demek ki okuduğunu anlıyor, diye karşılık verdi Brolin. Mesaj tesadüfen ikiye bölünmemiş, ben de iki bölümden birinin alıntı olduğunu düşünüyorum. Muhtemelen ikincisi; daha uzun, daha şiirsel, daha anlam yüklü olanı. Nereden alındığını bulalım, bize ne söylemek istediğini anlarız.

– Bu kadar emin olmanızın sebebi ne? diye sordu müstakbel savcı yardımcısı.

– Seri cinayetler işleyen katiller, caniler ve bombacılarla ilgili yüzlerce olay inceledim. İnanın bana, size kesinlikle söyleyebileceğim iki şey var: birincisi; ormandaki katil çarşamba gecesi belki ilk cinayetini işledi, ama bununla kalmayacak devam edecek. İkincisi; mektubu yazan katil değil, aradığımız adam hakkında pek çok şey biliyor ve başımıza iş açacak, bize gücünü, ne kadar çok şey bildiğini ya da gücünün nerelere kadar uzandığını kanıtlamak isteyecek. Nedenini bilmiyorum, yani şimdilik bilmiyorum. Onu sakın hafife almayalım, mektuplarını birer gün arayla postaladı, çünkü kâğıdın üzerindeki kanı tahlil ettirmemizin, yani onu ciddiye almamızın bir gün süreceğini bilecek kadar akıllı; öte yandan hem Juliette'in, hem de bizim onun varlığından aynı gün içinde haberdar olmamızı istiyordu, muhtemelen bizi etkilemek için, tıpkı sinemada, filmin bitmesine yakın her şeyin üst üste gelmesi gibi.

– Peki, sizin dediğiniz gibi bizi katile doğru götürmek istiyorsa, neden sadist olsun?

Brolin cevap vermeden önce buz torbasını masanın üzerine bıraktı:

– Çünkü anlaşılmaz olmak kendi isteği. Oynamak, bizi denemek, onun mu yoksa bizim mi daha kurnaz olduğumuzu görmek istiyor. Ama özellikle, aynı mektubu Juliette'e de gönderdiği için. Juliette'e neden gönderdiğini kendi kendinize bir sorun, tamamıyla gereksiz bir hareket. Onu korkutmak, ürkütmek istiyor, çünkü Leland'le neler yaşadığını biliyor. Katil, Leland'in *copycat*'i ve Karga bunu biliyor. Katilin Juliette'e karşı bir çeşit saygı duyduğunu sanıyorum, oysa Karga'da böyle bir saygı yok. Bir tek ümidim var, o da iki adamın birbirlerini çok iyi tanımadıkları; yoksa katil mektubu yazan kişiyi Juliette'in üzerine salabilir. Bu katilin gücünü sınaması, ustayı geçmesi için gerekli bir tören olabilir...

Dört adam uzun uzun bakıştılar.

– Juliette'in evini gözlemek için fazladan adam getirteceğim, dedi Meats asabîyetini gösteren bir hareketle sakalını sıvazlayarak.

Brolin başını salladı:

– Senden başka şey beklemezdim.

– Bir dakika, diye araya girdi Bentley, bu olayda bir çeşit dinamik bulunduğunu görmüyor musunuz? Demek istiyorum ki, bir tarafta Leland Beaumont'u taklit eden bir katil, öbür tarafta aynı Leland'in ölümünün simgesi olarak görebileceğimiz bir insanı korkutmaya çalışan bir Karga. Leland'in yaptıklarını, onun ölümünden sonra da sürdüren iki kişi.

– Sözü nereye getirmeye çalışıyorsunuz? diye sordu Meats.

Kendi vardığı sonuçları düşünerek coşan Bentley Cotland, sözlerine devam etmeden önce dudağını ısırdı:

– Pekâlâ, kim ya da kimler Leland'e böylesine güçlü bir hayranlık ya da saygı duyar? Ailesi tabiî! Bana kalırsa, olayı bu yönden araştırmamız gerek!

Salhindro hızla kafasını salladı:

– Hayır, annesi uzun zaman önce öldü, Leland ailenin tek çocuğuydu ve babasının kuş kadar beyni var, daha fazla değil. Aile işi yatar.

– Amca filan gibi bir yakını yok mu? diye şaşarak sordu Bentley.

– Tek bir kişi bile yok, Beaumont ailesi içedönük, herkesten uzak ve dünyadan habersiz yaşıyordu. Leland'in baba ocağından ayrıldığında bu engeli tek başına aşması başlı başına bir başarı, elkitapları aracılığıyla bilgisayar ve internet kullanmasını öğrenmesi ise şaşırtıcı. Psikiyatr da söyledi, eğer Leland bir canavar olarak yetişmeseydi, parlak biri olabilirdi.

Bentley umutsuzlukla dudaklarını büzdü.

Brolin mektubu masasının üzerine bırakıp ayaklandı.

– Bu mektubun bir kopyasını Simthonian Enstitüsü'ne göndermek gerek, Kongre Kütüphanesi bunu yazmak için kullanılan referansları bildirsin, dedi. Salhindro, laboratuvara telefon et de, kurbanın kimliğini belirlemekte acele etsinler, işlemleri hızlandırmak için ne gerekiyorsa yap. Bir de Henry Palernos'un çarşambayı perşembeye bağlayan gece için bir tanığı olup olmadığı araştırılsın, aradığımız adam olamaz, ama yine de emin olalım. Aynı şey Parker-Jeff için de geçerli.

– Tamam, ilgileniriz. Mektuplara gelince; ikisi de Portland Merkez Garı'ndan gönderilmiş, oradaki kalabalığı düşünürsen, araştırma yapmak samanlıkta iğne aramak gibi bir şey, diye yakındı Meats. Sen ne yapacaksın?

– O terk edilmiş eve gideceğim. Kim bilir, belki de gözümüzden kaçan bir ayrıntı, takip edecek bir izin belirtisi vardır.

Birkaç dakika sonra, her tarafa bilgi salınırken, telefonlar, fakslar ve e-postalar elektronik "bip" sesleriyle çınlamaya başladı.

27

Beyaz flaşlar Elizabeth Stinger'ın retinalarında bindirmeler halinde parlamayı sürdürüyordu. Fotoğraf çekimi her zamanki gibi bitmişti ve kendine gelebilmesi için bir saate ihtiyacı vardı. Verdiği poza yoğunlaşıp, her fotoğrafın çekiliş anındaki sabit duruşa şartlandıktan sonra Elizabeth'in kendini, doğal halini ve hareketlerindeki olağanlığı yeniden bulması güç oluyordu. Makyajcının hazırladığı çantaya koyduğu portatif aynaya bakarak makyajını sildi. Arkasında, insanlar birbirlerini kutlayarak, gerginlik azalıp, sinirler gevşedikçe şakalaşarak, malzemeleri topluyorlardı.

Elizabeth hızlandı, bir an önce çıkabilmek için hızla üzerini değiştirdi. Talihi varsa, Sally'yi yatmadan yakalar, onunla birkaç dakika geçirirdi. Sally hepi topu sekiz yaşındaydı, ama daha şimdiden okulda belirli bir beceri ve istek gösteriyor, Elizabeth için dünyada değerli ne varsa, onu temsil ediyordu. Kızı için her şeyini verebilirdi. Hayatının çok kötü dönemlerinde, kızına güzel bir gelecek sağlamak için, vücudunu satmayı bile düşünmüştü. Uzun bir süre, ünlü bir aktris olmanın çılgın düşünü görmüş, hatta uykusuzluk çekenler ile depresyon geçirenler için çevrilen pembe dizilerde birkaç küçük rol bile kapmıştı. Düş orada sona ermişti, Hollywood'dan ağzında sadece birbirini izleyen sefil rollerin acı tadı kalmıştı. Oysa Sally'nin babasını, Elizabeth'in dikkat çekecek derecede fotojenik olduğunu gören o gözde fotoğrafçıyı, çöküşe geçtiği sırada tanımıştı. Bu sefer de, moda dünyası, şöhret basamaklarını hızla tırmanamamasına rağmen düzgün bir hayat yaşamasını, Sally doğunca da, bir kişi daha doyurabilmesini sağlayabilmişti. Şöhret Elizabeth'ten sanki vebalıymış gibi kaçarken, Sally'nin şov dünyasının en gözde fotoğrafçısı olarak görülen babasının çekip gitmesi normal karşılanmalıydı. Adamcağız bir elinde kokain dolu pipo, kolunun altında bir telekız, daha henüz otuz birindeyken şöhretin ilk basamaklarında tökezleyivermişti. Liz ve Sally için, Portland'a taşınıp yeni bir hayata başlamaya karar vermeden önce, yoksulluk yılları vardı. Otuz iki yaşında, bir mankenlik işi buldu Liz; oldukça farklı bir mankenlik. Mektupla satış yapan bir firmaydı bu; ev aletleri olduğu gibi, giysi de satıyorlardı; özellikle de kadınlar için, bir çeşit "Tupperware kulübü" gibi bir şey. Şirket bastırdığı kataloglar için sadece olgun yaşta kadınlar kullanıyordu; aynı zamanda da müşterileriyle özdeşleşmek için gerçekçi olmaya oynuyor, mankenlerinin ideal vücutlu, zayıf olmalarını da istemiyordu. Ve Elizabeth, küçük işler peşinde geçmiş yıllardan sonra, yeniden manken oldu. Şirket için çalışmaya başlayalı dört yıl oluyordu, yıllık anlaşmalar imzalıyor, günü geldiğinde Sally'ye üniversite eğitimi sağlamaya yetecek kadar para biriktirmesine imkân veren ve bazı "ekstralarla" takviye edilmiş düzgün bir maaş alıyordu.

Liz altıyı geçerken stüdyodan çıktı, otoparka varmak için acele etti. Cep telefonunu çıkarıp, Sally'nin dadısı Amy'nin numarasını tuşladı. Zil uzun uzun çaldı. Belki de Amy, hiç âdeti olmasa da, Sally'yle parkta gezintiye çıkmıştı. Liz telefonu kapattı, ısrarın anlamı yoktu, nasılsa yarım saate kalmadan, kızının yanında olacaktı.

Sevgili Sallysinin.

Arabasına döndü, anahtarı kilide sokmak için eğilmek üzereyken duyduğu acı onu inanılmaz bir şiddetle yere yıktı.

Burnu korkunç bir kemik çatırtısıyla patladı.

Dudağına boşalan kanını kaynıyormuş gibi hissetti.

Boğuluyordu.

Burnunu ve ağzını tıkayan ipliksi maddenin baskısı dayanılır gibi değildi. Koku acıyı anında bastırdı. Ne olduğunu anladığında, debelenmek için artık çok geçti.

Bağırmak için çok geç.

Sally geriye kalan günlerini yalnız yaşayacaktı.

Elizabeth Stinger'ın çığlığı kendi zihninde birkaç saniye yankılandı, sonra tüm umutlarıyla birlikte kayboldu.

O çığlığı hiç kimse duymadı.

28

En ufak bir teselli girişiminde bulunmamıştı. Ne bir tebessüm, ne de bir göz kırpma. Brolin'in bürosundan, bir gram bile yakınlık görmeden ayrılmıştı.

Juliette klavyenin tuşlarına öfkeyle basıyordu. Kızgınlık ve açıkça belli bir konsantrasyon eksikliğinin pençesindeyken yazdığı ödevin çok cömert bir "C"den fazlasını hak etmeyeceği belliydi.

Bir cümlenin ortasında duraklayıp, başını ellerinin arasına aldı.

Brolin'in son günlerde büyük dertleri vardı, bu kahrolası soruşturma zamanının tümünü alıyordu, ama bu da Juliette'i böylesine ihmal etmesi için yeterli neden olabilir miydi? Belki de, yarası yüzünden, aklı başka yerlerdeydi. Büroya girer girmez Joshua'nın şiş yanağını görmüştü. Salhindro, Brolin'in durumunun ciddi olmadığını, meslektaşlarıyla boks antrenmanı yaparken yaralandığını söyleyerek onu yatıştırmıştı ama Juliette'in aklına başka şeyler geliyordu. Salhindro aşırı ince davranmıştı, yalan söylüyordu mutlaka. Brolin zorlu bir operasyon sırasında dövüşmüş olmalıydı. Yine de, bu Juliette'i orada yok sayar gibi davranmak için sebep olabilir miydi? Brolin'le konuşmak istemişti, onunla konuşmaktan başka bir şey düşünmüyordu. Gerekiyorsa, pansumanını yapmaya bile hazırdı. Fazla bir şey istemiyordu ki, biraz ilgi ve...

Juliette birden ne durumda olduğunu fark etti.

"İyice salaklaştın sen kızım" dedi kendi kendine, kafasını sallayarak. Böyle bir tepki göstermek de nereden çıkıyordu? Kocasına kızan evli bir kadın sanki. Brolin sadece bir... Sadece bir "yakını"ydı. Bu deyim pek uygun değildi, "bir dost" demek daha doğru olacaktı. Birbirlerini iyi tanımasalar da, daha şimdiden karşılıklı güven duygusu içinde olduklarına göre, giderek birbirleriyle daha içten bir yakınlık kuracaklardı. Üstelik, paylaştıkları etkili bir geçmişleri vardı. Juliette, Leland Beaumont macerasını izleyen günlerde, Brolin'in hayatında ilk kez birini öldürdüğünü bilecekti. Bunu daha önce hiç düşünmemişti ama, bir insanın hayatına son vermek, sarsıcı bir olaydı mutlaka. Brolin, Juliette'i tanımıyordu, yine de ateş etmiş, genç kadını kurtarmak için Leland'i öldürmüştü. Bunu sık sık düşünmüş, genç müfettişe bundan söz etmeden önce tereddütler geçirmişti, ama koca karınlı arkadaşı Larry Salhindro onu konuyu açmaktan vazgeçirmişti. Brolin bu konunun konuşulmasından hoşlanmıyordu, yapılanın tek sorumlusuydu ve hiçbir eleştiriyi kaldıramıyor, ona destek olmaya çalışanları da reddediyordu. Juliette'e göre bu yara, diğer bütün yaralar gibi zamanla kabuk bağlayacaktı ama, çabuk unutulmasına yardım etmek istiyordu.

Brolin'i hayatının tek erkeğiymiş gibi düşünüyor ve ondan hayatının tek erkeğiymiş gibi söz ediyordu... Kendine karşı dürüst olmak için, bunun doğru olduğunu da kabullenmek zorunda kaldı. Adama âşık olmak düşüncesiyle birden ürperdi.

Hayır! Öyle bir adama, hayır... O daha ziyade bir abi, bir sırdaş olacak erkeklerden.

Yine de Brolin'in dikkatini hangi yöntemle çekeceğini düşünüyordu. Aklına mektup geldi:

Karanlık bir ormanda buldum kendimi,
... Akheron'un hüzünlü kıyısında.

O kadar çok okumuştu ki, noktasını virgülünü ezbere biliyordu. Mektupta dikkatini gıdıklayan bir şey vardı. Dayanağını, en azından referanslarını bildiğinden emindi. Oysa bu son yıllarda öğrendiği çeşitli öykü, masal ve anlatıları yeniden hatırladığında hiçbir şey bulamadı. İç karartıcı bir orman ve ölülerin nehriyle ilgili bir öykü. Yunan mitolojisinden bildiklerinden hiçbiri bu iki olguyla uyuşmuyordu.

Oysa bunu uydurmadığından emindi, bir yerlerde buna benzer bir öykü duymuş ya da okumuştu.

Juliette çalar saatine baktı, henüz öğleden sonranın dördü olduğunu görünce, eşyasını toplayıp, evden ayrıldı. Kapısının önünde otomobilin içinde pineklyenlere çalışmak üzere üniversite kütüphanesine gittiğini söyleyince, hep birlikte yola koyuldular. Hareketlerinde serbest olacağı ama güvenliğini sağlamak için peşinden hep göze batmayacak bir arabanın geleceği konusunda anlaşmışlardı.

Kırk dakika kadar sonra, Juliette kütüphanenin rafları arasında geziyordu. Kütüphane bütünüyle elden geçirilmişti, iç açıcı bir aydınlıkla parlıyordu. Çok yüksek olmayan uzun etajerler basamaklı dev bir holün içinde caddeler gibi uzanıyordu. Genç kadın panoların arasından, burada çalışmaya alışık olduğunu gösterir bir hız ve rahatlıkla geçiyordu. İki "dadısı" her dakika peşine takılmış iki adamla dikkat çekmek istemeyen Juliette'in isteğiyle, girişte bekliyordu. Kafeteryada, kendi üniversite günlerini hatırlayıp şakalaşarak, önlerinden geçen güzel kızlara hayranlıkla bakarak bekliyorlardı.

Juliette her şeyden önce, italik bölümleri unutmadan, mektubu ezberden yazdı. Sonra da kütüphane bilgisayarlarından yararlanarak tematik bir arama sürecine girdi. Arama kriterleri "rehber", "orman", "Akheron" ve "cehennem"di. Arama programı bağlantıyı kurdu ve Juliette'e yazıcıya gönderdiği on beş kadar eser sundu. Akheron kelimesinin Eski Yunan mitolojisiyle ilişkisine dayanarak aramaya Homeros'un *Odysseus*'uyla başladı, bir sonuç alamayınca *İlyada*'ya geçti. Dizelerde Kutsal Kitap'tan çıkmış gibi görünen bir formül olsa da, metin Juliette'e ne Kutsal Kitap'ı, ne de onunla ilgili eserleri hatırlatmıyordu. Bu sonuca vardığında, başını salladı. Evet, kutsal yazılarla ilgili olup, tema listesine uyabilecek birkaç eser vardı. Etajerlerin arasına daldı, söz konusu kitapları çıkardı. Kitap alma fişini doldurup, eve döndü. Akşam oluyordu.

O akşamı ve bütün perşembe gününü, kütüphaneden aldığı kitapları karıştırmakla geçirdi. Milton'ın başyapıtı *Kayıp Cennet*'i tararken hedefe vardığını düşündü, ama referansların yerine oturmuyordu. Kitabın bazı yerlerinde karanlık ormandan söz ediliyordu ama, şiirsel metaforlarla benzetmeler Karga'nın gösterdiği yönde hiçbir şey çağrıştırmıyordu. Daha da önemlisi, metinde mektuptaki noktalardan hiçbirine rastlanmıyordu.

Perşembe gecesinin geç saatlerinde, Juliette'in satırları üst üste görmeye başlayıp, okuyabilmek için tüm dikkatini toparlamasını gerektirdiği bir anda, bir sayfadan hep birlikte, havaî fişekler gibi fırlayan kelimeler, genç kadını uyuşukluğundan çekip çıkardı.

Aynı kelimeler, mektuptakilerin kesinlikle eşi kelimeler, sayfa sayfa, zihnine kazınıyordu. Hiç kuşku yok, kesinlikle aynı cümlelerdi; tek fark, Karga'nın cümleleri farklı bölümlerden almış olmasıydı. Bütün mektupta, dikkatini özellikle iki dize çekti; çıkan anlamdan ötürü:

Burada her türlü korkuyu bırakmalı,
Ödlekliğin kökünü kazımalı.

Bu dizeler çok belirgin bir şeyle ilgiliydi, Karga'nın açık olarak dile getirmek istemediği bir tutuma karşı durmak anlamını taşıyorlardı.

Juliette sırrı çözmüştü. Esasını kâğıda dökmek için acele ettiği bir sırrı:

Buradan gidilir acılar kentine,
buradan gidilir bitmek bilmeyen acıya,
buradan gidilir yitmiş insanlar arasına.
Benden önce her şey sonsuzdu;
sonsuza dek süreceğim ben de.
İçeri girenler, dışarıda bırakın her umudu.[10]

Dizeleri hızla okudu ve rahatsızlık daha ağırlaştı.

Bunlar, cehennemin kapısına kazınmış sözcüklerdi.

10. Dante Alighieri, *İlahî Komedya*, çev. Rekin Teksoy, Oğlak Yayınları, İstanbul. (yay.n.)

29

En ufak bir ipucu bulunamadan, iki koca gün geçmişti. Ne cinayet mahallinde önemli bir tanık, ne peşine düşülecek bir iz... Mektubun üzerinde de iplik parçası ve benzeri herhangi bir ipucu yoktu. Meats silahlı saldırı nedeniyle hapse atılmış ve son on sekiz ay içinde özgürlüğüne kavuşmuş bölge sabıkalılarının dosyalarını teker teker incelemişti. İçlerinden birkaçı oluşturulan profile az çok benziyor, böylelerinin dosyaları da "sorgulanacaklar" sepetinde bekliyordu. Öte tarafta, Salhindro koordinatörlük görevini yeniden ele alarak Carl DiMestro'nun laboratuvarına ve Doktor Folstom'a Adlî Tıp bölümüne bağlı bir antropolog ekibine destek vermeye girişmişti. Onların görevi, kurbanın, üst bölümü asitle yakılmış yüzü üzerinde çalışmak ve genç kadının saldırıdan önceki yüzünün bir maskını çıkarmaktı. Silikon elastomerden bir mask üretmek olağanüstü bir hassaslık gerektiren, uzun zaman alan bıktırıcı bir işti. İşlemin daha çabuk tamamlanabilmesi için, Portland Üniversitesi'nden bir plastik deri cerrahı da ekibe katıldı. Ne var ki, kesin bir sonuç elde edebilmek için günlerce beklemek gerekecekti. Diş yapısına dayanarak yapılan araştırma henüz bir sonuç vermemişti ama, genç kadının dişlerini uzak bir bölgede yaptırmış olması da, hiçbir cevap alınamamasına neden olmuştu. Kısacası, kurbanın kimliğiyle ilgili sır henüz çözülememişti.

Brolin tüm çarşamba gününü cinayet mahallini incelemekle, sonra da gözüne bir ayrıntı çarpması umuduyla, özellikle de atmosferi daha iyi tanımak isteğiyle, çevredeki ormanı arşınlayarak geçirmişti. Katili yakalamak için ellerinde yeterince bilgi olmadığının farkındaydı. Daha da kötüsü, Brolin başka birinin daha bu hasta herifin saldırısının kurbanı olacağını biliyor, ama hiçbir şey yapamıyordu. Ölümcül atılımıyla, öldürme dürtülerine ve şiddetli cinsel tepkilere gömülmüş Leland'in Hayaleti –Leland'e benzerliği sonucunda adama bu adı takmıştı– yeniden vuracaktı, sonra bir daha. Bunlar yaptıklarında yazılıydı, Brolin katliamı gördüğünde bunları okumuştu.

Leland'in Hayaleti, yakalanana kadar öldürmeye devam edecekti. Zamana karşı bir yarıştı bu ve geçen her yeni gün de, belki yeni bir kadının can çekişe çekişe ölmesi demekti. Brolin çaresiz olma düşüncesine dayanamıyordu. Bir bakıma, yeterince hızlı ilerleyemediği için, kendini sorumlu tutuyordu. Şu anda elinde başka izler, başka belirtiler olmasını isterdi. Bu yüzden oyun oynayıp, kendini katilin yerine koymak, zamanla onu anlamak böylelikle de yapacaklarını tahmin etmeye başlamak gerekiyordu.

Brolin ve Meats perşembe gününü, Bismarck ile Wasco şerifleri ve onların adamlarıyla birlikte, Henry Palernos'u sorgulayarak geçirdiler. Daha önce, Parker-Jeff'in cinayet akşamı için gösterdiği kanıtları incelemişler, Salhindro da ondan kuşkulanılmadığını, bunun sadece formalite icabı yapıldığını anlatmak için ter dökmüştü. Parker, Müfettiş Brolin'in hayatını kurtardıktan sonra herhangi bir şeyle suçlanabileceğini kabul edemiyordu.

Allah'tan Henry Palernos'la işler çok daha kolay oldu; onunla konuşurken nezakete gerek yoktu. Brolin'e saldıran kişi Fort Knox'tan bile daha iyi korunuyordu! Saatler ilerledikçe, Palernos'un cinayet gecesi için gösterdiği tanıklar gerçek çıktı, bu arada başkaları da sorgulandı. Cinayeti Palernos işlemiş olamazdı. Bu sadece kötü bir rastlantıydı, hapishane kaçağı bölge dışından hurdalığa gelip sorular soran aynasızı görünce izinin bulunduğunu düşünüp böyle bir tepki vermişti. Meats ve Brolin bu duruma fazla şaşırmadan akşam Portland'a döndüler. Elleri hâlâ boştu.

O akşam, onlar için her zamankinden daha sakindi. Yusyuvarlak ay geceyi aydınlatan bir fener gibi değil, devasa bulutların arasından göz kırpan anlaşılmaz bir tehdit gibi parlıyordu.

Juliette, Brolin'e cuma sabahı telefon etti. Heyecandan içi içini yiyor, Brolin'le derhal görüşmek istiyordu. Çok önemliydi.

Yarım saat kadar sonra, Joshua'nın bürosunun kapısını tıkırdatıyordu.

Geldiğinde, iki şey Juliette'i şaşırttı: meyveli çayın kuvvetli kokusu ve Brolin'in onu karşılamak için gösterdiği tebessüm. Portland'daki bir avuç meyveli çay tiryakisinden biri olduğunu düşünürken, şimdi de Brolin'le ortak bir noktalarını daha keşfediyordu. Salı günkü tatsız davranışı kaybolmuş, yerini gergin ama sevimli bir tebessüme bırakmıştı.

– Sabah sabah ziyaretini neye borçluyum? diye sordu ayağa kalkarken.

– Gös... Sana göstermek istediğim bir şey var, diye kekeledi Juliette.

– Telefonda söylediğine bakılırsa, ölüm kalım meselesiymiş, dedi Brolin. Kahve ister misin?

Juliette çaydanlığı gösterdi:

– Çayı tercih ederim, en sevdiğim de orman meyveleridir, dedi.

– Ben de kendimi Whittard of Chelsea'nin tek müşterisi sanıyordum. Demek dükkân bizim sayemizde ayakta duruyor!

– Belki de birbirimizi tanımadan önce karşılaştık, dedi Juliette.

Brolin kalkmadı, üzerlerinde Trail Blazer'ın[11] amblemi olan iki fincana kaynar su doldurmakla yetindi.

– Yanağın nasıl? dedi Juliette kırmızıdan yeşilimsi maviye dönüşmüş çürüğe bakarak.

– Etrafımdaki insanlara selam verirken yüzümü buruşturduğumda biraz acıyor ama fena değil. Omzum da neredeyse hiç ağrımıyor. Otur ve bana her şeyi anlat.

Brolin'in bürosuna yerleştiler, Juliette kolunun altındaki karton dosyayı açtı.

– Mektuptaki referansların nereden geldiğini buldum, hangi kitaptan alındıklarını biliyorum, dedi girizgâh olarak.

Brolin haberi duyunca balyoz yemiş gibi oldu. Kongre Kütüphanesi'ne gönderdiği yardım çağrısı sepetin birinde pinekliyor olmalıydı, birkaç günden önce bir cevap da beklemiyordu. O kadar ki, hafta sonunu kent kütüphanesinde geçirmeyi bile düşünmüştü. Ama asıl şaşırtıcı olan, bu bilgiyi Juliette'ten almaktı.

– Söylediğinden emin misin? dedi, cevabın olumlu olacağını bilerek.

Juliette'i çok iyi tanımıyordu, ama işleri yarım bırakacak kadınlardan olmadığını da biliyordu.

– Kuşkuya yer yok. Bak.

Sumenin üzerine Karga'nın mektubunun kopyası ile Brolin'in adını okuyamadığı açık bir kitap koydu. Kitapta, bir bölümün etrafı çizilmişti:

Burada her türlü korkuyu bırakmalı,
ödlekliğin kökünü kazımalı.

11. Portland'ın ünlü basketbol takımı.

Mektuptakilerin eşi kelimeler.

– Dante Alighieri'nin *İlahî Komedya*'sı. Ayrıntılı bilgi istiyorsan, birinci bölümü, yani "Cehennem", diye açıkladı Juliette.

– "Cehennem"? diye tekrarladı, yüzü ürküntüyle kararan Brolin.

– Evet, *İlahî Komedya* XIV'üncü yüzyılda yazılmış, manzum bir eserdir. Üç bölüme ayrılır: "Cehennem", "Araf" ve...

– ..."Cennet" diye tamamladı Brolin, başını sallayarak. Hiç okumamakla birlikte, eseri biliyorum. Dedemin salonunda Botticelli'nin Araf'ı temsil eden bir röprodüksiyonu vardı. O resim yüzünden tüm gençliğim boyunca kâbuslar görmüştüm.

– Dün gece okudum, her bölüm otuz üç kantoya ayrılıyor. Galiba katilin mesajını anladım.

– Karga'nın, diye düzeltti Brolin. Katil ile mektupları yazanın iki ayrı insan olduğundan neredeyse kesinlikle eminiz; psikotik ile psikopat arası bir katille, sosyopat yaftası yapıştırılabilecek bir Karga, diye açıkladı genç müfettiş, bir "kişiye özel" soruşturmanın gizli bilgilerini açıklamada en küçük bir sakınca görmeden.

Juliette bu güvene sevindi, anladığını göstermek için başını salladı.

– Bu daha da mantıklı, dedi. Bu durumda, Karga katilin amacını biliyor, ikisi birbirlerine çok yakın olmalı. Karga'nın zekâsını düşününce, onun ikilinin beyni, ötekinin de aşağılık görevlerin uygulayıcısı olması muhtemel.

– Bu da düşündüklerimizden biri, dedi Juliette'in kavrayış yeteneğine hayret edip sevinen Brolin.

– Mektubun ilk bölümü, kendi eseri, diye açıkladı Juliette. Öyle düşünüyorum, çünkü bunu *İlahî Komedya*'dan almamış.

İlk dört dizeyi okudu:

Bırak da ilk türküyü ben söyleyeyim:
senin ihtiyacın olan bir rehber çünkü,
yolunu bulmanı, patikadan ayrılmamanı
sağlayacak.

Telefon açılınca, Brolin hızlı bir hareketle çağrıyı telesekreterine aktardı.

– Kendini bize bir rehber olarak tanıtıyor, diye devam etti genç kadın. Bana kalırsa, niyeti bizi kandırmak değil, izlerini takip ederek yürümemizi, neler hazırladığını bilmemizi istiyor. Açıkça "patikadan ayrılmamaktan" söz ediyor, bana kalırsa, bu anlamaya giden patika. Kabul görmek istiyor, olağanüstü şeyler hazırlıyor ve bunlara tanık olmamızı istiyor.

Brolin başıyla onayladı. Genç kadın onu giderek daha çok şaşırtıyordu. Juliette sözlerini sürdürdü:

– *İlahî Komedya* Dante'nin şair Vergilius'la cehennemden nasıl geçtiğini, Araf Dağı'na nasıl tırmandığını, orada buluştuğu sevgilisi Beatrice'in onu cennete nasıl götürdüğünü anlatır. Öteki dünyada geçen, sonunda sonsuz huzurla son bulan, uzun bir arayış.

– Eğer haberleri doğru anlamışsam, kurban geçen çarşamba gecesi ormanda öldürüldü; belki de günbatımında. Bu da *İlahî Komedya*'dan seçtiği dizelere tıpatıp uyuyor:

Karanlık bir ormanda buldum kendimi,
Ah içimdeki korkuyu tazeleyen.
Gün bitiyordu, kararan hava
sarp, çetin yola girdim ben de.

Bunlar "Cehennem"in birinci ve ikinci kantolarının dizeleri. Daha sonrakiler ise üçüncü kantoya, cehennem kapılarına ait. Sanırım bize cehenneme gireceğini, bizi de yanında götüreceğini anlatmak istiyor. Dante'nin "Cehennem"i, her biri cehennem azabına ve şeytana yani İblis'e götüren dokuz kattan oluşur.

– Ve sana göre, bizi kattan kata şeytana mı götürmek istiyor?

Juliette'in heyecanı doruktaydı, kafasında bir atom çekirdeğindeki çılgın elektronlar gibi birbirlerine kenetlenen bütün düşünceleri nasıl kelimeye dökeceğini bilemiyordu.

– Şeytana ya da başka bir şeye, bilmiyorum. Ama Akheron'a ulaşıldığında, her şeyin anlaşılacağını söylüyor. Akheron da ölülerin ruhunu cehennemin derinliklerine taşıyan nehir. Dün gece aklıma son derecede rahatsız edici bir fikir geldi. Ya sembolik de olsa cehennemin yüreğine dalmak istese ne yapardı?

Brolin omuzlarını silkti:

– Ne bileyim ben, herhalde satanistçe bir şeyler yapardı, dedi, hazırlıksız yakalanmanın rahatsızlığıyla.

– Ya da, cehennemim kalbine, şeytana varmak için Akheron boyunca ilerlemesi de yeterli olurdu. Bana kalırsa, kurbanının Akheron'a giden ruhunu izleyebilmek için öldürüyor.

– Kurbandan kurbana giderek mi ulaşacak şeytana? Ölüler nehrini geçmek, dokuz katı aşmak için mi öldürüyor? diye kuşkuyla söylendi Brolin.

– Ormanda bir kurban, çünkü Dante'nin macerası da böyle başlıyor, birinci kat için yeni bir kurban daha gerekecek ve şeytana ulaşıncaya kadar da böyle gidecek. Biraz zorlama gibi geldiğini biliyorum ama, her şey yerine oturuyor!

– Her şey yerine oturuyor, hatta kusursuzca oturuyor, diye onayladı Brolin. İlk eşiği aşmak için öldürüyor, kurbanının ruhu cehennemin kalbine erişmek için Akheron'a gidiyor. Belki de kurbanının ruhunu izlemeyi umuyor ya da bir geçiş bedeli ödemek istiyor; hani öteki dünyaya geçmek için ödenenlerden.

Yeni bir telefon. Brolin daha önce de yaptığını, çağrıyı telesekretere yönelten hareketini tekrarladı.

– Benim asıl merak ettiğim, neden şeytana, yani kötülük meleğine ulaşmak istiyor? dedi Juliette. Bir katilin kötülükle özdeşleşme düşüncesinden zevk alabilmesi için, ne tür fantezileri olabilir?

– Belki de kötülüğün kendisi olduğunu hissediyor, dedi Brolin. Her neyse, tebrikler, harika bir işti. Psikoloji öğrencisi, öyle mi?

Juliette yanaklarının kızardığını hissetti:

– Suç psikiyatrisi konusunda uzmanlaşmak istiyorum, diye açıkladı. Bunların bir işe yaraması gerekirdi zaten...

Brolin daha birkaç gün önce hiç de dostça davranmadığını hatırlayınca, dudağını ısırdı. Yapabileceği bir şey yoktu, birkaç dakikada dünyayla ilişkilerini kesip mesleğinin iç karartıcı evrenine dalabiliyor, o zaman da, gözü başka hiçbir şeyi görmüyordu. Kızcağız mektuptaki dayanakları bulmak, bu sonuçlara varmak için büyük sıkıntıya girmiş olmalıydı. Üstelik, bütün bunları, kendine bir yarar sağlamayacağını bile bile, iyilik olsun diye yapmıştı.

Brolin ayağa kalktı, eli Juliette'in eline uzandı:

– Salı akşamı çok mesafeli durduğum için özür dilerim, bütün bu olanlardan sonra, daha fazla desteğe ihtiyacın olduğunu biliyorum, ama ben beklediğini veremedim. Tamam, söz veriyorum, gelecek sefer elimden gele...

Büronun kapısı, sanki bir patlama olmuş gibi, hızla açıldı. Larry Salhindro odaya girdi:

– Ne cehennemdeydin, seni arıyor...

Juliette'i ve onun elini tutan Brolin'i görüp, durakladı:

– Sizi rahatsız ettiğim için özür dilerim, ama yüzbaşının bürosunda seferberlik ilan edildi.

Salhindro, Juliette'in yanında konuşup konuşmamakta tereddüt ettikten sonra, kızcağızın da olayın içinde bulunduğunu ve bilmeye hakkı olduğunu düşünerek devam etti:

– Karga'dan yeni bir mektup aldık.

30

Brolin'in aklında ve vücudunda zıt duygular itişiyordu. Kendini hafiflemiş hissettiren bir coşku ile derinlere doğru çeken bir tasa. Juliette bu toplantıya katılamayacağını anlayınca, soruşturma grubuna açıklaması için bütün notlarını Brolin'e vermiş ve ilk fırsatta kendisini durumdan haberdar etmesini istemişti. Sanki havada asılıymış gibi, bir an tereddüt etmiş, asansörlere giden koridorda kaybolmadan önce de, Brolin'in yanağına bir öpücük konduruvermişti. Aslında hiçbir şey demek değildi bu, bir kızın sevdiği bir dostuna yapacağı bir hareket; ne var ki öpücük Brolin'in içinde yoğun bir sıcaklık yaratmıştı. Daha doğar doğmaz, buz gibi terde ve Karga' nın ikinci mektubunun estirdiği endişe rüzgârında boğulan bir ateş.

– Artık Karga diye adlandırmaya karar verdiğimiz kişi, bize yeni bir mektup göndermiş, dedi Yüzbaşı Chamberlin.

Bürosunda yardımcısı Lloyd Meats, Bentley Cotland ve Larry Salhindro da vardı. Brolin, Salhindro'nun uzattığı kahveyi geri çevirdi.

– Daha bu sabah geldi, diye devam etti Yüzbaşı Chamberlin. Birincisi gibi, bu da bilgisayarda, Times New Roman harflerle, olabilecek en özelliksiz kâğıda yazılmış. Kâğıdın üzerinde iplik falan yok, sadece kurumuş kırmızı lekeler var. İlk mektup gibi, bu da Cinayet Masası şefine gönderilmiş, onun için, bu sabah getirdiklerinde zarfı ben açtım. Mektubu okur okumaz, yandaki odadan Craig Nova'yı çağırıp, incelemesini istedim. Craig kırmızı izleri izlemek ve kâğıdı iyot buharına tutmak için mektubu laboratuvara götürmeden önce, metni kopyaladım. Craig biraz önce aradı, kâğıdın üzerindeki lekelerin kurumuş kan olduğunu doğruladı, ilk incelemede kanın A negatif olduğu sonucuna varmışlar. Ormanda bulduğumuz cesedin kan grubu B negatifti.

Odadaki beş kişinin içini boğucu bir rahatsızlık sardı, değişik bir kan grubu, ihtimallerin en karanlığına delalet ediyordu.

– İz konusuna gelince, birincinin üzerinde de hiçbir şeye rastlamadığımızdan, bu kez de bir şey bulabileceğimizi tahmin etmiyorum.

– Metin ne diyor? diye sordu Brolin.

Bu mektubun Juliette'in biraz önce anlattığı varsayımı doğrulayabileceğinin farkındaydı. Kızın doğru düşünmüş olacağı ihtimali, Brolin'in soluğunu kesiyordu.

– İşte bize yazdıkları, okuyorum:

Benimleyken, yol bulunur,
kelimelerimin altında,
körleri imana, rehberin tanıklarını
ölü kadına götüren kapı saklı.

Karanlıktı, derindi içi,
öyle bir sis vardı ki,
"Şimdi karanlıklar dünyasına iniyoruz.
Ben önden gideceğim, peşimden geleceksin sen."
Uçurumun çevrelediği
İlk kata soktu beni.
Burada kulağıma gelenler hıçkırık değildi,
iç çekişleriydi.[12]

Yüzbaşı Chamberlin, sanki bu kelimeler burun deliklerine pis bir koku salıyormuş gibi solumak istemeyerek nefesini tuttu. Hepsi de rahatsızca, birbirlerine bakıyorlardı; dizlerinin üzerindeki kitabın sayfalarını heyecanla çeviren Brolin'in dışında, hepsi.

– İlk mektuptan da karışık! diye homurdandı Salhindro. En sonunda ne yapmaya çalışıyor? Bizimle alay etmeye mi?

– Hayır.

Herkesin yüzünü Brolin'e çevirdi.

– Macerasını bizimle paylaşmak istiyor. Tanığı olmazsa, bir hiç olacağını biliyor, bu sebeple izinden gitmemiz için bize yol gösteriyor, arayışı boyunca onunla gitmemizi istiyor. Juliette Lafayette mektubun sırrını çözdü. Dante'nin *İlahî Komedya*'sı.

Meats, Salhindro, Chamberlin, hatta Bentley Cotland bile gözlerini fal taşı gibi açtılar.

---

12. Dante Alighieri, *İlahî Komedya*, çev. Rekin Teksoy, Oğlak Yayınları, İstanbul. (yay.n.)

Brolin işaretparmağını kitabın bir sayfasına götürdü:

"Karanlıktı, derindi içi, öyle bir sis vardı ki" diye okudu. Bu "Cehennem"in dördüncü şarkısı, birinci kat.

– Açıklayın, dedi Chamberlin.

– Karga katil değil belki, ama katili o yönlendiriyor. O, işin beyni, emrinde de öldürecek bir adamı var. Karga her seferinde bize Dante'nin "Cehennem"inden değişik bir pasaj gönderiyor, Juliette bunun nedenini iki adamın kötülüğün yüreğine erişebilmek için ölülerin nehrinin kaynağına gitmeye çalışmalarına bağlıyor.

– Ne? diye haykırdı Salhindro.

– Kurbanlarının ruhunu ölüm nehri Akheron boyunca izleyerek kötülük meleğine ulaşmak için öldürüyorlar.

– Bütün bu saçmalıklar da ne oluyor? diye şaşkınlığını dile getirdi Chamberlin.

– Bence, Juliette haklı, katil ve Karga her eşikte, cehennemin her katı için birisini öldürecekler. Böylece bedelini ödeyip, her seferinde aradıklarına bir adım daha yaklaşıyorlar.

– Saçma bu! dedi öfkeyle Cotland. Profil uzmanları ne zamandan beri kendi reklamlarını yapmak isteyen öğrencilerin saçmalıklarını dinliyor?

– Juliette'i tanımıyorsunuz, onun için kesin sesinizi! dedi Brolin serçe.

Bentley Cotland kızgınlıkla baktı, adamı yerine oturtacak bir cevap aradı, bulamadı.

– Joshua, suç psikiyatrisinde uzmanımız sizsiniz, dedi Yüzbaşı Chamberlin. Siz ne düşünüyorsunuz?

Brolin, Juliette'ten aldığı ve elinde tuttuğu notları gösterdi:

– Cevap bu metinde, Juliette de bunu sezdi. Tamam, belki bir öğrenci ama, kabul edin ya da etmeyin, çıldırmanın eşiğinden döndü, onun için böylesi insanların neler yaşamak isteyeceklerini hissedebiliyor.

Başını salladı.

– Haklı, diye devam etti. Bir geçidin şifresi ya da bir kurban sunarak bir kapının açılması gibi, dokuz katın her biri için bir cinayet işlemelerini bekleyebiliriz. Böylelikle Akheron'un kaynağına varmak istiyorlar.

– Tamam da, varınca ne olacak? diye sordu o ana kadar sesini çıkarmayan Meats. Kadınları böyle öldürerek bir yere varılamaz ki! Yolun sonunda ne gerçek bir kapı, ne de kötülük meleği falan var!

– Gerçekte yok, diye açıklık getirdi Brolin, ama kendi kendilerine yarattıkları fantezide var. Belirli bir ritüele göre hareket etmek zorundalar, belki de satanisttirler, ruhtan ruha geçerek, hep daha fazla öldürerek Akheron'un kaynağına ulaşabileceklerini sanıyorlar. Burada asıl tehlike gemi azıya almaları, sizin dediğiniz gibi hiçbir gerçek sonuca varamayıp, dağıtmaları.

– Yani? diye sordu Cotland.

– Henüz bilmiyorum, her şey mümkün, cinayetlerine son verebilirler, tam tersine öldürme çılgınlığına yakalanıp, kitle cinayetlerine dönebilirler, kısa bir zaman içinde ellerine düşen herkesi öldürebilirler.

– Böyle bir şey daha önce görüldü mü? diye sordu, sinema dışında böyle şeylerin gerçek olabileceğini kabullenemeyen Cotland.

Brolin güçsüz bir sesle cevap vermeden önce uzunca soluklandı:

– Bir kuleye çıkıp, on altı kişi öldüren bir çılgın; bir restorana girip, şaşkınlıkla bakan insanları tarayan, aileleri katleden bir depresyon hastası ya da bir cumartesi öğleden sonra, sinemada bomba patlatan bir manyak. Böylesi dramlar her an görülür, üstelik kafayı üşütenler de genellikle sokaktaki "saygın sıradan vatandaş"tır. Bir de bunu iki kişinin birleşmesi, aşırı düş kırıklığına uğramış iki psikopatın işi olarak düşünün ve neler yapabileceklerini gözünüzün önüne bir getirmeye çalışın!

Chamberlin, Brolin'in bıraktığı yerden devam etti:

– Karşımızdakiler benim ya da sizin gibi düşünüp yaşayanlardan değil, tam tersine ahlak değerleri gibi vicdan anlayışları da son derecede farklı iki kişi.

Brolin başıyla onayladı.

– Bu çeşit katiller bıçaklarını kurbanlarının gırtlağına yavaş yavaş sapladıklarında en ufak bir acıma hissinden yoksundur, oysa kedisine bir kötülük yapsanız, ağlar. Sezileri ve duyguları bizimkilerden tamamen farklıdır.

Cotland teslim oluyormuş gibi, ellerini havaya kaldırdı:

– Tamam, tamam... Anladım. Peki, şimdi ne yapıyoruz?

– Bu kez de bize bir mesaj göndermek istiyor olmalı, dedi Brolin. Yüzbaşı Chamberlin'e döndü:

– Mektubu baştan okur musunuz?

– Pekâlâ...

Benimleyken, yol bulunur,
kelimelerimin altında,
körleri imana, rehberin tanıklarını
ölü kadına götüren kapı saklı.

Daha aşağıda, italik harflerle:

Karanlıktı, derindi içi,
öyle bir sis vardı ki,
"Şimdi karanlıklar...

– Durun, diye bağırdı Salhindro. Başını bir daha okuyun. Chamberlin gözlerinin yorulmasına meydan vermeden daha iyi okuyabilmek için yarım ay şeklindeki gözlüklerini taktı:

Benimleyken, yol bulunur,
kelimelerimin altında,
körleri imana, rehberin tanıklarını
ölü kadına götüren kapı saklı.

Salhindro ansızın telefona atıldı, önceden kayıtlı numaralardan birini tuşladı.
– Craig? Ha, Carl. Craig oralarda mı? diye sordu. Evet, mektupla meşgul olduğunu biliyorum ama, ona görünmez bir mürekkep aradığımızı söyle. Çıplak gözle görülmeyen, ama metnin altında saklı bir mesaj arasın.
Brolin, Salhindro'nun ne demek istediğini anlar anlamaz, kendi saflığına kızıp alnını şamarladı.

Benimleyken, yol bulunur,
kelimelerimin altında,
körleri imana, rehberin tanıklarını
ölü kadına götüren kapı saklı.

Mesaj açıktı, Karga metnin bir bölümünü görünmez mürekkeple gizlemişti.
– İyi ama, bunun hiçbir anlamı yok, diye homurdandı, Karga' nın yöntemini anlamayan Meats. Hani yaptıklarına tanıklık etmemizi istiyordu? Öyleyse, metnin yarısını neden gizlesin ki?
– Çünkü salaklar tarafından gözetlenmek istemiyor, bizi sınıyor, bu onura layık olup olmadığımıza bakıyor! dedi Brolin. Yanılırsak, bizi aklından çıkaracak; o zaman elveda mektuplar, biz sadece –o da rastlantı sonucu– altı ayda bir yeni ceset bulmakla yetineceğiz.
Durumu özetleyerek, uzunca bir süre geçirdiler.

* * *

Portland Kriminal Polis Laboratuvarı'nın zemin katında, Craig Nova –kriminalistik uzmanı– telefonu kapadı. Pleksiglas bir kapak altında bekleyen kâğıda baktı. Böylesi meydan okumalara bayılıyordu. Eşyalar insanlardan çok daha ilginçtir, onları her açıdan araştırabilir, en derin sırlarını ortaya çıkarıncaya dek tekrar tekrar inceleyebilirsiniz, eşyalar sırlarını sonsuza dek saklayamaz. İnsanın istediğini bulması için her zaman uygun bir yöntem, bilimsel bir metot vardır, sonuçta her şey sırrını açığa vurur. En kötü durumda, insan uykusuz geceler geçirir, çevresine en yetenekli yardımcılarını toplayıp, en uygun aletlerle çalışır, gerekirse yeni bir yöntem bulur; ama sonuçta sırrını açıklayan, içinde ne varsa döken, her zaman eşya olur. Oysa insanlarda durum asla böyle değildir.

Larry Salhindro'nun telefonundan önce, Craig kâğıtta, varsa, izlerin üzerini kaplaması için iyot buharlarıyla bir metaloit ya da metal süblimasyonu yapmaya hazırlanıyordu. Böylece sayfanın üzerindeki her parmak ya da avuç izi kâğıdın üzerinde beliriverecekti. Oysa şimdi, ne aradığını bildiğinden, bu yöntem gözüne fazla tehlikeli görünüyordu. Şimdi, görünmez bir mürekkep izi bulması gerekiyordu. Yeteneklerini on iki yıl boyunca Cinayet Masası'nın hizmetine vermiş biri olarak, Craig imzasız mektup yazarlarının ne denli yaratıcı olabileceklerini biliyordu. Nasıl bir mürekkep kullanıldığını bilmedikçe, hiçbir riske girmemek daha doğruydu. İyot buharları bazı "mürekkep" çeşitlerini bozabilir ya da toptan silebilirdi, iyot aktif bir analiz çeşidiydi, yani kâğıtta hiçbir değişikliğe neden olmadan inceleme imkânı veren pasif yöntemlerin aksine, belgeyi doğrudan etkileyebilirdi.

"Argon lazeri" diye kendi kendine mırıldandı Craig. Argon lazeri kâğıdı hiç etkilemeden üzerine bırakılmış bütün izleri "büyütecek", mektup aynı kalacaktı.

Elyaf bırakmaması için özel olarak yapılmış tulumunu çıkardı, kâğıdı eline almadan önce eldivenlerini giydi. Laboratuvarı bir uçtan diğerine geçerek, karanlık bir odaya girdi. Odada, cılız ışığın altında aldırmazca parıldayan, havalandırmanın boğuk vızıltısının altında sabırla bekleyen karmaşık ama görkemli bir alet ordusu vardı. Craig belgeyi ışığı yansıtmayacak bir cam levha üzerine yerleştirdi ve kumanda konsolunun ardına geçti. Taramayı 500 nanometreye ayarlayıp, işlemi başlattı. Yoğun bir ışık demeti mektubun yüzeyine 45 derecelik bir açıyla, gizli bütün izleri büyüterek gözler önüne serdi.

Vızıltı yoğunlaştı, ekranda veriler görülmeye başladı. Mavi-yeşil bir ışık demeti, çıplak gözle görülmeyecek eğrileri, çizgileri ortaya çıkarıyordu. Lazer ışıldaması görünmez mürekkebin parıldamasına neden oluyordu. Orijinal metnin altında, belli belirsiz bir el yazısı belirmeye başladı.

Sanki yazmayı yeni öğrenen bir çocuğun elinden çıkmış gibi, beceriksiz yazılmış kelimeler ekranda ışıldadı.

Sonunda telefon çaldı, Chamberlin ahizeyi kaldırıp, düofonu açtı.

– Bravo Larry, iyi tahmindi! dedi Craig Nova'nın genizden gelen sesi. Mektubu argon lazerinden geçirip, 500 nanometrede, yani mavi-yeşille taradım, ışıldamayla yeni bir metin çıktı.

– Ne diyor?

– Pek anlaşılır gibi değil. "Gibbs 10'uncu" diye yazmış. Sizin şu adam kafayı mı yemiş nedir, bunları sebum riboflavinle yazmış, yani bir cilt salgısıyla! Eski ve boş bir dolmakalemi ya da plastik parçasını birinin cildi üzerinde gezdirip, sonra yazmak için kullanmış. Adamın deri salgılarını mürekkep hokkası olarak kullanmak!

– Yazılı olan sadece bu kadar mı? diye şaşkınlıkla sordu Meats.

– Evet. "Gibbs 10'uncu."

– Bu ribof... Her ne karın ağrısıysa, ondan hareketle genetik özellikleri belirleyebilir misiniz?

– Yapılabilir, DNA miktarını artırmak için PCR kullanarak...

– Bana kalırsa Karga'nın değil, yeni kurbanlarının DNA'sını bulacağız.

– Bunu da nereden çıkardınız? dedi Bentley. Yüzü endişeden gerilmişti.

Benimleyken, yol bulunur,
kelimelerimin altında,
körleri imana, rehberin tanıklarını
ölü kadına götüren kapı saklı.

Kör değilsek, tanık olduk demektir ve kadının cesedi 10'uncu sokak ile Gibbs'in köşesi arasında.

Brolin duvardaki Portland haritasının yanına gitti, işaretparmağıyla 10'uncu Sokak'ı izledi. Kentin güneyine, eski hastanenin arkasına kadar indi ve parmağını bir karayolları simgesinin üzerine bastırdı.

– Sular İdaresi'nin binalarından birinde, dedi. Kanalizasyon girişinde.

31

Polis arabası Shriners Hastanesi'nin önünden lastik çığlıkları arasında geçti. Brolin kalbinin hızla attığını hissediyordu. Çok yakındaydılar. 10'uncu Sokak'ın köşesine varıncaya kadar Gibbs boyunca ilerlediler, köşeye geldiklerinde Salhindro yavaşladı. Mahalle geniş bahçeler, bomboş bırakılmış araziler ve kulübelerden oluşuyordu.

Sağ tarafta Nuh'tan kalma bir katranla kaplı yol kaldırımı keserek, penceresiz ve tek katlı bir yapının çalılıklar arasından göründüğü boş bir alana doğru gidiyordu. Arazi, kapısı uzun zamandan beri kayıp bir çitle çevriliydi. Bir karayolu işareti bölgenin tehlikeli ve yasak olduğunu belirtiyordu.

Salhindro yola girmek üzere dönüyordu ki, Brolin elini arkadaşının omzuna koydu:

– Buraya park et. Eğer içeride tahmin ettiğim varsa ve eğer adamımızı iyi tanıdıysam, cesedi göz göre göre binaya taşıma riskine girmemiştir. Böylesi kulübelerle dolu bir bölgede, arabasını kapının önüne kadar getirmiş olmalı.

Çukurlarla ve tümseklerle dolu yola bakan Bentley müfettişe döndü:

– Bu toprak değil ki, katran. Burada nasıl bir ipucu bulmayı umuyorsunuz?

– Hiç belli olmaz, izmarit, kan izi, her şey bulunabilir.

Brolin başka bir şey eklemeden arabadan çıkarken, Meats'in arabası arkalarında durdu. Yüzbaşının yardımcısı Sular İdaresi'nin yapısını görünce yüzünü buruşturdu.

– İç karartıcı, diye boğuk bir ses çıktı dudaklarının arasından.

Salhindro arabasındaki telsize uzandı:

– Merkez, burası 4-01, kod 10-23. Bir 10-85 yapacağız.

Portland polisinde 10-23 kodu, olay yerine varıldığını, 10-85 de bir güvenlik araştırmasına başlanacağını belirtir. Bu ikinci kod genellikle polislerin duyarlı bir bölgeye geldikleri ve saldırganın, katilin ya da herhangi birinin orada bulunup bulunmadığını bilmedikleri zaman kullanılır. Bir ön uyarıdır ve eğer merkez beş dakika içinde bir haber almazsa, en acil kodla takviye gönderir: 10-0 ihtimali, adamlarımız tehlikede. 10-0 genellikle üstün bir sorumluluk duygusu uyandırır ve polis memurlarına meslektaşları tehlikeden kurtuluncaya kadar süren, karşı konulmaz bir çeşit girişkenlik kazandırır. 10-0 polis teşkilatını birkaç saniyede bir kardeşlik cemiyetine dönüştüren bir koddur.

– Tamam 4-01, dikkatli olun.

Bekledikleri üçüncü araba fazla gecikmedi, alüminyum valiz yüklü steyşından Craig Nova'yla birlikte yardımcısı Scott Scacci ve Paul Launders diye biri indi.

– Craig, binaya giden yolu taramanızı istiyorum, en azından girişten önceki son bölümü, adamımızın orada arabasını bir süre park etmiş olması muhtemel, dedi Brolin.

Craig Nova başını salladı ve yardımcısına döndü. Beriki de başını sallayıp steyşının arkasına yöneldi, arabadan üzerinde öğle güneşinin kıvılcımlar çaktırdığı iki ağır valiz indirdi. Craig de Brolin'e cesedin bulunduğu yeri etkileyecek hiçbir elyaf bırakmayan, özel bir tulum uzattı.

– Bir tane de Larry'ye ver, o da bizimle geliyor, dedi Brolin.

– Ya ben? diye sordu Bentley şaşkınlıkla. Sizinle gelmem gerek, bu benim için çok eğitici olur!

Brolin dişlerini sıktı. "Benim için çok eğitici olur" diye öfkeyle tekrarladı. "Her şey öldürülmüş bir kadının cesediyle karşılaşacağımızı söylüyor, o hâlâ işin eğitici tarafına bakıyor!" En ufak bir yeteneği olmadan, Piston AŞ tarafından savcılık makamına paraşütle indirilmiş zengin çocuğu Bentley Cotland birden Brolin'in gözüne sırıtan bir yırtıcı sonradan görme olarak göründü. Müfettişin içinde Bentley'nin meslek hayatının egosunu asla tatmin edemeyeceği hissi uyandı; bu onu daha da tehlikeli kılacak, umudu kırılmış, kısacası kötü bir köpekbalığına dönüştürecekti. Babasının desteğine rağmen, yüksek güç çevrelerine kendini kalıcı olarak kabul ettiremeyecek kadar aptal bir köpekbalığı.

Brolin'in sinirlendiğini gören Salhindro, plastik galoşlarını giyerken açıkladı:

– İçeriye ne kadar az kişi girerse, etrafı o kadar az etkiler.

– Ama...

Savcı yardımcısının gözleri Brolin'inkilerle karşılaşınca, Bentley susmak zorunda kaldı.

– Siz en iyisi Müfettiş Meats'e yardım edin de, yolun girişinde bir güvenlik çemberi oluştursun.

Bentley Cotland içini çekti, sonra üzüntüyle başını salladı.

Brolin, Craig Nova, Scott Scacci ve Salhindro binanın girişinde duruyorlardı. Demir kapıya varana dek, yolun açığından, çalıların arasından, göze batacak izler arayarak dönmüşlerdi. Arkalarında Paul Launders yavaş yavaş, burnunu katrana dayamış, otuzar santimlik mesafeler alarak ilerliyor, hem yoldan, hem de yolun tabanını ortaya çıkaran çukurlardan örnekler alıyordu. Uzakta, Lloyd Meats ile Bentley çevreyi sarı bir şeritle kapatıyor, bir yandan da merkezle iletişimi sağlıyordu.

Craig ağır valizini kenara koyup, içinden Polilight fenerini çıkardı. Fener ufak bir aspiratöre benziyor, hatta bu benzerlik, fenerin arkasından çıkan uzun ve esnek hortumla daha da pekişiyordu.

– Bu andan itibaren eldivenlerinizi kesinlikle çıkarmıyorsunuz ve ellerinizi Polilight'la taradığım yerlerin dışından hiçbir şeye sürmüyorsunuz, diye uyardı Craig. Sonra çantasından üç çift koruyucu gözlük çıkarıp, arkadaşlarına dağıttı.

Brolin de, Salhindro da uyulması gereken kuralları ezbere biliyorlardı. Polilight fener kriminal polisin başlıca aletlerinden biri olmakla birlikte, ışığı öylesine güçlüdür ki, eğer insanın gözünde camı özel olarak işlenmiş gözlükler yoksa, retinayı zedeleyebilir.

Craig feneri çalıştırınca, havalandırma sistemi türkü söyler gibi vızıldamaya başladı. Polilight değişken dalga boylu, tek ışıklı bir fenerdir, ışınları morötesi ile kızılötesi arasında değişebildiğinden kandaki, spermdeki, hatta mememsi kalıntılarda yani izlerdeki proteinleri fosforlaştırır. Güçlü ışığı yere ya da kuşkulu bir noktaya tutulduğunda, birkaç saniye önce çıplak gözle görülmesi zor ya da imkânsız olan izlerin birden belirginleştiği fark edilir.

Girişin önündeki zemin, içinde hiçbir ayak izinin bulunamayacağı çakıl taşlarıyla kaplıydı. Craig, Polilight'ın ışığıyla önce kapıyı, sonra da tokmağı taradı. Sonuçsuz.

– Eğer buraya son günlerde birisi gelmişse, eldiven kullanıyormuş, dedi Craig üzüntüyle. Doğruldu.

– Sabit bir nesne üzerindeki izler, kaybolmadan ne kadar kalabilir? diye sordu Brolin.

– Teoride haftalar, aylar, hatta çok daha uzun bir süre. Tabiî izlerdeki proteini bozan her türlü erozyonun, ışığın ya da ısının etkisinden korumak şartıyla. Kapının üzerinde, dışarıdaki hava şartlarına bakarak, birkaç günden daha eski bir iz bulunabileceğini sanmıyorum.

Kilidi incelemekte olan Scott başını kuvvetle salladı.

– Zorlanmış. Ustaca, yine de mekanizmada kertikler var.

– Tamam, giriyoruz. İçeride neyle karşılaşacağımızı bilmiyoruz, ama eğer bir kurban daha varsa, daha fazla zaman kaybetmek istemiyorum, dedi Brolin kapıya yaklaşırken.

– "Hayatta olabilir" mi diyorsun? dedi Craig ilk kez her zamanki neşeli görünüşünden uzak.

– Bilmiyorum. Meats'in çağırdığı ambulans gelmek üzeredir. Ne olur ne olmaz.

Brolin elini kapının tokmağına götürüp, çevirdi.

Kapı artık kilitli değildi.

Genç müfettiş, güvenlik önlemi olarak Glock'unu kılıfından çekip, içeriye ötekilerden önce girdi. "İzlere yazık olacak" diye düşündü.

Ayağı kapkara bir birikintiye bastı, vücudu odada kayboldu.

Birkaç saniyede çevresini bir rutubet bulutu sardı ve işte o zaman karanlıklardan meşum bir homurtu yükseldi.

32

Juliette tramvayda oturuyordu.

Karşısında, iki genç adam birbirleriyle alçak sesle konuşuyor, bir yandan da belirgin bir şekilde ona bakıyorlardı. Güzelliğiyle onları hemen etkilemişti, her ikisi de ruhlarıyla olmasa da libidolarını o safir renkli gözlere gömebilmeyi tüm yürekleriyle istiyordu. Kendine daha fazla güvenerek konuşanı bir gözünü kırparak, tavlama skalasında bir numaralı girişim olarak bilinen en etkili tebessümü takınmaya bile kalktı.

Juliette adamları görmezden geldi, gözlerini camın ardından akıp giden sokaklardan ayırmadı. Oysa, manzara hiç de ilginç gelmiyordu, bütün aklı daha bu sabah Brolin'le yaptığı konuşmadaydı. Bir de mektubun içeriğinde.

"İki kişiler" diye tekrarladı kendi kendine. "Karga ve katil. Eski bir Fransız masalı gibi" diye düşündüğünü fark edip, şaşırdı.

MAX Light Rail[13] 1. Cadde'den geçiyor, öğrencilerin önlerinde sıcak bir fincan kahve, sohbet ettikleri pubların, sessiz restoranların, vitrinleri sinema afişleri kadar büyük "UCUZLUK" ilanlarıyla kaplanmış dükkânların arasından gidiyordu, ama Juliette bütün bu çağrılara karşı kör gibiydi. Tek düşündüğü şu meşum cinayetlerdi.

Brolin'in anlattıklarına bakılırsa, katil Leland Beaumont'un yöntemini daha az incelikle taklit ediyordu. Sanki beceremiyormuş gibi. Oysa, "modeli" gibi uygulama gücü bulmasa da, çalışma yöntemini bildiğini kanıtlamıştı. Katil ya da Karga şu ya da bu şekilde Leland Beaumont'u tanımıştı. Juliette'in bildiği kadarıyla, Leland çok az arkadaşı olan, yalnız biriydi. Brolin meslektaşları arasında bir araştırmaya kalkışmış, sonuç alamamıştı. Leland'in "kara bü-

13. Portland'da tramvayın adı.

yüye anlaşılmaz göndermeler yapan" tuhaf biri olarak bilindiğini anlatmıştı Joshua. Geriye ne kalıyordu? Ailesi.

Oysa Leland yalnızdı. Tek çocuk, beş yıl önce ölmüş bir anne ve biraz safça bir baba, başka akrabası yoktu.

Leland Beaumont'u tanıyan başka kim olabilirdi?

Bir de o iki çılgın kafa, katil ile Karga, bu meşum fantezide nasıl bir araya gelmişlerdi? İki insan ölümden nasıl konuşmaya başlar, öldürmek için birleşmeye nasıl karar verir?

Genellikle, öldürme dürtüleri besleyen bir adam, başkalarına kolay kolay açılamaz. Oysa aynı ortak tutkuyu paylaşmak için, birbirleriyle konuşmuş olmaları gerekirdi.

Juliette cevaplar ararken, sorularla karşılaşıyordu.

İki insan hiçbir neden yokken öldürmek için nasıl bir araya gelebilir?

Karşı koltuktaki iki "damızlık" dikkatini çekmek için kahkahalarının ve el hareketlerinin dozunu artırmıştı.

İki insan. Karşılaşan ve ortak bir tutkuları olduğunun farkına varan iki sapık kafa. Ortak tutku: cinayet. Birbirlerini tanımıyorlarsa, iki erkek daha ilk cinayet lafında ötekinin polise koşup, her şeyini anlatmayacağından emin olarak nasıl konuşur ve ölümcül düşüncelerini birbirlerine nasıl açarlar?

Eğer birbirlerinin katil olduğunu önceden bilmiyorlarsa!

Günün yirmi dört saati boyunca, seri cinayetler işleyen katiller nerede bulunur?

Juliette başını hızla karşısında oturan iki gence çevirdi. Kahkahalar hemen durdu. Gözlerinin mavimsi parıltısı karşısındakinin gözüne dikildiğinde, beriki arzusunun gerçekleştiğini sandı. Halbuki kırpılan bir göz göremedi, utanarak gözlerini indirmek zorunda kaldı.

Juliette bir şey bulmuştu, Brolin'in üzerinde fazla durmadığı ya da belki atladığı bir ipucu.

Günün yirmi dört saati boyunca, seri cinayetler işleyen katiller nerede bulunur?

Cevap öylesine açıktı ki, dudaklarında gücenik bir tebessüm belirdi.

Cezaevinde.

Bir sonraki durakta inip, bindiği andan beri tramvayı izleyen arabaya daldı. Arabanın içinde, onu korumak amacıyla izlemekle görevli iki polis memuru bir an bakıştıktan sonra, başlarına neler geleceğini düşünmeye koyuldu.

33

Brolin iki bacağının üzerinde sağlamca dikilmiş, Glock'unu karşıya çevirmişti. Odanın içinde neler olduğunu anlayabilmek için elleriyle sağı solu yokladı. Boğucu rutubet görünmez bir el gibi elbiselerinin üzerinde kayıyor, sonra da kazağının yününe, blucininin ipliklerine işliyordu. Karanlıkların içinde bir yerde, bir pompanın homurtusu bir vahşi köpeğin böğürtüsü gibi yankılanıyordu.

– Larry, ışık, diye fısıldadı Brolin.

Salhindro Mag-Lite'ını yaktı ve gelip müfettişin yanına dikildi.

– İnsan burada boğulur! diye söylendi.

– Lağım, Larry.

Girişte duran Craig Nova, hızla çevresine göz gezdirip kafasını salladı.

– İz bulmak pek kolay olmayacak, dedi istediğinden daha yüksek çıkan bir sesle.

Brolin bir el işaretiyle adamı susturdu.

– Sen burada kal, Larry ve ben çevreyi araştıracağız. Binanın güvenli olduğunu duymadan, içeri girmek yok, diye fısıldadı. Bana bir fener ver.

Craig Nova feneri uzatıp, bir adım geriledi.

Salhindro sola yönelirken, Brolin de sağdan ilerledi. Hareketleri hızlı ve kararlıydı, sadece tabancaların koruması altında ilerliyorlardı. Sol el feneri taşıyor ve sol kol sanki göğsü korumak istiyormuş gibi kıvrılıyordu; sağ eldeyse, sol koldan destek alan tabanca vardı. Akademideki gibi.

Adım adım ilerleyerek pompaların, vanaların, vıcık vıcık boru karmaşasının ve uyarı levhalarının yanından geçtiler.

Odanın sonuna yaklaşıyorlardı, hava çok daha ağırlaşmış, soluk almak çok daha fazla gayret gerektirir olmuştu. Brolin burunlarına dolan amonyak kokusunu hissettiğinde ürperdi. Çürümekte olan bir cesedin, bir süre sonra oldukça güçlü bir amonyak kokusu yaydığını biliyordu.

Ancak, lağımlarda da mikroptan arındırıcı bir amonyak karışımı kullanılırdı.

Solukları daha ağır ve daha gürültülü çıkmaya başladı.

"Eğer adamımız hâlâ buradaysa" diye düşündü, "darbeye maruz kalırsam sol kolumu korumam gerekir yoksa omzum bir daha çıkar."

Otomobil hurdalığında aldığı yara yüzünden aşınan kolkemiğinin toparlak başı, en ufak bir darbede yerinden çıkabilirdi. Üstelik, çoğu kez zararsız olmakla birlikte böyle bir ayrıntının insanı sağlam halinden daha yavaş kıldığını ve birkaç saniye sonra kafaya saplanacak bir kurşun anlamına geleceğini biliyordu.

Cinayet mahallinde ipucu karmaşasına yol açmamak için giydikleri özel tulumlar, sessizlik için biçilmiş kaftanlardan değildi; en çok da ayakkabılarındaki plastik galoşlar.

Önlerinde fışkıran buhar, ikisini de yerlerinden sıçrattı. Brolin yanında tecrübeli biri bulunduğu için memnundu. Biraz heyecanlı bir acemi çoktan tetiğe basmıştı.

Buharlı ve gürültülü gölgelere dalmış iki adamın kripton el fenerinin ışığından başka rehberleri yoktu. Pis kokulu bir sisin kapladığı çelikten bir ormanda yollarını kaybetmiş iki çocuk gibi, çevrelerini kollayarak ilerliyorlardı.

Bir vana kumanda konsolunun ardından göründü.

Kadın çırılçıplak uzanmış, yalvaran gözlerini Brolin'e dikmişti. Hatları yaşadığı dehşetten katılıp kalmıştı.

Alnında karanlık ve sızıntılı bir delik vardı.

Genç müfettiş bulunduğu yerden kadının sadece vücudun üst bölümünü seçebiliyordu. Sırtüstü uzatıldığını, ellerinin başının üzerinde bağlandığını, kollarının da sanki bir şey göstermek isteniyormuş gibi, gerildiğini gördü. Kolları dirsekten aşağı kesilmemişti!

Katilin alışkanlıkları düşünüldüğünde, ne denli görülür olsa da, bu son ayrıntı, bütün bu kargaşanın ortasında küçük bir zafer gibi duruyordu.

Brolin bütün dikkatini dört beş metre ötesinde yatan kadına yoğunlaştırdı.

Bir adım daha attı.

Doğranmış memelerinden kanlı gözyaşları akmıştı.

Bakışı Brolin'den ayrılmıyordu.

Bir adım daha.

Rutubet azıcık çıkık karnının üzerinde binlerce damlacık halinde parıldıyordu.

Bir adım daha ve Brolin kadının yanına varmış olacaktı. Salhindro her gölgeyi dikkate alarak karşıdan geliyordu.

Kadının kalça hizasında kemer gibi, deri bir kayış vardı. Brolin bulunduğu yerden iyi göremiyordu ama, sanki kayış yerdeki bir parmaklığa takılı gibi gelmişti.

Birden, birkaç metre ötesinde bir pompa harekete geçti, işlemeye başlayan motorunun gürültüsü odanın içinde patladı. Brolin korkuya teslim olmamak için Glock'unun kabzasını sıkıca kavradı.

Gözlerini vurmak için yaklaşan ölüme bakar gibi bir ifadeyle onu izleyen kadının gözlerinden ayırmıyordu.

Brolin kadının etten bir bulamaç gibi duran alnından etkilenmemeye çalışıyordu.

Kadına doğru son bir adım.

O zaman anladı.

Kadının yüz hatlarıyla ifade ettiği tüm dehşet Brolin'in zihninde canlandı.

Kadının gözleri Brolin'in üzerine mıhlanmıştı.

Elleri bağlı.

Kalçaları yere yapışık.

Ve bacakların yerinde, ağızları açık iki çukur.

34

Adlî Tıp uzmanı mesleğinden gitgide daha çok soğumaya başlamıştı. Son zamanlarda giderek artan dehşet sahneleri bir yana, yıllar geçtikçe polislerin her geçen gün biraz daha çoğalan kaprisleriyle uğraşması gerekiyordu. Elbiselerinin üzerine bir tulum geçirmesini ve şimdilik kurbana dokunmamasını istemişlerdi. Onun için, herkesin bildiğini tekrarlamakla yetindi: kız ölmüştü. Ölüm katılığı büyük ölçüde kaybolduğuna ve göbek deliğinin solundaki yeşil leke dışında dıştan görülür bir çürüme belirtisi görülmediğine göre, kırk ya da elli saat önce ölmüştü.

Brolin eğildi, kadının gözkapaklarını kapattı.

İlk saniyeler boyunca, canlı olduğunu sanmıştı. Dehşet içinde, ama canlı.

Gözleriyle onu izlediğini sanmıştı, odanın neresinde olursanız olun, bakışlarını sizinkilerden ayırmayan hüzünlü bir Jokond gibi.

Salhindro durumu Lloyd Meats'e özetlemek için arabaların yanına dönmüştü. Craig Nova'yla yardımcısı Scott Scacci tüm odayı tarıyorlardı. Scott Scacci elinde Polilight feneriyle, mekânı geriden öne doğru, adım adım inceliyordu.

Craig Nova cesedin yanına çökmüş olan Brolin'e yaklaştı:

– Parmak izlerini alabilir miyim?

– Al, ama cesedi yerinden oynatma.

– Neden cesede dokunulmamasına bu kadar önem veriyorsun? diye sordu kriminalistik uzmanı. Bir yandan da yanındaki çantadan parmak izi almak için kullanılan mürekkep ıstampaları ve kâğıtlar çıkarıyordu. Gerekli fotoğrafları çektik.

– Kadının bize söylemek istediklerini anlamaya çalışıyorum.

Craig başını kaldırıp, Brolin'e baktı:

– Sana söyledikleri mi? dedi, parmağıyla cesedi göstererek.

Brolin başını sallayıp, ayağa kalktı. Bazen duraklayarak, bazen de kendi etrafında dönerek, yavaşça cesedin çevresinde yürümeye, kadının yakınında ne var ne yoksa incelemeye koyuldu.

– Bunlar cinsel cinayetler, diye başladı söze. Daha basitçe ifade etmek gerekirse, katili cinayete iten sapık fantezileri besleyen, böylesi dürtüler. Oysa bu gibi cinayetlerde, katilin bilerek ya da bilmeyerek, söyleyeceği bir şeyler vardır. Bu mesaj da kurbanın cesedinden okunur.

– Katilin bize bir şey, bulunacak bir işaret bıraktığını mı söylüyorsun?

– Öyle değil. Özellikle de katilin bilinçaltından kaynaklanmışsa, bu mesajlar çok daha gizli oluyor. Katil bir fantezisini tatmin etmek için öldürüyor, bu fantezisini ete kemiğe büründürmesi için, cinayet işlemesi gerekiyor. Ardında bıraktığı bu ölüm manzarası da aradığının, onu cinayete iten şeyin simgesi. Yapmamız gereken tek şey bakmak ve nasıl düşündüğünü bulmak, ondan sonra ne yapmak istediğini, ne söylemek istediğini ve neyin peşinde olduğunu anlayabiliriz. Mesela, cesedin şekli son derece önemli. Ölüm fantezilerinde, kurbanın vücudu genellikle bir dürtü katalizörü gibidir, bu fanteziyi gerçekleştirmek için gerekli olandır, onun için katilin vücuda tüm yaptıkları ve yapış biçimi önemlidir. Cesedi bıraktığı pozisyonun önemli olduğu gibi. Beni burada en çok ilgilendiren de, bu işte. Bak, olayın heyecanı geçtikten sonra bile, kadının mahremiyetine saygı göstermeyi düşünmemiş, tam tersine, kapıdan ilk girenin göreceği şekilde, çırılçıplak bırakmış. Pişmanlık duymuyor, aksine kadınlara ya da en azından bu kadının temsil ettiği neyse, ona karşı çok güçlü bir nefret duyuyor.

– İyi de, neden pişmanlık duymasını istiyorsun ki? İkinci kez öldürüyor; bana kalırsa, bu pişmanlık duyacaklardan değil.

– Yanılıyorsun. Bir kadının seni çok, ama çok heyecanlandırdığını bir düşün. Seni daha da çok tahrik ediyor, ikiniz de aynı oyunu oynuyorsunuz, bir kadınla birlikte olmayalı çok uzun zaman geçmiş, kafanda tek bir şey var: onunla yatmak. Çok güzel olup olmamasının hiç önemi yok. Bir iş arkadaşı olmasının ve iş ile uçkuru karıştırmamaya yemin etmiş olmanın da bir önemi yok. Bütün heyecanınla, seni daha da tahrik ettiğinden, önerdiği neyse balıklama dalıyorsun. Bu şehvet sarhoşluğudur. Böylesi bir durumda, cinsel ilişki tamamlandığında, dürtülerinden kurtulduğunda, genellikle kendine "Tüh, yapmamalıydım, bir halt yedik ki... Nasıl oldu da kendimi bir türlü kontrol edemedim?" falan dersin. Şehvetin etkisi altındaydın. Önceleri, tek bir düşüncen vardı: ona sahip olmak, yapmaman gerektiğini bilmene rağmen. Ve aklını başına toplaman için, bu isteğini gerçekleştirmen gerekiyor.

Craig başını sallayarak belli belirsiz gülümsedi:

– Konuya bu açıdan da bakılabilir, diye onu destekledi.

– Katil için de aynı. Tek fark, heyecanı kendi kafasında kendisinin yaratması, durmadan aynı hastalıklı düşün ıcığını cıcığını çıkarıyor, böylece şehveti baskın çıkıyor. Haftalar, aylar, hatta yıllar boyu aynı şeyi düşünüyor. Ne kadar çok düşünürse, düşü daha karmaşık, ama daha kesin oluyor. Şehevî duygularla kaynamaya başlıyor. Belirli bir an geldiğinde, aynı düdüklü tencereler gibi, daha fazla dayanamıyor, harekete geçerek patlıyor. Bu düşü tek başınayken o kadar çok görmüş ki, bu kimsenin anlayamayacağı, sadece kendisinin aldığı bir zevk. Kurbanını bir insan olarak değil, fantezisinin bir aracı olarak görüyor. Heyecanı öylesine güçlü ki, kendini tam anlamıyla kontrol edemiyor, bütün bu bekleyişten sonra zincirlerini koparıyor. Ama olay tamamlandıktan, "ilişki" bittikten sonra, aynı senin kadınla yattıktan sonra yaptığın gibi, onun da ayakları yere basıyor, dürtülerinin körelttiği gözleri açılıyor. Ne yaptığını tüm ayrıntılarıyla görüyor, tüm boyutuyla önemini anlıyor. İşte pişmanlık burada ortaya çıkabilir; aynı senin durumunda olduğu gibi. Ne var ki gerçek, düşlerine layık olmadığından, bu olaydan umudu kırılmış olarak çıkıyor. O zaman, asla ulaşamayacağı ve onu hep bir daha öldürmeye yönlendirecek o düşsel kusursuzluğa erişmek için yeniden başlayacaktır... (Brolin kurbanı gösterdi.) Fantezisini yarım yamalak gerçekleştirdikten sonra da kadıncağızın üzerine bir şey örtmek, en azından yüzünün ya da vücudunun görünmesini engellemek bile istememiş. Hayır, onurunu tümüyle yitirmesi için onu bakışların karşısında, çıplak bırakmış.

"Kadına bak. Seni sarsan ne?"

Craig kaşlarını kaldırdı. Cinayet mahallinde çalışmaya başlayalı yıllar olmuştu ve üzerlerinde çalışmaktan fazla hoşlanmasa da, bu işi daha ziyade Adlî Tıp uzmanlarına bırakmayı tercih etse de, cesetlerle belli bir tanışıklığı vardı.

Cesedi incelemek için başını eğdi.

Kırklarına yaklaşıyor olmalıydı, cılız olmasa bile zayıftı, geçen zaman onu da herkese karşı kullandığı silahlarla vurmuştu, ama kadıncağız kuşkusuz spor ve belirli bir rejimle erken yaşlanmaktan korunmayı bilmişti. Dehşet yüzünün çizgilerine kazınmış, suratını korkunç bir yakarış büzüşmesiyle dondurmuştu. Her şeye rağmen, güzel bir kadın olduğu düşünülebilirdi.

– Bilemiyorum, dedi Craig sonunda. Şeyy... Hoş bir kadın denebilir mi?

– Evet. Bundan önceki gibi. Sadece daha yaşlı, ben ikincisinin on beş yaş daha büyük olduğunu düşünüyorum. Vücudun duruşuna bak. Uzanmış, kolları kafasının üzerine çekilmiş, bize oradaki kapağı gösteriyor. Kanalizasyon girişini gösteriyor.

– Doğru, aynı hizada.

Brolin sıcak havada uzun bir soluk aldı.

– Hepsi bu kadar değil, dedi. Yaralarına bak, boğazı morarmış. Katil kurbanıyla doğrudan temas etmek istemiş, bu kez bıçak falan yok, hayır, sadece eller. Eldiven giymek zorunda kalmaktan nefret ettiğinden eminim. Belki de eldivenlerini çıkarmış, sonra da izleri silmeye çalışmıştır.

– Zaten cilt üzerindeki parmak izlerini temastan en çok bir saat, hadi bilemedin doksan dakika sonra belirleyebiliyoruz, o da şansımız varsa, dedi Craig.

– Bu kez, ilk cinayette gördüğümüz gibi, aşırı bir nefret, bıçak darbeleri falan yok. Kendine hâkim olmuş. Ama yine de memelerini doğramaktan kendini alamamış, belki bunu da kalçalarından ısırmıştır. Ama bak, bu seferki ne kadar temiz. Göğsünde belli belirsiz kan var, bir de tabiî kalçalarında.

Brolin bir zamanlar bacakların başlangıcı olan kanlı çukurlara baktı.

– Ama bu sefer kolları değil de, bacakları almış. Anmalık çeşidini değiştirmiş.

Scott Scacci'nin heyecan dolu sesi Brolin'i düşüncelerinden çekip çıkardı:

– Bir iz buldum!

Craig ve Brolin Polilight'ı bölmelerden birine tutan yardımcının yanına koştular.

Güçlü ışık, kırmızı silinmiş bir "yedek vana" levhasının üzerinde güçlükle fark edilebilir bir parmak izini belli ediyordu. Birkaç parmağın izi.

– Pek iyi görülmüyor, işe yarar mı? diye gergince sordu Brolin.

Craig Nova bütün dişlerini göstere göstere sırıtıyordu. İşte burada, kendi uzmanlık alanındaydı. Bir taraftan anlatırken, diğer taraftan da çantasındaki şişelerden hangisini alacağına karar veremiyordu:

– Burada en önemlisi, belirgin olanı seçmek. Bunun gibi emici olmayan, sert bir yüzeyde, yüzey açıksa karbon, koyuysa alüminyum tozu kullanılabilir. Ama bir renk üzerinde gizli bir iz için en iyisi, floresan tozudur!

DFO şişesine uzanıp, manyetik bir dağıtıcı yardımıyla tozu özenle yaydı. Sonra Polilight feneri morötesi ışına ayarlayıp, ucunu parmak izlerine yaklaştırdı.

Sonuç şaşırtıcıydı. Toz son derece görülür floresan bir yeşille parıldıyor, tek renkli ışığın altındaki izin bütün kıvrımlarını gözler önüne seriyordu.

Parmak izi parlıyordu!

– Allah kahretsin! diye homurdandı Craig Nova.

– Ne? Harika, o kadar belirgin görünüyor ki, dedi Brolin.

– Sorun o değil. Parmak izinin ortasındaki şu küçük üçgeni görüyor musun? Bütün girintiler üçgenin çevresinde sanki bir dalga çiziyor. Meslek jargonunda buna "çadır yayı" deriz. Sadece kırk kişide biri böyle bir ize sahiptir, kısacası bu oldukça ender rastlanan bir parmak izi.

– Ee? Sorun nerede?

– Biraz önce oradaki hanımın parmak izlerini aldığımda, çadır yayı gibi olduklarını görmüştüm. Kırkta bir, çok küçük bir oran değil ama, yine de bu izlerin katile değil de, kurbanına ait olduğuna bahse girerim.

Brolin içini çekti. Craig iki fotoğraf çekti, biri güçlü bir ışık altında, siyah beyaz bir fotoğraf –renkli fotoğraflar izlerin karşılaştırılması için gerekli kontrastı büyük ölçüde azaltır– öteki de kızılötesi fotoğraf makinesinde 3 200 ASA'lık filmle.

– Hey, şu Polilight'ı bir yaklaştırın, diye seslendi Scott Scacci. Galiba bu sefer bir şey buldum.

Yanındakiler yardımcının bulunduğu yere atıldı.

Polilight yerde bir ayak izini aydınlattı.

– Harika, dedi Craig. Scott, statik elektrik makinesini versene.

Birkaç saniye sonra, Craig zemine kare biçiminde alüminyuma benzer büyük bir yaprak yerleştiriyordu. Brolin bunu daha önce Quantico'da görmüştü, ama malzemenin kesin adını hatırlamakta güçlük çekiyordu.

– Selüloz asetat kâğıdını izin üzerine koyuyorum, birazdan ayakkabının resmini tümüyle alacağız, diye açıkladı Craig.

Kâğıdın üzerinden geçirdiği ufak bir ruloyla, çakmağa benzer küçük bir silindir sayesinde statik elektrik veriyordu.

– İşte bu! dedi bir taraftan da kâğıdı cımbızla büyükçe bir zarfa dikkatle yerleştirirken. İzde toprak da var, bu bizim için önemli olabilir.

– Bizimkiler dışında başka iz yok, dedi Scott geniş bir taramadan sonra.

Brolin iki metre geriledi. Kurbana bir rögardan gidilebilirdi. Rögar üzerinde ayak izi bulunamazdı. Öte yandan, katil taş kaideden indiğinde belirli bir yola girmiş olabilirdi. Bir adımlık bir fark.

Parmak izine doğru bir adım.

Brolin sahneyi gözünde canlandırdı.

Elleri bağlı, güçlükle yürümeye çalışan bir kadın gördü. Arkasında, atletik yapılı bir erkeğin koyu gölgesi onu karanlığın ve rutubetin içinde yönlendiriyor. Kadın pek bir şey göremiyor, sırtındaki gölgenin sadece bir feneri var, bacakları korkudan kasılmış, güçlükle yürüyor. Sonra tökezliyor ve konsola tutunuyor –parmak izleri– ve arkasındaki gölge atılıyor, onu tutmak ya da geriye çekmek için taş kaidenin üzerine basıyor.

Evet, böyle olmuş olmalı, birkaç ufak fark dışında.

Sonra...

Sonra kadına yere uzanmasını söylüyor ve debelenmesini önlemek için deri kayışla yere mıhlıyor.

Orada, o anı içine sindirebilmek için yavaşça, kadını boğdu. Belki de, kadıncağız bilincini kaybetmeden önce, durdu. İşte o zaman meme uçlarını kesip, kadının acı çekmesinden kendine zevk çıkardı. Kadının ağzında tıkaç yok, katil kurbanının çığlıklarına aldırmıyor. Pompaların gürültüsü ve bomboş arsanın ortasındaki tek bina olması gerekli rahatlığı sağlıyor.

Ağzında tıkaç yok.

Ve adamın önünde yürüyor.

Yol kısacık olduğu için kadını taşımadı, ağzını tıkamadı. Büyük ihtimalle arabasını kapının önüne kadar getirdi, sonra da kadını hemen buraya soktu.

Brolin, Craig Nova'ya dönüp dışarıyı, giriş kapısının önünü incelemesini söylemek üzereyken, kapı ardına kadar açıldı ve Craig'in öteki yardımcısı göründü. Paul Launders girişteki asfaltı taramıştı.

– Elimde asfalt üzerine bırakılmış iki harika lastik izi var şef.

Craig Nova, Brolin'e döndü:

– Bu da az sonra katilin kullandığı araba tipini öğreneceksin, demektir.

Lastik izleri alındıktan ve yüz metrelik bir daire içinden çeşitli toprak örnekleri toplandıktan sonra, Craig ve ekibi steyşınlarına döndüler.

Lloyd Meats, Brolin'in yanına geldi. Uzakta, siyah torbaya konmuş ceset, sedyeyle çıkarılıyordu.

– Juliette seni cep telefonundan aradı. Leland Beaumont'un hapse girip girmediğini sordu.

– Bunu nereden çıkarmış? diye şaşırdı Brolin.

– Pek bilemiyorum, herhalde sadece merak etmiş.

– Birdenbire bunu merak etmesi sence normal mi?

Meats omuzlarını silkti:

– Neden olmasın? O herifin kızcağıza çektirdiklerinden sonra, adam hakkında bir şeyler bilmek istemesinden daha normal ne olabilir?

– Bir yıl sonra?!

– Bak, pek bir şey bilmiyorum, korumakla görevlendirdiğimiz Harper ile McKenzie'ye, Juliette'i merkeze götürüp bizi beklemelerini söyledim. Kız hiç olmazsa orada güvende. Senin de istediğin bu değil miydi?

Brolin belli belirsiz bir mırıldanmayla onayladı. Birdenbire meraklanmak Juliette'in âdeti değildi, genç müfettiş bütün bunların altından pis kokular çıkacağından kuşkulanıyordu.

– Dönüyoruz, laboratuvardan lastik ve ayak izleri hakkındaki raporlarını alıncaya kadar, yüzbaşı durumu özetlemek istiyor, dedi Meats, arabasına girerken.

Brolin çalılıklarla kaplı arsaya ve Sular İdaresi binasına giden asfalt yola son bir kez baktı.

Ve çıplak vücudu yeniden gördü.

Doğrudan lağımlara inen çelik kapağı gösteren gergin kolları.

Cehenneme inen.

Mesaj apaçıktı.

Katil cehennemin birinci katına girmişti.

Ve Brolin'i peşinden karanlıklara çağırıyordu.

35

Brolin bürosunun kapısını itti.

Birkaç dakika sonra Yüzbaşı Chamberlin'le toplantıya girecek-ti, ama daha önce Juliette'i görmek istemişti.

Juliette müfettişin geldiğini görünce, başını okuduğu ders kita-bından kaldırdı:

– Harper ile McKenzie dönmeni burada beklememi söylediler, dedi özür diler gibi. Umarım seni rahatsız etmiyorum.

Brolin kafasını salladı. Birkaç saniye, genç kızı seyretti. Yanına kadar gelen ölüme rağmen, cehennemden cesaretle, yarasız bere-siz çıkmayı becermişti. "Harika bir kız" diye düşündü, "hayat ve irade dolu."

Onu Leland'in Hayaleti'yle ilgilenmeye iten de aynı iradeydi. Kaçırılmasının üzerinden bir yıldan uzun süre geçmişken, Le-land'in hapishane geçmişini neden merak etmiş olabilirdi? İki olay arasındaki benzerlik belirgindi.

– Bir şeyin yok ya Joshua? dedi Juliette başını eğerek.

Abanoz rengi bir perçem yüzünün üzerine düştü.

Tükürüğünü yutarken, dolgun dudakları titreşti. Billur gibi pa-rıldayan mavi gözler bakışlarını genç kadınınkinden ayıramayan Brolin'e dikilmişti. Juliette'ten farklı bir güzellik yayılıyordu. Sa-dece "moda" estetik ölçütlere uygun olma şansı değil, daha da önemlisi aynı çekiciliğin içinde, bir saflık ve olgunluk karışımı.

– Yok, iyiyim, demeyi başardı sonunda. Söylesene, neden Le-land Beaumont hakkında bilgi istedin?

Genç kadın kitabını bıraktı, sakin, neredeyse ders verir gibi açıkladı:

– Bu kadınları öldüren Leland'i tanıyordu, bu kesin. Üstelik Le-land'in arkadaşı ve biraz saf diye tanınan babası dışında bir yakını olmadığına göre, bu ikisinin hapiste tanışmış olabileceği sonucuna vardım. Orası, iki suçlunun birbiriyle yakınlık kurması için biçilmiş kaftan. Karşısındakinin sütten çıkmış ak kaşık olmadığını bildiklerinden, tanışmak ve bazı sırları paylaşmak için kısa bir süre yeterli olur.

Brolin bir iskemle çekip, Juliette'in karşısına oturdu:

– Çok iyi bir fikir. Anlaşılan, kendi ilgi alanında son derece yeteneklisin. Ama bu bizim çoktan araştırdığımız bir konuydu. Bir sonuca varamadık.

Juliette kaşlarını çattı.

– Aslına bakarsan, ölümünden sonra Leland'in dosyasını bir daha inceledik, diye devam etti Brolin. Daha çok sabıkası olmayışı bize acayip gelmişti; onun gibi toplumdışı birinin en azından silahlı saldırı, hatta ırza tecavüzden hapse girmiş olması gerekirdi. Oysa Leland temizdi. Tamam, hırsızlığa teşebbüsten hüküm giymişti, ama o zaman daha on dört yaşındaydı. Şiddete olan eğilimi göz önüne alınarak Salem'de bir psikiyatri merkezine gönderildi, orada gözetim altında tutuldu. On altı ay sonra oradan çıktı ve reşit olduğunda, bu olayın sabıka kaydından silinmesini istedi. Psikiyatrlarıyla yapılan görüşmelerden sonra, sağlıklı bir hayata başlayabilmesi ve iş ararken zorlukla karşılaşmaması için, isteği kabul edildi. Bu en çok, sabıka kaydı olmaması nedeniyle silah almasına ve kendini polise unutturmasına yaradı.

– Psikiyatrlardan hiçbiri Leland'in sadist eğilimlerini görmemiş mi? On sekiz yaşındayken, uzmanları uyutabilmiş olabilir mi?

– Böylesi ilk kez olmuyor. İstersen sana kısacık bir öykü anlatayım. 1972 yılında, Edmund Kemper sabıka kaydını sildirmek amacıyla iki psikiyatrın gözetiminde bir dizi testten geçmek üzere, Kaliforniya'da Fresno'nun yolunu tutuyor. Gerçekten de Kemper on dört yaşındayken hem büyükannesini, hem de büyükbabasını öldürmüş. Ama yirmi dördüne geldiğinde, normal bir hayat yaşamaya hakkı olduğunu düşünüyor. En azından, psikiyatrlara söylediği bu. Ama, ister inan, ister inanma, Fresno'ya giderken, bir gün önce öldürdüğü bir kız çocuğunun cesedini parçalayıp, atmış. Küçük kurbanının kafasını arabanın bagajında saklamış ve psikiyatrların yanına girmeden hemen önce, kafayı doya doya seyretmiş olduğunu itiraf etti çünkü. Uzmanlar numarasını yiyorlar, sonuçta sabıka kaydı silini;or. Kemper polise teslim olmadan önce, iki yılda sekiz kişi öldürecek. Kabul etmek gerekir ki bazıları insanları parmaklarında oynatabiliyorlar ve maalesef seri cinayetler işleyen katiller de bu sınıftan.

Juliette düşünceli düşünceli başını salladı. Brolin sözlerine devam etti:

– Leland Beaumont parmaklıkların ardında fazla uzun kalmadı, bana kalırsa birkaç günde sırrını açacaklardan da değildi. Yine de, Salem'den iki müfettiş Leland'in eski hapishane arkadaşlarını ziyaret edip, cinayet gecesi için yer tanığı göstermelerini istedi. Bence, bunu düşünmüş olman çok dikkat çekici.

Ayağa kalkıp, genç kadının yanına yürüdü:

– Dinle, bu işte yararlı bir şeyler yapmak istemeni anlıyorum, ama yapabileceğin bir şey yok. Tüm bildiklerini bize geçen yıl anlattın ve bütün bunları kafanda bir daha evirip çevirmen çok doğru değil. Sence?

Juliette dudaklarında düş kırıklığının tebessümüyle, ellerine bakmaya devam etti.

– Juliette, dedi Brolin, Leland gerçek bir psikopattı, mistik şeylere, kara büyüye düşkün bir herifti. Böylesi bir adamın karşısında ne yapabilirsin? Lütfen karışma bu işe.

– Evet... Bir iyilik yapmak...

– Yaptın da. Ama şu anda, kentin her köşesine girip çıkman işimi kolaylaştırmaz. Zaten güvenli de değil.

– Harper ile McKenzie hep peşimdeler, onun için bir tehlike yok.

– Evet, üstelik bizim katilin alışkanlıkları içinde, kent merkezinde iş görmek yok, ama yine de şeytanı tahrik etme. Juliette, kaçırılmanın ne demek olduğunu biliyorsun, bunun seni ihtiyatlı olmaya yöneltmesi gerekirdi...

Bu kez, genç kadının gözleri boşluktan gelip, Brolin'in üzerine dikildi. Gözbebekleri parıltılıydı gerçeğe sağlamca tutunmuştu.

– Aylar boyu korku içinde yaşadım, dışarı çıkmaya cesaret edemedim, kimseyi görmek istemedim, bundan kurtulmak neredeyse bir yılımı aldı. Korkuyu yenmek, uyumayı yeniden öğrenmek, yaşamaya karar vermek için, bir yıl! Çılgının biri kendini Leland sanıyor diye bütün bunlardan vazgeçecek değilim ve eğer bana saldırmak istiyorsa saldırsın, ne yapayım! Başıma geleni kabullenirim, ama adamın yakalanmasını bekleyerek, saklanmayacağım. Anlıyor musun?

Yanakları kıpkırmızı olmuş, saçlarının abanoz rengi ve öfkeli gözlerinin mavisiyle tezat oluşturmuştu.

Brolin içini çekti, elini Juliette'in omzuna koydu. Birkaç ayda yabancıdan "dost" statüsüne geçmişler, sonra birbirlerini unutmuşlardı. O meşum yıldönümüne kadar.

Tam tamına bir yıl sonra.

Bir yıl sonra telefon etmişti Juliette.

Katil bir yıl sonra öldürmüştü.

Brolin birden buluşmalarının bu ölüm kokulu atmosferde gerçekleşmesine üzüldü. Daha iyi koşullarda konuşmak ve birlikte eğlenmek için birbirlerine zaman ayırabilmek istediğini fark etti. Juliette'in gözleri hâlâ Brolin'in üzerindeydi.

Brolin, Juliette'in güzelliğini seyrederken, yüreğinin hızla çarptığını hissetti. Gözleri genç kadının dudaklarına indiğinde, o dudakların hafifçe aralandığını gördü.

Elleriyle Brolin'in ellerini tuttu.

Ve telefon çaldı.

Brolin sanki eli çantanın içinde, şeker araklarken yakalanmış gibi, bir adım geriledi. Tanrı'ya şükür, dönüşü olmayan bir şey yapmamışlardı. Juliette de toparlandı, vakit geçirmek için getirdiği ders kitabını kaldırdı.

– Brolin, dinliyorum.

– Seni bekliyoruz çocuğum, dedi Salhindro. Craig'in bize vereceği sonuçlar var. Katilin kullandığı arabanın modelini belirlemiş. Fırla.

Brolin telefonu yerine koyup, Juliette'e döndü:

– Gitmem gerek.

Genç kadın başını sallayarak ayaklandı.

– McKenzie ve Harper seni eve götürür, gece de ikinci bir araba gelip, nöbeti devralacak. Endişelenme, dert edecek bir şey yok.

– Biliyorum.

Karşı karşıya, dakikalar gibi gelen birkaç saniye.

– Seni haberdar etmek için ararım, dedi Brolin çıkarken.

Koridora çıktıklarında, Brolin yüzbaşının bürosuna, Juliette de aksi tarafa, asansörlere yöneldi.

Asansörün çağırma düğmesine bastığı anda, gökten gönderilmiş bir koruyucu melek gibi, McKenzie arkasında bitiverdi.

Brolin koridorun ucundaydı, istese hâlâ çağırabilirdi. Zamanı varsa, gelip akşam yemeğine kalmasını ya da geçen seferki gibi, her biri bir kanepede bitkin düşene kadar konuşmayı teklif edebilirdi.

Birbirlerinden bu kadar uzak olmayı gerçekten istiyor muydu?

Birkaç dakika önce, Brolin'in onu öpmek istediğini hissetmişti. Daha da önemlisi, kendi içinde, Brolin'in onu öpmesi isteğini hissetmişti.

Arzu muydu?

İstek mi?

Yoksa, bilinçaltının çağrıştırdığı korunma görüntüsü mü? O kurtarıcı, yaşamını borçlu olduğu "kahraman".

Çünkü eğer gerçek buysa, kötü temeller üzerine bina edilmiş ilişkilerinin daha başlar başlamaz bitmesi kaçınılmazdı.

Son bir kez Brolin'e baktı. Gözden kaybolmuştu.

Böylesi daha iyiydi.

"Böylesi daha iyi" dedi kendi kendine.

36

Yüzbaşı Chamberlin bir "İ" harfi gibi dimdik duruyor, sinirli bir şekilde bıyığını sıvazlıyordu. Arkasında, Portland, binalarını bir dağ manzarasının önünde yayıyordu.

– Oturun, dedi Brolin'e. Cinayet mahallinde bulunan parmak izini Opti-Scan'den geçirip, eldeki bütün veritabanlarıyla karşılaştırdık, ve sonuç hiç. FBİ'in İAFİS'si[14] dilsiz sanki. Hiçbir olumlu cevap yok. Craig Nova şu anda bu izler ile kurbanın parmak izlerini karşılaştırmakla meşgul; iki izin de aynı kişiye ait olduklarını düşünüyor.

– Daha önce de söylemişti, diye hatırlattı Brolin.

– Öte taraftan, diye devam etti Chamberlin, lastik izlerini inceleyip, bir sonuca varmış, vardığı sonucu teyit etmek için birazdan arayacak.

– Basın peşimizde, dedi Meats, yeni bir cinayet dizisiyle karşı karşıya bulunup bulunmadığımızı, Portland'da seri cinayetler işleyen yeni bir katil olup olmadığını soruyorlar. En ince ayrıntısına kadar araştırıyorlar, gerektiğinde baskı uygulamasını da iyi biliyorlar.

– Onlara güvenebilirsin, diye başladı Salhindro, hiç...

Çalan telefon sözünü kesti. Yüzbaşı Chamberlin ahizeyi kaldırıp, düofon açtı.

– Ben Craig, dedi aşırı heyecanlı bir ses. Daha önce de söylediğim gibi, parmak izi konusunda verecek iyi bir haberim yok maalesef, iz kurbanın.

Chamberlin yüzünü buruşturdu. Craig yanındakilerin doğal karşıladıkları bir heyecanla devam etti:

14. "Otomatik Parmak İzi Tanımlama Sistemi" anlamında, ulusal düzeydeki tüm verilerin dijital ortama aktarıldığı FBİ içindeki bir merkez.

– Öte yandan, lastik konusunda, FBİ veritabanından teyit ettirdim. İzler, aracın tekerlek açıklığını, tur çapını ve genişliğini belirleyecek kadar açıktı. Kısacası, hangi arabanın kullanıldığını belirlememiz için yeterli. Üstelik bu kez şansımız da var, çünkü bu izler sadece bir araba modeline ait: 1977 model Mercury Capri.

– Emin misin? diye ısrarla sordu Chamberlin.

– Hiç kuşkusuz. Bunlar FBİ ve otomobil üreticilerince ortak hazırlanan, son derece titizlikle hazırlanmış veritabanları. Yüzbaşı, böylesi bir bilgisayar hazinesi ile elimde bir santimetrekarelik cam kırığı olsa, bu kırığın hangi arabadan, hatta hangi seriden geldiğini bile söyleyebilirim.

– Mercury Capri, 1977, diyerek not etti Salhindro. Hazır incelemişken, rengini de söylesen ya!

Tebessümler odadakilerin dudaklarından silindi, insanın içinden espri yapmak gelmiyordu.

– Yerdeki ayak izine gelince, pek fazla bir şey söylemiyor, sadece ayak numarası, o da 43. Öte yandan, ayakkabıdan düşen toprak parçacıkları var. Scott gradyan yoğunluk tüpüyle deneyler yapıyor. Size basitçe açıklayayım; bu, yoğunlukları farklı ürünlerden katmanlar içeren bir tüp. Ayakkabıdan düşen toprağı tüpe koyduğumuzda, her parçacık aynı yoğunluktaki katmana ulaşana kadar aşağıya akıyor. Böylelikle elimizde belirli seviyelerde koyu bantlarla kaplı bir tüp oluyor, tıpkı yatay bir bar kod gibi. Sonra da, cinayet mahallinin farklı yerlerinden alınmış toprak örnekleriyle aynı gradyan yoğunluk testi tekrarlanıyor. Tüplerin "bar kodları" karşılaştırılıyor. Ayak izinin dışında, diğerleri az çok birbirlerine eş. Bunun anlamı da, ayak izindeki toprağın Sular İdaresi binasının yakınlarından bir yerden gelmediği.

– Nereden geldiğini bulabilir misin? diye sordu Meats.

– Toprağın yoğunluğu birkaç yüz metre içinde bile değişir. Karşılaştırma yapabilmem için bana eyaletin her kilometrekaresinden bir örnek getirmeniz gerekir! O bile yetmez ya! Hayır, bu imkânsız. Ayak izindeki toprak katilin tabanından düştüğüne göre, belki bahçesine, belki de çalıştığı yere ait.

– İyi de, bu bizim ne işimize yarayacak? dedi Salhindro, umudu biraz kırık.

– Eğer elinde bir zanlı varsa, tek yapman gereken bana bütün ayakkabılarını getirmek. Tabanların profilini karşılaştırır, o ayakkabının cinayet mahallinde giyilip giyilmediğini söylerim. Adamın evinden toprak getirirsen de öyle.

– Bu da fena değil, ama...

Craig yüzbaşının sözünü kesti:

– Bir dakika, şu anda analiz sonuçlarını getirdiler. Bulunan topraktan birazını gaz kromatografından geçirdik, kütle spektrometresi için de kromatografı bilgisayarla eşleştirdik...

– Craig, ayrıntıları geçiver lütfen, dedi Chamberlin.

– Tamam. Toprak örneği organik koloidal maddeler açısından zengin; kalın funda toprağı yani.

– Craig, rica etsem biz cahillerin seviyesine inmeye çalışır mısın? dedi Brolin. Bu koloidal madde dediğin nedir?

– Toprakta, bitkilerin mantarlar ve bakteriler yoluyla çürümesiyle oluşan organik bir madde. Bizim ilgilendiğimiz durumdaysa, kalın funda toprağı içeriğine bakıp, bunun doğal örtü, yani orman toprağı olduğunu söyleyeceğim. Herif binaya girmeden önce, ormanda dolaşmış.

– Parkta olabilir mi?

– Hayır, çok daha fazla gübre olurdu. Biraz ıssız bir yer, bence.

– İlk kurbanın bulunduğu Washington Park gibi mi?

– Orası olabilir.

– Yani, adamımız cinayetten önceki saatlerde oraya dönmüş.

– Ya oralarda bir yerlerde oturuyor veya çalışıyorsa? diye sordu Meats.

– Fazla heyecanlanma, Portland batı kıyısının kuşkusuz en fazla ormanla kaplı büyük kenti, çevrede orman alanı olmayan yer yok, dedi Salhindro.

Yüzbaşı Chamberlin ciddiyetle başını salladı:

– Şimdilik elimizde olanlar bunlar. Siz ne düşünüyorsunuz? dedi Brolin'e. Washington Park?

– Mümkün. İlk cinayeti için orayı seçti, orası bildiği bir yer, bu ona güven veriyor ve bir sorun çıktığında, bölgeyi avucunun içi gibi tanıdığını biliyor. Mümkün görünüyor.

– Tamam. Meats sen bana bütün eyaletteki 1977 model Mercury Capri sahiplerinin listesini çıkar da, sabıka kaydı olanlardan başlayarak hepsini inceden inceye mercek altına alalım. Bu arada Washington Park'ı elekten geçiriyoruz, o civarda yaşayan herkesin listesini çıkarıyoruz ve aralarında psikolojik profile uyan biri olup olmadığına bakıyoruz. Profilin ana hatları nedir Brolin?

– Beyaz ırktan, yirmi ile en çok otuz yaş arası. Bekâr, muhtemelen parttaym çalışan ya da işsiz biri. Arabası var. Belki de 1977 Mercury Capri. Bununla başlayalım, aslında daha geniş kapsamlı ama hiç olmazsa listeyi kısaltırız.

– Neden parttaym çalışma ya da işsiz? diye sordu Meats.

– Her iki cinayet de geceleri, ama haftanın farklı günlerinde iş-lendi. Cinayete hazırlanmak için gereken zamanı ve gerçekleştir-menin heyecanını düşünürsek, adamımızın ertesi sabah işe git-miş olabileceğine ihtimal vermiyorum.

– Pekâlâ, Salhindro bu profili Washington Park'a göndereceğin bütün memurlara dağıt. İyi işti Craig.

– Eğer yararlı olabildiysem, dedi telefonun diğer ucundaki ses.

Salhindro ve Meats kalkarken, Meats'in sesi duyuldu:

– Yüzbaşı. Ya basın? Onlara ne anlatacağız? Onlara kemirecek-leri bir kemik atmazsak, durumumuz dayanılmaz olacak.

– Basınla ben ilgilenirim. Siz o caniyi ele geçirmek işiyle meş-gul olun, ben de kısa bir basın açıklaması yaparak size zaman ka-zandırmaya çalışayım.

Salhindro çıkarken amirinin omzunu dostça sıvazladı:

– Basın ha? Ben kendi görevimden memnunum...

Brolin elleri ceplerinde, Broadway'de yürüyordu. Dondurucu rüzgâr Willamette Nehri boyunca ilerledikten sonra caddeye kuzeyden dalıyor, 5 numaralı otoyola varana dek tüm kent merkezinden ıslık çalarak geçiyordu. Orada da motor homurtularına karışıp gidiyordu.

Saçları bu rüzgâr saldırısı altında darmadağın olmuş Brolin kafasını deri ceketinin yakasına gömmüş yürüyordu. Bir şeyler yemekten çok, sabahtan beri içini basan o boğucu duyguyu söküp atmak için çıkmıştı. O ölüm kokan rutubet tabakası sanki derisine işlemiş gibiydi. Gözlerini her kırptığında, o karanlık odayı ve kızın, üzerine dikilmiş bakışlarını görüyordu. Sanki kız, bir şeyler yapması için yalvarır gibi bakıyordu; şimdi bile, yanına vardığında kızın ölü olduğuna inanmakta zorlanıyordu. Ölüm öylesine şiddetle vurmuş olmalıydı ki, hayatı gözlerinde dondurmuştu. Tıpkı, "pause" düğmesine basılmış bir video kasedi gibi.

Vücuduna yapışan bu ölüm kokusundan kurtulabilmek için eve dönüp bir duş almayı düşündüyse de, bunun pek bir işe yaramayacağını biliyordu: koku sanki içine sinmişti.

Rüzgâr gelip, yanaklarını sıyırdı.

"Hava amma da serin" diye düşündü. "Kış kışlığını yapmaya çoktan başlamış."

Starbucks Coffee'nin önünden geçerken, tereddüt etti. Arkadaşlarından çoğu, bir fincan kahve içmek ve azıcık soluklanmak için buraya gelirdi. Sonra vazgeçti, hatırını sormak için annesine telefon edecekti, yemeğini de çabuk yerse, bir saat sonra dosyayla ilgilenebilirdi.

Broadway ve Taylor'ın köşesinde bir sosisçinin önünde durdu, yağ ve şeker kokuları yayan metal arabanın ardına sığındı.

Meksika aksanlı, tıraşı uzamış, iriyarı biri hemen yanına yaklaştı:

– Ne rüzgâr ama! Öyle değil mi?

Brolin başını sallamakla yetindi.

– İnsan kendini korku filminde sanıyor! diye devam etti iriyarı Meksikalı. Ne vereyim?

– İki sosisli bir sandviç.

İlk bakışta ağırkanlı bir adam gibi görünen Meksikalı, göz açıp kapayıncaya kadar dumanları tüten iki sosis çıkarıp, karnı yarılmış sandviç ekmeğinin içine tıktı.

– İşte şef. İki dolar.

Brolin parayı verdi, sandvicini ketçapa batırdı.

– İşler yolunda değil galiba şef. Yoksa bir hanım sorun mu çıkarıyor?

Brolin başını "Hayır" der gibi salladı:

– Yoo, sadece şu rüzgâr...

– Ben bu numarayı yemem! Yolunda gitmeyen bir şeyler olduğu o kadar belli ki.

Meksikalı bol kazançlı bir iş bağlamak üzereymiş gibi ellerini ovuşturdu:

– Haydi, diye ısrar etti, işin içinde bir kadın olduğundan eminim!

Brolin tebessümünü engelleyemedi:

– Hayır, kadın falan yok.

– Kadın yok mu? diye haykırdı satıcı, gözlerini fal taşı gibi açarak. Öyleyse, sorun var demektir! Size bir arkadaş bulmalı!

Boğazına kaçan sosis, Brolin'i boğacaktı neredeyse.

– Bunun o dediğinizle hiç ilgisi...

– Öyleyse iş! İşten yana mı derdin var?

Anlaşılan, bir sandviççi için gereğinden fazla gevezeydi. Brolin taksi şoförlerinin susmamasıyla ünlü New York'taki günlerini hatırladı, anlaşılan daha beterine çatmıştı!

– Öyle de denebilir, dedi Meksikalı'yı başından savmak için.

Sosis satıcısı ders verir gibi, parmağını havaya dikti:

– İş neden zor geliyor, biliyor musun şef? Çünkü hayatta tek başınasın! İki kişi olsaydınız, çok daha kolay, insan o zaman daha az riske giriyor! Hayatın gereklerini iki kişi paylaşıyor. İşin sırrı da burada: gereksiz yere risk almamak!

Brolin yalnız gezintisine devam etme umuduyla son lokmasını da yuttu. "Eğer şimdi buradan ayrılmazsam, herif beni akşama kadar bırakmayacak" diye düşündü.

Beriki, vaazını sürdürüyordu:

– Emin ol, sana lazım olan bir kadın! Eğer yardıma ihtiyacın varsa, abimin bir...

Birden, Brolin'in beyninde bir ışık çaktı:

– Ne dediniz, ne dediniz?..

Meksikalı gözlerini Brolin'e dikti:

– Ne olmuş?! Abimin küçük bir barı var, yoksa...

– Hayır, o değil, diye sözünü kesti Brolin. Daha önce.

– Önce mi? diye şaştı iriyarı Meksikalı. Ha! "Gereksiz risk almamalı" demiştim! Bu benim hayat prensibim. Ama eğer istiyorsan, sen de kul...

Oysa Brolin artık dinlemiyordu.

Kafasının içinde tek düşünce vardı. Giderek kesinlik kazanan polis ya da profil uzmanı sezilerinden biri.

Meksikalı satıcıyı hemen orada bırakıp, rüzgâra doğru daldı. Adımları onu son hızla polis merkezine doğru götürürken, beyni katile doğru gidiyordu; izlerin gösterdiği yolda.

Elinde bir şey vardı.

Meksikalı'nın sözleri zihninde uçuşuyordu: "Gereksiz yere risk almamak."

Araba konusunda yanılmışlardı.

38

Brolin o kadar heyecanlıydı ki, bürosuna girer girmez çaydanlığın fişini prize taktı.

Telefonda Salhindro'nun numarasını tuşladı.

– Larry, meşgul musun? diye sordu karşıdakine.

– İnanır mısın bilmem, ama çok çalışıyorum! Biraz önce devriyelerin brifingini bitirdim, gittiler. Eğer Washington Park çevresinde yirmi yaşlarında, arada bir çalışan ya da işsiz, 77 Mercury Capri sahibi bir beyaz varsa, bulacağız!

– Larry, Mercury'yi boşver, yanıldık, ama bir fikrim var. Büroma gelemez misin?

Sessizlik birkaç saniye, Salhindro'ya durumu tartacak zaman verecek kadar sürdü.

– Sen daha telefonu kapatmadan oradayım.

Brolin fincanına çay doldururken, yüz on kiloluk Larry Salhindro içeriye girdi.

– Tamam, sürüyü geri çağırmam mı gerekiyor? dedi kapıyı kapatırken.

– Şart değil. Katilin ilk cinayetini işlediği yerin yakınlarında oturduğu düşüncesi yabana atılır gibi değil. Sadece araba, araba onun değil.

– Bunu nasıl bilebilirsin?

– Çay?

Salhindro yüzünü buruşturarak geri çevirdi.

– Bilmiyorum, dedi Brolin, tahmin ediyorum.

– Yine davranış bilimleri zamazingoları mı? Bazen, seni büroya nasıl aldıklarını merak etmiyor değilim.

– Ciddiyim Larry.

Brolin ayağa kalktı ve duvarın bir bölümünü kaplayan büyük tahtanın önünde durdu. Bir elinde dumanı tüten fincanı, öteki elinin işaretparmağıyla notlar piramidinin en üstündeki yazıya dokundu.

"Bir katil ve bir Karga" diye okudu.

– Birinci sefer, ormanda öldürdüler, yıkıntıyı merkaptana buladıktan sonra; yabancı ve gözlerden uzak bir yerde. Hiçbir riske girmeden, her şeyi özenle hazırladılar. Bu kez, boş bir arsadaki metruk bir binayı seçtiler. Oysa hemen yakında evler var ve karayoluna çıkan yol oldukça kalabalık. Yine de, binanın önünde lastik izi bulduk. Birilerinin görme ihtimaline rağmen, arabalarını kapının önünde bırakacaklarına inanıyor musun?

– Geceydi, bu da riskleri azaltır, diye itiraz etti Salhindro.

– Karayoluna girdikten sonra, evet. Ama cinayet haberi gazetelerde yer aldığında, özel yola giren bir araba gördüğünü hatırlayacak bir tanık çıkabilir. İlk seferde, evsizleri uzaklaştırmak için merkaptan kullanacak kadar akıllıysan, kurbanını kulübelerle kaplı bir bölgeden kendi arabanla geçirir miydin?

– Pek akla yakın gelmiyor, doğru.

– Bana kalırsa, çok daha basit bir şey yaptılar; Mercury kurbanlarının arabası.

Brolin, tahtaya "İkinci kurbanın arabası: Mercury Capri 1977" diye yazdı.

– Kurbanın kimliğini belirlemede işe yarayacak. Meats plaka bölümünden tüm eyaletteki 1977 model Mercury'lerin listesini istemişti. Biraz şansımız varsa, o listede kayıp insanlar dosyasında adı olan biriyle karşılaşırız.

Brolin başını salladı.

– Larry, bir an kendini katilin yerinen koy.

Beriki bu fikrin pek hoşuna gitmediğini belli edercesine homurdandı.

– Kızı öldürüyorsun. Akıllısın, cinayet mahallinin önünde kendi arabanı bırakmanın yanlış olacağını biliyorsun. Hem o arabadan kurtulmak, aynı zamanda da, kendi arabanı oradan almak istiyorsun. Nasıl bir yer seçerdin?

– Hımmm... Bana kalırsa, bir otopark. Kızı öldürdüğüm sırada, arabayı dikkat çekmeden bırakmak için kusursuz bir yer, sonra da, kurbanımınkini bırakıyorum. Şansım varsa, arabanın yerinden kıpırdamadığını görene kadar, günler geçer. Çok uzun zaman geçer.

– Park parası ödenmeyen, halka açık bir otopark olması şartıyla. Ya da havaalanındaki gibi, arabanı uzun süre bırakabileceğin otoparklar.

– Havaalanı mı? Tam ters yönde, hayır, çok uzak! Bedava park yeri demiştin, değil mi? Pek fazla yok...

Brolin kent haritasının başına gitti. Parmağını cinayetin işlendiği yerin sadece birkaç santim ötesine bastırdı.

– Shriners Hastanesi ile Oregon Tıp Fakültesi'ni ve bunların dev gibi otoparklarını unutuyorsun. Karayolundan sadece bir kilometre uzaklıkta.

Salhindro on beş yıl önceki gece devriyelerinde olduğu gibi, zihni berrak, yüreği heyecan içinde, hemen ayaklandı.

– Senin arabanı mı alıyoruz, benimkini mi?

Hiç kuşku yok, eğer Shirley Jackson binanın karanlık siluetini görmüş olsaydı, Shriners Hastanesi'ni romanlarından birinin ilham kaynağı olarak kullanırdı. Mimarî açıdan ürkütücü ya da orada yapılan tedavilerin kalitesi düşük diye değil –tam tersine– gelip insanın zihnine kazınan bu duygunun bir açıklaması olamaz. Yerle bir pencereleri ve iç karartıcı duvarlarıyla, görünürdeki sadeliği içinde her şey, iki yüzlü bir rahatsızlık yansıtır. Brolin, Jackson Park Caddesi dönemecinde hastaneyi gördüğünde algıladığı, bir tedavi merkezi değil, doğumhanelerin ekşi kokusu, ameliyathanelerde vücut sıvılarının gurultusu ya da damara ulaşmak için cilde batan iğnenin keskin sızısı oldu. Nereden geldiklerini açıklayabilmekten uzaktı ama, dönemeçten sonra karşısına çıkan görüntüler, bunlardı.

Brolin yan taraftaki devasa park yerine varana dek yoluna devam etti.

– Sağa sap, dedi Salhindro. Katilin arabayı personel parkına değil de, halka açık olanına bırakmış olması çok daha mantıklı. Daha az göze batar.

Mustang sağa saptı ve ağır ağır, otoparkı gezmeye başladı. Park yeri gerçekten dev gibiydi. Hastalara, ziyaretçilere olduğu kadar, yolun karşı tarafındaki Oregon Tıp Fakültesi'nin öğrencilerine de hizmet ediyordu.

Solgun ekim güneşinin altında uyuklayan otomobillerin oluşturduğu tablo etkileyiciydi. "Uçaktan bakıldığında, bu görkemli ve çok renkli mozaik harika görünüyor olmalı" diye düşündü Salhindro.

Uzakta, bir ambulansın siren lambası dikkatlerini çekti. Acil girişin önünde, sedye iterek koşuşturan sedyeciler vardı. Ambulansın arka kapısından üzerlerinde mesleklerinin belirgin mavi tulumu olan iki kişi fırladı, arabadan üzerinde bir yaralının acıdan haykırarak debelendiği bir sedye indirdiler. Üzerindeki beyaz örtü göğsündeki kırmızı hareleri saklamak için yeterli değildi.

– Hayatın nasıl olursa olsun, böyle bitmesini istemiyorum, dedi Salhindro, sanki bütün havası boşalmış gibi.

– Böyle bitmesini mi? Sedye üzerinde mi?

– Hayır, hastanenin birinde. Herkes gibi haykırarak, kan işeyerek, ölümün yakında olduğunu hissettiğinde paniğin arttığını bilerek. Çevrende, fedakâr insanlar var, tamam ama hepsi de ölümünden "Büyük Adsızlık"a bir çentik atmaktan başka bir şey anlamayacak olan profesyoneller. Ben kendime mahsus bir ölüm istiyorum, biraz egosantrik, anlayabiliyor musun? Gerçekten benim çaresiz vücudumun çevresinde düzenlenmiş bir şey, çevremde de, benimle birlikte işin bittiğinin, artık gitmekte olduğumun farkına varan insanlar. Bugün yaptıkları gibi sıradan bir ölüm istemiyorum, böylesi işi bütün duygularından arındırıyor.

Brolin gözlerini dizilmiş otomobillerin ikinci sırasından ayırarak, arkadaşına döndü.

– Ölümü sıkça düşünür müsün?

– Düşündüğüm oluyor.

Salhindro gözlerini çevreden ayırmıyordu.

– İnsan yaşlandıkça, biraz daha fazla düşünmeye başlıyor, dedi. Yarım yüzyıl, laf değil, özellikle de benim sağlık anlayışımla... Ya da sağlık anlayışsızlığımla.

Uzakta, sedyeciler yaralıyla birlikte gözden kayboldu: bir saniye sonra, ambulans siren lambasını kapatarak hareket etti. Şimşek çakımı kadar kısa bir an sürmüş sahne artık belli belirsiz bir hatıradan farksızdı.

– Bundan iki hafta önce, kardeşimin evindeydim, diye devam etti Salhindro. Barbekü için. Biliyorsun, şu EPA'da[15] çalışan. Duvarda, çerçevelenmiş bir yazı çarptı gözüme: "Bir insan aile hayatında başarısız ise, hayatta da başarısız olur."

Kemerinin üzerinden sarkan göbeğini sarsan kuru, alaycı bir kahkaha attı.

– Biliyor musun, Dolly gelip beni bulana kadar o kahrolası çerçevenin önünde ayrılamadım. Gelip iyi olup olmadığımı sordu, sonra da biraderle ailesinin yanına gittik. O salak çerçevenin en az on yıldır o duvarda asılı olduğundan eminim, ama ben ilk kez gördüm. Sanki bir işaret, bir mesaj gibi.

---

15. Çevre Koruma Ajansı.

Salhindro dikiz aynasından kendine baktı.

– Kahrolası çerçeve, dedi... Tam çevre korumaya uygun bir şey! Brolin arada bir arkadaşına göz atarak, park etmiş arabalara bakmayı sürdürdü. Salhindro'nun hiç çocuğu olmadığını biliyordu. Aslına bakılırsa, bir kadını da olmamış, boş zamanını arkadaşlarıyla birlikte olmak ile fazla mesai yapmak arasında paylaştırmıştı. Salhindro spor yapmazdı, kendini hiç kısıtlamadan her istediğini yerdi ve eğer bunun yüzünden sağlığından olacaksa "Eh ne yapalım, olsun" diye düşünürdü; onu bu sefil dünyada tutan sağlıklı hiçbir bağ yoktu. Salhindro yaşamaktan mutluydu ya, geldiği gün ölüme ağlamayacaktı. En azından, Brolin öyle düşünüyordu.

– Biliyor musun, hani şu ölümün geldiğini hissetmek dalgası... Bütün bunlar palavra, dedi Brolin. Biraz önce, ölümün yakında olduğunu hissettiğinde paniğe kapılmak istemediğini söyledin, ama ben herkesin paniğe kapıldığını düşünüyorum.

– Ya, öyle mi? Amma da çok şey biliyorsun, kaç kez öldün bakayım? Ben de diyordum zaten, tuhaf bir koku var diye...

– Hayır, gerçekten, emin ol. FBİ'de geçirdiğim iki yıl içinde bir kere, büyük bir çatışmaya katıldım. Daha eğitim sürecindeydim, orada olmamam gerekiyordu ama bir ajanla birlikteydim, her neyse... Bankada, rehine almış iki kişi. Bizimkilerden biri karnından yaralandı. Durmadan kan kaybediyor, bu arada da hep "Biliyorum, gebereceğim, biliyorum" deyip duruyordu. Onunla birlikte ambulansın içindeydim ve bir an renginin iyice solduğunu gördüm. Gözlerini benim gözlerime dikti, elimi tutup "Tamam... Karıma onu çok sevdiğimi söyle..." dedi. Senin dediğin gibi, ölümün yaklaştığını hissetti. Yalnız mermi onuncu kaburgaya saplanmış, fazla hasar vermemişti. On beş gün sonra, keçi gibi sekiyordu! Öleceğini bilip, veda konuşmasını hazırlayan herif, sadece sinemalarda var.

– Evet ama... Pek ikna olmadım.

– Aldırma, başına geldiğinde iyice yaşlanmış olacaksın. Bir akşam rahatça uykuya dalıp, uyanmayı unutacaksın...

– Tam bana göre işte! Yine de, seninle aynı fikirde değilim. Vadelerinin geldiğini hisseden insanlar...

– Larry! diye haykırdı Brolin, arabayı olduğu yerde durdurarak. Salhindro müfettişin parmağıyla gösterdiği tarafa baktı.

On metre kadar ötede, kahverengi bir Mercury Capri, uysalca bekliyordu.

40

– Merkez, burası 4-01. 871 numaralı devriye bölgesindeyiz ve 10-28 istiyoruz. Kahverengi Mercury Capri otomobil, Oregon eyaletine kayıtlı. Plaka özel: "Wendy 81" Washington-Eko-New York-Delta-Yankee 8-1"

– Anlaşıldı 4-01, ilgileneceğiz.

10-28 kodu Portland polisi için plakadan arabanın sahibinin belirlenmesi anlamına gelir.

Brolin Mustang'i yolun kenarına park etti, arabadan indiler.

– Aradığımız arabanın bu olma ihtimali yüzde kaç? diye sordu Brolin otomobilin çevresinde dönerken.

– Bilmem, Portland'da kaç Mercury Capri olabilir ki? On? Kırk? Onlardan birini, üstelik aradığımız yerde bulma ihtimali yüzde kaçtır? İhtimal hesabında hiç yetenekli olmadım zaten.

– Tamam, hiçbir şeye dokunmuyoruz. Belki de bu araba zavallı bir öğrenciye aittir, bakarsın elimizi arabanın kapısına değdirdiğimiz için bize dava açar. Merkezin cevabını bekleyelim.

– Merkezden ne demelerini bekliyorsun? Arabanın belediye başkanına ait olduğunu mu?

Brolin cep telefonunu gösterdi.

– Arabanın kime ait olduğunu öğrenir öğrenmez, sahibine telefon edeceğim. Eğer telefon cevap verir de, ailede kayıp birinin olmadığını söylerse, o zaman iş tamam demektir.

– Ya Craig? Bütün alet edevatıyla çağırırız, o da cinayet mahallinde bulunan lastik izlerinin bu arabaya ait olup olmadığını söyler.

– Larry, her Mercury Capri bulduğumuzda, Craig ile adamlarını çağıramayız ki.

– Ne var? İşi bu değil mi?

Brolin cevap vermeye hazırlanırken telsizin statik hışırtısı duyuldu.

– 4-01, burası merkez. Beni duyuyor musunuz?

Salhindro telsizin mikrofonuna uzandı.

– On üzerinden on.

– Arabanın sahibini belirledik. Elizabeth Stinger, otuz altı yaşında, doğu bölgesinde, Fremont Drive'da oturuyor.

– Otuz altı yaşında, diye tekrarladı Brolin. Kurbanın yaşına uyuyor.

– Daha da önemlisi, diye sürdürdü merkezdeki uyuşuk ses, Elizabeth Stinger bu sabahtan beri kayıp kişiler dosyasında.

Brolin irkildi. Bir insan eşi ya da ailesinden biri tarafından kayıp olarak bildirildiğinde, hem bir yanlış anlama olup olmadığını belirlemek, hem de sistemi gereksiz yere meşgul etmemek için, kurallara göre adının kayıp kişiler dosyasına alınmasından önce kırk sekiz saat beklenir. Oysa daha bu sabah, buldukları kadının ölümünün üzerinden elli saat geçtiği belirlenmişti, kısacası iki gün. Her şey cuk diye oturuyor gibiydi.

920 numaralı bölge karakolunda Elizabeth Stinger'ın kayboluşunun salı akşamı bildirildiğini öğrenmeleri birkaç dakikalarını aldı. Elizabeth Stinger'ın kızının dadısı Amy Frost, Elizabeth'e ulaşmak için boşuna zaman harcadıktan sonra, salı gecesi saat 11'de polise başvurmuştu. Patronu, Elizabeth'i akşamüstü işten ayrılırken görmüş, kadıncağızdan bir daha haber alınmamıştı. Çalıştığı yer kentin kuzeyinde, Columbia Bulvarı'nın yakınlarındaydı.

– Columbia Bulvarı mı? diye şaşırarak sordu Brolin. Dünyanın öteki ucu! Kadının işten çıkarken, otoparkta kaybolduğunu kabul etsek bile, katilin buraya gelmek için kenti bir baştan diğer başa kat etmesi mümkün mü?

Salhindro omuzlarını silkti:

– Profil uzmanı sensin.

– İyi ya işte, burada aksayan bir şeyler var. Kadın bürosundan çıkıp doğuya, dadıya gidiyor, yani buradan daha da uzaklaşıyor. Katil kurbanıyla belki de yolda karşılaştı. Sonra da buraya getirdi.

– Belki de buradan hoşlanıyordur.

– Kadını belirleyip, her şeyi planladı. Kurbanının arabasını da bu yüzden aldı; kentin içinden geçmesi gerekecekse, o zaman hatırlarda kendi arabasının kalmaması gerek. Kafamı asıl karıştıran, kurbanını neden bu kadar uzaktan seçti? Ya da...

Brolin'in söylemek istedikleri düşüncelerinin akıntısında kaybolup gitti.

– Eğer karşımızdaki gerçek bir caniyse, yani seri cinayetler işleyen bir katilse, demek istiyorum, o zaman çoğu katil gibi yapmış olmalı: avare avare geziniyor ve zevkine uyan ilk kadını öldürüyor. Öyle değil mi? diye sordu Salhindro.

– Hayır. Kendinden pek emin olmadığını bize daha önce göstermişti, ama kesinlikle aptal değil, üstelik bir de onun yolunu izleyen bir Karga var. Her zaman büyük bir dikkat göstermeyi âdet edinmişken, kenti bir baştan diğer başa geçmek tehlikesini göze aldığına göre, başka seçeneği yoktu, demektir. Peki ama, neden?

Arkalarından bir kadınla iki çocuk geçti, çocuklar neler olduğunun merakı içinde gözlerini polislerden ayırmadılar. Anneleri Salhindro'nun üniformasına ve iki adamın ilgilendiği arabaya bakıp, otomobilin arka koltuğunda feci bir manzara olabileceğini düşündü. Elindeki büyük röntgen zarfıyla çocuklarının önüne bir perde kurup, adımlarını sıklaştırdı.

– Katil kurbanıyla bütün bir kenti boydan boya geçmek riskine neden atılsın? diye tekrarladı Brolin. Eğer orası bu kadar hoşuna gidiyorsa, kampüsteki öğrenciler ya da hastanedeki hemşireler arasından birini seçemez miydi? Neden kurbanını uzak bir yerde arayıp, buluyor?

Brolin zafer kazanmış gibi parmaklarını şaklattı.

Aynı anda, Salhindro'nun yüzü sanki Tanrı'nın parmağı değmiş gibi aydınlanıverdi:

– Çünkü istediği o kadındı.

– İşte bu, dedi Brolin. Sadece cinayet işleyeceği mekânı hazırlamakla yetinmiyor, kurbanının seçimine de dikkat ediyor. Fantezilerine kapılıp, herhangi birini öldürmüyor. Birinci kurbanının kimliğini belirlememiz ve diğerleriyle ortak noktaları bulmamız gerek. Ortak özellikleri olduğundan eminim.

– Cinayetin işlendiği yerin uzak olmasının bir anlamı olmalı, dedi Salhindro. Belki de burayı seçmekle bize bir mesaj vermek istedi.

Brolin başını salladı.

– İlk mektubu, *İlahî Komedya*'nın dizelerini hatırlasana:

Karanlık bir ormanda buldum kendimi.

Arkasından ormanda bıraktığı bir ceset. İkinci mektubunda cehennemin ilk katıyla ilgili dizeler var, kurbanını kanalizasyonların girişine bırakıyor. Karanlık ve pis lağımdan başka, cehennemi bu kadar iyi temsil eden ne olabilir?

– Eğer başka cinayet işleyecekse, cesetleri lağımın içine bırakacak.

Brolin'in gözlerinin üzerine sanki kapkara bir gölge indi.

– Patronu, Elizabeth'in işten altıyı çeyrek geçe ayrıldığını söylemişti, değil mi?

Salhindro başını salladı.

– Zaten biz de kadıncağızın geceyarısına doğu öldüğünü düşünüyoruz, öyle değil mi? Larry, katilin kadını işten çıkışından hemen sonra yakalamış olması gerekir, yoksa dadı Elizabeth'i görmüş olurdu. Bunun anlamı, katil ile Elizabeth'in saatlerce birlikte oldukları...

Brolin'in yüzündeki ifade, aklından geçenleri fazlasıyla belli ediyordu; bir yere kapatma, her çeşit işkence. Kurbanlarını çocuklar arasından seçmek için palyaço kılığına giren katil John Wayne Gacy'yi hatırladı. Kaçırdığı, işkence ettiği, ırzlarına geçtiği, boğazını sıktığı, çeşitli işkenceler yaparak yavaş yavaş öldürdüğü çocuklar... Otuz üç kere. Ya Elizabeth Stinger? O saatler boyunca, neler çekmişti?

– Bu herifi yakalamak gerek Larry, hem de hemen.

– Tamam da, nasıl yakalayalım dersin? Biz kurbanın bir fotoğrafını Columbia'daki esnafa, dadının mahallesinde yaşayanlara gösterip, en ufak bir bilgi elde edene kadar, o da eğer edinebilirsek, o herif kentin yarısını öldürecek zamanı bulur. Birinin bir erkeğin kullandığı kahverengi bir Mercury Capri hatırlaması için, mucize gerek. Üstelik bu sahip olduğu zekâyla, herifin arabada en ufak bir iz bile bırakmadığına bahse girerim!

Brolin arabaya baktı:

– Ama katilin karşısında önemli bir avantajımız var, dedi Salhindro'ya kendi kendine söylendiğini düşündürecek kadar alçak sesle. Eminim, otomobili bu kadar çabuk bulmamızı beklemiyordu.

– Ee?

– Sadece birkaç saat. Arabanın onun için bir ayrıntı olduğundan eminim: otomobili bulmamızı beklemiyordu; en azından bu kadar kısa zamanda.

Brolin söyleyeceklerine ara verip otoparkı bakışlarıyla taradı:

– Bunu da, onu kendime çekmek için kullanacağım.

41

– FBİ'de buna "proaktif yöntem" diyorlar, diye bilgi verdi Brolin meslektaşlarına.

Lloyd Meats sakalını sıvazladı; kuşkulu görünüyordu.

– Tamam da, bu anlattığın yöntem nedir? diye sordu Yüzbaşı Chamberlin.

– Karşımızdaki hakkında bildiklerimizden yararlanarak, zaaflarını göz önüne alarak, bize gelmesini sağlamak ve tuzağa düşürmek için kullanılan bir teknik, diye izah etti FBİ'nin eski memuru.

– İyi ama, hakkında hiçbir şey bilmiyoruz ki! diye itiraz etti Bentley Cotland. Hangi zaafını kullanacaksınız bakalım?

Brolin koltuğundan kalkıp, gözlerini büroda bulunanların üzerinde gezdirdi. Yüzbaşı Chamberlin ve yardımcısı, Müfettiş Lloyd Meats, müstakbel savcı yardımcısı Bentley Cotland ve Larry Salhindro. Hepsi de, sanki ender rastlanan bir kuş görmüş gibi ona bakıyordu.

– Belki de, bu soruşturmanın başından beri söylediklerimi iyi dinlemediniz, dedi gözlerini Cotland'e dikerek. Cinayetleri bize bir şeyler anlatıyor, kendisi farkında olmasa da cinayetleri üzerinden bizimle iletişim kuruyor, yaptıkları bilinçaltının ve fantezilerinin sembolü. Bir de, kendine âşık. Bunlar kendine âşık birinin cinsel cinayetleri. Sadece kendi ihtiyacını, kendi zevkini algıladığından, kurbanını bir insan olarak görmüyor. Karşısındakini zevkini tatmin edecek bir araç olarak gördüğü için, onun acı çekebileceğini düşünemiyor. Üstelik, ikinci mektuptan sonra, yanında bir de Karga olduğunu biliyoruz. Belki cinayeti işleme aşamasında değil ama, Karga katilin yaptığı her şeyi bildiğine göre, birçok fikri paylaşıyorlar demektir.

Brolin herkesin iyi anladığından emin olmak için bir süre sustu. Sonra daha ciddi bir sesle konuşmayı sürdürdü:

– Aklımdan geçeni söylemek gerekirse, katilin Karga'nın emrinde olduğunu düşünüyorum. Bunlardan biri beyin, öteki de uygulayıcı. Birinci kurbanda, katil cinsel bakımdan olgunlaşmadığını gösterdi, kendine önem vermiyor ya da bütünüyle güvenemiyor; kadınlara karşı inanılmaz bir kin biriktirmiş bir sapık. Bu tipler, birikmiş bütün öfke ve kini patlatacak sarsıcı bir olay yaşamadan, harekete geçmezler. İşte o zaman, kendini artık tutamaz ve harekete geçer; ama, kontrolsüz bir biçimde, hazırlıksız. Oysa bu cinayetin hazırlıkları önceden tamamlanmıştı: cinayetten birkaç gün önce yıkıntıya serpilen merkaptandan bahsediyorum. Üstelik orada tek bir ize bile rastlamadık, zaten o yıkıntı da bu nedenle seçilmişti. İkinci cinayette de, aynı şey. Tek fark, katilin bu kez kendini daha iyi kontrol etmesi. Kendine biraz daha güvense de, yine de kendini kurbanının meme uçlarını kesmekten alamıyor. Ne kadar dirense de, sapık doğası dörtnala geri dönüyor. Eğer Karga düşündüğüm gibi biri, ikilinin düşünen kafasıysa, o zaman onu tuzağa düşürme şansımız var.

– Nasıl düşüreceğimizi hâlâ anlayamadım, diye umutsuzca sızlandı Meats. Bize pek bir şey bırakmadı ki, bir ayak izi, bir de lastik, bunlar pek bir şey ifade etmez!

– Öyleyse kendine şu soruyu sor: Karga bize o mektupları neden gönderiyor?

– Kasılmak için, dikkatleri üzerine toplamak için, varlığını dünyaya kanıtlamak için, dedi Meats tecrübelerine dayanarak.

– Pek değil, eğer varlığını dünyaya kanıtlamak istiyor olsaydı, bu mektupları medyaya gönderirdi, polise değil; çünkü mektupları gizli tutacağımızı biliyor, dedi Brolin. Bana kalırsa, bizlerle alay etmek istiyor. Bizi sınıyor. O da kendine âşık cinsel bir sapık, üstüne üstlük, hâkim olma, insanları yönetme dürtüsü var, zaten kadınlara saldırıp onlara acı çektirmelerinin nedeni de bu. Neden Dante'nin "Cehennem"i, bilmiyorum, bunların cehennemin dokuz katını aşarak erişmeye çalıştıkları nedir, bilemiyorum, belki kötülüğün doruğuna ulaşmak ya da onun gibi bir şey. Ama Karga'nın polise meydan okumasının temelinde kendini bizden daha güçlü ve daha akıllı görmesi ve bunu bize kanıtlama isteği var. Polis toplumun eli kolu, yani bizler, toplum adına toplumun dirliğini sağlayan yasaları uygulamakla yükümlüyüz. Eğer polise meydan okuyorsanız, toplumun dışındasınız demektir, sizi ıslah edecek ve gerçek bir vatandaş yapacak tek yer, hapishane. Ama polisten daha akıllı olduğunuzu gösterirseniz, hemen toplumun üzerinde olursunuz, en güçlü olursunuz. O da kendini böyle görüyor, kendinden emin. İşte yararlanacağımız zaafı bu.

– Sizin ipucu dediğiniz bu muydu? diye haykırdı Cotland. Kriminal psikiyatri dersiniz için teşekkürler, ama bütün bunlar bize neyi anlatıyor ki? O caninin nerede yaşadığını mı? Hayır! Tamam, peki, öyleyse ne yapmak niyetindesiniz?

– Saygısızlık etmek istemem Bay Cotland, ama eğer siz bir sonuca varamıyorsanız hiç olmazsa bırakın da ben sözümü bitireyim.

Bentley Cotland'in gözlerinden ateş fışkırıyordu. Bu kez, bu kez fazla olmuştu! Bir savcı yardımcısıyla dalaşmanın nelere mal olacağını görecekti bu polis bozuntusu! Göreve atanır atanmaz, Joshua Brolin'in boktan soruşturmalarla uğraşması, zamanını Portland sokaklarındaki ayyaşların ve orospuların peşinde koşarak geçirmesi için ne gerekiyorsa yapacaktı. Allah'ın köylüsü, kendini ne sanıyordu ki?

– Başlangıçta, Craig Nova ve arkadaşlarının çalışması sayesinde, tekerlek izlerini belirlemeyi başardık, diye devam etti Brolin. Sonra (Larry'ye bakıp göz kırptı) çıkardığımız sonuçlar ve kaderin olumlu bir cilvesi sayesinde kurbanın otomobilini, hem de biraz önce bulduk. Tekerlek izlerinden de görüldüğü gibi, katil kurbanını cinayet mahalline götürmek için bu otomobili kullanmış. Arabayı bu kadar çabuk bulmamızı beklemediğinden eminim.

– Asıl sorun, bulunanın kendi arabası değil, kurbanınki olması, dedi Chamberlin. Tabii bütün izleri yok etmiş!

– Yüzbaşı, elimizde proaktif bir yöntem başlatmak için gerekli yeterli malzeme var. Açıklayayım: kurbanın arabasının etrafında bir tuzak kurup, otomobile gelmesi için adamın egosunu tahrik edeceğiz. Oyun oynamak istediğine göre, bir parti de biz teklif edelim.

– Yani tam olarak, ne yapıyoruz? diye sordu lojistikten olsa olsa pragmatizmden etkilendiği kadar etkilenen Salhindro.

Brolin, Yüzbaşı Chamberlin'e döndü:

– Yüzbaşı, siz basını, habercileri davet edip çok önemli bir iz üzerinde bulunduğumuzu, katilin yakalanmasının artık an meselesi olduğunu söylersiniz. Sizden ayrıntı istediklerinde de lastik izlerini anlatır, katilin ya da kurbanın 1977 model bir Mercury Capri'ye sahip olduğunu belirtirsiniz. Bir de, önümüzdeki günlerde bütün Mercury Capri'lerin izinin sürüleceğini, sahiplerinin sorgulanacağını ve eğer terk edilmiş Mercury Capri'ler bulursak, en ufak bir iz elde etmek için arabaların inceden inceye gözden geçirileceğini bildirirsiniz. Benzer bütün lastik izlerini inceleyeceğiz, muhtemel tanıkları sorgulayacağız, falan. Burada niyetimiz elimizdeki teknolojik imkânlarla ve kendimize güvenimizle katili etkilemek olduğuna göre örgüte çok güvendiğinizi gösterin, kısa zamanda demir parmaklıkların ardında olacağını tekrarlayıp, onu sinirlendirin. Kurbanın arabasını bu kadar çabuk belirlememize şaşıracak, belki de korkacak, üstüne üstlük hor görüldüğü duygusuna da kapılınca, risk almaya başlayacak.

– O zaman da hemen bir başkasını öldürecek! İstediğiniz bu mu? diye itiraz etti Bentley.

– Hayır, onun için önce ardında bıraktıklarını mercek altına alacak! Böylelikle Mercury'yi kısa zamanda bulacağımızı anlayacak; arabadaki izleri kusursuzca sildiğinden emin bile olsa, eğer polis değilse, elimizdeki teknolojiyi bilemez. Arabayı bu kadar kısa zamanda belirlememiz onu ürkütebilir. Eğer biraz talihimiz varsa, çok uzun yol yürümemek ve otoparktaki insanların fazla dikkatini çekmemek için, kendi arabasını Mercury'nin çok uzağına bırakmamıştır. O zaman, kendi arabasının lastik izlerini de bulacağımızdan korkacaktır. Lastik izlerinin ve bu izlerin önemi üzerinde durmayı unutmayın. Yüzbaşı, en ufak bir belirtiyi görmemize yarayacak ayrıntıları da unutmayın, tek bir saç telinin bile bize umduğumuzdan fazla bilgi verebileceğini anlatın. Hemen otoparka giderek Mercury'yi alacak ve arabadan kurtulmaya çalışacak kadar korkması lazım.

Bentley başını salladı, böylesi teoriler kurulması karşısında şaşkınlığa düşmüştü.

– Eğer seni yanlış anlamadımsa, diye araya girdi Salhindro, yüzbaşı basın toplantısı yapıyor, toplantıya katılanlar bütün anlatılanları habercilere aktarıyor, o sırada da biz otoparkta saklanıp herifin gelip zokayı yutmasını bekliyoruz, öyle mi?

Brolin başını salladı:

– Tamamen. Biz bir SWAT[16] timiyle gözetlemede kalıyoruz, herhangi biri Mercury'ye dokunur dokunmaz çevreyi sarıp, üzerine atılıyoruz.

Yüzbaşı Chamberlin canı sıkılmışçasına dudaklarını ısırdı.

– Bana göre buradaki sorun, bölgenin önemi ve oradaki insan sayısı.

– Evet, bu bir kaygı sebebi. Otoparka girişleri dikkatleri üzerimize çekmeden kısıtlayamayız. Yine de adamımız dikkat çekmemek için elinden geleni yapacak, oradan geçenlere fazla görün-

---

16. "Özel Silahlar ve Taktikler" anlamında, açılımı "Special Weapons and Tactics" olan, polisteki özel müdahale birimi.

meyecektir. Bana kalırsa gece gelmesi de kuvvetle muhtemel.

Odayı sessizlik kapladı. Havalandırma bir köşede homurdanıyor, uzaklarda, öteki odalarda da telefonlar çalıyordu. Meats farkında değildi ama, sigarası tablada bitmek üzereydi.

Sessizliği ilk bozan Bentley oldu:

– Yüzbaşı, herhalde böylesine çılgınca bir planı onaylamayacaksınız!

– Yoksa daha güzel bir öneriniz mi var Bay Cotland? Ya da bir sonraki kurbanı beklemeyi mi tercih edersiniz? Eğer öyleyse, o zaman bir sonraki basın açıklamasını da siz yapın, hatta onunla da yetinmeyin, kurbanın ailesiyle de siz konuşun, ne dersiniz?

Bentley homurdanmakla yetindi.

Yüzbaşı Chamberlin, gözleri düşüncelerinin akımına dalmış, bıyığını sıvazladı. Söze başladığında sesi, sanki tedirgin olmuş gibi kısıktı:

– Brolin?

– Evet yüzbaşı?

– Bu proaktif yöntem, FBİ'de genellikle iyi sonuç verir mi?

Brolin omuzlarını silkti:

– Aslına bakarsanız, değişir. Bazen, evet. Biraz şanslı da olmak gerekir.

Yüzbaşı yumruklarını sıktı:

– Bana kalırsa, zaman kaybetmeden harekete geçmek gerek. Brolin, ben basını toplarken, siz de SWAT timiyle temasa geçin. Üç saat içinde, Oregon'da yaşayan her vatandaş iki kadını öldüren katili birkaç gün içinde yakalayacağımızdan emin olduğumuzu öğrenecek.

Gözlerini kapatıp, ekledi:

– Tökezlemeyeceğimizi umuyorum. Ortaya her şeyimizi sürüyoruz.

42

Bin sekiz yüz dolarlık stereo set Amon Tobin'in son albümünü bütün zemin katta yankılandırıyor, basların vuruşuyla camları titretiyordu.

– Müziğin sesini biraz kısar mısın? dedi Camelia.

Desibeller pike yapan bir uçak gibi inişe geçti. Juliette elindeki havucu kemirerek mutfak kapısının pervazına yaslandı.

– Bu akşam yemeğe çıksak? dedi.

Camelia arkadaşına muzipçe baktı:

– Arkadaş mı bulmak istiyorsun? Yoksa benim sevgili Julietteim sonunda yanında bir erkeğin bulunmasına razı mı oldu?

Juliette üzüntüyle omuzlarını silkti:

– Aptallaşma, istediğim bu değil.

– Aman aman, hemen kızma, ben sadece bir gecelik bir arkadaştan bahsediyordum! Kleenex adamdan.

– Ben de ciddiydim. Bir sinema, kadın kadına bir akşam yemeği, ne bileyim, "sosyal" bir şey. Çıkmak yani!

Camelia elindeki dergiyi kapadı:

– Ya peşindeki iki goril? dedi bir baş hareketiyle evin dışını göstererek.

Juliette içini çekti:

– Sanırım, peşimizden gelirler, yine de hayatımı yaşamamı engelleyemezler ya.

Camelia saatine baktı:

– Saat beş, bir karar vermek için daha zamanımız var. Çin mutfağı? Ha, bak! Kent merkezinde harika bir Rus restoranı biliyorum.

– Fransız restoranı?

– Yoksa Fransız kanın mı depreşti?

– Mutfak atavizmi diye bir şey olamaz mı, sana göre? dedi Juliette.

Gülüştüler, sonra Camelia çok ciddi bir ifade takındı, hatta yüzünü aşırıya varacak kadar buruşturdu.

– Tabiî ya! diye haykırdı sonunda. Seninle arkadaşım Anthony Desaux'yu tanıştırmış mıydım?

– Şu milyoner olanı mı?

– Fransız, üstelik de kordon blö! Bir fırt romantizm ve Fransız nezaketi, işte tam senin aradığın adam.

Juliette'in tek kelime bile eklemesine fırsat vermeden, telefonun başına gitti.

Juliette mutfakta kaldı. Hatırına o öğleden sonra Brolin'le yaptığı konuşma geldi. Ama asıl hatırladığı, kelimelerden çok, aralarında sadece birkaç santim kalarak durduklarında, Brolin'in yüzündeki ifadeydi. Tam o anda aralarında incecik bir bağ örülmüştü, bir arzu ipliği, kendinden gerçeği saklamanın imkânı yoktu, o anda duyduğu, arzuydu. Böyle bir şeyi çok uzun zamandan beri hissetmemişti. Birkaç saniye için de olsa, Brolin'in onu öpmesini, tenlerinin yaklaşarak birbirlerine değmesini arzulamıştı.

Bir arzu ipliği.

Birdenbire parlayan, sonra da bir saman alevi gibi yanıp yok olan. Hayatın rastlantılarının, bir telefon zilinin üfleyip söndürdüğü saman alevi. Neydi aslında? Anlık bir soluk, panik anında vücudun salgıladığı tuhaf bir kimyasal madde mi? Birlikte biraz zaman geçirseler, neler hissederdi? Birleşmek arzusu mu, yoksa, dostluk, sohbet ve güven isteği mi?

Camelia göründü:

– Gece kıyafetini hazırla, bu akşam Bay Desaux'nun evine, yemeğe davetliyiz. Saat tam sekizde.

– Umarım, adamcağızı bizi davet etmek zorunda bırakmadın?

– Tam tersine, Oregon'un en güzel kızıyla tanışacağını öğrenince, bizi evinde görmekten mutluluk duyacağını söyledi!

– Yalan söylüyorsun! Yalan söylediğini itiraf et!

Camelia cevap yerine en güzel tebessümünü gösterdi, kuşkuyu körüklemek için kullandığı tebessümünü: tüm dişlerini gösteren, yırtıcı tebessümünü.

* * *

Malikâneyi çevreleyen görkemli parmaklığın üzerini, Desaux ailesinin bakır arması kaplıyordu. Sağ planda alev püskürten bir ejderha, sol planda bir kılıç, orta da sade bir burç rölyefi armayı oluşturuyordu.

Camelia kapının önündeki düofona adını söyleyince, dövme demir parmaklık açıldı, arma ortasından ikiye bölündü. Arkalarında, Juliette'i korumakla görevli, sivil polis arabası yolun kenarında durdu. İçindeki iki polis sandviçleri ile gazetelerini çıkardılar. Genç kızın Desaux malikânesine yemeğe gideceklerini söylediğinde anlaştıkları gibi, sabırla beklemeye başladılar.

Camelia gecenin karanlığında arabayı ağır ağır kullanarak, özel korudan geçti.

Yandaki koltuğa kurulmuş Juliette farların aydınlattığı manzarayı seyrediyordu.

– Bütün bunlar bu adama mı ait? diye sordu. Yani, görünen her şey ona mı ait demek istiyorum?

– Sadece ona, başka hiç kimseye değil. On iki hektarlık araziyi dört metre yüksekliğinde bir duvar çeviriyor. Eğer bu arazide gezmek istiyorsan, onun tanıdığı olman gerek. "Persona non grata"lar dışarıda kalıyor. Aslında, Anthony Desaux bir bakıma başka bir dünyada yaşıyor, göreceksin.

Juliette, böylesi bir adamla karşılaşmaya hazır olduğundan emin olmayarak, başını salladı.

Birden, görkemli bir fundanın ardından, Desauxların malikânesi göründü. Juliette uzun pencereleriyle, yüksek tavanlarıyla, mermerden oyulmuş şömineleriyle ve özenle cilalanmış son moda parkeleriyle Loire boyunca uzanan tipik bir Fransız konağı bulmaya hazırlanmıştı. Oysa ne Desaux ailesinin evlerinin Le Vau mimarîsiyle, ne de bahçelerinin Le Nôtre'la ilgisi vardı. Tam tersine, malikânenin doğrudan Cornwall'dan ya da Connemara'dan çıktığı söylenebilirdi. Sıra sıra taş bacaları, dapdaracık pencereleri, şimşeklerin sivrilttiği çan kuleleri benzeri göğe yükselen kuleleriyle, tam bir neogotik. Yaklaştıkça, Juliette yapının yatay bir kiliseye benzediğini düşündü.

– Aman Tanrım! diyerek şaşkınlık içinde kaldı. Burada mı yemek yiyeceğiz?

– Ne? Yoksa bunu heyecan verici bulmuyor musun?

– Bulduğumu söyleyemem! Bana sanki kötü bir korku filmindeymişim gibi geliyor.

– Kötü bir korku filmi böylesi bir dekora sahip olacak kadar zengin değildir. Artık mızıldanmaktan vazgeç de, her şeyin tadını çıkar. Fransız aristokrasisiyle iç içe olacaksın.

Camelia malikânenin destek kemerinin altından geçti, arabasını peronun siyah basamaklarının önünde durdurdu. Kapı hemen açıldı, yelekli bir kostüm giymiş adam ellerini ovuşturarak iki kadını karşıladı. Arkaya doğru taranmış beyaz saçlarıyla, Epikuros felsefesine olduğu kadar spora da önem vermiş etkileyici yapısıyla, ellilerinde olmalıydı.

– Evime hoş geldiniz, onur verdiniz küçük hanımlar! Arabanızı orada bırakın.

Camelia adamın yanına yaklaşmak için basamakları hızla tırmandı.

– O onur bize ait, dedi, adam yanağına bir öpücük kondururken.

– Yanılmıyorsam, hanımefendi de adını hep işittiğim Juliette! diye ilgisini dile getirdi adam, olağanüstü beyaz dişlerini göstererek.

Juliette yavaşça yaklaştı. Anthony Desaux çok şatafatlı kostümünün içinde dimdik duruyordu. Adamın, milyonerlere özgü kusursuz dişleri vardı, saçları özenle taranmış ve sinekkaydı tıraş olmuştu. Çenesinde derin bir gamze belirdi.

"İnsan zengin olunca, güzelleşmek ne kadar kolay" diye düşündü adama bakarak. Hemen ardından da adam hakkında, özellikle de parası hakkında olumsuz şeyler düşündüğü için pişmanlık duydu, hele kendi ailesinin para yönünden hiç de yakınacak durumda olmadığını hatırladığında.

– Sizinle tanıştığım için çok mutluyum Bay Desaux, dedi Juliette elini uzatarak.

– Bana "Anthony" deyin.

Kasıntılı hareketlerle genç kızın elini öpecekmiş gibi eğildi, ama yanağına bir öpücük kondurdu.

– Lütfen, içeri girin.

Koskocaman holü görmeleri için, çekildi.

Yemek, ev sahibinin deyimiyle "daha samimi" olması için, "küçük" yemek salonunda yenildi. Yemeği XVIII. yüzyıldan kalma kristal bir avizenin altında, her bir parçası 2 500 dolara kapanın elinde kalacak tabakların içinden yediler. Gelirken, Juliette servisin bir kâhyalar ordusu tarafından yapılacağını düşünüp, çekinmişti, fakat servisi yapan, bazen de mutfağa kadar gidip bekleyen bizzat Anthony'ydi. Üstelik, Camelia'nın dediği gibi, kusursuz bir aşçı olduğunu kanıtlamış, şarapta taze fasulyeli nefis bir horoz pişirmişti. Tabiî yanında da, ev sahibinin laf arasında fiyatını söylediğinde Juliette'in şaşkınlıktan boğulma tehlikesi atlattığı, baş döndürücü bir Fransız şarabı. Anlaşılan, Anthony kendi başarılarından, sanki malî beceri genlerle aktarılırmış gibi, kuşaklardan beri ailesinin gösterdiği başarılardan bahsetmekten hoşlanıyordu. Uzun uzun ülkesini anlattı, güzelliklerini, kültürel zenginliğini övdü; siyasetçilerin beceriksizliğini, Fransız halkının aşırı tutuculuğunu suçlayarak Juliette'i oldukça eğlendirdi. Soylu kökleriyle övünen, buna rağmen fabrikalarının malî verimini artırmak için kapitalizmi sonuna kadar öven bir aristokratın tutuculuk konusunda yaptığı bu yorum, kaderlerinin dizginlerini ellerine alamamış herkes için bir hakaret gibiydi.

Gece ilerledikçe, Juliette, Anthony'de para ve "iyi aile" kavramı içinde doğmuş, buna rağmen dünyayla arasına mesafe koymamış, iddia ve kendini beğenmişlikle kokuşmamış bir adamın resmini gördü. Adam soylu bir milyonerin gururuna sahipti, saldırganlığına değil.

Yemekten sonra Belle-Hélène armudu gelip, yorgunluk, alkol ve yemeğin sıcaklığı çekingenlik duvarını yıktığında, Juliette çok daha kişisel bir soru soracak cesareti buldu:

– Merakım için beni bağışlayın, ama bu kocaman binada yalnız mı yaşıyorsunuz?

Anthony elini kristal kadehine uzattı, ötekiyle de peçetesini alıp, dudaklarını sildi:

– Eğer sorunun amacı, evli olup olmadığımı öğrenmekse, hayır, dul bir adamım. Ama, burada tek başıma değilim, batı kanadında kalan personelim var. Bu akşam için onlara izin verdim. Ya siz? Nişanlı ya da onun gibi bir şey misiniz?

Juliette yanaklarının kızardığını hissedip, böylesine duyarlı olduğu için kendine kızdı:

– Hayır, tüm zamanımı derslerime veriyorum.

– Tabiî, doğru ya! Camelia söylemişti. Psikoloji. John Hopkins'te ve Georgetown'da birçok arkadaşım olduğunu biliyor musunuz? Eğer ilgileniyorsanız, adaylığınızı destekletebilirim.

Juliette ağzındaki armut tatlısını yutmakta zorlandı. "Ne demek istiyor şimdi?" diye düşündü. "Beni tavlamaya mı çalışıyor, yoksa kuruntu mu yapıyorum?"

Verecek bir cevap bulamadığından sadece başını sallamakla yetindi.

– İhtiyacınız olursa, haber vermekten çekinmeyin, bir işe yarayabilirsem çok memnun olurum, diye ısrar etti.

Arkadaşının rahatsızlığını gören Camelia, elini Anthony'nin ellerinin üzerine koydu:

– Bize kütüphaneni gezdirmelisin, Juliette kitap hastasıdır!

– Ya öyle mi? diye şaşırdı Anthony. Öyleyse, aradığınız adam benim! Elli iki binden fazla kitabım var, hem de hemen hemen her konuda!

Juliette milyonerin elinin Camelia'nınkini sıkıca tuttuğunu gözünden kaçırmadı. Uzun zamandan beri ikisinin arasında bir ilişki olduğundan şüphelenmiş, ama Camelia'ya soramamıştı. Camelia adamdan yirmi yaş daha küçüktü, ama Anthony'de de belirli bir çekicilik vardı. Eğer aralarında bir şey varsa, bunun tek nedeni çekicilik olabilir miydi? "Fransız soylusu havasıyla bazı kadınların gözüne çekici ve özgün kişilikli görünmesi muhtemel. Ama asıl arzuyu doğuran, adamın parası" diye düşündü Juliette. "Hayır. Böyle bir şey Camelia'ya pek yakışmıyor, o hiçbir zaman paragöz olmadı, üstelik boşanınca önemli bir servete de kavuştu."

Anthony Desaux kadehini ince dudaklarına götürürken, gözlerini Camelia'nınkilere dikti.

Juliette tebessümünü engelleyemedi. Evet, bu ikisinin arasında bir şeyler geçmiş, bakışlarında aşk hatıralarının muzip parıltısı var. Üstelik, bu Camelia'nın hayat görüşüne de tıpatıp uyuyor. "Yaş görüntüsünü bir kenara bırakıp, sadece insanın özüne bakmalı. İnsanın iyisi ancak böyle bulunur" demez miydi sık sık.

İyice düşünüldüğünde, Georgetown ya da John Hopkins'te "torpil" bulmak önerisi belki de her türlü art niyetten uzak, sadece Camelia'ya sevgisini göstermek için yapılmış bir teklifti.

– Haydi öyleyse, gidip kütüphaneyi gezmeye ne dersiniz? diye ayaklandı Anthony.

Birkaç merdiven çıktıktan sonra karşılarına çıkan koridorun ilerisindeki altın varak kaplı ağır bir kapıyı itti. Juliette gözlerinin önüne serilen manzara karşısında dilini yutacak gibi oldu.

Kubbenin gölgeleri, kütüphanenin yüksek rafları arasında metrelerce uzayıp gidiyordu. Gölgelerin krallığı birkaç pencereden yayılan soluk bir ay ışığıyla aydınlanıyordu. Juliette tavanda –sekiz metre yukarıda– bir fresk gördü ama ay ışığı ağaçtaki bir melek ile onu gözleyen, Rafaello üslubuyla resmedilmiş bir bilgeden fazlasını seçmesine izin vermedi.

Üzerinde geçen yüzyıldan kalma yeşil cam abajurlu pirinç lambayı yaktığı masanın başına kadar yürüyen Anthony Desaux'nun adımları, siyah ve beyaz renkli ağır döşeme üzerinde yankılandı. Aydınlık birkaç metreye yayılmakla birlikte, üzeri dolu etajerlerdeki ahşap devleri saran gölgeden tülü delemedi. Juliette buraların sahibine baktı. Minicik ışık adacığının ortasında duruyor, bir esrar perdesinin içinde salınıyordu.

– Ne bekliyorsunuz? Girin! diye bağırdı uhrevî bir huşuyla

eşikte çakılıp kalmış iki konuğuna.

Sesi gürültüyle yankılandı, zeminde, tavanda sıçrayıp kütüphanenin karanlık dehlizlerinde yitip gitti.

– Söylemiştim size, burada elli iki bin eser var. Mobilyalar beş metreye yükseliyor ve eğer kütüphanedeki tüm dehlizlerden geçerseniz, yarım kilometreden fazla yol yürümüş olursunuz!

Çevresindeki havadan mı, yoksa saatin geç olmasından mı bilinmez, Juliette ev sahibinin sözlerini duyunca ürperdi. Bir kiliseden ya da bilgeler toplantısından da öte, sessizlik burada karşı gelinmemesi gereken bir zorunluluk gibi göründü. Her şeye rağmen, dudaklarındaki mührü sökmeyi başardı:

– Çok etkileyici, dedi.

Kelimelerinin yankısı binanın içinde uçup gitti.

– Peki ama söyler misiniz, bu karanlıkta kitaplarınızı nasıl buluyorsunuz? Elinizde bir fenerle dolaşmıyorsunuz herhalde!

Sözleri Anthony'nin hoşuna gitmiş olmalı ki, adamın yüzü neşeyle aydınlandı. Uzaktan kumandayı alarak bir düğmeye bastı. Anında, rafların üzerindeki onlarca lamba sessizce yandı. Kısıtlı sayılarıyla, sadece kitapların adının okunmasına izin veriyor, çevreyi sanki karanlık bir mantoyla sarıyorlardı.

Juliette kafasını deri ciltlere doğru kaldırarak, etajerler arasındaki dar yola girdi. Aydınlık adacıkları arasında ilerliyordu. Gözlerine inanamıyordu, "Ne kadar büyük, ne kadar güzel, aynı zamanda da ne kadar ürkütücü" diye düşündü. Etajerlerin üzerinde bir gösteriş ve utanma karışımı vardı, kitaplardan bazıları kendilerini dilim dilim meraklı bakışlara sunarken, bazıları da koyu bir gölgenin içinde kayboluyordu.

Birdenbire, gözleri olmayan bir kadının karşısında, hareketsiz duruverdi.

Gördüğünün bir kaide üzerine yerleştirilmiş bir büst olduğunu anlayınca, soluğunu boşalttı. Juliette arkasına dönünce daha başka yontular da gördü; özellikle de fazla öne çıkarılmamış kadın yontuları. İsteyerek arkada bırakılmış gibiydiler, sanki birer sanat eseri değil de, mobilyaymış gibi.

Milyonerin güçlü sesi Juliette'i seyrettiklerinden kopardı:

– Ne tarz bir okumadan hoşlanırsınız Juliette? Rönesans tarihinin Da Vinci'nin bir çağdaşı gözüyle görünüşü mü? Yazarının imzasını taşıyan, Twain'in Kral Arthur'ün huzurunda bir Yankee'si mi? Biliyorum! Freud'un konularının orijinal basımı! Yoksa şu anlaşılmaz büyücülük kitaplarından birini mi tercih edersiniz?

– Büyücülük mü? Büyücülükle ilgili kitaplarınız var mı? diye sordu Juliette.

Anthony ellerini ovuştururken, derinden gülüşü kubbeye doğru yükseldi:

– Tabiî ki! dedi, dinleyicilerini şaşırttığı için çok gururlu. Ve büyük bir ihtimalle de ülkenin en büyük kitaplığına sahibim!

– Mesela, kara büyü kitapları mı?

Camelia gözlerini Juliette'e çevirdi. Birden böylesine gizemli olması için, aklından neler geçiyordu? Aslında, bu onu oldukça sıkan konulardandı. Kendisinin de itiraf ettiği gibi, ne kızlar arasındaki ruh çağırma seanslarından birine katılmış, ne de çocukken aşk iksiri kaynatmıştı, bütün bunları fazla "romansı" buluyordu.

– Tabiî! diye haykırdı Anthony. Ama çok sevgili dostum, bu insanın tam bir masumiyetle başacağı bir toprak değil. Size ilginizin gerçek nedenini sormamda sakınca var mı?

Gözleri keskin ve yok edici bir neşeyle parlıyordu.

– Merak, diye yalan söyledi Juliette. Küçüklüğümden beri şu anlaşılmaz büyücü hikâyelerine karşı bir merak duyarım ve itiraf etmeliyim ki, gizli bilimler beni hep bir şekilde heyecanlandırır, diye ekledi gülümsemeye çalışarak.

Anthony meraklanmış gibi, bir kaşını kaldırdı. Camelia, Juliette'in hiç alışılmadık davranışına inanamayarak, konuşmayı dinliyordu.

– Öyleyse, bırakın da sizi kütüphanemin yüreğine, lanetlenmiş bilgilerin inine götüreyim! Çok hoşlanacaksınız...

Görkemli raflarla çevrili bir yola girdi ve loş bir köşede durdu. Oradan, onu geriden izleyen Camelia ile Juliette'e döndü. Sanki "Hoşça kalın" demek ister gibi, eliyle konuklarına belli belirsiz bir işaret yaptı.

Sonra kayboldu.

Bir sihirbaz gibi.

43

Gözlerinin önünde birdenbire yok olmuştu.

Anthony Desaux Ortaçağ'dan beri insanın en eski düşünü gerçekleştirmişti: görünmez olmayı. Kütüphanesinin bir köşesine girmiş ve sonra sanki buharlaşıvermişti. H. G. Wells'in ya da Marcel Aymé'nin kahramanları gibi, milyoner de, duvargeçen misali kaybolmuştu.

– Bay Desaux, diye seslendi Juliette.

Camelia da peşinden.

Kısaca bakışıp, loş aralıkta yavaşça ilerlediler. Ender bulunur, eprimiş kitaplarla dolu raflar, iç karartıcı bir vadi gibi çevrelerini kuşatıyordu.

– Anthony! diye seslendi Camelia.

Juliette bir adım gerisinden gidiyordu. Tam ev sahibine seslenmek için ağzını açmak üzereyken omzuna konan el bu isteğini korku dolu bir çığlığa döndürdü.

– Sizi korkuttuğum için özür dilerim Juliette, dedi Anthony, aldığı keyfi saklamadan. Ne yapayım, korkmuş bir kadının yüzü bazen zevkin doruğuna çıkmış olandan bile güzeldir.

– Anthony! İyi de, bunu nasıl becerdin? diye hayranlığını belirtti Camelia. Olanlar onu son derece eğlendiriyordu.

– Bu evde sayısız saklı geçit ve gizli kapı var. Kaybolduğumu görmediniz, çünkü kapı sütunun gölgesindeydi.

Juliette'in kalp atışları yeni yeni bir düzene giriyordu. O anda adamı tokatlayabilirdi. Böylesine korkutulmak, en nefret ettiği şeydi! Sempatisini kazanmak için yapılacaklardan sonuncusu, onu ürkütmekti.

– Galiba kendimi hemen affettirmem gerekiyor, dedi Desaux, Juliette'in gözlerinde dans eden öfke yalımlarını görünce. Beni izleyin.

Birkaç dakika önce kaybolduğu yere kadar yürüdüler. Anthony parmağını etajerlerden birinin altına soktu, ahşap panolardan biri, loşluğun içinde sessizce yana kaydı. Boyutları çok daha mütevazı ama aynı esrarlı görünüme sahip bir odaya girdiler. Anthony küçük bir lamba yaktı.

Kör duvarlar büyü kitaplarıyla dolu dev etajerlerle kaplıydı. Sadece çelik kıskaçların tuttuğu en yıpranmışından, bazı sayfaları ayrılmadığı için hiç okunmadığı belli olan, her boyda en az iki yüz üç yüz kadar kitap. Birkaç örümcek ağı, toz kıvrımları, eski deri kokusu sekizgen biçimindeki odanın dekorunu ve havasını tamamlıyordu.

İşte Juliette o zaman odanın ortasındakinin ne olduğunu anladı.

Paslanmış bir metal koltuk.

Ancak, paslanmış çivilerle kaplı kol dayanaklarıyla ve oksitlenmiş zincirleriyle ne için kullanıldığı konusunda kuşku bırakmayan bir koltuk.

– Sakın korkmayın, dedi ev sahibi. Bu işkence aleti iki yüzyıldan beri kullanılmadı.

– Ama yine de rahatsız edici, dedi Juliette koltuğun etrafından dönerek.

Artık Camelia'nın milyonerden bahsederken neden "biraz tuhaf bir eksantrik" dediğini daha iyi anlıyordu.

– İyi de, siz kara büyü kitapları görmek istiyordunuz, değil mi? İşte! dedi genç kadına, tiyatrovarî bir el hareketiyle sözde sapkın yazmaları göstererek.

Juliette ağır adımlarla yürümeye başladı. Okuduğu isimlerin hiçbirinde tanıdığı bir şey yoktu, adını koyacağı hiçbir şey anımsatmıyorlardı. *Daemoniomicum; Unausprechlichen Kulten; Malleus Maleficarum; Liber İvonis; Magie Véritable...* İşine yarayabilecek hiçbir şey. Çoğu İngilizce bile değil, Latince, eski Fransızca, Almanca ya da Yunanca'ydı. Hiçbir bilgisi olmadığı diller.

Aslında, Anthony Desaux "büyü" sözcüğünü telaffuz eder etmez, genç kadının aklına Leland Beaumont'un yüzü gelivermişti. Brolin anlatmıştı bunu, Leland sık sık büyüden söz ederek iş arkadaşlarını korkutuyordu, adam kara büyüye tutkundu. Bu geniş koleksiyonda bir ipucu bulmayı ummuş, ama şimdi, kitaplara bakarken, bunun imkânsız olduğunu anlamıştı. Çok fazla kitap vardı, sayısız da dil ve sözlük engeli, bir de, yeterli zaman.

– Nasıl oluyor da, evinde böyle bir oda bulunuyor? dedi Camelia. Sesi heyecanını belli ediyordu.

– Benim gibi büyük bir kitap meraklısının (sözcüğü arandı)

"yasadışı" bir koleksiyonu olmayacağını düşünmedin ya?

– İyi de, işi koleksiyonunu gizli bir kapının ardına saklamaya vardıracağını tahmin edemezdim!

Anthony Desaux açıklamadan önce, etrafındaki kitaplara güvenle baktı:

– Dünyadaki tüm büyük kütüphanelerde lanetli kitap vardır. Yasaklanmış kitaplar. British Museum, Paris'teki Ulusal Kütüphane, Vatikan Kütüphanesi; özellikle Vatikan Kütüphanesi, diye gülümseyerek tekrarladı. Her biri halktan gizledikleri geniş koleksiyonlara sahiptir. Fransızların bu lanetli kitapların toplandığı esrarlı odalara ne ad verdiğini bilir misiniz? "Cehennem" derler. Bunun yeterince açıklayıcı olduğunu düşünüyorum. Genelde, personelden çok azı cehenneme girme hakkına sahiptir, bazen çoğunluk böyle bir yerin varlığından bile habersizdir. Bazı ünlü kütüphaneler böyle bir bölüme sahip olduklarını bile inkâr eder, kimsenin kütüphanelerine başvurmamasına dua ederek, kitaplarını büyük bir kıskançlıkla korurlar.

– Neden? diye sordu, gizli bilgilere olan ilgisi birden yoğunlaşan Juliette.

– Çünkü bu büyü kitaplarından bazıları, çoğu insanın duymak bile istemeyeceği gerçekleri içerir!

Tutkusunun esiri olarak, cevap verirken neredeyse bağırmıştı.

– Bazı kitaplar, diye daha sakin bir tonda devam etti, İncil'i bile bizim bildiğimiz gibi anlatmazlar! Belki de o küflü sayfalardan birinde, dünyamız ya da köklerimiz hakkında bir gerçek yatıyor. Ya Tanrı, sandığımız gibi değilse? Ne de olsa Kilise Tanrı'nın resmini zaman içinde, özellikle de her şeyden daha güçlü olduğu, yazılan ya da anlatılan her şeyi denetlediği bir çağda çizdi. Ama belki yazarlarının Papalık söylemine kulak asmadığı ya da çok eskiden, olan bitenin ilk yazıcıları olduğu, gerçeği anlatan kitaplar vardır. Kilise iki bin yıldan beri dünyayı uyuşturacak, iradesini kabul ettirecek ve istediği tinselliği yayacak zamanı buldu. Oysa tarihin gizlerini gerçeğe uygun olarak aktaran kitaplar olduğunu biliyorum, bunların tümü yok edilemedi. İşte bu yüzden bu gibi kitaplar toplumun erişebileceği yerlerde bulunmaz.

– Dediğiniz kitaplardan hiç okuduğunuz var mı? dedi Juliette.

Anthony Desaux işaretparmağını dudaklarına götürdü:

– Gerçeğin bedeli suskunluktur.

Genç kadın, bu cevabın "evet" anlamına geldiğini düşündü. Böylesine nüfuzlu, zengin ve meraklı birinin dünya üzerindeki cehennemlerden bazılarının kapılarını açtırmış olması kesindi. Camelia yanılmamıştı, bu adam eksantrikti, eksantrik olmakla birlikte çok da ilginçti.

– Peki, sahip olduğunuz kitaplar neyi anlatıyor? diye ısrar etti.

– Çok şey, sevgili Juliette, eğer ne aradığınızı biliyorsanız, çok şey. Genellikle, konu gizli bilimlerle ilgili ama satanizmden bahsedenler de var, Vodu'dan da, konular çok geniş! Ölümle ilgili kitaplarım bile var.

Bu sözleri söylerken, elini işkence koltuğunun arkasındaki masif rahlenin üzerine koydu. Rahle tümüyle işlenerek yapılmıştı, ahşapta oyulmuş yüzlerce pençe ayağı boyunca yükseliyordu. Rahlenin üzerinde de tek süs olarak deriye kabartma olarak işlenmiş bir kafatası bulunan, başlıksız ve parşömen kaplı dev bir cilt duruyordu.

– Bana kalırsa, konuyu biraz biliyorsunuz, dedi Juliette.

Anthony kocaman ellerini pantolonunun cebine soktu:

– Biraz.

– Öyleyse bana birkaç anekdot ya da bu konuyla ilgilenen amatörlerin hoşlandıkları öykülerden bazılarını anlatabilir misiniz?

Anthony'nin ciddi kahkahası bir ejderhanın kanat çırpışı gibi yükseldi.

– Büyücü çıraklığına mı soyunmak istiyorsunuz?

– Daha önce de anlatmıştım, biraz... Biraz anlaşılmaz olan her şeye karşı bir merak duyuyorum, dedi Juliette.

Camelia duyduklarına inanamıyordu. Genelde böylesi peri ve büyücü masallarına kulaklarını tıkayan Juliette, işin alfabesini öğrenebilmek için çekiciliğinden yararlanıyordu. Anthony'nin duygusal açıdan onu hiç mi hiç ilgilendirmediğini anlayacak kadar tanıyordu Juliette'i, ama bunun Juliette açısından şaşırtıcı bir yanı yoktu. Asıl şaşırtıcı olanı, Juliette'in yıkıcı bakışlarından yararlandığını, o yusyuvarlak göğüslerini daha da çıkarmak için dik durduğunu, en çok da yoluna çıkan basit homo sapiensi yere serecek o öldürücü silahını, o doğal tebessümünü kullandığını görmekti. Juliette istediğini elde etmek için adamın başını döndürmek üzereydi.

Camelia arkadaşının böyle bir şey yapabileceğine asla inanamazdı. Oysa kurnaz ve tecrübeli Anthony oyuna kanmamıştı. O da oyun oynuyor, gösterileni gözleriyle içiyor, seyrin sürmesi için bildiğinin gerektiği kadarını veriyordu.

– Çoğu insan normal ötesini ve gizli bilimleri aşağılar, hatta onlardan iğrenir. Ama merakınızı daha da artırmak için, izin verirseniz size bir anekdot anlatayım.

Konuşurken, kâh Juliette'e, kâh Camelia'ya bakarak odayı arşınlamaya koyuldu. Ayakları altında çatırdayan zemin, cümlelerini iç karartıcı gıcırtılarla noktalıyordu.

– Simyanın ne olduğunu biliyor musunuz? Kurşunu altına çevirmek için uygulanan o tuhaf "sanat"a simya denir. Pekâlâ, Mendeleyev XIX. yüzyılda kimyasal elementlerin periyodik tablosunu belirleyeli beri, altına en yakın olması gereken elementin kurşun olduğunu biliyoruz. İşte bu yüzden, altın elde etmek için parçacık hızlandırıcılarında ve benzeri laboratuvarlarda kurşun kullanılır. Sizi şaşırtacak ama, başarılı da olunuyor! Ama bütün bu yöntemin işletilmesi o kadar pahalıya mal oluyor ki, elde edilen altın maliyeti karşılamıyor. Yine de bütün bunlar, "çağdaş simyanın" da kanıtladığı gibi kurşundan altın elde edilebileceğini gösteriyor. Peki öyleyse, X. yüzyılda yaşayan insanlar altın elde etmek için kurşun kullanılması gerektiğini, başka hiçbir şeyden yararlanılamayacağını nereden biliyorlardı, söyleyebilir misiniz? İlk deneyimizden bin yıl önce, bazı insanlar nasıl olur da kurşunun kimyasal açıdan altına en yakın, değişim için en elverişli element olduğunu biliyorlardı? Hem de atom hakkında, mikroskop ve atomik kütle hakkında en ufak bir bilgi kırıntısına bile sahip değillerken! Çünkü bu kimyacılar deneylerini alçıtaşıyla, çakmaktaşıyla ya da granitle değil, kurşunla gerçekleştirdiler! Çünkü, biliyorlardı!

– Peki ama, nereden biliyorlardı? diye gerçek bir merakla sordu Juliette.

– İşte, bütün mesele de bu ya! Bu konuda hiçbir şey bilmiyorum, çünkü gizli bilimler dediğimiz böyle, çok az cevap bulduğumuz, geniş bir gizem krallığı.

Yaptığı giriş amacına ulaşmış, Juliette ve Camelia gerçekten meraklanmıştı.

Juliette birden son iki gün boyunca kütüphanede saatlerini ayırdığı araştırmayı hatırladı. Sordu:

– Anthony, eminim Dante'nin *İlahî Komedya*'sını biliyorsunuzdur?

– Tabiî, öylesi bir metni kim bilmez?

– Ben özellikle birinci bölümüyle, "Cehennem"le ilgileniyorum. Gerçekten de lirik açıdan olağanüstü ama gizli bilimler açısından, *İlahî Komedya*'nın belirli bir önemi yok mu?

Anthony alnına düşen beyaz bir perçemi eliyle geriye doğru attı.

– Evet, öyle de denebilir. Bazı gizli bilimler meraklıları için, *İlahî Komedya* öte taraf hakkında bir rehberden başka bir şey değil. Belki güleceksiniz ama, bunun gerçek bir hikâye olduğuna, etkisini yumuşatmak ve Dante'nin hayattayken endişelenmemesini sağlamak için şiirsel bir üslupla anlatıldığına inananlar var. Hâlâ, size eserin birinci bölümünün cehennemin ayrıntılı bir planı olduğunu iddia edecek insanlar tanıyorum! Ve böyleleri için *İlahî Komedya* bilinen en eksiksiz ve en kapsamlı eser, bir İncil!

Juliette farkında olmadan başını sallıyordu. En azından, böyle düşünen birini tanıyordu. Cinayetin toplumun iddia ettiği gibi ahlakî bir anlamı olmadığına inanan biri. İnsana, şeytana olduğundan daha uzak bir insan.

Anthony şeytanın özel kütüphanesinin ortasında bir mesih gibi, kollarını iki yana açtı.

– İsterseniz, şimdi de size gizli bilimlerin ve büyünün ünlü mitoslarını anlatayım.

Çok uzaklarında, devasa boyutlu bir holde on bir buçuğun geçtiğini söyleyen saatin yalnız çan sesi yankılandı.

44

Beş zırhlı personel taşıyıcı, operasyon teçhizatlı – Kevlar'dan yapılma kurşun geçirmez yelek, miğfer ve Heckler & Koch MP5 – otuz dört SWAT görevlisi ve Portland merkezden gönderilmiş on dokuz polis memuru Shriners Hastanesi'nin ve Tıp Fakültesi'nin otoparkını çevirmişti. Karayolu polisinin bir helikopteri birkaç yüz metre ötede, üniversitenin arkasındaki terk edilmiş bir benzin istasyonunun arsasında, harekete hazır, bekliyordu. Otoparkın üç ana girişi sürekli gözetim altındaydı, telsizden ya da *walkie talki*'den cızırdayarak en ufak bir emirde, personel taşıyıcılardan biri girişi kapayacaktı. Öte yandan, hastanenin girişlerine de bir sürü adam yerleştirilmişti, işler kötüye giderse, zanlının peşindekileri hastanenin koridorlarında ekmek için binaya sığınması da mümkündü. Hastanede bulunan personelin sayısı göz önüne alındığında, böylesi kabul edilemeyecek bir risk olurdu. Eğer arama çuvallarsa, SWAT komandoları hemen bu kapıları kilitleyecekler, böylelikle hiçbir giriş açık kalmamış olacaktı. Zanlı enselenecekti; tuzağa düşürülerek.

Tek büyük sorun, otoparkın kalabalık olmasıydı. Her an otoparka girip çıkan oluyordu ve kimse bir rehine alınmasına izin vermek istemiyordu. Özellikle de, her FBİ ajanı gibi pazarlık yöntemleri hakkında eğitim görmüş ve işin çözümünün bazen ne kadar önemsiz noktalara bağlı olduğunu bilen Brolin.

Her şeyden önce, operasyonun anahtar kavramı, göze batmamaktı. Bütün bölgede tek bir güvenlik görevlisinin görülmesi bile, her şeyi mahvedebilirdi. Zırhlı personel taşıyıcılar, genellikle Seattle'daki ATF'nin[17] kamyonlarıydı ve dört saatlik yoldan sonra yeni gelmişlerdi. ATF birkaç ajanıyla lojistik destek de öner-

---

17. Alkollü İçkiler ve Ateşli Silahlar Bürosu; içki, tütün ve silahlar ile patlayıcıların üretim ve satış koşullarını belirleyen Maliye Bakanlığı'na bağlı birim.

miş, ancak Yüzbaşı Chamberlin örgütün müdahalede bulunmasına imkân sağlayacak yasal gerekçe olmadığını ileri sürerek, yardımı geri çevirmişti. Aslında, Michael Chamberlin operasyon bölgesinde bu adamları hiç görmek istemiyor, aşırılıklara kaçıp işi foslatacaklarını düşünüyordu.

Personel taşıyıcıları yine de hemen teslim edilmişti. En büyük özellikleri, bir beyzbol maçında, tribünlerde bir sosisli sandviç kadar bile göze batmamalarıydı. Pizza servisi, elektrik şirketi kamyonu, işaretsiz araç... Kimse arabanın içinde acil müdahale timinin tecrübeli elemanlarının bulunduğundan, tim üyelerinin kamyonun tavanındaki havalandırma ağzına gizlenmiş periskoptan otoparkı izlediklerinden kuşkulanamazdı. Otoparkın içindeki yollarda sivil giyimli on dört polis devriye geziyordu ki, otoparkın genişliği göz önüne alındığında, bunun dikkat çekmesi söz konusu olamazdı.

Sadece birkaç saat önce hazırlanan operasyon otuz altı saat kadar sürecekti... Otuz altı saatten sonra, katilin gelip arabasını alma riskine girmeyeceği kadar çok zaman geçmiş olacaktı. Helikopter pilotlarını da katınca, harekete geçecek uzun vardiyalardan sonra birbirleriyle değişecek elli beşer kişilik iki ekip kurulmuştu. Brolin'in Federal Büro'nun stratejilerine atıfta bulunarak "proaktif yöntem" olarak adlandırdığı operasyon için seferber edilen yüzden fazla güvenlik görevlisi. Katilin kısa zamanda yakalanacağı iddiasının boşa çıkmasının yaratacağı başarısızlığın da ötesinde, eğer adam görünmeyecekse, genç müfettiş altından kolay kolay kalkamayacağı meslekî bir fiyasko yaşamış olacaktı.

Mercury Capri'ye en yakın personel taşıyıcısının içinde geçirdiği iki saat boyunca, önemli bir ayrıntı unuttuklarının korkusuyla karnında düğümlenme gibi bir şey hissetmiş, her şeyi baştan ölçüp biçmişti. Yanındaki SWAT başçavuşu dumanı tüten bir fincan uzattı.

– Kahve, müfettiş?

Brolin kafasını sallayınca başçavuş kamyonun arka tarafına, beş adamının yanına gitti. Gece olmuştu, neredeyse geceyarısıydı ve araba sahipleri giderek seyrekleşiyordu. Brolin briefing sırasında otoparktaki herkesin kuşkulu olduğunda ısrar etmiş ama asıl dikkatin yalnız gelenlere ya da iki kişi olarak dolaşanlara verilmesi gerektiğini anlatmıştı. Mercury'ye birisi yaklaşmadığı sürece, bütün herkesi gözetlemeleri imkânsızdı. Hele kalabalıkken. Ama geceyarısı, gelen geçen herkes izlemeye alınacaktı.

Brolin dikkatini hastanenin küçük kapısında beliren gölgeye çevirdi. Periskopun zoom ayarıyla oynadı, gölge aydınlatma direklerinden birinin altından geçtiğinde, elli yaşlarında bir kadın olduğunu gördü. Kadını tamamen gözden kaybetmeden, Mercury'yi gözlemeye başladı.

Bir kez daha, sessizce küfretti.

Otomobil, yüksek direklerin epeyce uzağında, geniş bir gölgeyle örtülüydü. Arabanın yerini değiştirmek mümkün değildi, katil daha otomobilin yanına varmadan, durumun farkına varabilirdi.

Brolin'in kulaklığı hışırdadı ve Lloyd Meats'in sesini tanıdı:

– Josh, güney girişinde biri var. Hızlı adımlarla tek başına size doğru yürüyen bir adam.

Brolin periskopu sola çevirdi ve birkaç saniye sonra, söz konusu adamı gördü. Uzun adımlarla kamyonete doğru yaklaşırken, sigarasından da nefes çekiyordu. Sonra izmariti yere attı ve bir Toyota'ya binip arabayı çalıştırdı. İzleme grubu yanlış ikazların hesabını tutmayı uzun zamandan beri bırakmıştı.

– Yine boş çıktı, dedi, sivil plakalı bir arabada bekleyen Salhindro. Josh, gerçekten de geleceğine inanıyor musun?

Dakikalar saatlerin ibrelerine ağırlık yapmaya başlamıştı. Kamyonetin içindeki kuvars kadran sabahın ikisini gösteriyordu. Sonra, zaman ağır ağır ilerleyerek saat üç oldu. Yorgunluğun, insanın çevresindeki dünyayı dondurduğu, durgunluğun geceye insanlar üzerinde her türlü hakkı, özellikle de korkutma özgürlüğünü tanıdığı o saat.

Artık ara sıra gelip asfaltı arşınlayan ender gölgelerden başkası yoktu. Sivil memurlar dikkati çekmemek için arabalarına dönmüş, karanlıkta bekleşiyorlardı.

Brolin büroya girmeden önce geçirdiği öğrencilik yıllarını düşünüyordu. Çalışkan, dışarı çıkmaktan fazla hoşlanmayan biriydi; oysa sınıf arkadaşları için fakülte zevk ve neşeyle geçen geceler demekti. Tek abartısı –eğer buna abartı denirse– aynı kızla, siyasal bilimlerde okuyan bir öğrenciyle yaşadığı iki yıllık maceraydı. Her ikisi de kendilerini eğitimlerine adadıkları ve kızın eğitimine Washington'da devam etme fırsatı doğduğu için birbirlerini unutmuşlardı. Brolin gecenin ortasında, kalçalarını gıdıklayan kurşun geçirmez yeleğiyle beklerken, kızın nerede olduğunu düşündü. Doğu yakasıyla aralarındaki saat farkı yüzünden, uyuyor olmalıydı. Gayle'di adı. İyice düşününce de, oldukça sevimliydi, çoğu erkek ondan pek hoş...

– Bütün birimlere, otoparka biraz önce giren bir yaya var, dedi bir ses.

Josh hemen gerçeğe döndü.

– Ne taraftan geliyor? diye sordu.

– Bilmiyorum, ağaçların arasından çıktı, belki de üniversite tarafındaydı.

– Tamam. Diğerlerini de dikkate alarak adamın üzerinde yoğunlaşıyoruz, dedi Brolin. Onu gördüm. Orta boylu, başında kasket, üzerinde de tüylü ceket tipi bir palto var.

– Anlaşıldı.

– Gözden ayırmıyorum. Lloyd, siz de gözünüzü üzerine dikin, ötekiler bölgeyi taramaya devam etsin. Burada hâlâ yüzden fazla araç var, en ufak bir dikkatsizlik istemiyorum.

Gölge, elleri ceketinin cebinde, hızlı adımlarla yürüyordu. Yolunda gitmeyen bir şeyler vardı. Düzenli olarak çevresine bakma şekli Brolin'in hoşuna gitmiyordu.

– Bu adam tuhaf, dedi kazağının yakasına takılı mikrofona. Ya kendini güvende hissetmiyor ya da görülmek istemiyor. Helikopter bölgeyi izlemeye hazırlansın.

Adam Brolin'in bulunduğu aracın aynı zamanda da Mercury'nin iki yüz metre kadar uzağındaydı. Ama dümdüz gidiyordu, onlara doğru döneceğe hiç benzemiyordu.

– Sanki bize doğru yürümüyor gibi, dedi Meats.

– Doğru, hastaneye yöneldi.

SWAT başçavuşu Brolin'e yaklaştı:

– Adamlarımın onu yakalamasını ister misiniz?

– Hayır, ona karşı en ufak bir kanıtımız yok. Belki de fazla asabî biridir, bunun için adamı tutuklayamayız ya!

Kasketli adam aynı hızla yürümeyi sürdürüyordu, bu kez Brolin adamın ağzından çıkan dumanı gördü.

– Sigara tüttürüyor, dedi. Anlaşılan, bu tarafa gelmiyor, işimize yaramaz.

Brolin daha sözünü henüz tamamlamıştı ki, adam izmaritini atıp, birden yön değiştirdi. Sağa, Brolin'e doğru saptı. Mercury'ye doğru.

– Hah, istikamet değiştirdi, bize doğru geliyor. Meats, adamların hazır olsun, ben işaret verince harekete geçersiniz.

– Anlaşıldı.

Zanlı bu kez, sanki bir eyleme hazırlanıyormuş gibi, kollarını aşağıya doğru sarkıtıyordu. Şimdiye kadar kaçındığının aksine, bu kez bir lambanın altından geçti. Brolin gözlerini periskopa yapıştırdı, ama adam kasketini kafasına iyice geçirdiğinden, çenesinden başka yerini seçemedi.

Adam yoldan ayrıldı, park halindeki arabaların arasına girdi.

Hiç kuşku yoktu, doğruca Mercury'ye gidiyordu.

– Suçüstü yakalamak istiyorum, arabanın kapısına dokunur dokunmaz harekete geçiyoruz.

SWAT timi daha şimdiden kamyonun arkasında hareketlenmiş, miğferlerinin siperliklerini indiriyor, kaymaması için elmas ucu yöntemiyle işlenmiş silah kabzalarının ellerine iyi oturup oturmadığını kontrol ediyorlardı. Gerginlikle birlikte adrenalin de yükseliyordu. Hepsi biliyordu bunu. Sayıca ne kadar üstün olursanız olun, ne kadar eğitim yaparsanız yapın, içlerinden birinin, beklenmedik biri tarafından vurulması için, küçücük bir şey de yeterliydi. Yine de, işlerini seviyorlardı. Solukları sıklaşıp elleri terlerken, arka kapıdan fırlamaya hazırlardı; işte o zaman hareket üstün gelecek, adrenalin kana karışacak sadece o ana konsantre olacaklardı; sadece o ana, kötü ihtimallere değil.

Çavuş bir işaret bekler gibi, başını Brolin'e çevirdi.

Adam tam karşılarındaydı, olsa olsa on metre ötede.

– Meats, ben işaret verdiğimde, işaret çevirmekte acele edin, siz yaklaşana kadar öndeki gri arabanın ya da Lincoln'ün arkasında siper almasını istemiyorum. İşin bir müsademeye dönmesine izin vermeyelim, belki de silahlıdır. En iyi durumda, hiç itirazsız teslim olacaktır, ama eğer kaçarsa, etrafını çevirecek ve ağın ağzını kapatana kadar yaklaşacağız. O ateş etmedikçe, biz de etmeyeceğiz, tamam mı?

– Umarım ateş etmeye niyeti yoktur. Biz hazırız.

Kuşkulu adam, Brolin'in canını sıkan gri arabanın arkasından geçip, Mercury'ye yaklaştı. Otoparkta tek bir insan yoktu. Talih onlardan yanaydı.

Kasketli adam şoför kapısının yanında durdu. Bakışlarıyla çevresindeki ıssız alanı taradı ve anahtarı kilide soktu.

– Anahtarı var! diye mikrofona bağırdı sahneyi dürbünüyle izleyen Salhindro. Anahtarı var!

Ne var ki Brolin uyarıya kulak asmadı. Arabanın ruhsatı kurbanın üzerineydi ve kurbanın arkadaşlarından biri bile arabayı masum amaçlarla hareket ettirme aptallığını yapamazdı. Katil anahtarı hatıra olarak saklamıştı. Sakladığı bir sürü hatıradan biri.

– Helikopter buraya gelsin, dedi Brolin. Komutumla birlikte, ilgili tüm birimler: Harekete geçiyoruz!

SWAT timleri kamyonetlerinden fırlarken, aydınlatma direklerinin arasından bir madenî çarpışma takırtısı yükseldi. Beşi, peşlerinde Brolin'le en yakın kamyonetten çıktı, beşi de yirmi metre daha yukarıdakinden, Meats'le birlikte. Çeşitli arabalardan beliriveren sekiz adam Mercury'ye doğru koşup, ilk iki gruptakilere katıldı. Daha şimdiden helikopterin homurtusu karanlık gökte artarak duyuluyor, projektörü akşam güneşi gibi parlıyordu.

Daha ilk kapı sesleri duyulur duyulmaz, kasketli adam –çok gergin olmalı ki– kendini arkaya attı ve yakındaki Lincoln'ün kaputunun üzerine sıçradı.

Brolin SWAT başçavuşunun arkasından haykırdı:

– Sakın kıpırdamayın! Etrafınız çevrildi!

Ne var ki zanlı çoktan kendi çevresinde yuvarlanmaya başlamış ve Lincoln'ün burnunun ardında gözden kaybolmuştu. Operasyon timinin bütün üyeleri hemen dizlerinin üzerine çöktü, becerebilenler siper aldı. Hedef gözden kaybolur kaybolmaz, bir yerden fırlayıp insanın üzerine şarjörünü boşaltıp boşaltmayacağını bilmeden üzerine atılmak intihar olurdu.

Meats'in grubu arkadan usulca yaklaştı, tüm adamlar hedefi olabildiğince küçültmek için neredeyse dizüstü sürünecek kadar eğilmişti. Brolin'in önünde, SWAT başçavuşu adamlarına el işaretleriyle emirler veriyordu. Ve yüzlerce defa tekrarlanmış bir tatbikat gibi, tim yayıldı, herkes nereye gideceğini, ne yapması gerektiğini eksiksiz biliyordu. Adamı giderek daralan bir çembere alacaklar, sonra da tek bir insan gibi üzerine atılacaklardı. Öndekiler geridekileri korumak için kurşun geçirmez kalkanlarla fırlayacak, on kadar komando da silahlarını adamın yirmi santim yakınından kafasına doğrultacaklardı.

Güvenlik güçleri on metre kadar öteden, kendilerine asgarî bir güven sağlayan kalkanlarıyla, koşarak geliyorlardı.

Helikopter neredeyse üstlerindeydi, saldırı anında projektörüyle zanlının gözlerini kamaştırabilirdi.

Sonra, ilk silah sesi gecenin görece sükûnetini parçaladı.

Brolin'in önünde yürüyen adamlardan biri inleyerek yıkıldı.

Brolin kendini yere attı ve silahların çığlıkları başladı. On beşten fazla namlu hedefin üzerine madenî bir gayzer yağdırıyordu.

En yakın komando timi şarjörlerini Lincoln'ün üzerine boşaltırken, müfettişin üzerine yağmur gibi boş kovan yağdı. Patlamalar Vulcanus'un örse çarpan çekici gibi gümbürdüyor, arabanın üzerinde kısa kısa şimşekler çaktırıyordu. Güçlü projektör sahneyi lekesiz bir beyazlıkta dondururken, pilot helikopteri serseri kurşunlardan korumak için yükseliyordu. Rüzgâr olmaması, göz yaşartıcı iki bomba kullanmalarına izin verdi. Ve ateş sesleri bir mucize olmuş gibi birden dindi, tüm şarjörler boşalmıştı. İki saniye sonra, otuzar fişeklik yeni bir şarjör MP5'lere takılmış,

SWAT timleri ileri atılıyor, dumanı tüten araba enkazının üzerine bacaklarını aynı anda kapatan bir örümcek gibi düşüyordu.

Kalkanlar çarpıştı, silahlar doğrultuldu, helikopter yan tarafta yer alarak seçkin birimlere bir yaz öğleden sonrası aydınlığı sağladı.

Göz yaşartıcı bombaların dumanı dağılırken, yalnız katilden geriye kalanlar görülmeye başlandı.

Sadece bir kovan.

Hepsi bu.

Helikopter daha da güçlü homurdanarak, boş asfalt üzerindeki beyaz daireyi titretti.

45

Sabahın beşiydi, Juliette yatalı henüz bir saat bile olmamıştı ki, kapı zilinin sesine uyandı.

Rüya olup olmadığını anlayamadan, gözlerini açmakta zorlandı. Ne var ki, ikinci bir "ding dong" uykudan sıyrılmasına yetti. Kalp atışları normalinden bir iki kat daha hızlı çarpar oldu. Kalkmak istedi ama kan beynine hücum edince yatağın üzerine devrildi.

– Tamam! Hiç olmazsa kendime gelmeme fırsat verin! diye homurdandı, bu kez usulca doğrulmaya çalışırken.

Sırtına bir sabahlık geçirdi, ışık yakmadan, hiç gürültü çıkarmadan merdivenlerden indi.

Kapının üzerindeki camdan, eşikte duran gölge açıkça seçiliyordu. Birden her şeyi hatırladı. Son kurbanlar, Leland'in Hayaleti, Anthony Desaux'nun cehenneminde yaşadığı çılgın gece. Ya kapıdaki katilse? Ya Leland'in bir yıl önce başladığını tamamlamaya gelmişse? Hayır, kapının önünde nöbet tutan iki polis yaklaşmasına izin vermezdi.

"Eğer ölü değillerse!"

Juliette sessizce giriş kapısının yanından ayrıldı, panjurun kanatlarının arasından sokağı görmeye çalıştı. Kapının önünde nöbetçi arabası duruyordu mutlaka, belki de bir hareket, bir sigaranın ateşi, adamların hayatta olduğunu kanıtlayan herhangi bir şey görebilirdi.

Ne var ki sokağı görmek mümkün değildi, panjurları açmak gerekiyordu.

Yeni bir zil sesi. Juliette irkildi, gecenin sessizliğinde zilin sesi öylesine güçlü çıkıyordu ki, heyecandan çığlık atmamak için kendini zor tuttu.

– Juliette? Ben Joshua, dedi kapının arkasından bir ses.

Joshua mı? Bu saatte? Birden, çok korkunç şeyler olduğunu düşündü. Annesi ile babası!

Kapıya koştu, kilitleri çevirdi ve açtı.

Joshua Brolin sanki hemen gidecekmiş gibi kapının önünde duruyordu.

– Neler oluyor? diye hemen sordu genç kız.

Brolin kızcağızı süzdü; sabahlığına, safir gözlerinin önünde birbirine karışmış siyah perçemlerine, yüzündeki uyuşuk ifadeye baktı:

– Yoksa seni uyandırdım mı?

– Şeyy... Evet, sabahın beşinde, evet.

Brolin sanki söylediklerini silmek, aynı zamanda da bütün gece olanları hatırlamak istercesine eliyle yüzünü sıvazladı. Sadece geceyi değil, son on günü.

– Ne oldu? Bir kaza mı?

Bu kez, Juliette ailesi için endişelenmiyordu, ama Brolin'in yüzünde öylesine yorgun, öylesine üzüntülü bir ifade vardı ki, Brolin için çok önemli şeyler olduğunu anladı. Uzun zamandan beri çok az ya da hiç uyumamış, sıkıntıları yüzünün her çizgisi üzerine öylesine çökmüştü ki, daha bir hafta önce küçücük kırışıklıklar olan yerde şimdi karanlık yarıklar görünür olmuştu. Hareketlerinde her zamanki güven yoktu, Juliette bir an onun sarhoş olduğunu düşündü. Oysa Brolin gün boyunca tek bir damla içki bile içmemiş, sanki yönünü kaybetmişti. Sık düşüncelerinin ormanında yönünü kaybetmiş, bitkinliğin köklerine takılmıştı.

Brolin bitkin gözlerini Juliette'e dikti:

– Üz... Özür dilerim, gelmemem gerekirdi...

Gitmek üzereyken, Juliette onu kolundan yakaladı:

– Beni uyandırıp gitmek niyetinde değilsin ya. Gir.

Bir çocuk gibi peşinden gitti. Juliette, Brolin'i salona aldı, koşup su kaynatmaya girişti. Geri döndüğünde, Brolin başını ellerinin arasına almıştı. Adamın yanına oturdu, elini omzuna attı:

– Josh?.. Ne oldu?

Gözlerini mutfağa çevirdi, destek almak için ışığa baktı:

– Çuvalladım... diyebildi sonunda. Karmakarışık bir iş.

Juliette kaşlarını çattı. Hâlâ bir şey anlamamıştı.

– Yakalayabilirdik, ama parmaklarımızın arasından kaçtı. Çok hızlı gittik, hazırlanmak için sadece birkaç saatimiz vardı, ama bir ayrıntıyı unuttuk.

Juliette'in gözleri adamın üzerindeydi, konuşmasına yardım etmek için, gözbebekleriyle Brolin'in dudaklarını okşuyor, artık kaçmaması için gözlerine bakıyordu.

– Önlem almam gerekirdi. Aslında besbelliydi, Karga bizi çoktan uyarmıştı, ama bir saniye bile düşünemedim.

Başını çevirip, Juliette'e baktı:

– Bu gece katile bir tuzak kurduk, ama aldığımız bütün önlemlere rağmen kaçmayı başardı. Kimsenin, bir karıncanın bile kaçamaması gerekirdi oysa. Bütün bölgeyi, her köşeyi, her girişi, hatta gökyüzünü bile dikkate almıştık. Her şey kontrolümüz altındaydı, bir ayrıntı hariç.

Mutfakta, su hareketlenmeye başladı.

– Bizimkilerden birine ateş edince, hep beraber üzerine atıldık. Ama kayboldu. Kahrolası bir sihirbaz gibi!

Juliette ürperdi.

– Hemen fenerlerimizi çevredeki arabaların altına tuttuk, ama kimse yoktu, bütün bölgeyi çevirdiğimiz için, kimseye görünmeden kaçması imkânsızdı. Kaybolduğu noktaya geldiğimde, anladım olanı biteni. Her yeri kontrol altına almıştık, ama bir yeri unutmuştuk: kanalizasyonu. Birkaç dakika önce durduğu yerde bir kanalizasyon kapağı vardı. Bu kapağı daha önceden, bir sorun çıkarsa kaçabilmek için mi belirlemişti, yoksa tesadüfen mi üzerine düştü, bilemiyorum, yine de sıvışacak zamanı buldu. Peşinden otuz adam gönderdik, ama çoktan kaybolmuştu. Bizden kurtulmak için kanalizasyonu kullandı; Karga'nın düşsel betimlemesinde cehennemi temsil etmek için kullandığı kanalizasyonu.

– Bunu bir öğrenirlerse, medya saldırıya geçecek, diye fısıldadı Juliette. Sesinin daha güvenli çıkmasını tercih ederdi.

Yarayı deşmek yerine rahatlatıcı bir şey bulamadığı için hemen dudaklarını ısırdı. Brolin'in dudaklarında umutsuz bir tebessüm belirdi.

– Dün akşam haberleri izledin değil mi? diye sordu. Bütün iddialarımızdan sonra, eğer o caniyi kısa zamanda enseleyemezsem, bizi asla rahat bırakmazlar. Bizden daha akıllı bir cani.

– Öyle deme, elinden gelen her şeyi yaptığından eminim. Hayat böyle işte, insan her zaman kazanamıyor. Ben sana güveniyorum ve adamı yakalayacağını biliyorum. Seni tanımaya başladım. Eğer o katil arkasında en ufak bir şey bıraktıysa, izini süreceğinden, nerede olduğunu bulacağından eminim.

Brolin yorgunluktan bomboş gözlerle Juliette'e baktı. Genç kızın onu kollarının arasına alması için, ona sarılmak, vücudunun güven verici sıcaklığında uyuyabilmek için nesi var, nesi yoksa verirdi.

– Daha her şey bitmedi, dedi sonunda. Elinde eldiven vardı

ama, attığı izmariti bulduk. Tükürüğünden DNA tespitinin yapılabilmesi için yeterli. Ama eğer cinsel suçtan hiç fişlenmemişse, dosyalarımızda onun hakkında hiçbir şey bulamayacağız demektir. Parmak izi de yararlı olurdu.

– Sonuçları ne zaman alacaksın?

– İzmariti laboratuvara "öncelikli" olarak gönderdik. DNA'sının belirlenip veritabanıyla karşılaştırılması için yarın akşamdan, pardon, bu akşamdan önce bir sonuç alabileceğimi sanmıyorum. En geç, yarın.

– Öyleyse, her şey yitirilmiş değil. Boşuna gayret harcamış değilsiniz. Ya vurulan polis, o nasıl?

– Fena değil, yeleği kurşunun hızını düşürmüş, zaten küçük çaplıymış. Korkusu, yarasından büyük.

Yüzünü avuçlarına gömdü. Juliette elini çekingence uzatıp, saçlarını okşadı.

– Dinlenmeye ihtiyacın var. Ne zamandan beri uykusuzsun?

Brolin omuzlarını silkti. En ufak bir fikri yoktu.

– İstersen burada kalabilirsin. Beni mutlu edersin. Yani, bu beni rahatsız etmez demek istedim, diye düzeltti.

Gecenin geri kalan kısmını yanında geçirmesinden mutlu olacağını anlamasını istemiyordu.

– Gitsem daha iyi olacak, birazdan merkezde olmam gerek.

– Eğer biraz uyumazsan, hiçbir yerde olamayacaksın. Starsky ve Hutch bile arada sırada dinlenme ihtiyacı duyar!

Adamın yüzünde bir tebessüm oluşturmayı başarmıştı.

– Burada kal, sana kentteki tek bağımlıları olduğumuz o uyuşturucudan vereyim, biliyorsun işte, orman meyvesi kokulu çay dedikleri şu yapraklardan.

Brolin başını salladı, teşekkür eden dudaklarından hiçbir ses çıkmadı.

Juliette mutfağa girip kayboldu, biraz sonra elinde bir tepsiyle yeniden göründü. Salona döndüğünde, Brolin'i başını kanepenin koluna dayamış halde buldu. Çizgileri, sanki ruhun dinlenmesinde erimiş gibi, daha yumuşak. Gözleri kapalı, soluğu hafif, uyuyakalmıştı.

Tepsiyi bırakıp, Brolin'in üzerine bir battaniye örttü.

Sonra mutfağın ışığını kapattı.

Çay fincanlarının dumanı tütüyordu hâlâ.

46

Işığın, salondaki kalın perdelerin arasından çok az sızıyor olması bile Brolin'in uyanmasına yetmişti. Gözkapakları usulca açılıyor. Sonra, beynine ulaşan bilgileri algılamaya başlıyor. Juliette koskocaman mavi gözleriyle ona bakıyor. Karşıdaki kanepenin üzerine uzanmış, kundaktaki bebeğine bakan genç bir anne gibi, onu gözlüyor. İki gözbebeği de sabit, perdelerin arasından sızıp kurtulmuş bir ışık, gözlerinin mücevher gibi parıltısını yansıtıyor. Tek arkadaş olarak, Brolin'in üzerinde dönenip duran sineğin tiz vızıltısı. Koskoca bir karasinek, birden Juliette'in gözünün kenarına konuveriyor.

Güneş Juliette'in olabildiğince açık gözlerini aydınlatıyor, ama genç kadın en ufak bir tepki göstermiyor.

Şimdi de, incecik bacaklarıyla Juliette'in pembe teninin üzerinde dans ediyor sinek. Kendi çevresinde dönüyor, bir şeyler arıyor. Brolin, tıpkı zoom yapan bir kamera gibi, gözünün sineğin üzerinde odaklandığını hissediyor, onu bütün ayrıntılarıyla, yakın plan görüyor. Hayvan parlak karnını büküyor, kanatlarını oynatıyor, arka kütlesi büyüyor, deliğinden beyaz sıvı dolu bir torbacık fışkırıyor. Sinek, beyaz torbacık yumuşak dokuya dalana kadar gözün köşesinde salınıyor. Sinek keyiflenmişe benziyor, arka ayaklarını birbirine sürtüyor ve uçmadan önce o iğrenç hortumuyla biraz kan emiyor.

Juliette kımıldamıyor, tanrısal bir sükûnetle, kocaman sineğin yumurtalarını gözüne bırakmasına izin veriyor; kısa bir süre sonra o yumurtalardan yemeklerini gözün optik tabakasını kazıyarak çıkaracak onlarca kurtçuk doğacak.

Juliette'in hareketsiz gözbebekleri Brolin'e odaklanmış durumda.

Brolin her şeyi görüyor ve kahroluyor.

Yattığı yerden fırlayıp, vücudun geri kalanına bakıyor. Juliette'in kalçalarına düşen örtü, genç kadının bembeyaz göğsünü gözler önüne seriyor. Bir de kanepeyi kaplayan uzun ve kızıl çizgileri.

Juliette yatıyor, ölmüş. Gırtlağı kocaman ve iblisçe bir sırıtış gibi açılmış.

Brolin böğürüyor.

Yanağının üzerine sıcak bir el konuyor.

– Buradayım Josh, sakin ol, benim, Juliette, kötü bir kâbus gördün... Benim... Sakin ol.

Brolin gözlerini açtı, soluk soluğa, elleri titrek. Başucunda, onu sakinleştirmek için başını eğmiş Juliette.

Genç kız iyi. Gözleri yaşama sevinciyle, var olmak hırsıyla pırıl pırıl. Sadece bir kâbus.

Yavaşça kafasını toparladı.

– Gerçekten dinlenmeye ihtiyacın var, dedi Juliette. Durmadan inledin.

– Özür... Özür dilerim.

– Önemli değil, inlemen bende analık içgüdüsünü uyandırdı, dedi gözünü kırparak.

Karşı kanepedeki örtüyü gören Brolin, Juliette'in başında beklediğini anladı. Tıpkı rüyasındaki gibi.

– Seni bütün bunlara karıştırmamam gerekirdi, dedi zihni hâlâ dehşet buğularıyla karmakarışık.

– Artık çok geç! Çoktan karıştım bile. Katil, Leland'i taklit ediyor, ben de Leland'in son "kurbanıyım". Bunda senin bir suçun yok.

Brolin kalkmaya davranınca, ayağında ayakkabılarının olmadığını fark etti. Onları Juliette çıkarmış olmalıydı.

– Benim için gerçek bir anne, dedi.

Juliette mutfakta kayboldu, birkaç dakika sonra üzeri çeşitli yiyeceklerle dolu koca bir tepsiyle yeniden göründü.

– Saat on biri geçtiğine göre, her şeyden biraz koyuverdim. Hem kahvaltı, hem de öğle yemeği.

Koşulları düşününce, inanmayacakları bir iştahla önündekileri yerlerken, Juliette araştırmalarından bahsetme zamanının geldiğine karar verdi.

– Biliyor musun, dün gece ben de zamanımı boşa harcamadım. Aslına bakarsan, çok ilginç şeyler bile öğrendim denebilir.

– Derslerinle mi ilgili?

– Hayır, Leland hakkında.

Bir meyveyi ısırmaya hazırlanan Brolin'in ağzı açık kaldı.

– Evet, dün akşam Camelia'yla birlikte, bir arkadaşının evine yemeğe gittim. Gizli bilimler hakkında inanılmaz şeyler biliyor. Bu Leland'in de ilgi duyduğu bir şeydi, öyle değil mi?

– Evet... Bu onun tutkusuydu, diye kekeledi Brolin.

– İyi ya işte, ben de gizli bilimlerin âlimiyle konuştum, bana kara büyünün temellerini öğretti. Her neyse... Teorisini tabiî. Biliyor musun, bana kalırsa Leland aptal olmaktan çok uzak biri.

– Doğru, hatta bir ara, seri cinayetlere düşkün bir katil olmasaydı, örnek bir meslek hayatı yaşayacağını söyleyenler bile olmuştu.

– Buna hiç şaşırmadım. Büyünün temelleri ve bütün o bilgiler anlaşılması hiç de kolay olmayan eski kitaplarda saklı. Bu kitaplar İngilizce'yse, ki böylelerine pek rastlanmıyor, o zaman lirik benzetmelerin ve metaforların cirit attığı anlaşılmaz bir üslupla yazılmışlar; doğruyu söylemek gerekirse, yazılanları anlamak için çok zamana ve çok düşünmeye ihtiyaç var. Anthony Desaux'ya, yani bu işin uzmanına bu dünyada başvuru kitabı olarak kullanılan, bu alanda bilgi sahibi olduğunu iddia etmek için mutlaka okunması gereken bir kitap olup olmadığını sordum.

– Ee?

– Eğer Leland gizli bilimlerle uğraştığını iddia etseydi, *el-Azif*'i okumuş olması gerekirdi. Ne olduğunu biliyor musun? Kara İncil. İnsan derisinden sayfalara kanla yazılmış, çok eski bir kitap. Bütün büyüler, bütün şeytansı çağrışımlar orada yazılı. Efsaneye göre, bu kitabın palimpsestus olması gerekiyor.

– Palimpsestus da ne?

– Yeni bir şeyler yazmak için, eski yazılanların silindiği bir elyazması. Bir zamanlar *el-Azif*'in hiçbir insanın bilmemesi gereken sırları içerdiği, okuyanın çıldırdığı bir kitap olduğu söylenirmiş. Bu yüzden, kitaptaki yazılar silinmiş, kitap da iblisin İncil'i olmuş. Bir Mısırlı olan Abdülazred 700 yılında, orijinal metni yeni bir metnin altına gizlemiş.

– Bu kitabın kolayca bulunup bulunmadığını soracaktım ama, şimdi hiçbir izinin kalmadığını anladım.

– Anlaşılan, yok.

– Anlaşılan mı? diye sorarak açıklama istedi Brolin.

– Evet, çünkü Anthony Desaux orijinal elyazmasının bir yerde gizlendiğini düşünüyor.

– Her neyse, Leland'in gidip başvuracağı bir kitap değilmiş.

– Ben de öyle dedim, ama sonra yeniden düşündüm. Ya Leland orijinal metni bulmuşsa!

– Daha da neler! Sonra da satanist olup, rüyalarımıza girmek için zamanın içinden geçip geliyor olmasın? dedi Brolin gülerek.

Juliette bu sanki duyduğu en aptalca şeymiş gibi gözlerini kaldırdı.

– Tabiî ki değil, ama bu öyküyü duymuş olabilir. Ve Leland'in Hayaleti de aynı şeyi yaptığına göre, bunun onunla aynı tutkuyu paylaşan birisi olması da mümkün. Bir kütüphanede ya da büyücülük malzemesi satan bir yerde tanışmış olabilirler.

Brolin başını salladı. Saçma olmakla birlikte, araştırılmaya değer bir fikirdi bu.

– Bravo Juliette. Anlaşılan, beni şaşırtmadığın tek bir gün bile olmayacak.

Genç kadın mahcup tebessümünü gizlemek için başını eğdi.

Brolin elini Juliette'in masanın ortasında duran elinin üzerine bıraktı. "Ne kadar güzel, ne kadar güzel" diye düşündü. "Ne kadar hayat dolu."

Juliette açık renk gözlerini kaldırınca, müfettişin solukları sıklaştı.

Ne güzel ve ne canlı.

Juliette biraz öne eğilince, Brolin'in tüm vücudu ürperdi. Genç kadının eli Brolin'inkini kavradı.

Palimpsestus.

Güçlü bir arzunun dürtülerini gemlemek ister gibi, kuvvetle sıkıyordu.

Yeni bir şeyler yazmak için, eski yazılanların silindiği bir elyazması.

Juliette usulca kafasını Brolin'e yaklaştırdı.

Yüreği sanki yerinden fırladı.

Oysa Brolin artık orada değildi, ormanda terk edilmiş bir evdeydi. Sarsıcı bir heyecanla, nefretini kusmak için denetlenemez bir ihtiyaçla dolu gibiydi. Fantezilerini uygulayıp rahatlama ihtiyacı. Oysa, böyle yapılamayacak şeyler de vardır. Kurbanını dönüştürmeli, kurbanı sadece dürtülerini tatminle yetinmemeli, aynı zamanda da yerine getireceği eylemde yararlı olmalı. Kurban, mesajını iletmeli. Sonra da, ruhunda neler olduğunu kimsenin bilmemesi için, kurbanını saklamalı.

Kurban, katilin palimpsestusu.

Brolin hemen ayaklandı.

– Üzgünüm Juliette, ben... Gitmem gerek.

Genç kadın yıldırımla vurulmuşa döndü. Elleri birbirlerine değ-diği için mi gitmesi gerekiyordu? Yok, bu kadar aptal olamazdı.

– Ne? Ne yaptım ki? diye sorabildi sonunda.

– Sen değil. Leland ile hayaletinin kurbanlarının alınlarını neden yaktıklarını anladım.

– Ne... Nasıl... Peki ama, neden?

– Mühürlerini basıyorlar. Katil oraya istediğini yazıyor ve izi kaybetmek için asitle yakıyor.

Brolin kıyafetine çekidüzen vermek için salona geçmişti bile.

– Nereye gidiyorsun? dedi Juliette. Bu ani hareketten rahatsız olmuştu.

– Morga, o izin ne olduğunu anlamaya.

İzini.

Zaafını.

47

Ford Mustang, ambulanslara ve cenaze arabalarına ayrılmış yoldan gürültüyle geçti. Brolin arabayı park etti ve Doktor Folstom'ın bürosuna varmadan önce binayı boydan boya yürüdü. Günlerden cumartesiydi ve hiçbir şey Brolin'e Adlî Tıp yöneticisinin burada olacağı garantisini vermiyordu; yine de içinden bir ses buraya boşuna gelmediğini fısıldıyordu. Kadındaki her şey mesleğine koşulsuz bir bağlılığı işaret ediyordu, o yüzden, Doktor Folstom'ın hafta sonu tatilinin bir bölümünü büroda geçirdiğini görse, şaşmayacaktı.

– Yardım edebilir miyim? dedi bir bilgisayarın ardındaki bej tayyörlü kadın.

Brolin kimliğini gösterdi:

– Müfettiş Brolin, Doktor Folstom'ı arıyorum, çok önemli. Nerede bulabileceğimi biliyor musunuz?

– Evet, karşıya, Schiffo Restoranı'na yemeğe gitti.

Brolin kadına teşekkür edip, oradan ayrıldı. Birkaç dakika sonra, söz konusu restorana giriyordu. Burası, görünüşündeki bütün mütevazılığına rağmen, kırmızı ve beyaz kareli masa örtüleriyle, üzerleri donmuş özsu gibi akmış, inanılmaz miktarda erimiş mumla kaplı şişeleriyle, oldukça zarif bir yerdi. Brolin iki erkekle birlikte yemek yemekte olan Sydney Folstom'ı görmekte gecikmedi. Kusursuz kesimlerine bakılırsa, adamların üzerindeki keten takımlar ısmarlama olmalıydı. Muhtemelen, hekimdi her ikisi de. Hippokrates'in himayesinde bir öğle yemeği, harika!

Baharatlı bir yemeğin hoş kokusu Brolin'in tükürük bezlerini gıdıkladı.

– Doktor Folstom.

Beriki başını tabağından kaldırdı, Müfettiş Brolin'i fark edince yüzündeki ifade sertleşti.

– Müfettiş, bu ne sürpriz! Beni buraya kadar haklarımı hatırlatmak için mi izlediniz, yoksa yeni bir ceset hakkında bir şeyler mi soracaksınız?

Brolin öteki ikisini bir baş hareketiyle selamladı.

– Acil bir durum var, yoksa, inanın bana, acele olmasaydı sizi rahatsız etmezdim. Dün öğleden sonra getirilen ceset nerede?

– Hangisi? diye sordu kadın alayla.

Masadakiler hoşlarına giden bu espriye kahkahalarla güldüler.

– Doktor Folstom, hangisinden bahsettiğimi pekâlâ biliyorsunuz. Cesedi görmem gerekiyor, uzmanlığınıza da ihtiyacım olacak. Hemen.

Son kelimeye kattığı vurgu kahkahaları dondurmuştu.

– Kıvranan midelerimize hiç mi saygı duymuyorsunuz?

Başıyla masada oturan arkadaşlarını gösterdi.

– Gördüğünüz gibi, burada meslekî bir toplantı yapıyoruz. Siz de bu toplantıyı berbat ediyorsunuz müfettiş. Sözünü ettiğiniz cesedin otopsisi bu sabah, Müfettiş Pein'in gözü önünde yapıldı. Otopsiyi ben yaptım, sonuçlarını büronuza önce faksla, sonra da postayla gönderdim. Açıklayacak başka bir şeyim yok müfettiş. Şimdi eğer bizi yalnız bırakmakta bir sakınca görmüyorsanız...

– Alındaki yanık, o konuda ne buldunuz?

– Bundan öncekiler gibi, dokular çok güçlü bir asit kullanıldığından başka bir sonuç çıkaramayacak kadar zarar görmüş. Dosyaya bir bakıverin, bütün ayrıntıları yazdım.

– Peki, içinde herhangi bir iz yok mu? Bir kelime ya da resim gibi özel bir işaret?

– Müfettiş, yemeğimizi keyifle bitirmemize izin verecek misiniz?

Brolin'in kan beynine çıktı. Hayatları tehlikede olan insanlar vardı!

– Doktor, iki seçenekten biri: ya benimle morga kadar gelip, sorularımı cevaplamayı kabul edersiniz ya da Savcı Gleith'i ararım, o da rahatsız edilmekten öylesine hoşlanır ki, meslek hayatınıza yeni bir düzen vermeye karar verir. Hangisini tercih edersiniz?

Sydney Folstom'ın gözlerinde, kelimenin tam anlamıyla şimşekler çakıyordu.

– Müfettiş Brolin, gerçek bir baş belasısınız.

Çantasına uzandı.

Ekim ayı kararsızdı. Kâh rüzgârlı ve yağmurlu, kâh sakin ve ılık. Oysa bu cumartesi iç karartıcı olacak gibiydi. Gök yeknesaktı, ufuktan tepeye kadar griydi. Arada bir ince ince yağan yağmur birkaç dakikadan fazla sürmüyor, ikindi yaklaştıkça, rüzgâr ağaçları giderek artan bir şiddetle sarsıyordu. Brolin Doktor Folstom'ın bürosundan bakıp sönmüş yanardağıyla Mount Tabor Parkı'nın sınırlarını görebiliyordu. Kendilerini göğün zirvesine erişmeye çalışan insanlar sanabilecek ağaçlar, sanki tabiat ana tarafından alçakgönüllülüğe döndürülmüş gibi, rüzgârın önünde eğiliyorlardı.

– Pekâlâ, kafanızı kurcalayan nedir müfettiş? diye sordu Sydney Folstom, kendini geniş deri koltuğa bırakırken.

– Düşündüm de...

– Bakın, yemeğimi böldünüz ve beni buraya neredeyse güç kullanarak sürüklediniz. Onun için nezaket göstermeyi boşverin.

Brolin kadının düzeltmesine gerek görmemekle birlikte, başını salladı. Bu kadarı pek önemsizdi.

– Katilin kurbanının alnını asitle yakmadan önce bıraktığı bir iz varsa, bunun katilin bulunmasına yardımcı olup olmayacağı merak ediyorum.

– Ne demek bu?

– Açıklayayım: adamın kurbanının alnına bir şeyler yazdığını düşünüyorum, bir kelime ya da onun gibi bir şey. Sonra, yani onu öldürdükten sonra, kimsenin görmemesi için o işareti asitle yakmış olmalı.

– Derinin üzerinde hiçbir şey bulamayacağız. Doku bütünüyle eriyip dağlanmış. Yine de, eğer işareti silmek için asit gerekmişse, o zaman o işareti yazmamış demektir. Eğer keçeli kalem, boya ya da onun gibi bir şey kullanmış olsaydı, aside gerek kalmadan, kolaylıkla silebilmesi gerekirdi. Kadınları kesici ve delici bir silahla öldürdüğüne göre, işareti kurbanının cildine kazımış olmalı. Bu da yanıkların derinliğini açıklıyor.

– Yine de, hiçbir şeyin görülemeyeceğini mi söyleyeceksiniz?

– Emin değilim. Gücünü kullanmışsa, bıçağının ucu kemiğe ya da kafatasına işlemiş olabilir. Orada bir şeyler bulabiliriz belki.

Bakışları yumuşadı. Naneli bir şeker aldı, bir tane de Brolin'e uzattı.

– Suratınız karmakarışık müfettiş, uykusuz kalmış gibisiniz.

Brolin cevap vermeden bakıyordu.

– Tamam, mademki acele, o zaman inip şu kelleye bir baksak? dedi Folstom ayaklanarak.

– Ben de bunu söylemenizi bekliyordum.

– Bunu söylediğimde, polisler genellikle dördüncü vitese takıp, tüyer...

Bodruma indiler.

Elizabeth Stinger'ı bir morg hademesinin ya da Brolin'in deyimiyle bir "ölübilimcinin" yardımıyla morg kabininden çıkardılar. Kalın ve kara bir iplik derisine batıp çıkan uzun bir solucan gibi, göğsünü kapatıyor, kısmen saçlarının arasında kaybolmuş biraz daha açık renklisi de kafa derisini yerinde tutuyordu.

"Sağlığında oldukça güzel olmalıydı" diye düşündü Brolin, kadının soluk yüzüne bakarak. Otopsiyle birlikte vücudundan tüm kanı çekilmiş, geriye, derisinin hemen altında, sütümsü bir hare bırakmıştı.

Sydney Folstom uzun bir skalpel aldı, metal arabayı otopsi odasına kadar itti.

– Ne yapacaksınız? diye merakla sordu Brolin; tavandaki ışıklardan parıldayan uzun bıçağa bakıyordu.

– Kafasını ayıracağım.

– Ne!.. Böylece mi?

Doktor cevap verdiğinde, sesi daha da kararlıydı.

– Benden ayrıntılı bir araştırma istiyorsunuz. Ne yapmamı bekliyordunuz peki? Eğer bıçağın kemikte bıraktığı iz derin değilse, ne X ışınlarıyla, ne de skanerde görülebilir. Zaten ailesi de cesedin gösterilmeyeceğini, başta alnı olmak üzere çok zarar gördüğünü biliyor.

Otopsilere, ölüm sahnelerine alışık olmasına rağmen, Brolin bacak kaslarının pamuklaştığını hissetti.

– Peki bunu nasıl yapacaksınız?

– İşin acele olduğunu söylediğiniz için, en katı, aynı zamanda da en hızlı yöntemi kullanacağım.

Brolin güçlükle yutkundu. Daha şimdiden en çarpıcı görüntüler gözlerinin önünde birbirini kovalıyor, Adlî Tıp uzmanını cesedin yüz derisini portakal soyar gibi kolaylıkla kaldırırken görüyordu.

– Kafayı kaynatacağım, etlerin kemikten ayrılması bir buçuk saati bulur. Sonra sulu bölümü atarız, geriye pırıl pırıl ve hiç zarar görmemiş kafatası kalır.

Yöntem ne denli iç karartıcı olursa olsun, UCLA mezunu, seçkin Forensic Sciences Academy (Adlî Tıp Bilimleri Akademisi) üyesi ve tanınmış anatomopatolog Sydney Folstom'ın kullandığı yöntem buydu.

Akşam oluyordu. Bodrum kapıları, karanlık sedyenin her geçişinde havayı dövüyordu. Buraya kadar inen hiçbir pencere yoktu, burası karanlıkların dünyasıydı, erkeğin, kadının ve çocuğun olgun bir meyve soyar gibi kesildikleri kapalı bir yer. Kimse duyarsız değildi tabiî, ama bu dünyada çalışanların hepsi aynı şeyi söylerler: "Sonunda, insan rengi atmadan bakmayı öğrenir." Her tarafta cesetler, bazılarının içi boş, organları yaşamlarında ilk ve son kez, açık havada. Kabukları soyulmuş, derilerinin oluşturduğu mahfazadan yoksun, iç organlarından arınmış insan vücutları. Şurada burada, otopsi masalarının üzerinde küçük bağırsak tepecikleri görülüyor, ne muslukların akışı, ne de güçlü havalandırma kafataslarını yaran testerenin iç karartıcı çatırtılarını bastırabiliyordu.

Brolin boğuluyordu.

Otopsilere alışkındı alışkın olmasına ama bu kez gördükleri dayanılır gibi değildi. Elizabeth Stinger'ın kafasını kaynama noktasına getiren tencereden et kokusu yükselmeye başladığında, bir sigara tüttürme bahanesinin ardına sığındı. Doktor, sigara içmediğini bilmiyordu. En yakındaki merdiveni ararken, yanlışlıkla "puzzle"ın kapısını itti.

"Puzzle" Adlî Tıp Enstitüsü'nün bodrumunda, personelin girmekten kaçındığı, kocaman ve karanlık bir salondur. Allah'tan çok seyrek kullanılır ve çoğu zaman tozlanmaktan başka bir işe yaramaz. Orası, bodrum katının geri kalanından hep biraz daha soğuktur. Paslanmaz çelikten büyük masalarla dolu bu oda, büyük bir felaket anında, soğutulmuş bölmelerin yeterli olmadığı durumlarda kullanılır. Adını Portland'ın birkaç kilometre ötesindeki bir uçak kazasından almıştı. Buraya getirilen cesetlerden hemen hepsi onlarca parçaya bölündüğünden, bu buz gibi mekânda parçaları birleştirmek, önce "ailelerden" başlayıp cesetleri yeniden oluşturmak için saatlerce çalışmak gerekmişti.

Brolin buradan daha önce bahsedildiği için fazla sarsılmadı. İstemeye istemeye, Doktor Folstom'ın yanına dönmek zorunda kaldı.

Doktor, kafatası üzerinde birkaç işlem yapmıştı bile. Etler tümüyle ayrılmış, geriye nemden parıldayan, pürüzsüz bir kemik kalmıştı.

Sydney Folstom monokl gibi kullandığı büyük ve hareketli bir büyütecin de yardımıyla, eğik ışık veren güçlü lambasıyla kaşların arasını tarıyordu. Birkaç dakikalık bir incelemeden sonra, Brolin'e yaklaşmasını işaret etti.

– Alın bölgesine bakın, orada muhtemelen sivri bir şeye bağlı bir bozulma izi var. Bu sivri madde, birinci kurbanı öldürmek için kullanılan iki yüzü keskin bıçak olabilir. Sanki karşımızda iki yüzü keskin bıçak meraklısı biri var gibi.

Brolin daha iyi görebilmek için büyütecin üzerine eğildi. Pek bir şey görülmüyordu ya da sadece profesyonel birinin, uzman gözünün görebileceği belirtiler vardı.

– Bir dakika bekleyin, biraz belirginlik kazandıralım.

Kafatasının üzerinden cam elyafından yapılmış bir fırça gezdirdi, incecik izlerin içine karbon tozu doluştu. Çiğ ve güçlü ışık kemikte tuhaf bir sembol oluşturan siyah çiziği gözler önüne serdi.

– Nedir bu? diye sordu Brolin.

– Polis olan sizsiniz, ne olduğunu söylemek de size düşer.

– Sanki... Bir çeşit... Beş köşeli bir yıldız. Resmini çıkarmak mümkün olur mu?

– Daha da iyisi, size dijital bir fotoğrafını çıkarırız, sonra büyütebilirsiniz.

– Doktor, dedi Brolin, durumdan memnun olmasının da etkisiyle, size daha önce baş belası olarak gözükmüş olsam da, bunu bir daha tekrarlamam.

Sydney Folstom dijital makineyi almak için ayaklandı.

– Bu dediğiniz bir de gerçek olsaydı.

Flaşın cızırtısı bodrumun doygun havasında yayıldı.

48

– Evet anne, bu çok zor değil, biliyorsun, sömestr daha yeni başladı.

Juliette oturuşunu değiştirdi, annesiyle telefonda konuşarak geçirdiği bu on beş dakika bacaklarını uyuşturmuştu.

– Ya o korkunç Portland Celladı hikâyesi? Yeni bir gelişme var mı? diye sordu Bayan Lafayette.

– Dün akşam polis adamı birkaç gün içinde yakalayacağını bildirdi. Kendilerinden emin görünüyorlardı.

– Babanla birlikte, birkaç gün izin alıp, Portland'a gelmeyi düşünüyorduk. Şimdi seni yalnız bırakmanın zamanı değil.

– Anne, bir aydır yalnız yaşıyorum ve hiç sorun çıkmadı. Üstelik, o kadar da yalnız değilim, Camelia var.

– Aynı şey değil, baban ve ben orada olsaydık, hem seninle meşgul olur, hem de evi biraz canlandırırdık...

– Tamam anne, yeniden başlamayalım! dedi Juliette sevgi dolu ama aynı zamanda da kararlı bir ses tonuyla. Babamın büyük bir iş peşinde olduğunu biliyorum, şu sıralar sana ihtiyacı olacak ve...

– Ama senin de var, hem üstelik baban pekâlâ...

– Anne, bırak şimdi. Ben iyiyim. Beni biliyorsun, üstesinden gelirim, her şey yolunda. Ben artık büyük bir kız oldum.

– Evet, biliyorum. Ne yapayım, engel olamıyorum işte: eğer gözümün önünde olmazsan, senin için kaygılanıyorum. Hiç olmazsa görüştüklerin kendi yaşıtların mı?

Juliette böylesi soruları sıkıcı buluyordu; özellikle de herkesten iyi tanıdığı annesi sorduğunda. Annesi Camelia'nın adını duymuştu, boşanması nedeniyle aşk konusunda kızına kötü örnek olduğunu ileri sürüyor ve kadını suçluyordu. Bazen Juliette, Camelia'yı frenleyenin kendisi olduğunu söylememek için kendini zor tutuyordu ya, bunlar anne ile kız arasında pek konuşulmayan ufak ayrıntılardı. En azından, her ailede paylaşılmayan ayrıntılar.

– Evet, çoğu zaman, diye yalan söyledi.

– O çılgın herif kentte elini kolunu sallayarak dolaşırken, evde yalnız olmanı istemiyorum, gerçekten, gelip seninle birkaç gün geçirmemiz gerektiğini düşünüyorum.

Yapılması gerekenlerden sonuncusu. Juliette her ikisini de çok seviyordu, ama koruyucu sevgilerine, duruma sakin gözle bakmak için gerekli mesafeyi kazandırmak yerine boğucu olan o ana kuluçkasına hiç ihtiyacı yoktu.

– Anne, hiç gereği yok. Sizin Kaliforniya'da yapacak dünya kadar işiniz var, üstelik Şükran Günü'nde de geleceğim. Sonra, yıl sonunda da Flenagan Amcalarda birlikte on gün geçireceğiz. Emin ol, her şey yolunda.

Ayrıca polis koruması altında olduğunu söyleyip söylememekte bir an tereddüt etti, ama bunun annesini iyice meraklandıracağını düşünerek, vazgeçti.

– Peki. En ufak bir şeye ihtiyacın olursa hemen telefon edersin, birkaç saatte yanında olurum. Düşünüyordum da, belki Müfettiş Brolin'i de arayabilirsin, bakarsın sesini duymak hoşuna gider. Zaten birbirinizle ilişkiyi neden kestiğinizi de hiç anlamış değilim.

– Hayat işte... Böyle. Ama eğer bu seni rahatlatacaksa, daha yeni gördüm onu.

– Sahi mi? Çok sevindim, o çok iyi bir çocuk.

Juliette annesinin başından beri Joshua Brolin'e sempati duyduğunu biliyordu. Kızının hayatını kurtarmış olmasının bunda belirli bir payı vardı elbette, ama başka bir şeyler daha vardı belki sempatiden de ileri. Aralarındaki sekiz yaş fark Bayan Lafayette'i pek rahatsız etmiyor gibiydi, hatta Juliette bir ara annesinin kızını müfettişle evlendirmekten hoşlanacağını bile düşünmüştü. Ne hikâye! Tam gazetelere göre: "Seri cinayetler işleyen bir katilin kurbanı olmak üzereyken, kurtarıcısıyla evlendi!"

– İyi de, söylesene, bunun o cinayet olayıyla bir ilgisi yok, değil mi? diye sordu Alice Lafayette.

– Hayır, sadece görüşüyoruz... Öylesine.

– Oh! Bana "öylesine" deme sakın, insan "öylesine" görüşmez. Ne oluyor? Yoksa ondan hoşlanıyor musun?

– Anne, her şeyden önce bu seni hiç ilgilendirmez!

– Ben bir şey demedim ki, sadece söylediklerini dinliyorum.

– Evet... Haydi, kapatıyorum, biraz çalışmam gerek.

– Juliette, bugün cumartesi, cumartesi akşamları arkadaşlarla çıkmak gerekir.

– Bunu düşüneceğim.

Alışıldık "yuvasının erkeği" şakalarıyla, Bay Ted Lafayette'e takılarak telefonu kapadılar.

Juliette banyo yapmak için üst kata çıktı, akşamları en çok zevk aldığı şey buydu. Soğuk hava bölgeyi etkisi altına almaya başladığında, banyoya girmekten, sıcak suyun yavaşça yükselerek vücudunu ısıtmasından çok hoşlanıyordu. Köpük şişesini boşalttı, kazağını ve blucinini çıkararak banyonun fayanslarının üzerine bıraktı. Kirli çamaşırlarını sepete bırakırken, sulu teneffüsü biter bitmez makineyi çalıştırmaya karar verdi.

Sonra banyo küvetinin sırlı yüzeyine sürtünerek oturdu, sıcak su vücudunu kaplayıp donmuş ayaklarını yeniden canlandırırken gözlerini yumdu.

Uzakta, telefon çaldı.

"Öff! Allah kahretsin!.."

Belki de önemliydi. Ya da herhangi bir şey unutan annesi. Zilin sesi durmuyor, tempo tutuyordu. Juliette tereddüt etti, sonra bir havluya sarınıp koridora çıktı, telefonu kaldırdı.

– Juliette? Ben Joshua.

– Ya? Şeyy... Seni bu kadar beklettiğim için özür dilerim!.."

Ne salaklık! Oldu olacak, havanın güzel olduğunu da söyleseydi bari!

Verecek başka bir cevap bulamamıştı işte.

– Dinle, yardımına ihtiyacım var. Daha doğrusu, bir arkadaşının yardımına.

– Dinliyorum.

– Sözünü ettiğin şu gizli kitap koleksiyoncusu hani; sence, bana ayıracak zamanı var mıdır?

– Bana kalırsa... Evet, sanırım vardır. Ne yapmak istiyorsun?

– Ona göstermek istediğim bir resim var, bence gizli anlamı olan bir resim, bana anlamını açıklamasını isteyecektim.

– Soruşturmanla mı ilgili?

Brolin doğruladı.

Bir işe yarayacağından mutlu, Anthony Deseaux'yla aralarındaki ince ve taze bağı düşünür, fazla tereddüt etmedi.

– Bana giyinecek kadar zaman ver, hemen ararım.

– Yoksa seni rahatsız mı ettim? dedi Brolin şaşkınlıkla.

– Hayır, neden? Ha, evet! Aslına bakarsan, banyodaydım. Neyse, ben adama bir telefon edeyim, sen de bir saat sonra gelir, beni alırsın. Tamam mı?

Telefonun diğer ucunda bir suskunluk oldu.

– Zamanını almak istemiyorum Juliette, bu konu soruşturmayla ilgili, onun için yalnız gitmem daha doğru olur.

– Anthony Deseaux oldukça değişik biridir, benim de bulunmamı tercih edecektir. Üstelik kütüphanesi de çok büyük, orada ufak bir tecrübe yaşadım, onun için sana zaman da kazandırabilirim...

Brolin hemen ikna oldu. Ne de olsa, tehlike yoktu, üstelik Juliette bildiklerini ortaya seren yaşlı bir beyefendinin karşısında geçireceği sıkıcı saatleri neşelendirecek sevimli bir arkadaştı.

Akşam sekizde buluşmayı kararlaştırdılar.

Brolin, Juliette'in evinin önüne geldi ve nöbetteki meslektaşlarının yanına gitti, birkaç saatliğine genç kadının sorumluluğunu üstleneceğini söyledi. Bütün bunlar topu topu iki dakikasını almasına rağmen, yağmur öylesine şiddetliydi ki, arabasına döndüğünde damlalar sırtından aşağıya akıyordu.

Juliette evin girişinden koşarak geldi.

– Ne hava ama! Tayland'daki yağmur mevsiminden de beter!

– Oraların güzel yerler olduğunu duymuştum, dedi Brolin. Tayland'a hiç gittin mi?

– Hayır, dedi Juliette biraz somurtarak. Anthony Deseaux'ya gelince, özür diliyor, bu akşam evde olmayacakmış. Şirketlerinden birinin yönetim kurulu üyeleriyle önemli bir yemek...

Elini kontak anahtarına uzatan Brolin durakladı.

– Ama kâhyası Paul bizi bekliyor, dedi Juliette. Kütüphaneyi istediğimiz gibi araştıracağız. Zaten cin peri resimleri konusunda fazla bilgili olmadığını itiraf etti, aynı zamanda da konuyla ilgili birkaç kitabını görünür yerde bırakacağını söyledi.

– İyi, en azından, bu da fena değil.

– Ben de sandviçler hazırladım.

Silecekler cama sürtünüyor, yağmur damlalarını ezip, miyop bir ekrana dönüştürüyordu.

– Sen olmasan ne yapardım?

Juliette omuzlarını silkti. Kafasında, Brolin'le paylaşmaya cesaret edemediği ufak bir fikir vardı...

Bardaktan boşanırcasına yağan yağmurun altında, Deseaux malikânesinin dev gotik gölgesi meşum bir hayalet gibi dikiliyordu. Şimşekler ağaçlıklı parkın içinde ara ara bükülüyor, tüm bahçeyi ve ötesini kaplayan ve gri bir duvar gibi görünen yağmuru aydınlatıyordu. Her şey simsiyah ve belirsizdi; bir saniye sonra da bir kül bulutu kadar karanlık ve kalın, sıvı bir kalkan dikiliyordu.

Paul, özenle seçilmiş kıyafetiyle, kırk yaşlarında bir adam; elinde şemsiyesi, "beyefendinin konuklarını" bekliyordu; gelenler, üzerlerinden su sıza sıza hole girdiler.

Paul onları kütüphaneyi barındıran büyük kubbenin altına götürdü. Kapılar kapatıldığında, Juliette bir kez daha mekânın gizemine takıldı. Uzun kitap sıraları konukların geleceği düşünülerek önceden aydınlatılmıştı, ama fırtına, rüzgârın soluğu, yağmurun camlara vuruşu ve şimşeklerin aydınlığı çevreye Juliette'in ilk geldiğinde fark edemediği doğaüstü bir boyut kazandırıyordu. Tavandaki freski daha iyi seçebilmek umuduyla kafasını kaldırdıysa da, fazla bir şey göremedi.

– Bay Deseaux çalışma masasının üzerine bakmanız için birkaç kitap bıraktı, dedi kâhya.

Söz konusu "birkaç" kitap, yeşil tepelikli lambanın yanına istiflenmiş kırk kadar kalın ciltten oluşuyordu.

– Herhangi bir ihtiyacınız olursa, koridorun dibindeki mutfaktayım.

Başıyla selam verdi ve sessizce çekildi.

Juliette istiflenmiş eski ciltlere baktı. Anlaşılan ev sahibinin koleksiyonundan, kişisel cehenneminden geliyorlardı. Paul gizli odadan hiç söz etmemişti. Juliette bunun ondan belirli bir ketumluk beklendiğini belli etmek için bir işaret olup olmadığını düşündü. Anthony Deseaux'nun küçük sırlarının herkes tarafından bilinmesini istememesi kadar normal bir şey olamazdı; hele Cinayet Masası'ndan bir müfettiş tarafından hiç.

– Nereden başlıyoruz? dedi Brolin, sesindeki cesaretsiz bir tonla. Kütüphanelerde araştırma konusunda tecrübeli olan sensin, öyle değil mi?

– İndekslerden, özetlerden, gizli resim ya da sembollerle ilgili ne varsa, bakacağız. Sahi, şu sendeki resim neye benziyor?

Brolin büyütülmüş dijital resmi gösterdi. Elindeki lazer baskıda alın ve gözçukurlarının tepesi görünüyordu sadece, Doktor Folstom'ın deyimiyle *supra orbiter formane*. Ortada da, ince ve siyah bir çizgi halinde, bir sembol. Beş köşeli yıldız gibi bir şey.

– Tuhaf... Satanist bir yıldız ya da ona benzer bir şey sanki, dedi Juliette. Bunu neyin üzerinde buldun?

– Şeyy... Kurbanlardan birinin alnında.

Genç kıza yalan söylemeye niyeti yoktu.

– Alnında mı? Oysa insan... Aman Tanrım!

Sanki soluk almak istemiyormuş gibi, eliyle ağzını kapattı. Zihnine koşup gelen korkunç görüntüleri bir el hareketiyle kovdu.

– Başlasak? Böyle giderse, gecenin büyük bir bölümünü burada geçireceğiz, zaman kaybetmeyelim.

Brolin başını salladı, kızdan en kötü anlarda bile yayılan bu heyecanı, bu canlılığı seviyordu.

49

Craig Nova, Portland Kriminal Polis Laboratuvarı'nın elektronik derinliklerinde, çılgınlar gibi çalışıyordu. Brolin'in ünlü "proaktif yönteminin" başarısızlığını yeni öğrenmişti ve sonuç onu çok üzüyordu. Katil hâlâ elini kolunu sallayarak dolaştığı için değil, bu başarısızlığın Brolin'e pahalıya mal olacağını düşündüğünden. Tuzak çoğunun beklemediği kadar iyi hazırlanmış, katil de yemi yutmuştu. Yüzbaşı Chamberlin'in de Brolin'e dediği gibi, bu onun kişisel başarısızlığı değil, operasyon güçlerinin beceriksizliğiydi. Ne var ki insanlar pek sabırlı değildi. Kısa bir süre içinde hesap vermek gerekecekti; basına, belediye başkanına, bölge savcısına... Ve eğer Brolin'i bir sigortaya benzetmek gerekirse, satın alma gücü ve seçim yeteneğiyle bazı meslek hayatlarının feda edilmesini haklı çıkaran halkın öç isteyen bakışları karşısında bir sigorta teli gibi yanacaktı. En azından, başta Portland yöneticileri, dünyayı yaratanlar böyle düşünüyorlardı.

Her türlü araç gereçle seferber edilmiş yüz kadar silahlı adam, buna rağmen, Leland'in herkesin gözü önünde buharlaşan hayaleti. Eğer katil hakkında bölük pörçük de olsa bilgi edinilemezse, bütün bunlar dipsiz bir kuyu gibi tartışmasız bir başarısızlık olarak kalırdı. Bu iz de artık Craig Nova'nın ellerindeydi.

Joshua Brolin'in meslek hayatı, ellerinin arasındaydı.

Craig beyaz önlüğünü düzeltti ve birkaç saniye önce ellerindeki tek kanıtı içeren plastik torbacığı kaldırdı. Bir insanın tüm meslek hayatının basit bir torbacığın içindekilere bağlı olduğunu düşünmek ona tuhaf geliyordu.

Hayaletin otoparkta attığı sigara izmariti, adamın kimliğinin tespitine yardımcı olabilirdi. Brolin katilin hedef gözeterek uyguladığı korkunçluklara rağmen, "duhul vuku bulmamasının" adamın muhtemelen uzun bir suç geçmişi olduğunu gösterdiğini anlatmıştı. Daha önce halkın rahatını bozmaktan, teşhircilikten ya da soyguna teşebbüsten hüküm giymiş olmalıydı. Kısacası, DNA'sının cinsel suçlardan mahkûm olmuşlarla birlikte, veritabanında kayıtlı olması mümkündü.

Dezoksiribonükleik asit (DNA) molekülleri tüm insan hücrelerinin yüreğinde bulunur ve inanılmaz bir kodlanmış bilgi zinciri sağlar. Bir saç teli, bir kan damlası tükürük ya da sperm damlası insanın hücrelerin kalbine kadar çıkmasına ve buradan DNA'yı oluşturan kodu çıkarmasına imkân verir. Bu kod her kişi için tektir ve biyolojik bir ödev defteri gibi bütün olacakları, saçlarının ve gözlerinin rengini, kişinin boyuyla vücut yapısını vb belirler. DNA bir bakıma uzun bir nükleotit kodu, doğal kimlik kartımızdır.

Craig'in tek yapması gereken, izmarite bulaşmış tükürükteki lökositlerde ve epitelyum hücrelerindeki DNA'yı çıkarmaktı.

Tükürük miktarı çok az olduğundan, Craig tek tek sekansları büyütmek için PZR (Polimeraz Zincir Reaksiyonu)[18] yöntemine başvurdu. Bu yöntemin en büyük sorunu yabancı maddeler de dahil her şeyi çoğaltması. Örneğin incelenen DNA dış bir kaynakça kirlenmişse, sonuçlar yanıltıcı olabilir. Bu yüzden kapalı ortamda, maske, eldiven ve önlükle çalışmak gerekir. PZR yöntemi son derecede küçük hatta gramın bir milyarda biri DNA'yla inceleme yapmaya imkân sağlar.

Craig Nova eldeki mevcut yöntemlerin temelini açıklarken, polis yetkililerine bir milyarın, devasa boyuttaki kavramı dışında zihnimizin algılayamayacağı bu ampirik sayının ne anlama geldiğini açıklamayı âdet edinmişti. Öğrencilerine, bir insanın bir milyara kadar sayabilmek için ne kadar süreye ihtiyacı olduğunu sorardı.

Cevaplar, dokuz sıfırlı sayı hakkında ne kadar az bilgiye sahip olduğumuzun işaretiydi genellikle. İki gün hatta altı ay diyenler vardı. Bazen de bir yıl.

Ama baş döndürücü doğru cevabı verenler enderdi. İnsan bir milyara kadar saymak isterse buna hayatının neredeyse yarısını, otuz üç yılını ayırması gerekiyordu. Craig daha sonra PZR yönteminin açıklamasına geri döner ve gramın milyarda biriyle ölçüm yapma yeteneğinden bahsettiğinde, daha on dakika önce söylenenlerin gerçek anlamını algılamayan beyinler, bu kez heyecanlanırdı. O zaman, suçluların hiçbir kurtulma imkânı olmadığını hissederlerdi.

Ayrıntıların uzmanı makinelerini üç saat boyunca, eldeki DNA

---

18. Nükleik asitlerin tüpte uygun koşullarda çoğaltılması yöntemi.

miktarı bir milyon kat çoğalıncaya kadar çalıştırdı. Sonra elindeki örneğin her bölümünde basit bir sekansın kaç kez tekrarlandığını görmek için DNA'yı poliakrilamit jölesiyle, elektroforezde işledi. Bu küçük sekanslardan yüzlercesi bulunduğundan, her biri de kendine özgü olduğundan, sonucun özelliğinden emin olmak ve söz konusu kişiyi belirlemek için içlerinden birbirlerinden farklı birkaçını (genellikle, emin olmak için on ikisini) incelemek yeterlidir.

Makinelerin elektrik mavisinin havasına değişik renkler kattığı, aydınlatması kırmızı odanın ortasındaki bilimadamının çevresinde bip sesleri titreşiyordu.

Birkaç saatlik bir çalışma daha, sonra bütün veriler bir sayı dizisine dönüşecekti; hepsi altmış sayılık bir diziye. Bu sayısal kod daha sonra bilgisayara verilecek ve o uzun bilişim araştırması harekete geçecekti. Amerikan topraklarının üzerinde, herhangi bir yerde, adamın biri suçlulardan oluşan bu dev dosyaya girmişse, cevap er ya da geç gelecek demekti.

Craig kırmızı düğmeye basınca, havalandırmanın gürültüsü duyuldu.

Kimlik belirleme belki artık sadece birkaç saatlik bir işti.

50

Fırtına devasa bir kaplan gibi homurdanıyordu. Gece iyice ilerlemişti, kütüphanenin solgun aydınlığı da zihnin canlı kalmasına yardımcı olacak gibi değildi. Brolin birkaç kez kendini okuduğu satırları karıştırırken yakaladı, gözkapaklarının, tıpkı kapatılmakta olan bir dükkân kepengi gibi, gözlerinin üzerinden kaydığını geç de olsa fark etti. Oysa Juliette'te bilgileri depoladıkça bileşimlerin toplandığını hisseden araştırmacı gibi, öğrencilere özgü bir heyecan vardı. Şimdiye kadar hiçbir şey bulamamakla birlikte, içindeki kütüphane faresi ateşi tüm vücuduna, tüm aklına hâkim gibiydi. Becerikli parmakları arasında sayfalar birbiri ardından geçip gidiyorlardı. Gözleri, bir dikişte içilen bir bardak su gibi, kelimeleri yutuyordu.

Holdeki saat biri çaldı.

Brolin oturduğu koltukta gerinince, eklemlerinin çıtırtısı dev kubbede yankılandı.

– Ee? Sende bir şey var mı? diye sordu esnemesine engel olmaya çalışırken.

– Şimdilik bir şey yok, dedi Juliette üzüntüyle. Yine de, cevabın bu kitaplardan birinde olmadığına inanamam. Önümüzde eksiksiz bilgiler içeren kitaplar var, kara büyünün bütün temelleri bu kitapların içinde. Adamın çizdiği gizemli motifin buralarda bir yerde olduğundan eminim.

– Benim de korktuğum bu ya. Belki yanılıyorum ama, katilin kendi bulduğu tuhaf bir resim karalıyor olması da mümkün.

– Bu işlerden fazla anlamam, ama kazıdığı sembol hasta bir beynin karalamalarına benzemiyor pek. Sanki çalışılmış, özen gösterilmiş ve belirli bir amaca yönelik bir şey gibi.

– Korkutmak! dedi Brolin. Bak bu doğru, gerçekten insanın içini karartıyor.

Önündeki eski kitabı kapatınca, bir toz bulutu oluştu.

– Biraz bacaklarımı açmam gerekiyor. Sen nasıl dayanıyorsun bilmiyorum ama, başımı kaldırmadan dört saat boyunca kitap okuma sabrını yitirdim sanıyorum.

– Üniversiteli alışkanlığı. Ama haklısın galiba, araştırıcı bakışını korumak için, insanın arada dinlenmesi gerek.

Brolin elleri cebinde, rafları dolduran yontulara bakarak odayı arşınlamaya başladı. Juliette adamı izlerken, ona hoşlanarak baktığını fark edip, şaşırdı. Brolin'in yanına gitti.

– Peri masallarına inanır mısın? diye bir laf attı.

– Uzun zamandan beri, yani yıllardan beri okuduğum yok!

– Burada kal, sakın kımıldama.

Juliette karanlığa gömülmüş bir köşeye doğru yürüdü. Orada, Anthony Deseaux'nun gözleri önlerinde kullandığı gizli mekanizmayı el yordamıyla arayıp, bastırdı. Bir gün önce ev sahibinin yaptığı gibi, duvarda kayboldu.

Brolin bunları çok eğlenceli buldu, ama Juliette onu gizli odaya soktuğunda, dudaklarındaki tebessüm kayboldu. Küçük lambanın demlemediği karanlık, örümcek ağları ve işkence sandalyesi onda belirli bir ürküntü yaratıyordu. Bir de böyle yerlerde ziyaretçiyi beklenmedik bir saygıya zorlayan bu eski kitapların karşısında, bir çeşit huşu.

– Ne biçim bir yer! İnsanın evinde böyle bir yer bulundurması için deli olması lazım! dedi Brolin.

– Bense burada belirgin bir çekicilik buluyorum, bilgelik ile gizem karışımı bir şey.

Juliette cehennemin çemberini oluşturan yüksek etajerler boyunca yürüyordu. Başı havada olduğu için işkence sandalyesinin aslan pençesi biçimindeki ayağını göremeyip, tökezledi. Dengesini kaybettiği anda hemen yanında olan Brolin genç kızı tutmak için atıldı.

Juliette müfettişin kollarına devrildi.

Kızcağıza iyi olup olmadığını sormak üzereyken, o safir gözlerin kendi gözlerine dikildiğini gördü. Yüreğinin çarpıntısı yükseldi.

Düşerken, kızı tutmak için bir eline yapışmıştı, birden, o eli hâlâ bırakmadığını fark etti. Juliette neredeyse üzerine yığılmış gibiydi; dolgun dudaklarının pembeliği Brolin'i mıknatısın karşısında kalmış demir bir bilye gibi çekiyordu.

Ne yapacağını bilemiyordu. İçinden gelen ses tüm gücüyle, düşünmemesini, yüreğine ve vücuduna kulak vermesini buyuruyordu ya, korkuyordu yine de. Juliette'in onu gerçekten beğenmediğinden, genç kızı ona doğru itenin kaçırılmanın şokunun kalıntıları olmasından ürküyordu. Genç kadının aklı Brolin'i bir kurtarıcı, kendini borçlu hissedeceği, yokluğunda dünyanın karşısında savunmasız kalacağı koruyucu bir figür olarak billurlaştırmış olabilirdi. Kısacası bütün bunların anlamı, Juliette'in Brolin'i bir sevgili, bir sırdaş olarak değil, bilinçaltının buyruğuyla sarıldığı bir koruyucu gibi görmesiydi. Aralarındaki ilişki uzun sürse de, bu aşktan çok, güdük bir bağlılık olacaktı.

– Ne düşündüğünü biliyorum, dedi Juliette.

Elini daha güçlü sıktı.

– Bunun doğru olup olmadığını... diye söze giriştiyse de, Juliette parmağıyla ağzını kapattı.

Yüzünü Brolin'inkine yaklaştırdı, aralarında birkaç santim kadar kalınca, gerisini Brolin halletti. Dudakları aralanmadan önce, bir an birbirlerini sıcak ipeksi dokunuşlarla okşadılar. Öpüşmeleri yavaş oldu, dilleri birbirlerini usulca aradı, sonra, yavaş yavaş, arzuları onları o tozlu kütüphanede ürpertti, sonunda ellerini birbirlerinin tenine değdirdiler.

Hayır, Juliette kaçırılışının etkisinde değildi. Hareketlerinde, tutkusunda hiçbir şey bilinçaltının travmayı uyutmak için geliştirdiği karanlık manevralarca yönlendirilmişe benzemiyordu. Bütünüyle hayatın içindeydi, travmadan kurtulabilmek için şu son zamanlarda olağanüstü bir irade göstermişti; zaten kişiliği de her türlü psikolojik hasarın çerçevesini çoktan aşmıştı. Brolin artık tümüyle emindi; birbirlerini karşılıklı olarak, içtenlikle, alabildiğine arzuluyorlardı.

Üstelik, arzuları vücutlarının her hücresini doldurup, hareketleri çok daha güvenli oldukça, erotik heyecanlarının içinde, geri kalan her şeyi unuttular. Her şeyi; orada ne aradıklarını, bölgede kol gezen tehlikeli bir katilin oluşturduğu tehdidi, aralarındaki farkları ya da en basitinden içinde bulundukları ve yaptıkları için hayli uygunsuz mekânı. Bütün bunlar heyecanlarının belirsizliğinde kayboluverdi.

Juliette'in gömleğinin düğmeleri açılınca altından lacivert sutyeni göründü, Brolin gözlerinin önüne serilen bu güzelliği öpmek için eğildi. Genç kadın Brolin'e tutunmuş, ellerini adamın elbiselerinin altına sokmuştu; bu zevk yangını her ikisini de öylesine esritmişti ki, kendilerini odanın ortasında, işkence iskemlesinin üzerinde bulduklarında hiçbirinin sesi çıkmadı.

Engizisyon yıllarının gerçek işkence aleti.

O iskemlenin üzerinde, tutkuyla seviştiler, çelik bir sivrilik Juliette'in böğrünü çizdiyse de genç kız hiç belli etmedi, ağzından acısını belli edecek tek kelime çıkmadı. Birbirlerine karışmış, birbirlerinin içine girmiş, zevkin gizlice bazı acıtıcı sivriliklerle karıştığı bir gizem ve baş döndürücü tatlar demeti içinde, kendilerini hiç tutmadan verdiler.

Sonra, derileri terden bir perdenin arasından birbirinde erirken, uzunca bir süre kucak kucağa kaldılar. Her ikisini bu pragmatik ve yapmacık dünyanın üzerinden uzaklara taşıyan zevk bulutundan inebilmeleri için uzun dakikalar gerekti. Başlarının dönmeyi sürdürdüğü uzun dakikalar.

Doyumdu bu, vücut bitkinliğiyle, düşüncenin çırpıntılı ürpertilerinin hassas bir karışımı. Kendini aştığı yorucu bir yarıştan sonra büyük başarıya ulaşmış bir sporcu gibi, hani o uzun zamandan beri arzulanan suyun dilin üzerinde, gırtlakta aktığı anda görüyorlardı kendilerini. İnsanın zihinsel ve fiziksel sınırlarını aşmayı başardığı, acının zevke dönüştüğü ve duyguların şehvetli bir sarhoşlukta kaybolduğu o hassas tatmin halinde.

Yeniden doğrulup, elbiseleri vücutlarının yolunu bulduğunda, Brolin, Juliette'i kollarının arasına aldı, yüzünü genç kadının saçlarına gömdü.

– Juliette... Juliette... diye mırıldanmakla yetindi, onu göğsüne bastırırken.

Konuşmadılar, söyleyecekleri hiçbir şey kalmamıştı.

Loşluğun içinde birbirlerini okşadılar.

Belki de dünyayı dayanılır kılmak için olacak, insanın hayatında kendini, doyuma ulaşmış, aynı zamanda dolmuş ve boşalmış, sınırsız gücün hemen kıyısında, kendinden geçmeye yakın bir durumda gördüğü çok ender anlar vardır. Düşünürlerin oldukça eski çağlardan beri "zevk" olarak adlandırdıkları, daha sonra İrem'e dönüşen ruh hali. Diğerlerinin sonsuzluğu yakalamak için cennet adı altında kendi kitaplarına aldıkları durum.

İşte Juliette ve Joshua'yı gecenin geç saatlerine kadar kollarında sallayan, böylesi bir durumdu.

Oysa kendi evlerinde olmadıklarından, çalışma masalarının başına dönebilmek için, "zevk sahibi insanların" düşünceliliğine geri dönmek zorundaydılar. Büyü kitapları sabırla bekliyor, hayasız sayfalarını önlerine ilk çıkana utanmadan sunmak için kapaklarını aralıyorlardı.

Brolin şakaklarını ovaladı. Kitapların başına dönmeyi hiç istemiyordu, aklında sadece tek bir şey vardı: kollarında Juliette'le uykuya dalmak.

Cehennemî surat o anda su yüzüne çıkıverdi. Brolin Elizabeth Stinger'ı ilk seferki gibi, gözleri açık, alnındaki etler parçalanmış halde gördü.

Verdikleri aranın tadı Juliette ve Brolin'i mutlu etmiş, hayatın dertlerine katlanmaktansa, doğmakta olan bu uyuşukluktan sakince zevk almaya ve dinlenmeye itmişti.

Ne var ki o işkence görmüş yüz Brolin'in tüm araştırmacı hırsını geri getirdi, biraz önce olanların dinginliğini reddetmeksizin, önündeki kitaplardan bir cevap çıkarmadıkça huzur yüzü görmeyeceğini anladı.

Yumruğunu sıkıp, kitaplara yöneldi.

– Devam etmeliyiz, dedi. O *pentagram*'ın[19] anlamını bulmak gerek.

Juliette bir şey söylemeden başını salladı.

Ne düşünüyordu? Hiç konuşmamıştı. Ya da çok az. Yine de, genç kızda herhangi bir pişmanlık ya da suçluluk belirtisi yoktu. Olmaması, sonraki iki saatte daha da belli oldu. Kitap ardına kitap açtılar, sayfa ardına sayfa çevirdiler, ilginç notlar çıkardılar ve ara sıra yorum yaptılar, bazen de Juliette'in eli Brolin'in ensesine uzandı, usulca genç adamın tenini okşadı.

Şafak sahneye çıkmadan hazırlıklarına başlamıştı ki, Juliette iskemlesinden sıçradı, masanın üzerinde dengede duran bir kitap sütununu devirdi. Elizabeth Stinger'ın alnını gösteren fotoğrafa uzandığında, yüzünün çizgileri donup kaldı.

– Buldum, dedi bitkinlik yüklü bir solukla.

Brolin genç kadının omzunun üzerinden eğilerek baktı.

Yüz yıllık bir yazıcının mürekkebi ve geniş kalem ucu arasına meşum bir pentagram çizilmişti. Brolin hızla altyazıyı okudu.

İğrenme dolu bir ürperti belini büktü.

Ya da okuduğundan korkmuştu.

Gotik karakterlerle, şunlar yazılıydı:

Ölülerin ruhuna karşı, korunma ritüeli

---

19. "Beş köşeli yıldız" anlamında İngilizce kelime. (yay.n.)

51

Güneş ormanları sütümsü bir tülle örtmeye başlamıştı. Şafak söküyordu.

Brolin, Juliette'i evine götürdüğünde, genç kadın onun elini tuttu, birlikte yatak odasına girdiler. Uykuya ihtiyaçları vardı, önlerinde uzanan gün boyunca dayanabilmek, düşünebilmek için yeterli zihin berraklığını yeniden kazanmak için, az da olsa uyumaları gerekiyordu.

Ritüeli kopyaladıktan sonra, öğrendikleri korkunç ve şeytanî bilgilerle varlıklı Fransız'ın malikânesinden ayrılmışlardı.

Brolin çalar saatini beş saat sonrasına kurdu, konsantrasyonunu bulmak ve gerekirse uykusuz bir gece geçirebilmek için bu kadar süreye ihtiyacı vardı. Birbirlerine sarılarak, tenlerinin çok az kısmını açıkta bırakıp birbirlerinin bitkin vücutlarına yapışarak uykuya daldılar. Uykuda da olsa, ağızlarında birbirlerinin tadı, eksiksiz tadı olsun istiyorlardı.

Daha sonra o geceyi düşündüğünde, Brolin sadece belli belirsiz bir yorgunluk hatırlayacaktı. Bunun bir rüya mı olduğunu, yoksa vücutlarının onları uyandırana dek usulca birbirlerinin üzerine gerçekten binip binmediğini hiçbir zaman öğrenemeyecekti. Yumuşak hareketler, iniltiler ve vücudunda ağır çekim bir patlama gibi yayılan bir zevk dalgası hatırlıyordu.

Uyanması için çalar saate gerek kalmadı.

Onu yataktan çıkaran, cep telefonunun giderek yükselen elektronik zili oldu. Odanın karanlığında yönünü gösteren yapay bir siren sesi.

Sonunda telefonu açtığında, tek kelime söyleyecek fırsatı bile bulamadı: heyecandan şaşırmış birisi, art arda, çılgın bir hızla anlaşılmaz laflar ediyordu.

– Hey, yavaş ol! dedi Brolin esner gibi bir sesle.

– Josh, ben Larry. Derhal buraya gelmen gerek!

Sesinde korku belirtisi yoktu, olsa olsa derin bir şaşkınlık.

– Saat... Saat kaç? Neredesin? diye sordu Brolin.

– Merkeze yeni geldim.

– Yeni bir şeyler mi var?

Salhindro cevap vermeden önce bir boşluk bıraktı:

– Öyle de denebilir. Craig Nova'nın yanındayım.

– Ha! Şu izmarit, işe yarıyor mu? Kimlik tespiti için yeterli bir DNA çıkarabilecek miymiş?

– İşte seni her yerde bunun için arıyoruz ya. Craig DNA'yı çıkarıp, kimlik tespit programını çalıştırmış.

Adrenalin Brolin'i kesinlikle uyandırmıştı artık.

– Bir sonuç elde edebildiniz mi? diye sordu, pek ihtimal vermeden.

– Josh, neredesin?

Brolin, Salhindro'nun sesinde garip bir heyecan olup olmadığını düşündü.

– Juliette'in evinde, neden sordun?

Başka koşullarda, Salhindro, Brolin'in bir pazar sabahı, saat on buçukta Juliette'in evinde bulunmasının ne kadar ilginç olduğunu söylemeden geçemezdi. Fakat böyle bir şey yeltenmemesi, işlerin yolunda olmadığının başka bir belirtisiydi.

– Yanında mı?

– Hayır, uyuyor.

– Güzel. Josh, oturmanı ve söyleyeceklerimizi inanarak dinlemeni istiyorum.

– Neler diyorsun sen? DNA'yı belirlediniz mi?

Brolin arkasında bir ses duydu; Juliette'in halı üzerinde yürürken çıkardığı ayak seslerini.

Salhindro cesaret kazanmak istermişçesine, soluğunu ahizeye boşalttı.

– Evet. Veritabanında onun bilgilerine uyan bir dosya var.

– Harika!

Genç müfettiş binlerce iğne etine batıyormuş gibi, kanının donduğunu hissetti. Juliette kolunu omzuna doladı, yanağına sevgi dolu bir öpücük kondurdu. Brolin'in kucağına oturdu.

Bu kez, Salhindro'nun sesi gerçekten titredi:

– Josh, sigara izmaritinin üzerinde bulunan DNA var ya... Leland Beaumont'un DNA'sı.

Bir yıl önce, kafası pembemsi bir balon gibi patlayan Portland Celladı.

52

İmkânsız.

En hafifinden, düşünülemez.

Leland Beaumont kafasına yediği bir Glock mermisiyle
–9 mm'lik parabellum– ölmüştü. Beyni, Brolin'in gözlerinin önün-
de parçalanmış ve bir et yığını olarak götürülmüştü. Leland birkaç
gün sonra da gömülmüştü; cesedinin artık solucanların kemirip
bitirdiği bir yığından farksız olması gerekirdi. Sigaranın üzerinde-
ki tükürüğün ona ait olması imkânsızdı.

Leland'in Hayaleti üzerinde çalışan birim Yüzbaşı Chamber-
lin'in bürosunda toplanmıştı.

Brolin telefonu kapatır kapatmaz giysilerine koşmuş, sonra da
Juliette'i peşinden sürükleyerek polis merkezine gelmişti. Ne ka-
dar saçma olursa olsun, bu haber beyninde neondan bir "tehlike"
gibi parıldadığından, gönlü Juliette'ten ayrılmaya bir türlü razı
gelememişti. Kızcağız olan bitenden habersiz, Brolin'in bürosun-
da bekliyordu.

Brolin deri ceketini çıkarıp, yüz çizgileri yorgunluğunu açığa
vuran Craig Nova'nın karşısına geçti.

– DNA testi ne derecede güvenilir? diye sordu.

– Yanılma riski taşımadan bir adamı ömür boyu hapse mah-
kûm edebilecek kadar.

– Bu DNA, inanılmaz bir rastlantı sonucu başka bir adamda da
bulunmuş olamaz mı?

– Tek açıklama, bu! diye homurdandı Bentley Cotland.

Craig kuvvetle kafasını salladı:

– Kesinlikle imkânsız. İnsanın DNA'sı tektir.

– Ama Leland'in hayatta olması da imkânsız!

– Evet ama, bunun bir açıklaması olabilir, dedi Craig. DNA kesinlikle kişiye özgüdür, çok belirli bir grubun, tek yumurta ikizlerinin dışında başka hiçbir insan aynı DNA'ya sahip olamaz.

– Yanlış açıklama, dedi sesini yükselterek Salhindro. Leland ailesinin tek çocuğuydu.

– Bundan emin miyiz? diye ısrarla sordu yüzbaşı.

– Şeyy... Evet. Nasıl başka türlü olabilir ki? Başka bir kardeşi olsaydı, varlığından haberdar olmamız gerekmez miydi? Kimlik belgesi, ehliyet, iş... En azından, birkaç tanık. Her neyse, demek istiyorum ki, bu duyulurdu! Nüfus idaresi ne de olsa işini biliyor! Günümüzde, insanın çocuğu olup, onu herkesten saklaması imkânsız, en azından yirmi yıl saklaması imkânsız! Hem üstelik, Beaumont ailesi çocuğu bunca zaman neden saklasın? Televizyon dizisi değilki bu, insanlar gerçek yerine gerçekdışına yönelmiyorlar!

– Yine de, suçlar bazen öylesine inanılmaz biçimde işleniyor ki, insan benzerini sinemada görse, saçma buluyor! diye itiraz etti Meats.

Yüzler asıldı. Leland Beaumont ailesinin tek çocuğuydu, bulunan DNA'yı açıklayacak bütün izler onunla birlikte ölmeye mahkûmdu.

– Bizleri yanlış yöne sevk etmek için saklanmış eski bir sigara izmariti kullanılmış olamaz mı? diye sordu Bentley Cotland.

Craig omuzlarını kaldırdı:

– Prensip olarak, evet, ama elimizdeki kurumuş bir izmarite benzemiyordu, tabiî eğer buzlukta saklanmamışsa.

– Pek mantıklı görünmüyor, dedi Lloyd Meats. Adam tuzaktan hiç kuşkulanmadan geldi, oradan kurtulma şansı hemen hemen yok gibiydi, tuzağın kokusunu almış olsaydı, gelip yakalanma tehlikesini göze alamazdı.

– Lloyd haklı, diye onayladı Brolin. Katil bizi yanlış iz üzerine sürmek isteseydi, izmariti kurbanlarından birinin yanına bırakırdı. Böylesi onun için hiç tehlikeli olmazdı.

– Öyleyse bütün bunların anlamı ne? diye bağırdı, sabırsızlık ve asabiyetin kopmak üzere olan bir piyano teli gibi gerdiği Yüzbaşı Chamberlin. Bu DNA bir yerden geldi, değil mi?

Odaya sessizlik hâkim oldu. Altı adam birbirlerine baktılar. Herkes aynı şeyi düşünüyor, ama kimse düşünüleni söylemeye cesaret edemiyordu. Yine grubun görüşlerini paylaşmayan Bentley'nin dışında. Anlaşılan polis olmak üzere yaratılmamıştı ve her geçen gün öyle yaratılmadığı için kendi kendini kutluyordu.

Sonunda, suya ilk atlayan Salhindro oldu:

– Belki de gerçekten Leland'dir.

Hepsi adamın öldürüldüğünü, gömüldüğünü biliyordu ya, kimse bunun imkânsız olduğunu söylemeyi düşünmedi bile. Bunu kendi kendilerine yeterince tekrarlamışlardı.

Brolin bulduklarını açıklamanın zamanı geldiğini düşündü:

– Dinleyin, Juliette'in yardımıyla bulduklarımı...

– Juliette mi? Yanlış hatırlamıyorsam, Leland'in son kurbanı, öyle değil mi? diye sözünü kesti Bentley Cotland.

– Size "kurban"ı dememenizi daha önce de söylemiştim, sağlığı yerinde onun.

– Yoksa soruşturmaya bir sivili de kattığınızı mı söylemek istiyorsunuz? diye sordu sesindeki alaycı ama kendisinin çok sevdiği ve onu son derece sevimsiz kılan bir edayla Bentley.

– Leland hakkında herkesten daha çok şey biliyor, onu yakından gördü!

– Katille ilgili uzmanın siz olduğunuzu sanıyordum?

– Cotland, sinirime...

– Sinirinize, ne?

Brolin iskemlesinden fırladı, tehditkâr görünüyordu.

– Beyler, sakin olun! dedi Yüzbaşı Chamberlin. Joshua, yorgunsunuz, aslında hepimiz öyleyiz, onun için sakinleşin. Siz de, lütfen sözlerinize dikkat edin. Eğer Brolin bir sivile soruşturmayla ilgili bilgiler vermişse, bu beni ilgilendirir, onun için siz bu konuya karışmayın.

– İşlerinizi yürütme yönteminiz pek hoşuma gitmiyor.

– Olabilir, ama şimdilik Savcı Gleith sizi burada bir şeyler öğrenmeniz için görevlendirdi ve daha savcı değilsiniz, onun için, sesinizi kesin.

Cotland'in gözlerinde kıvılcımlar çaktı. Bir gün bunları ödetecekti. Göreve atandığı zaman, onlara hayatı zehir etmek için elinden geleni yapacaktı.

– Ne buldunuz? diye Brolin'e döndü Chamberlin.

Brolin oturup, sözlerine devam etti:

– Katilin kurbanlarının alnını neden asitle yaktığını. Oraya yazdıklarının okunmasını istemiyor. Kazıdıklarını, demek istiyorum.

Chamberlin kaşlarını çattı.

– Gerçekten de, diye devam etti Brolin, katil kurbanlarının etine gizli bir sembol kazıyor. Eski bir korunma ritüeline ait bir pentagram. Aslında, "büyücüyü" öldüreceği kişinin ruhundan koruyacağı sanılıyor. Leland Beaumont'un kurbanlarının alınları da aynı biçimde asitle yakılmıştı. Yöntemi birbirlerine geçirmişler.

– Tabiî eğer aynı insandan bahsetmiyorsak, dedi Salhindro somurtarak.

– Bu ritüel bize neyi anlatıyor, diye merakla sordu Meats.

– Tek başına, pek fazla bir şey anlatmıyor, diye cevap verdi Brolin. Sadece çok ender rastlanan bir tören olduğunu, bu da katilin cinayetlerinin kapsamının anlaşılmayacağına olan inancını kanıtlıyor. Katil özel dergilerin abonesi olabilir. Belki de büyücülükle ilgili malzeme satan dükkânların gediklisidir. Kütüphanelerde bu konuyla ilgili araştırma yapıp çok sayıda kitap okumuş olması da mümkün. Bütün bunlar ilginç çalışma alanları.

Yüzbaşı bu konuyla ilgili konuşacakken, Brolin sözlerine devam etti:

– Hepsi bu kadar da değil. Bu törenin hayatı ölümün ötesinde arayanlar için yararlı olduğu düşünülüyor. Ritüel kullananı koruyor, ama kurbanının ruhunu yutmasına izin veriyor. Bunlar, büyücü kitabının kendi tanımı. Ekliyor da zaten: "Böylelikle, kurban edilenin ruhunu yutarak, ölümden sonra yaşamanın yolu bulunur. Bu sonsuz hayattır, ölümün yaşayanlar arasına dönmesidir."

– Bizimle alay ediyorlar...

Lloyd Meats bunu mantığın kıyısındaki çatlağı bekleyen korkuyu itiraf edememenin bir yolu gibi, düşünmeden söylemişti.

– Leland Beaumont kurbanlarının alnını yakıyordu. O herif çılgındı, ama aynı zamanda da kara büyü tutkunuydu, diye sözlerini tamamladı Brolin.

Yüzbaşı parmaklarının arasındaki silgiyi mıncıklıyordu:

– Pekâlâ... Bütün bu satanizm palavralarına inanmıyorum, ama DNA'nın anlattıkları da açık. Onun için, kuşkuyu silmek ve zihinleri yatıştırmak amacıyla, başka bir seçeneğim yok gibi, dedi yüzbaşı boğuk bir sesle. Bundan nefret etmekle birlikte, savcıdan bir mezar açma izni isteyeceğim. En azından, rahat ederiz. Tümüyle imkânsız olduğu halde, Leland'in şu ya da bu şekilde kurtulmayı başarıp başarmadığını veya birinin bize pis bir oyun oynayıp oynamadığını öğrenmiş oluruz.

Bentley Cotland şaşkınlıkla yüzbaşıya baktı:

– Ama... Bunu yapamazsınız! Leland öldü, dünyadaki insanların en berbatı da olsa, ruhunun huzura ihtiyacı var, mezarına böylesine bir saygısızlıkta bulunamazsınız!

– Siz, o izmaritin üzerinde DNA'sının bulunmasını bana siz açıklayabilir misiniz?

– Hayır, ama...

– O zaman, ben de böylesi bir adamın elini kolunu sallayarak dolaşmasına izin veremem!

– O adam öldü! Bir kurşunla beyni dağıldı!

Chamberlin müstakbel savcı yardımcısının itirazlarını duymazdan gelerek Meats'e döndü:

– Lloyd, Leland'in gömüldüğü mezarlıktaki sorumlularla temasa geçip, bu işi ayarla. Otoparktaki (Brolin'e kısa bir bakış attı) başarısızlığımızdan sonra, özellikle de basının ne yaptığımızı bilmesini istemiyorum, yoksa her birimizin kellesi uçar. Mezarı gece, mezarlık kapalıyken açacağız. Belli olmaz, bakarsın bir katilin mezarının başında nöbet bekleyen bir gazeteci...

– Tamam, bu akşama ayarlamaya çalışırım.

Yüzbaşı devam etti:

– Brolin, siz de orada olacaksınız, Lloyd size yardım eder. Bay Cotland'in de sizinle gelmesi iyi olur, böylelikle çalışmalarımızı yakından görme fırsatı bulur. Tabiî, eğer istiyorsa.

Cotland başını salladı.

Orada olacaktı ve eğer Yüzbaşı Chamberlin gelecekte önemli bir yere gelirse, bu onun kişisel çıkarlarına yarayabilirdi. Belki de bir gün gelir, Chamberlin'i sıkıştırmak gerekebilirdi ve bu mezar açma da onun beceriksizliğinin bir kanıtı olarak bilinirse, görevini kötüye kullanması olarak addedilip, kınanabilirdi... Siyasette ilerlemek için hep hatırda tutulması gereken ayrıntılardan biri işte.

Brolin ve Lloyd endişeli gözlerle bakıştı.

Bu seferlik de olsa, sahada çalışmaktan rahatsız olan sadece Bentley Cotland değildi.

Leland'in gerçekten de mezarının dibinde kalıbı dinlendirdiğinden emin olma fikri, hiç kimseyi heyecanlandırmıyordu.

Hele geceyarısı mezar açmak, hiç.

53

Leland Beaumont'un ebedî uykuya yattığı yer, Columbia Nehri'nin kıyısındaki küçük Latourell kentinin mezarlığıydı. Manzarası dik yarlarla, derin ve karanlık ormanlarla kesilmiş olan bölgede. Aileden geriye kalan son kişi, babası Milton Beaumont, ormandaki evine yakın diye, oğlunun buraya gömülmesini istemişti. Ve Latourell yakın çevrenin nüfusu beş bini aşan tek kentiydi.

Brolin toplantıdan sonra Juliette'le biraz vakit geçirmişti. Leland'in DNA'sını anlatmadan önce, uzun süre tereddüt etmişti. Hangisi daha iyiydi? Ona bütün gerçeği anlatıp, bir açıklama bulana kadar korkutmak mı? Yoksa yalan söyleyip genç kadını uzun vadede zararlı olacak bir kozada korumak mı? Sonunda dürüst olmakta karar kılmıştı, artık aralarında çok daha önemli bağlar olduğuna göre, birbirlerine karşı dürüst olmaları gerekiyordu. Juliette olanları, bu son on iki ay boyunca oluşturduğu cesaret ve kararlılıkla, hiçbir heyecan belirtisi göstermeden dinledi. Brolin gece mezarın açılacağından söz ettiğinde de, onaylamakla yetinip, "Bana bir iyilik yap ve hâlâ mezarında yattığından emin ol" dedi. "Bugün artık ondan korkmuyorum, ama eğer geri dönen gerçekten onun hayaletiyse, bana neler olur, bilemiyorum..."

Brolin kızı elinden geldiğince rahatlatmaya çalışmıştı, ama kendisinin bile kuşkulandığı bir konuda onu nasıl ikna edebilirdi ki?

"Proaktif yöntem" sırasındaki başarısızlıktan resmen kimse sorumlu tutulmamıştı, ama basın yaylım ateşine geçmiş, halkın gözü önünde yerin dibine batıracakları bir isim, bir surat aramaya koyulmuştu, fakat polis önlerine yem olarak kimseyi atmamakta kararlıydı. Eğer hızla alınacak sonuçlar durumunu güçlendirmezse, kendi iş arkadaşlarına karşı gösterdiği bu dayanışma, başta Yüzbaşı Chamberlin olmak üzere yöneticilerin başını yiyebilirdi. Özellikle de Chamberlin'in gazetecilerin önünde yaptığı ve katili tuzağa düşüren açıklamalarından sonra.

Her zamankinden daha az zamanları, sayılı saatleri vardı şimdi. Geçen her gün, yeni bir kurban anlamına gelebilirdi.

Geçen zaman genel sabırsızlığı artıracak, bundan ilk zarar görenler de Chamberlin ve Brolin olacaktı. Soruşturma bu işte daha uzman sayılan ellere geçebilirdi. Hatta yerel FBİ bürosuna bile. Eğer bizzat belediye başkanı ve Savcı Gleith el ele verirse, işe federalleri katmak için yeterli bahane bulunabilirdi.

Lloyd Meats, Bentley Cotland ve Joshua Brolin'i Latourell'e götüren arabada, genç müfettiş biraz önce aldığı pazar gazetesini açtı. Baş sayfa hiç itiraza meydan bırakmadan "İnanılmaz fiyasko!" manşetini çekmişti. Altbaşlık, çiviyi daha da sağlam çakıyordu: "Leland'in Hayaleti'ni yakalama çabasındaki polis, bizim hayatımız ve bizim paramızla hava aldı." Belediye başkanı da yüksek çevrelerdeki insanlara özgü demagojiyle bir açıklama bile yapmıştı: "Bir kişinin vatandaşlarımızın güvenliğini tehdit etmesine izin veremeyiz; en kısa zamanda yakalanması için elimden geleni yapacağım ve bu amaçla hemen bugün emniyet müdürüyle konuşacağım. Polisin bu operasyonuna gelince, bu konuda bilgim yoktu, ama beraberce bu işi aydınlığa kavuşturacak ve suçluları cezalandıracağız..." Uzun açıklamanın gerisi de vardı.

Halkın öfkesini dindirmek için gerekli kurbanı vermeden önce, Chamberlin, Brolin'i daha ne kadar koruyabilirdi?

Otomobil akşama doğru Latourell şerifinin bürosunun önünde durdu. Hava serindi. Bir gece önce etkili olan fırtına sanki dağın ardına gizlenmişti ve ortaya çıkmak için fırsat kolluyor gibiydi.

Şerif Hogson orada değildi ama yardımcısı şerifin "öteki bürosunda" beklediğini söyledi. Latourell gibi küçük kentlerde şerif, seçimle gelmiş bir görevli olmakla birlikte zamanını resmî görevi ve asıl mesleği arasında paylaştırır. Hogson'ın kent dışında küçük bir bıçkıhanesi vardı.

Siyah Ford yasanın üç koruyucusunu kent dışına çıkardığında, diğerleri yolun kenarında bir patika ve yol kenarındaki bir ağaca çivili "Hogson Bıçkıhanesi" yazılı bir tabela gördüler. Küçük bir açıklığa varmadan önce, orman içinde bir süre gitmeleri gerekti.

Ağır havada bitkisel bir ölüm esintisi gibi kesilmiş ağaç kokusu asılıydı. Bıçkıhane özellikle Washington eyaletinde, Vancouver yolu üzerindeki kâğıt fabrikası için, az miktarda tomruk üretiyordu.

Ne var ki bugün tatil olduğundan, bıçkıhanede Hogson'dan

başka kimse yoktu. Testerelerin tiz çığlıkları rüzgârın ve çevreyi saran ormanın yüksek çamlarının tepesindeki hışırtısına karışmıyordu. Özsu kokuları öylesine baş döndürücüydü ki, toprak renginde bir bulut gibi, oldukları yerde duruyor gibiydiler.

Arabadan çıkarken, Brolin, Cotland'i uyardı:

– Eğer konuşmayı Meats'in ve benim yapmama izin verirseniz, çok sevineceğim, tamam mı?

Cotland, Brolin'e bakmaya bile tenezzül etmeksizin, başını sallamakla yetindi.

Ana binadan kırk yaşlarında bir adam çıktı. Şerif Hogson orta boyu, kırmızı suratı ve kırlaşmaya yüz tutmuş saçlarıyla sevimli birine benziyordu. Yanlarına yaklaşırken, eliyle bir işaret yaptı:

– Portland'dan gelen meslektaşlar, değil mi? Arabanızın sesini duydum.

Yanlarına geldiğinde, her birinin elini kuvvetle sıktı. Meats ve Brolin kimliklerini gösterip, kendilerini tanıttı. Bentley onları istemeye istemeye taklit etti.

– Savcının bürosundan bir faks mesajı aldım. Benden bu istediğiniz, pis bir iş! Doğrusunu söylemek gerekirse, burada şimdiye kadar hiç mezar açılmadı.

– İşte bu yüzden ketumluğunuza ihtiyacımız var, dedi Meats kara sakalını sıvazlayarak. Bu sadece basit bir kontrol, onun için halkı heyecanlandırmaya gerek yok.

Anlaşılan bütün bunlar ardı ardına ikinci kez şerif seçilen Dan Hogson için oldukça garipti.

– Sorunun ne olduğunu bir anlatsanız? Leland Beaumont adına bir mezar açma izni aldım, bunun işlenen cinayetlerle ilgili olduğunu düşünüyorum, yanılmıyorum değil mi?

Brolin ve Meats belli etmeden bakıştılar.

– Bir bakıma, öyle gibi, dedi Meats. Leland'in cesedinin çalınmadığından emin olmak istiyoruz.

Hogson bir eşekarısı tarafından sokulmuş gibi, yerinden sıçradı:

– Kimse bir ceset çalacak kadar çılgın olamaz.

– Kimseye bir şey söylemeyeceğinize güvendiğimizi biliyorsunuz tabiî, diye ısrar etti Brolin. İnsanların yanlış düşüncelere kapılmasını istemeyiz.

– Öyle olsun. Biliyorsunuz tabiî, bu herif, yani Leland demek istiyorum, bölgede epeyce tanınırdı.

Brolin irkildi:

– Ne demek istiyorsunuz?

– Delikanlıyken, yazın iki ay boyunca burada çalıştı. Yanılmıyorsam, 1996 yılının temmuz ve ağustosunda. Doğru hatırladığımdan eminim, çünkü o yıl bıçkıhanede bir yangın çıkmıştı, hayır, onunla ilgili değil, yangın sonbaharda çıktı.

– Yanınızda çalıştığından haberim yoktu, dedi Brolin şaşkınlık içinde.

– Doğrusunu söylemek gerekirse, karşılıklı bir şeydi. O, tomrukları yükleyip indirmede yardım ediyordu, ben de arada bir eline biraz para sıkıştırıyordum, resmî bir iş değildi yani, anlıyorsunuz ya? Brolin başını salladı:

– Nasıl biriydi?

– O! Kötü biri değildi. Yalnız biri; öyle konuşkan da değildi. Pek içine kapanık da sayılmazdı, ama fazla canlı da görünmüyordu. Ne demek istediğimi anlıyorsunuz, değil mi? Her neyse, bütün dikkatini işe verdiğini söyleyemem. Düşte yaşar gibiydi, hep hayal dünyasında geziyordu. Burada bir iki olumsuz davranışta bulundu, ama hiçbiri ciddi şeyler değildi, en azından, yapacaklarını tahmin edemezdim... Öyle değil mi?

– Genellikle böyle oluyor. Böylesi insanlar içindeki kini ve doyumsuzluğu başkalarına göstermeyecek kadar kendi içine kapanık yaşar.

Şerif Hogson iğrenme ile kavrayamama arasında, kaşlarını kaldırdı, çenesini sıvazladı:

– Tamam, eğer karanlık basmadan kentin ekskavatörünü alacaksak, acele etmemiz gerekecek, dedi sonunda. Birkaç evrak alayım, geliyorum.

İki müfettiş başlarını salladılar, Hogson yazıhanesine yöneldi. Hiç olmazsa, ikna edilmesi güç birisi değildi.

Rüzgâr Douglas çamlarının dallarını birbirine vurdu, yağmurun kocaman ve soğuk ilk damlaları düşmeye başladı.

* * *

Latourell Mezarlığı'nın parmaklıklı kapısı, her pazar günü olduğu gibi, akşamın yedisinde kapanmıştı. Mezarlık bekçisi daha sonra ekskavatörü Leland'in mezarının bulunduğu yolun ağzına kadar götürmüştü.

Brolin bu kadar küçük bir kentin mezarlığının büyüklüğü karşısında şaşırmıştı. Birkaç mezar taşıyla kaplı küçük bir alanla karşılaşmayı beklerken, mezarlığın, Latourell'in iki yüzyıllık sakinlerini, kürk tacirlerini, yolları oradan geçen altın arayıcılarını, çevrede yaşayan avcıları barındırdığını gördü. Mezar taşları topraktan kavruk parmaklar gibi çıkıyor, hüzünle göğe uzanıyordu. Zamanın cilaladığı taşın üzerindeki kitabeler silinmiş, artık adsızlığa mahkûm ölülerin tarihe geçme haklarını sonsuza dek kaldırmıştı. Burası Washington İrving'in romanlarından çıkmış bir ölüm tepesiydi, eksik olan tek şey, yukarıdaki budaklı ağacın dibindeki sis ve darağacıydı.

Şerif Hogson geride durmuş, böğürtlenlerin sardığı mezar taşlarının arasında manevra yapmaya çalışan ekskavatörü derin bir sessizlik içinde izliyordu. Mezarlardan çoğuna bakılmıyordu artık, mezarlığın bekçisi bile onları doğanın saldırısından korumuyordu. Tıpkı aklımızdan çıkıp yerini günlük hayatın akışına ve belli bir rutine bırakan geçmişe ait kötü bir anı gibi, unutuluyorlardı.

Engebeli araziyi kızıllığıyla renklendiren güneş artık yerini geceye, yağmur ve bulut perdesi ardında gizlenen ay ışığına bırakıyordu. Mezarlığın bekçisi Troy Subertland mezar açmaya yardım etmek için oradaydı; zaten küçük ekskavatörü kullanmayı ondan başka bilen de yoktu.

Beşi de kafalarını eğmişler, yağmurun soğuğuna seslerini çıkarmadan katlanıyor, yağmurluklarının altına olabildiğince az su girmesi için kısıtlı hareketlerle çalışıyorlardı. Çevrelerinde, hatta her yerde çamur, suyu yuttukça sıkılan bir sünger gibi ses çıkarıyor ve yağmur suyunu gargara yaptıktan sonra çürümüş derinliklerine göndermek için kolayca yutuyordu.

Herkesi yarı dinsel bir sessizlik içindeydi. Oysa Meats ve Brolin için söz konusu olan tanrısal bir saygı ya da eski çağlara yönelik batıl bir inanç değildi. Toprak ekskavatörün çeneleri altında açıldıkça, her ikisi de Leland'in varlığını hissediyordu; o varlık büyüyor, atmosferi şeytanî çılgınlığıyla dolduruyordu.

Ekskavatörün farlarından başka bir şeyin aydınlatmadığı bu gecenin başlangıcında, Brolin dehşet saldığı zamanlarda Portland Celladı olarak adlandırılan adamın cesedinin altında olduğu topraktan zarif ve ışıltılı buğular tüttüğüne yemin edebilirdi.

İyice düşünüldüğünde, her yer ölümün ve çılgınlığın izini taşır gibiydi. Bitkiler birbirlerine sarılmış dişi şeytanlar gibi yıldızlara doğru yükseliyor, gölgeler buradan başka hiçbir yerde olmayacak kadar esrarengiz görünüyorlardı.

O yarım saat boyunca kimse edecek tek bir kelime bulamadı, ellerinden bir şey gelmeksizin, kötülüğün uyanışına tanıklık ettiler.

Sonra, ekskavatörün dişleri bir boşlukta gıcırdadı.

Orada bulunan herkesi, iliklerine kadar bir ürperti rüzgârı yaladı.

Brolin mezarlık bekçisinin getirdiği küreklerden birine sarıldı, kısa süre sonra Meats de ona katıldı. Deliğe yaklaştılar.

Bentley ile Şerif Hogson bir adım bile kıpırdamadı.

Çamurlu toprağın dibinde bir zamanlar tabut olan şeyin açık renk köşesi seçiliyordu. İki adam, ellerinde kürekleriyle çukura inmekten çok ölüm yatağına yuvarlandılar.

Yağmur suyu, yüzlerce ürpertili damarcık gibi, bölmelerin çatlaklarından sızıyordu. Dakikalar geçtikçe uzun, üzerinde kurumuş bitkilerin yüzdüğü, kahverengi ve karanlık bir gölcük meydana geldi. İki adamın ayakkabılarına yağmur suyu doldu, soğuk, sürüngen dilini sırtlarından yukarı saldı.

Çukurun dibine kadar yaptıkları kazı sonucu çamur içinde kaldılar. Orada geçirdikleri on dakika içinde, yağmur ve çamur tüm vücutlarına bulanmış, derilerinin her santimine, elbiselerinin her parçasına kötü bir bataklık kokusu sinmişti.

Ve usulca, ölümü ininden çıkardılar.

Tabut tümüyle ortaya çıktığında, Meats küreğini dışarı fırlattı. Brolin bir an küreği tutmayı, kapak açıldığı anda silah gibi kullanmayı düşündü. Aptalca bir fikirdi bu, sonunda o da küreği çukurun dışına attı.

Çukura hâkim bir yerde bekleşen Bentley Cotland, şerif ve Troy Subertland mezara iyice yaklaşıp aşağıya doğru tedirginlikle baktılar.

Saçları yağmurun altında alnına yapışmış Brolin, Cotland'e doğru bağırdı:

– Bana bir lamba verin ya da burayı yukarıdan aydınlatın!

Söylediklerinin yağmurun şakırtısını aşması için bağırmak zorunda kaldı.

Cotland denileni hemen yaptı, çukurun üzerinden, meşeden yapılmış çamurlu tabutun üzerine güçlü bir ışık tuttu.

– Gerçekle yüz yüze gelme anındayız, dedi alçak sesle Brolin, Meats'e.

Kilidini söktüler, ürpertici bir gıcırtıyla kapağı kaldırdılar.

Yağmur bütün şiddetiyle yağmaya devam ediyordu. Şıpırtılar insanı sersemletiyor, damlalar su birikintilerine, çamura çarpıyor, toprak daha iyi kusabilmek ve yıkanmak için yutuyordu. Tüm mezarlık terliyor gibi içindeki cesetlerin kokusunu yayıyordu.

Soğuk ve karanlık gece çakalların iç karartıcı iniltisine benzeyen rüzgâr çığlıklarıyla bölünüyordu.

Ve görecekleri daha çok uzun bir süre hatta hayatlarının sonuna kadar hafızalarından çıkmayacaktı.

– Boğazımıza kadar boka battık... dedi Meats çaresizlik içinde. Ve yıllardan beri kiliseye ayak basmamış olmasına rağmen, soğuk yağmurun altında istavroz çıkardı.

Korkunç görüntü karşısında gözleri bir karış açık kaldı.

Süssüz, kaplamasız bir tabut.

Bomboş bir tabut.

Üçüncü bölüm

Beni anlamıyorsunuz. Beni anlayabilecek durumda değilsiniz. Ben sizin bilgi birikiminizin ötesindeyim. Ben "iyiliğin" ve "kötülüğün" ötesindeyim.

Richard Ramirez, on dört cinayetten ölüme mahkûm edildiği mahkeme sırasında.

54

Gece, çevrede dönenip duran ölümün huzursuzluğuyla Portland'ın uçurumlarının ve ormanlarının üzerinden kayıp gitti. Devasa siyah bulutlar sessiz hayaletler gibi süzüldü, iç karartıcı pelerinleriyle bölgeyi soluksuz bıraktı. O gece, Brolin, Juliette'in evine gitmedi. Leland Beaumont'un mezarının açılmasından sonra, korkunun önünden kaçarak soluğu kendi evinde almıştı. Genellikle çok az içki içtiği için tozlanmaya yüz tutmuş bir şişe Jack's'in üçte birini devirdi. Sıcak suyla bir duş yaptı, sonra üzerine Quantico Akademisi döneminden kalma, kocaman harflerle FBI'nin arması basılı eski tişörtünü geçirdi. O tişörtün içinde kendini iyi ve güvende hissediyordu; geçmişte yaşadıklarıyla beslenen bir güven duygusu... Nereye gittiğini, ne yaptığını bildiği ve inandığı bir dönem. Meslekî düş kırıklıklarından önceydi bu.

Brolin salonunun yanındaki küçük holden, ceketinden düşen su damlalarının sesini duyuyordu. Başını çevirdiğinde, çamura bulanmış ayakkabılarını gördü ve Leland'in boş mezarının görüntüsü, bütün gerçekliğiyle gelip gözünün önüne yerleşti.

Hiç zaman yitirmeden, Leland'in cesedinin kaybolmasıyla ilgili ek bir soruşturma başlatılmalıydı. Saygısızlıktan söz etmek imkânsızdı. Leland gömülmüştü ve ölüydü.

Bundan gerçekten emin misin bakalım? Gömüldüğü sırada orada mıydın?

Hayır, Leland kellesine bir kurşun yemişti, şöyle ya da böyle kurtulmuş olamazdı. Hekimler soğuk cesedini muayene etmişlerdi. Teşhislerinde en ufak bir farklılık yoktu.

Peki, tabut toprağa verildiğinde, içinde ceset olup olmadığını gördün mü?

Beyni, kafatasının bir bölümüyle birlikte dağılmıştı.

Leland kara büyüye tutkundu. Ölümsüz olmak istiyordu.

Zihinsel işkence, Brolin oyun konsolunu çalıştırıncaya kadar, birkaç dakika sürdü. Uzun zamandan beri oynamamıştı... İki haftadan beri! Katodik ışınlar ile oyunun titreşimli heyecanı onu gerçeklerden kopardı. İlk yaşayan ölüler meydana çıktıklarında, Brolin "off" düğmesine bastı. Az uyudu; bomboş, düşsüz, huzursuz bir uyku.

Yedide uyandı, kendine ancak duşa girecek kadar zaman ayırdıktan sonra, Mustang'ine binip polis merkezine doğru yola koyuldu. Midesinin iniltilerini dinlerken Juliette'in evinde geçirdiği gecenin, genç kızın güven verici kollarının ve sabahları taze sıkılmış portakal sularının özlemini yaşadı.

Müfettiş bürosuna girdiğinde, Salhindro telefonu kapatıyordu. Soruşturmayla görevli olmasına karşın, Salhindro işe ancak hastalık derecesinde bir fedakârlık ya da en azından mazoşizm diye tanımlanabilecek bir bağlılıkla sarılıyordu. Ne Yüzbaşı Chamberlin, ne de Cinayet Masası'nın herhangi bir müfettişi bir yorumda bulunmamıştı. Katil ile Karga'yı yakalamak bu işle görevlendirilenlerin dışındakilerin bile birinci ödeviydi.

Meats ve Brolin mezarın boş olduğunu gördüklerinde telefonla yüzbaşıya ve Salhindro'ya haber verdikleri için, Meats koridorda karşılaştığı genç müfettişe başıyla bir selam vermekle yetinmişti. Konudan bahsetmeye niyetli değillerdi pek; şimdilik değillerdi.

Sabahın ilk saatleri, yorgunluk kendini hissettirmeden geçiverdi. Brolin sabah ilk iş olarak şimdiki bekçi ile selefini mezara bir saldırıyla ilgili olarak sorguya çekmek için Latourell Mezarlığı'na giden Lloyd Meats'le telefonda konuşmuştu. Ne var ki, o taraftan hiçbir şey öğrenilememişti. İki bekçi de, gömülmesinden sonraki on iki ay boyunca Leland Beaumont'un mezarında hiçbir olağanüstülüğe rastlamamışlardı.

İyi haber, on buçuğa doğru telefon eden Carl DiMestro'dan geldi:

– Birinci kurbanın yüzünü yeniden oluşturmaya çalışan ekip, işini dün akşam tamamladı. Yedi günden beri durmadan çalıştılar ama ortaya çıkan sonuçtan memnunlar, onlara göre, bu canlandırma işlerine yarayabilirmiş.

– Tamam Carl, yüzün fotoğrafını çeksinler, sonra o fotoğrafları eyaletteki tüm polis karakollarına dağıtalım. Bu arada, Washington eyaletindekilere de; bakarsın, oralı çıkar. Çok belirgin bir portresini de Portland ve Salem'deki küçük büyük bütün gazetelere göndersinler. İlgilenebilir misin?

– Bizim Bayan X çok yakında tüm Oregonluların kahvaltısına konuk olacak.

– Sağol Carl.

– Bekle, daha bitmedi. Alnı yakmak için kullanılan aside gelince, kütle spektrometresi anhidrit ve hidrojen gibi kolay rastlanabilir maddeler belirledi. Aslına bakarsan, kurbanın dokusunu oluşturan ile sonradan eklenenleri birbirinden ayırmak gerek. Ama oksijene eklenen hidrojen, H_2SO_4, yani sülfürik asit için yeterli suyu oluşturabilir. Bu pek işine yaramayacak, çünkü bu liseler dahil, hemen her yerde bulunabilecek bir asit. Öte yandan, Craig'in Elizabeth Stinger'ın öldürüldüğü yerde yaptığı araştırmanın sonucunu gördüm. Aspiratörle yapılan örnek almada belirli bir miktar tebeşir bulunmuş.

– Tebeşir mi?

– Evet. Anlaşılan yerde, kurbanın çevresinde karanlıkta ve çıplak gözle görülmeyecek kadar az da olsa, beyaz tebeşir tozu var.

– Ayakkabısından dökülmüş olabilir mi? Mesela, sanki bir kireç ocağından geliyormuş gibi?

Brolin, Carl raporun sayfalarını çevirirken çıkan sesi duydu.

– Dur bakayım... Hayır, bulunan miktar ayak izlerinden kalacak gibi değil, çok fazla, üstelik de sadece belirli yerde. Tebeşir tozu sadece cesedin çevresinde ve... Ve... Kurbanın bacaklarının bulunması gereken yerde. Craig'e kalırsa, tebeşiri katil getirdi, tebeşir kullanınca da tozu yere döküldü.

Brolin söylenenleri not aldı ve Carl DiMestro'ya tüm bilimsel ekip çalışanlarının başardığı iş için içten bir teşekkür etti.

Sonra koltuğuna gömüldü ve farkında olmadan dudağını ısırmaya başladı. Asit izi onları hiçbir yere götüremeyecekti, alınan yeri bulacak kadar nadir bir madde değildi kullanılan. Öte yandan, diğer konu çok daha ilgi çekiciydi. Tebeşir tozunun orada ne işi vardı? Üstelik, az miktarda, sanki katil tebeşirle bir şey yazmış gibi, polis bir şey bulamadığına göre, sonradan sildiği bir şey.

Tıpkı, kurbanlarının alnına bıçakla bir pentagram kazıyıp, sonradan silmesi gibi.

Düşerken yanındakini de deviren bir domino gibi, bu benzetme Brolin'in aklına başka bir düşünce getirdi. Katil zemine, Elizabeth Stinger'ın bacaklarını kestiği yere de bir pentagram çizmiş olmalı. Anlamı esrarlı, şeytanî sembollerinden birini.

Brolin elleriyle yüzünü kapadı. Öncekilere eklenen, ama doğrulanmadıkça bir anlam ifade etmeyecek yeni bir varsayım daha vardı. Sembolün kesin metni olmadan, elindeki ipucu anlamsız kalıyordu, onun için bu bilgiyi kafasının bir köşesine yerleştirip, bir sonrakine geçmeye karar verdi.

Karton kapağında "Leland Beaumont" yazılı dosyayı açtı, aradığını buluncaya kadar sayfaları çevirdi: "aile adresi" bölümünü: *Crow Farm, Bull Run road, Multnomah county.*

Bir ev için ne tuhaf bir isim.[1] İç karartıcı ve bulanık, Adams ailesinin kuzenlerinin evine hoş geldiniz.

Brolin parmaklarını masasının üzerinde trampet çalar gibi tıkırdattı, sonunda başını salladı.

Gidip, Milton Beaumont'u ziyaret edecekti. Bunu çok daha önceden yapması gerekirdi. İhtiyar ne denli saf olursa olsun, adamın belki de gün ışığına çıkaracağı sırları vardı.

Brolin köşedeki dolabı açtı, içinden plastikten küçük bir valiz çıkardı. İçindekileri kontrol etme lüzumunu bile görmedi, oradakileri ezbere biliyordu.

Bürosunun kapısı çarptı, asansörlere doğru yola koyulmuştu ki, Yüzbaşı Chamberlin'in sert sesi yankılandı:

– Josh! Bir saniye!

Sesinden bir umutsuzluk seziliyordu.

– Yeni bir mektup daha aldık.

– Ne? Adamlarımızca doğrulandı mı?

– İçeriği gerçek olduğunu kanıtlıyor. Gelin.

Yüzbaşının bürosunda, mide bulandırıcı bir tütün kokusu salınıyordu. Bentley Cotland oturmuştu, Salhindro ise çok geçmeden göründü.

– Mektup elimize adi postayla, bir saat önce ulaştı, diye açıkladı Chamberlin. Fred Chwimsky mektubu Polilight ve luminolle taradı ama bir şey elde edemedi. Anlaşılan, bir önceki gibi gizli mesaj yok bu kez. Zaten, insanın içinin ürpermesi için, gizli mesaj da gerekmiyor.

Mektubu Brolin'e uzattı. Öncekiler gibi, yazıcıdan çıkmıştı.

Sevgili Müfettişler,

Bu kez şiir filan yok, bırakacağım iz de yok.

Hile yaptınız. O tuzak akıl almaz bir tuzaktı ve ne denli beceriksiz olduğunuzu gösteriyordu. Eğer görevimi yerine getirmemi önleyebileceğinizi düşünüyorsanız, size iyi şanslar dilerim. Yine de beni sıkıştırılıp aptalca bir tuzağa düşürülmek istenen adi bir hayvan gibi görmenize kırıldım. Beni hor gördünüz. Bunun için sizi cezalandıracağım.

---

1. Crow Farm: Karga Çiftliği.

Şefiniz Bay Chamberlin'in küstahlığı beni derinden sarstı, böylesine acınacak bir sonuç almak için bu kadar kendini beğenmişlik bende sadece küçümseme ve itiraf etmeliyim, zavallı ve acınacak planınız başarısız olduğunda, uzun süren bir sevinç duygusu uyandırdı. Aklıma gelseydi, sahneyi filme alırdım, böylesi bir şey televizyonda insanları gerçekten eğlendirirdi.

Bunun dışında, şimdi artık "eser"ime dönüyorum. Cezamı uyguladıktan sonra, çalışmamın geri kalanını izlemeniz için belki sizinle yeniden temasa geçerim.

Size karşı duyduğum şaşmaz bir tiksintiyle,

Ben

Chamberlin asabîce bıyığını sıvazlarken, Brolin mektubu plastik mahfazasına yerleştirdi.

– Sizin dışınızda kimse bu caninin bize gönderdiklerinden haberdar olmadığına göre, bu mektubun kişisel addedilecek kadar özellikli ve kesin olduğunu düşünüyorum. Joshua, siz ne diyorsunuz.

– Evet, haklısınız. İpuçlarına, şiirlere, yani önceki mektupların içeriğine atıf. Bu bir kandırmaca değil. Onun dışında, bazı kanıtlar da var. Kendini çok ciddiye aldığı bir görev üstlenmiş gibi hissediyor, "eserinden" ve "ödevinden" falan söz ediyor. Ötekinden, ağır işlerini gördürdüğünü sandığımız kişiden hiç bahsetmiyor. Sanki başkası yokmuş gibi, sanki basit bir aletmiş gibi, sadece birinci tekil şahısla yazıyor, asla "biz" demiyor. Kurbanlarından hiçbirine en ufak bir saygı bile duymuyor, ona göre kurbanları canlı varlıklar değil, sadece üzerlerinde tüm gücünü gösterdiği birer tatmin aracı. Bunun kanıtı olarak da onun deyimiyle "adi bir hayvan gibi" sıkıştırılmasından söz ederken gösterdiği öfke; oysa kurbanlarına yaptığı kesinlikle farklı değil. Kurbanlarının bir değeri yok, ama işin ucu ona dokunduğunda, öfkeleniyor.

Brolin şimdiye kadar verecek bir cevap bulamamış olmasına şaşırarak, bir an Bentley Cotland'e baktı. Sözlerini sürdürdü:

– Bize karşı beslediği tüm bu öfkeye rağmen, yine de mektup gönderiyor, hatta devam edebileceğini de düşünüyor. Yaptıklarının hayranlık uyandırmasına ihtiyacı var. Kullandığı sözcüklerde, seri cinayetler işleyen ve genellikle zavallı bir insan olarak tanımlanacak katilden beklenmeyecek bir kültür görülüyor. Tam tersine, burada karşımızda çok akıllı biri var, üstelik iyi eğitim almış ve çok kurnaz biri. Çok seçkin, hatasız deyimler kullanıyor, mektubunu da artık pek geçerli olmayan, son derecede edebî bir terimle bitiriyor: "Size karşı". Belki de kendi kendini yetiştirdi, eğitimini kitaplarla gerçekleştirdi. Dağarcığını okuduklarıyla zenginleştirdi, bu da hem edebî üslubunu, hem de takdir görme isteğini açıklıyor. Ya yalnız yaşıyor ya da dehasını değerlendiremediği için kötü davrandığı "maşasıyla". Bunca bilgi depolayıp bildiklerini kimseye gösteremediği için, kuşkusuz anlaşılmadığını düşünüyordur. Çekingen ya da toplum dışı biri, çok az insanla görüşüyor, kimse de ne kadar akıllı olduğunu kabul etmek istemediği için, tatminsiz. Bu da onu sinirlendiriyor, toplumun dışına itildiği için de herkese karşı belirli bir nefret duyuyor. Bizimle bunun için oyun oynuyor zaten. Kendini kesinlikle fazla yetenekli gördüğü bir işte çalışıyor, iş arkadaşlarının onu çok iddialı, tatlı kaçık ve tehlikesiz birisi olarak gördüklerinden eminim. İnsanları çekip çevirmeyi bir sanat haline getirdiği kesin. Bir de, bu daha önce söylenenleri tekrarlıyor, kendine aşırı derecede âşık. Mektubun altına "Ben" diye imza atıyor ve sanki onu yakalamaya layık değilmişiz gibi, böylesine gülünç bir tuzak kurmamamız gerektiğini düşünüyor.

– Beni şaşırtıyorsunuz, dedi Cotland. Bütün bunlar, bir mektup sayesinde!

Küstahlığını ve insanları tahrik eden özelliğini yitirmişti; gece sağanağı altında boş mezar görüntüsü onu belirgin bir biçimde yerine oturtmuştu. Oysa Brolin artık hayal falan kurmuyordu; tıpkı otopsi sonrasında olduğu gibi, sarsılıyor ve saldırganlığını unutuyordu ya, çok kısa zamanda aynı tek ve benzersiz Bentley Cotland olacağı kesindi. Gururlu. İnsanın temel özelliklerini değiştirmek imkânsızdır.

– Burada yaptığım yorum değil, ama elimizdeki ayrıntılar arttıkça profili daraltabilir, sonunda nasıl biri olduğuna, neler düşündüğüne kadar indirgeyebiliriz.

Cotland'in alaylı ve keskin bir cevap vermek üzere olduğunu anlayan Chamberlin aceleyle söze girdi:

– Beyler, yeni birini öldüreceğini açıkça ilan ediyor. Kimi, ne zaman, nasıl? Bunu söylemiyor.

– Eğer yeni bir cinayet işlerse, bu sefer yaptığı öncekilere benzemeyecek. Bu kez, bizim için öldürecek; bize acı çektirmek için. Amaçlarına hizmet etmek için değil, doğrudan bizi sarsmak için. Bu cinayeti tamamlamaya çalıştıklarının arasına yazmamak gerek, dedi Brolin, kararmış bakışlarıyla.

– Bu herif bizimle alay ediyor! diye öfkelendi Bentley. Bir şeyler yapmalı, gözlerimizin önünde birini öldürecek ve biz parmağımızı bile oynatamıyoruz! Portland polisi dedikleri bu mu?

Salhindro ayağa kalktı, elleri kol dayanaklarında, Cotland'in üzerine eğildi:

– Zavallı adam, elimizden ne geliyorsa yapıyoruz! O herif rasgele öldürüyor, kurbanlarını kendi kişisel ölçütlerine göre seçiyor, herhangi bir ilişki, göze çarpan bir neden yok; böylesi her soruşturmacının kâbusudur. Yoksa hepimizin bir sonraki kurbanı görmekte acele ettiğimizi mi düşünüyorsunuz? Olanı aileye anlatmak istediğimizi mi? Herif arkasında iz bırakmayacak kadar akıllı olduğu için medyanın öfkesiyle karşılaşmak! John Wayne Gracy gibi katiller rastlantı sonucu yakalanmadan otuz üçten fazla insan öldürdü. Zodyak katili kim olduğu anlaşılmadan kaybolana kadar kırk üç kişiyi katletti. Burada, sadece iki kurban var ve hepimiz hasta olduk, ama soruşturma dediğiniz maalesef yavaş ve adım adım gelişen bir şey. Sizin, sizin bu konulara ilişkin en ufak bir bilginiz yok ve...

– Larry... Larry! diye sakinleştirdi Chamberlin.

Salhindro doğruldu, Cotland'in yüzüne aynı zamanda hem ışık, hem de kan geldi.

– Beyler, öfkeye kapılmayalım, dayanışma içinde olalım, zafiyet göstermenin zamanı değil şimdi, dedi Cinayet Masası şefi. Larry, önümüzdeki kırk sekiz saat için devriyeleri iki katına çıkaracağız, izinli kim varsa çağır. Hastalık izninde olanlar bile, imkân dahilinde, bize yardım etmeli. Demek istiyorum ki, kenti sürekli gözetim altında tutacağız; özellikle de katilin hoşlandığı ıssız bölgeleri.

– Bir sonraki kurbanın lağımlarda öldürüleceğini düşünüyorum, dedi Brolin. Adam Dante'nin "Cehennem"ine göre, yeraltındaki dokuz kata göre öldürüyor, Elizabeth Stinger da kanalizasyon girişinde bulunmuştu. Benzerlik oldukça çarpıcı.

– Josh, çocukları devriye gezmeleri için aşağıya göndermemiz imkânsız, bunun için ordu gerek! diye üzülerek itiraz etti Chamberlin.

– Ancak, "eserine" devam etmeden önce, bizi cezalandırmak için birini öldürmeye çalışacak ve böylelikle bizi zor durumda bırakacak. Gazete ve televizyonlara haber vererek, bunun medyatik bir cinayet olması için uğraşacak. Eğer milletin alay konusu olursak, onunla kamuoyu arasında sıkışıp kalır, neredeyse onun kadar yalnız ve marjinal oluruz. Kafasından bunların geçtiğini öğrenirsem, hiç şaşırmayacağım.

– Öyleyse, devriyelerin sayısını artırır, ek telefon santrallarını devreye sokarız; her şikâyet olabildiğince ciddiye alınır.

– Kolay olmayacak! dedi Salhindro.

– Yüzbaşı, önümüzdeki birkaç saat boyunca Juliette'in korunmasının daha da yoğunlaştırılmasını istiyorum, dedi Brolin daha kısık bir sesle. O kız... Önemli bir sembol. Katil bizi Leland'in izinde sürüklemek için onunla aynı yöntemleri kullanıyor; Juliette de Portland Celladı'yla karşılaşıp, hayatta kalan tek kişi. Ne demek istediğimi anlıyorsunuz, değil mi?

– Joshua, adamlarımızdan ikisini sürekli olarak onu korumakla görevlendirdim, vardiyaları hesap edersek, bu altı adam eder! Siz de biliyorsunuz, çoğu kez üniformalı bir polisle yetiniyoruz. Elimizde yeteri kadar adam yok...

Yüzbaşı ile müfettiş göz göze gelip, dikkat ve saygıyla birbirlerini tarttılar, sonra Brolin usulca başını salladı.:

– Tamam... Anladım.

Salhindro kapıya yöneldi:

– Birlikleri harekete geçireyim.

Hızlı adımlarla çıktı. Brolin ayaklanmak üzereyken, yüzbaşının bir el işaretiyle durakladı:

– Elinizde bir şey var mı? Bir ipucu, beni rahatlatacak herhangi bir şey?

Brolin tereddüt etti, sonra omuzlarını silkti:

– Her şeye sıfırdan başlamak zorundayım. Kötülüğün kaynağına, cinayetin doğduğu yere dönüyorum.

Plastikten yapılmış küçük valizini aldı ve kalabalıkta kayboldu.

55

Hood Dağı'nın etkileyici silueti bölgedeki tüm ormanlara hâkimdi. Üç bin dört yüz metrenin de üzerine çıkan zirvesindeki lekesiz ve karlı tülü, dev bir ayna gibi, cılız ekim güneşini yansıtıyordu.

Mustang yolun gri ve mor şeridi üzerinde hızla ilerliyordu. Halkının tek eğlencesi yol üzerindeki benzinlikler olan birkaç köyden geçen Brolin manzarayla değil, önündeki yolla ilgilenmeye çalışıyordu.

Oregon'a daha önce hiç ayak basmamış biri bu yüz yıllık ormanların oluşturduğu görüntüyü tam olarak gözünde canlandıramaz. Yolun bir dönemecinde, otuz metre aşağıda öfkeyle akan bir dereye yer açmak için dar bir boğaz açılır ya da bir yalıyarın dev duvarı sanki sizi ezmek istercesine, aniden karşınıza dikiliverir. Burada ağaçlar karadır, bu yerin yüreğine insan ayağı değmemiştir, dağlar da "Kızılderili şamanları" gibi, bu esrarengiz sığınağın nöbetini tutarlar.

Deneyimsiz bir bale sahnesinin birbirine sarılarak ıstırap içinde can çekişen oyuncularına gezgin, bu yabanıl iklimde kendini içinin en derin yerlerinden yükselen bir korku ve hayranlığın pençesinde buluverir.

Brolin bir bale sahnesinin birbirine sarılarak ıstırap içinde dans eden oyuncularına benzeyen bu budaklı ağaçlara bakmamaya çalışıyordu. Aklından bölgenin haritasını geçiriyor, kanalizasyon girişini kaçırmamayı umuyordu.

Portland'dan çıkalı iki saat olmak üzereyken, fundalıkların arasına dalan toprak yolu gördü Brolin.

Üç kilometre ötede, yol ikiye ayrılıyor, bir levha "Bull Run kanalizasyonu" yönünü gösteriyordu. Brolin öteki yöne girdi.

Ağır ağır ilerlerken, serin havanın bir çeşit gizemli cesaret vermesi umuduyla, arabanın camını açtı. Arada sırada yırtıcı bir hayvanın çığlığını ya da bir kuş sürüsünün cıvıltılı gevezeliğini duyuyordu. Tek bir insan izi yoktu.

Burada, gece dehşet verici olmalıydı.

Sonunda, ulu bir çamın arkasında kalan, Beaumontların "evi" görünüverdi. Dev gibi iki karavan ve ağaç kütüklerinden yapılıp, ezilmiş kulübeler gibi, karavanlara bitişik yapılmış birkaç oda. Kocaman oluklu sac levhalar bu tuhaf birlikteliğin çatısını oluşturuyor, aynı zamanda da bir halı gibi yayılmış çam iğnelerinin üzerinde sundurma görevini görüyordu. Her çeşitten beş altı araba enkazı pastan kahverengileşmiş bir dizi halinde, hayatlarının son demlerini yaşıyorlardı.

Brolin Mustang'i birkaç metre ötede durdurup, geldiğini haber vermek için kornaya bastı.

"Burada olsa da" diye düşündü, "bir daha dönmeyi hiç canım istemiyor."

Konut olma iddiasındaki yere doğru yaklaştı. On iki kadar tavuk, ucuz bir kafes teliyle alelacele yapılıvermiş bir kümesin içinde gıdaklıyorlardı.

– Hey! Kimse yok mu?

Bir kuş, daha uzağa uçabilmek için kanatlarını çırptı.

Pencereler bir ölünün gözü gibi kara ve küçüktü. Brolin çevreye baktı, ama biraz önce yağan yağmur etrafı çamura boğmuş, yürünemez hale getirmişti. Sağ tarafta, ormanın birkaç metre içinde, bir hareket sezdi.

Sessizce yaklaşırken, kendisini güvende hissedebilmek için, elini Glock'una götürdü.

Dallardan oluşmuş bir perdenin gerisinde, usulca hareket eden bir gölge vardı.

Brolin nemli yaprakları yavaşça araladı.

Üzerinden kanlar sızan bir et kütlesi, orada asılı, rüzgârda sallanıyordu.

Brolin geriye doğru sıçrayıp, tabancasını çekti.

Hayır, hayır, hayır! İnsan vücudu değil.

Kafasını salladı. Bir hayvan, ayaklarından kabloyla bağlanmış bir hayvan.

Milton bir doğa adamıydı, muhtemelen izinsiz avlanıyor ve bulabildikleriyle besleniyordu.

Brolin yüreği çarparak karavanlara yaklaştı.

– Milton Beaumont?

Brolin ev sahibinin adını birkaç kez tekrarladı. Cevap alamadı. Giriş kapısına yaklaştı. Toprağa gömülmüş bir sürü paslı konserve kutusu ağızlarına kadar su doluydu. Brolin sactan sundurmanın altına vardığında, kurutulmak için ipe asılmış bir dizi giyeceğin altından eğilerek geçmek zorunda kaldı.

– Hey! Kimse yok mu?

Basamak yerine kullanılan taşın üzerine çıkıp iyice berkitilmiş kapıya vurdu. Yine cevap yoktu.

Rüzgâr iki otomobil hurdası arasındaki bidonların üzerini örten mavi brandada ıslık çaldı.

"Ne yer! Böylesine bir kargaşanın içinde yaşayabilmek için, nasıl birisi olmak gerekir?"

Genç müfettiş yüz geri etti, binanın sağından dolanıp bir pencerenin altında durdu. Yağlı kir her yeri kaplıyor, kül rengi bir tülle içeriyi maskeliyordu. Gözlerini cama yapıştırdı.

– Yardımcı olabilir miyim? dedi arkasından bir ses.

Brolin döndü. Milton Beaumont ağaçların dibinde duruyordu. Her yanı kırışıklıklarla, düğümlerle kaplı, ufak tefek biriydi. Elmacıkkemikleri öylesine çıkıktı ki, insan en ufak bir tebessümde kafatası kemiklerinin arta kalan deriyi parçalamasından korkabilirdi.

Abanoz rengi saçları gözlerini oluşturan yarıkları kapatmıştı. Hiddetle tekrarladığı soruda yırtıcı bir hayvanın tehdidi hissediliyordu:

– "Yardım edebilir miyim?" dedim...

Brolin şaşkınlıktan kurtuldu:

– Evet, özür dilerim, kabalık etmek niyetinde değildim, ama kimse cevap vermedi. Ben...

Tereddüt etti. Milton safça olabilirdi ama, oğlunu öldüren adamın adını unutacaklardan değildi.

– Ben Joshua Brolin, polis müfettişiyim, dedi sonunda, dürüstlükte karar kılarak.

– Benden ne istiyorsunuz? Aynasızlara söyleyecek bir şeyim yok.

Sesi açıktı, tereddütsüzdü, bazı ünlü harflerde ıslık sesi çıkarıyordu.

– Size sadece bir iki soru sormak istiyorum. Girebilir miyiz? diye parmağıyla karavanı göstererek sordu Brolin.

Milton doğrulunca, çok daha ufak tefek göründü. Bu, iki adamın üçüncü karşılaşmasıydı ya, Brolin'i hatırlamış olsa da belli etmedi:

– Aynasızlarla konuştum ve artık birbirimize söyleyecek bir şeyimiz kalmadı. Oğlumu aldılar, bu kadarı onlara yetiyor olmalı!

Brolin'in göğsü sıkıştı.

– Anlıyorum... Ben sadece...

– Bir bok anlamıyorsunuz! Bizi burada oturduğumuz için sevmiyorlar, ama oğlum kimseye bir kötülük yapmadı!

Brolin başını salladı, usulca.

– Belki de daha sakin konuşabiliriz.

Milton'ın delici gözleri bir an için parıldadı. Derin çukurlara gömülü gözbebekleri pek ender görünüyor, Milton Beaumont ruhunu dünyadan büyük bir çabayla gizliyordu.

Arkasını dönüp yürüdü ve evin önünden kayboldu. Brolin peşinden gidince, Milton karavanın altından iki portatif iskemle çıkardı. İskemleleri açıp, sundurmanın altına yerleştirdi; karşı karşıya.

Milton'ın ona mı, yoksa başka yere mi baktığını anlamak güçtü; o yüzden Brolin oturmaya karar verdi. İhtiyar uzaklaştı, kümesin kapısını açtı, ani ve kendinden emin bir hareketle siyah bir tavuk yakaladı. Gelip oturduğunda, hayvanı koltuğunun altına sıkıştırmıştı.

– Bakın, ben... Çok kalmak niyetinde değilim. Haberleri izliyor musunuz?

Milton, kafasını cılız boynunun üzerinde döndürdü ve bir tükürük savurdu. Yüzü yeniden Brolin'e çevrildiğinde, sanki müfettişe meydan okuyormuş gibi, kafasını kaldırdı. Onlarca yıl açık havada yaşamaktan tabakalanmış cildi, göğsünün üzerine doğru uzanan çenesi ve uzun, aşırı derecede uzun yüzüyle ihtiyar, sargılarından yeni kurtulmuş bir firavun ölüsünü andırıyordu.

Bu herif kaç yaşında olabilir ki?

Milton havanın serinliğine rağmen bir tulum ve dirseklerine kadar kıvrılmış bir gömlek giyiyor, pörsümüş ama hâlâ eski gücünün kırıntılarını taşıyan pazılarını gösteriyordu. Güçlü bir elin ibiğini okşadığı tavuk kıpırdamıyordu. Hayvanın dehşet içinde mi olduğunu, yoksa keyif mi aldığını söylemek zordu.

Ya yanılıyorsam? Ya katil genç biri değilse? Milton Beaumont gerekli fizik gücüne sahip, üstelik oynatılacak ve dengesiz biri gibi hareket edecek kadar da saf. Psikotizmin eşiğinde olmasına rağmen, yaşı hareketlerinden bazılarını denetlemesine izin veriyor...

Yine de, göze batan bir şey vardı. Bunca zaman, böylesine yıkıcı dürtülerini nasıl sürdürebilmişti? Milton'ın bir oğlu olmuştu, bir de karısı, oysa katil kesin bir cinsel toyluk gösteriyordu.

– Gazeteler sadece ne düşünmemiz gerektiğini söylemek için.

Fazla da televizyon izlemiyorum, hayır.

"Acımasızca, ama doğru bir cevap" diye düşündü Brolin. Saf biri için, Milton oldukça kavrayışlı görünüyordu. Uzunca bir süre, Milton kadar kısıtlı birinin Leland gibi becerikli bir insanı nasıl peydahlattığını merak etmişlerdi. Belki de, Milton göründüğü gibi saf bir adam değildi gerçekte, belki de vahşi saflığının ardında dünyaya karşı keskinleşmiş bir bakış gizleniyordu.

– Son günlerde öldürülen iki kadından haberiniz oldu mu? diye sordu Brolin.

– Ne sandınız ya? Şu aralar herkes oğlumdan bahsediyor. Gazetecinin biri bana sorular sormak için buraya bile geldi. Geldiği gibi de gitti zaten. Eli boş.

Rüzgâr çevrelerindeki ağaçların dallarını oynattı.

– Öyleyse katilin... Portland Celladı'nı örnek aldığını da biliyorsunuz mutlaka?

Tanımlamalar acımasızca da olsa, Leland Beaumont'un adını içermiyordu; Brolin, babanın nasıl bir tepki göstereceğini bilemediği için böyle konuşmayı tercih ediyordu.

– Herifin birinin Leland'in yaptıklarını taklit ettiğini söylüyorlar. Oysa Leland artık ölü, onun için bıraksınlar da, huzur içinde yatsın!

Brolin doğrudan hedefe gidemeyecekti. DNA hikâyesini anlatsa, karşısındakinin tek bir kelime bile anlamayacağından emindi, bu da aralarındaki uçurumu daha da derinleştirmekten başka bir işe yaramazdı.

– Bay Beaumont, oğlunuz Latourell Mezarlığı'na gömüldü, değil mi?

Milton'ın gözlerinden çıkan iki siyah ok, Brolin'e dikilmişti. Tavuğu okşamaya ara verip, başını salladı.

– Açık sözlülüğümü bağışlayın ama, bilmeye hakkınız olduğunu düşünüyorum. Leland'in cesedi çalınmış.

İki yarık birden genişledi, içlerinden beyaz, kırmızı ve mavi iki göz küresi göründü. Gün ışığına çıktıkları hızla, yeniden karanlık inlerine döndüler.

– Ne? diye haykırdı adam. Hangi oros...

Kelimeler ağzında can verdi. Koltuğun kol dayanağının üzerinden eğildi, kolunun altında titreşen tavuk imdat gıdakları kopardı. Küçük bir odun yığınının arasından bir şey çekip çıkardı.

Brolin olacakları hemen kavrayamadı. Adamın elindekinin ne olduğunu ancak çeliğin güneş altında bir an parıldamasıyla anladı.

Nacak kuru bir ıslıkla havayı böldü.

Çok geçti.

Milton bir eliyle tuttuğunu bıraktı.

Tavuk kötü bir şaka yapılmışçasına, çılgınca bir kahkaha nöbetine tutulmuş gibi kıvrandı. Kanı sıcak bir gayzer gibi havaya fışkırdığında, Brolin hayvanın sıçradığını gördü; boynundan, boş bulaşık deterjanı şişesi sıkıldığında olduğu gibi, tükürüğümsü kabarcıklar çıkıyordu.

Kellesi kumların üzerinde olmasına rağmen, vücut sanki bir kâbustan kurtulmak istermiş gibi, koşmaya devam etti. Açık deliğin tepesinden fazlaca kan fışkırınca, hayvan ağır ağır devriliverdi.

– Memur bey, eğer buraya bana bu haberi vermek için geldiyseniz, artık gidebilirsiniz. Yok, eğer amacınız beni kodese tıkmaksa, tıkın, ama size söyleyecek bir şeyim yok!

– Bakın, belki...

– Kapayın çenenizi! Ya beni götürün ya da defolun gidin!

Brolin iskemleden damlayan kana baktı. Burada her türlü uygarlığın uzağındaydı ve eğer Milton birden çıldırırsa, kimse yardımına gelemezdi. Gözleri ihtiyarın hâlâ elinde tuttuğu nacağın üzerindeydi. Nacağın üzerinde neredeyse hiç kan yoktu.

– Pekâlâ, gidiyorum.

Karşısındakinden bir tepki bekleyerek, ayaklandı. Adam, duygularını hiç belli etmeden, Brolin'i izlemeye devam ediyordu.

– Yine de, bir şey yapmanızı isteyeceğim, kendiniz için. Tükürüğünüzden bir örnek almamda bir sakınca görür müsünüz?

Milton başını yana yatırdı. Sağ yanağının üstü asabî bir tikin etkisinde seğirmeye başlamıştı.

– Bu da nereden çıktı?

– Genetik bir karşılaştırma yapmak için. Aynı parmak izi gibi, ama parmak yerine tükürük ya da kan kullanılıyor. Eğer kabul ederseniz, katilin genetik iziyle karşılaştırırız, böylelikle temize çıkarsınız. Yine de hakkınızda herhangi bir suçlama olmadığını, bunun sadece benim kişisel isteğim olduğunu ve kabul etmek zorunda olmadığınızı söylemem gerekir.

Brolin adamın bir şey anlayıp anlamadığını çıkaramıyordu, vazgeçmeye hazırlanırken Milton'ın başını salladığını gördü.

– Ne yapmamı istiyorsunuz? Tükürüğümü bir iğneyle mi çekeceksiniz?

Brolin'in dudaklarında beliren tebessüm bu ağır atmosferde gerçek bir başarının göstergesiydi.

– Bu dediğiniz şeye gerek kalmayacak. Kullandığımız yöntem biraz daha modern. Bekleyin, göstereyim.

Mustang'in bagajındaki plastik valizi alıp, içinden lateks eldivenler çıkardı. Milton'dan temiz bir mendile tükürmesini istedi, sonra da küçük bir spatulayla kendine gerekecek kadarını aldı. Arabasına döndüğünde, Milton'ı tavuğun leşini yerden alırken gördü. Birden tavuğun durumunda kendisinin olabileceğini düşünerek, ürperdi. Tehdit oldukça açıktı.

Milton böylesine bir incelik gösterecek biri değil.

Kim demiş? Saf demek, "hareketleriyle aklından geçenleri anlatamaz" demek değil ya.

Milton, elindeki soğumaya yüz tutmuş leşle doğruldu. Gözlerini Mustang'e dikmişti.

Motor ağaçların altında homurdandı. Brolin dikiz aynasından, yolun ortasında hareketsiz duran baba Beaumont'un yavaşça gözden kaybolmasını izledi. Bütün dönüş yolculuğu boyunca, aklından çıkmayan bir düşünce vardı.

Doğrulurken, Milton gözlerini Brolin'inkilere dikmişti.

Biliyordu.

Milton karşısındakinin oğlunu öldüren kişi olduğunu çok iyi biliyordu.

Brolin emindi.

56

Otuz altı saat.

Juliette ancak bu kadar dayanabilmişti. Bir gün öncesinin sabahından beri Joshua'yı görememişti ve daha şimdiden özlemin etkisi altında olduğunu hissediyordu. İnsan iki günde de âşık olamaz ya! "Hayır" diye durmadan tekrarlıyordu kendi kendine, bu aşk değil, bağlılık. En kısa zamanda yeniden buluşma, birbirini tanıma, karşılıklı birbirini hayran bırakma ve birbirine sarılma isteği.

Peki, buna ne ad vermeli?

Bağlılık mı?

Bu sabah uyandığından beri yaptığı gibi, kafasındaki düşünceleri hayalî bir tokatla kovarak, onların yerine yüreğini ezen öteki ağırlığa döndü.

Leland Beaumont.

Kimdi o canavar? Joshua DNA sonuçları söylemişti. Adamın bir mezarın orta yerinde, bir ceset çıkarmakla uğraştığını düşününce, Juliette uykuyu ancak gecenin geç saatlerinde tutturabilmiş, kocaman yastıklar arasında Joshua'nın varlığını boşuna arayıp durmuştu.

Bütün sabah boyunca, Joshua'dan haber alabilmek için telefonun çalmasını beklemişti. Brolin ancak akşama doğru aramış, yorgunluğunu ve güvensizliğini gizlemekte oldukça zorlanan bir sesle konuşmuştu. Hiçbir şey söylemek istememişti, ama Juliette işlerin yolunda gitmediğinin farkındaydı. Can sıkıntısının Leland'le ve Leland'in mezarıyla mı ilgili olduğunu sorunca da, bir cevap vermemiş, akşam yemeği için geleceğini söylemekle yetinmişti.

Şimdi de, Camelia'nın evinde bir parça anlaşılma isteğiyle arkadaşının peşinde koşuyor, genç müfettiş için hissettiklerinin bir bölümünü bile çıtlatsa, baştan aşağıya anlayışa gömüleceğini biliyordu.

Saat altı buçuktu, gece karanlık kukuletasıyla göğü kaplamayı tamamlamış gibiydi.

Villanın geniş penceresinin öte yanında, West Hills'in tepesinde, Portland, Dickens'varî görsel bir tatla, bir Noel ağacı gibi parıldamaya koyulmuştu.

– Annen ile babanın sana destek olmak için gelmemelerine şaşırdım doğrusu, bu hiç onların yapacağı bir şey değil, dedi Camelia, kocaman bir elmayı iştahla dişlerken.

Juliette bir kanepeye kıvrılmış, dizlerini göğsüne çekmişti. Omuzlarını silkti:

– Doğrusunu söylemek gerekirse, onlara her şeyi anlatmadım. Nasıl insanlar olduklarını biliyorsun, onlar da geçen yıl az acı çekmediler. Aynı şeyi bir daha yaşamalarını istemiyorum.

– Yalnızlıktan hoşlandığını biliyorum, ama inan bana, eve eksik olan canlılığı, neşeyi onlar getireceklerdi. Böylesine dünyadan elini eteğini çekerek yaşaman yanlış.

– Oh! Lütfen kes, nasıl yaşadığımı biliyorsun...

Camelia başını dostça bir acıma ifadesiyle salladı:

– Ya Müfettiş Brolin'le? Nasıl gidiyor?

Genç adamın mesleğini vurgulamış, her hecenin üzerinde, alay eder gibi ısrarla durmuştu.

– İyi. Sanırım.

– Hepsi bu mu? Telefonda Anthony Deseaux'yla konuştum, kâhyanın anlattıklarına göre oradan oldukça geç çıkmışsınız, herhalde sadece araştırmayla oyalanmadınız?

Bir kaşı havada, dudağının kıvrımında alaycı bir tebessüm, Camelia soru sormuyor, sadece doğrulanmayı, ayrıntıları bekliyordu.

Bir inilti, vücutlarının üzerinden akan ter, zevkin sıcaklığı, bütün bunlar tatlı ve kırılgan heceler halinde geldi Juliette'in hatırına. Belleğinde eski büyü kitapları özlem buğuları arasında açıldı ve sarhoşluk yerini rahatsızlığa bıraktı. Juliette arkadaşının ufacık bir itiraf beklediğini anlayarak toparlandı.

– Meraklı cadaloz! dedi. İnanır mısın, aradığımız her şeyi bulduk, bulduklarımız da insanın kanını donduruyor...

– Masal anlatmaya kalkma, bana hikâye anlatma. Nasıl biri?

Juliette utançtan çok sıkıntıyla gözlerini indirdi:

– Tatlı. Sımsıkı dudaklarının arasından sızan tek söz buydu.

– İşte bu kadar! Eğer beni dinleseydin, bu kadar zaman kaybetmezdin! Sana kaç zamandır harekete geçmeni söylüyorum, ama söyleyen ben olunca, dinlemiyorsun tabiî! Peki, bir daha görüşecek misiniz?

– Bu akşam.

– Bu akşam mı? Ve sen burada, yaşlı Camelia cadalozuyla vakit öldürüyorsun, öyle mi? Oysa şu anda duşta olmalıydın, ne giyeceğini kararlaştırıyor olmalıydın, saçlarını kurutuyor, çarşafların arasına parfüm sıkıyor olmalıydın, diye ekledi, dudaklarını sahte bir öfkeyle bükerek.

– Bilemiyorum. Hile yapmadan, doğal halimle yüzüme allık dahi sürmeden olduğum gibi kalabilirim.

Camelia oturduğu koltuktan fırladı:

– Bazen ne kadar da saf olabiliyorsun! Temiz olmak, parfüm kokmak hile yapmak değil, büyüyü daha da güzelleştirmek; elbiseler ancak var olanın altını çizmeye yarar, güzel olmayanı gizlemeye değil, hatta... Her neyse, sende böyle bir sorun yok. Daha da güzelleş, zaten çekicisin, dayanılmaz oluver!

Neredeyse on yaş büyüğü ve en iyi dostunun gösterdiği heyecan Juliette'i eğlendiriyordu. Böylesi nutukları yirmi dört yaşındaki biri olarak kendisinin atması gerekirken, tavlama derslerini veren oradaki ikiliden boşanmış olanıydı.

– On yıl birlikte yaşamaktan bahsetmiyoruz Juliette, adam dayanamaz hale gelecek kadar çekici olmayı konuşuyoruz. Daha önce hiç yepyeni, taptaze biriyle bir gece geçirip, elindeki bütün kozları kullanmadın mı, yemek boyunca şımarıklığın son haddini de aşıp oyalanarak, çocuğu arzudan kıvrandırmadın mı? İnan bana, hiçbir şey onun kendini tutmaya çalışmasını, baskının arttığını görmek, onun umutla titremesini seyretmek kadar zevk veremez. Hayatında bir daha böylesi bir geceyi hiç yaşamayacaksın, büyücü arkadaşına güven!

Juliette'in yüzünden, ne kadar keyiflendiği okunuyordu:

– Tam olarak bunu mu istiyorum, bilemiyorum pek...

– Artık kendi yaşının kızları gibi davranmaya başlasan? Bir kadın gibi! Tabiî ki istediğin bu, sen sadece gerçekle yüzleşmekten korkuyorsun. Ne düşündüğümü söyleyeyim mi? Bana kalırsa sen, içinde bulunduğun durumdan dolayı keyif almanın doğru olmadığını düşündüğün için mutluluktan kaçıyorsun.

– Camelia, şu sırada öldürülmekte olan kadınlar var! Katil de belki... Belki Leland Beaumont'un arkadaşıdır, bu da bana endişeli olma hakkını veriyor.

– Hayatını boşa geçirme hakkını da veriyor mu? Yaşadığımız her dakikada kadınlara tecavüz ediliyor, çocuklar öldürülüyor.

Bunlara ne tepki göstereceksin? Kendi moralini bozarak mı? Arada bir biraz bencil oluver, bencillik keyfin temel taşıdır.

– Bilemiyorum...

Camelia arkadaşına yaklaştı:

– Juliette, dedi yumuşak bir sesle ve elini genç kadının yanağına götürerek. O sersem yüzünden hayatını zehir etmeni istemiyorum. Zaten birkaç ay önce, kendin de söylemiştin: "Bu herifin hayatımı mahvetmesine izin vermeyeceğim" demiştin. Ama bugün seni dinledikçe, tedirginliğini üzerinden attığından pek emin değilim. Derin bir soluk al, eski hayaletlerinden kurtul ve yaşamaktan zevk al. Mutlu ol.

Juliette başını Camelia'nın omzuna dayadı:

– Sanki Scientologie tarikatının bir reklamı gibisin, diye mırıldandı.

– Salak!

Birkaç dakika sonra, Juliette giriş kapısını itmiş ve kendine özen göstermek, Brolin'in gelişine hazırlanmak için Shenandoah Terrace yolunu tutmuştu.

* * *

Camelia mutfağın ışığını söndürdü ve televizyonun önünde bir battaniyeye sarınarak uzandı. Parmakları, beyaz camın ardındaki aptallıklardan sıkılana dek, kumandanın tuşlarının üzerinde gezindi. Salonun içinde dönenip durdu, şömineyi yakıp yakmamak arasında bocaladı.

"Şu Juliette'e bak" diye düşündü. Onun kadar olağanüstü bir kadın, kendine uygun birini bulamadığı için hayatını tek başına geçirebiliyor! Doğada bir adaletin varlığından söz edilebilir mi? Neden bazıları güzel ve akıllı doğar da, bazıları bunlardan nasibini alamaz?

İlahî adalet fikri Camelia'nın hep hoşuna gitmişti. İnsanın bir sürü nitelikle doğabileceği, ama doğanın er ya da geç onun yolu üzerine engeller koyarak eşitsizliğe karşı dengeleyeceği. Mesela çocuğu olmamak ya da hayatının büyük bir bölümünü yalnız yaşamak veya genç yaşta ciddi bir hastalığa yakalanmak... İnsanın sadece üstünlükleri olup, bunun bedelini ödememesi mümkün olamazdı, böylesi ötekiler için kabul edilmez bir şeydi. Doğa böyle bir haksızlığı es geçmeyecek kadar dakik, kusursuz ve hesaplıydı. Eğer insanın içinde er ya da geç eşitliğin sağlanacağı inancı olmasa, doğa diğerlerinin öfkesini çekmeden böylesine kusursuzlar yaratamazdı.

Ve Juliette de bu kuraldan kaçamazdı.

Camelia'nın gözleri büfenin üzerinde tozlanmakta olan bir kitabın kapağına kilitlendi.

John Kennedy Toole'un *Alıklar Birliği*.

Kitabı ona Juliette hediye etmiş, okuduktan sonra kendisinde büyük değişim olacağını söylemişti. Yazar bunu bir sanatçı heyecanıyla kaleme almış, fakat yazdıkları her yerden geri çevrilince intihar etmişti. Annesi sonunda müsveddeleri bir editöre okutmayı başardığında, eser büyük bir üne kavuşmuş, sonunda da Pulitzer'le ödüllendirilmişti.

Hayatın bir cilvesi.

Doğal denge gibi.

Camelia geceyi kitabı okuyarak geçirmeye karar verdi ve yatağa yatmadan önce güzel bir banyo yapmak için hazırlandı. Buharı rahatlatıcı, sıcaklığı gevşetici güzel bir banyo.

* * *

Juliette salondaki yemek masasının üzerine kocaman lacivert bir örtü yaydı. Uzun düşüncelerden sonra eve teslim pizza ya da Çin yemeği ısmarlamamaya, kendi bir şeyler pişirmeye karar verdi. Annesinin bir zamanlar şöminenin üzerine yerleştirdiği iki şamdanı on dakika kadar aradıktan sonra, bir dolabın dibinde buldu. İki kişiye yetecek, doğru dürüst bir yemek hazırlayacak malzemesi olup olmadığına baktı, gerekenleri mutfak tezgâhının üzerine dizdi.

Joshua yaklaşık bir saat sonra burada olacaktı, hızla üst kata çıkıp, sade ama çekici bir elbise seçti. Banyoya girmek üzereyken fikir değiştirdi ve çamaşır çekmecesini açtı. Burada da hafife alınmayacak şeyler vardı, insan bir kez kendine özen gösterecekse en azından sonuna kadar gitmeliydi. Dantelsiz, ama göğsü oldukça açık, siyah bir takım seçti.

Banyonun kapısını itti, duşun suyunu açmadan önce anadan doğma soyundu.

* * *

Mahalle ıssız değildi, tam tersine, kalabalık bile sayılırdı. Ne var ki evlerin hepsi kocaman yapılardı, aralarında da bir evi diğerinden ayıran büyük bahçeler vardı. Hayat zemin katındaki ışıklara takılıp kalmıştı, yoldan geçen yoktu.

Çok iyi.

Arabasının kapısını açtı, denizci beresini kafasının üzerine yerleştirerek dışarıya çıktı. Bu bereyi çok seviyordu, iyi bir seçimdi doğrusu.

Kaldırımın üzerinde, elleri ceplerinde, uzakta, tepenin eteğinde yayılan ışıklı manzarayı seyrederek yürüdü. Gördükleri hem güzel, hem de iticiydi. Binlerce renkte parlayan yeryüzü yıldızlarından demetler, ama özellikle de temsil ettikleri, yani toplum. İşin, toplumsal hayatın, iyinin ve kötünün dişlileri arasında yaşayan bütün bu insanlar. Onlar iyiden ve kötüden ne anlar? Onlar kim ki neyin iyi, neyin kötü olduğunu söyleyen karşı konulmaz yasalar yapıyorlar? Yoksa onlar Tanrı mı?

Hayır, ama Tanrı olduklarına inanmak isterlerdi doğrusu. Ya da olmayı.

Oysa onların sıkça anlattıkları gibi, "Tanrı'nın hiçbir yere sığmaz ve sarsıcı görüntüsünden kaçmak isteyen insan, bilimsel gelişmeyi yarattı. Bilim, insanın Tanrı olmak için yarattığı araçtır."

O akşam kaldırımın üzerinde yürüyen adam böylesi düşüncelere, böyle ifade edilen fikirlere sahip değil tabiî. Böylesi düşünceleri eksiksiz gerçekleştirmeye, desteklemeye ve kendine özgü kelimelerle düşünmeye çalışsa da, bir kavram haline getiremiyor. Ve öfkesi de giderek artıyor. Uzakta bir köpek havlamaya başlıyor, ama sahibinden azar işitir işitmez susuyor. Denizci bereli adam kimsenin onu görmediğine emin olacak kadar bir süre hareketsiz kalıyor. Bu işin tanığı olmamalı. Onlar öyle demişlerdi, ritüelin devamı için, tanık olmaması gerekli.

Sokak boyunca yüz metre daha yürüyüp, aradığı villayı inceledi. Çok büyük bir villa, pencereleri de yüksek ve çok geniş. Gündüzleri bol güneş alıyor olmalı.

Birinci kattaki pencere dışında her tarafı kapkaranlık, geceye güçsüz bir ışık yaymaya çalışan o pencere de banyo olmalı.

Kurtbağrından yapılmış bir çitten geçip, komşu evin yanından dolandı. Böylelikle, yabancı gözlerden ırak, arkadan yaklaşacaktı.

Eldivenlerini giydi, bu çok önemli! Böyle öğretmişlerdi. Eldivenler ruha özgürlüğü verildiğinde negatif enerjinin etkisinde kalmayı önlüyordu. Yine de, çalıştığı o iki sefer, o cilde dokunmamak için eldivenleri bir an için de olsa çıkarma arzusuna güçlükle direnmişti. O cildi okşamak, dokusunun nasıl olduğunu anlamak için, parmak ucuyla tadına bakmak isterdi. Oysa bu çok tehlikeliydi, arzusuna uysa, her şey yok olabilirdi. Hepsinin bütün çalışması.

Geniş villanın sol cephesi boyunca ilerledi ve onların dediği yerde küçük bir metal kutu, kutudan çıkıp evin cephesi boyunca yükselen kalın bir tel buldu. Bıçağının yüzü kaçak ayın ışığında, bir buz sarkıtı gibi parıldadı, sonra kabloyu kesti. Telefon yok. Arkadaki kapı kapalıydı. Burada istenmiyordu. Dişlerini sıktı, ama öfkesi hiç de azalmadı.

Mutfak penceresi kahverengi bir yapışkan bantla çabucak kaplandı ve bıçağın sapı camı kırdığında, mahallede hiç kimse bir şey duymadı.

Mutfağa girdi. Eldivenleriyle buzdolabına yapıştırılmış fotoğrafları okşadı. Derin bir soluk aldı.

Tazyikli sıcak suyun sesi evin borularında yankılanıyordu.

Üst kattaki banyoda, buhar bulutlarının arasında bir kadın şarkılar söyleyerek yıkanıyordu.

Kadın ne parkenin çıtırtılarını, ne de basamaklarda yükselen ayak seslerini duydu.

Gecenin ilerleyen saatlerinde, elini ona doğru yönelmiş yumuşak memenin üzerine koydu. Cildi yumuşaktı, ama eldivenler her türlü hissi engelliyordu. Eldivenlerden hiç olmazsa tekini çıkarmayı düşündü, sadece birini; o memeye dokunacak kadar, okşayacak kadar, avucunun içinde hissedecek kadar.

Gözlerini kaldırdı, dehşet ve can çekişmeyle kasılmış yüzü ve pentagramı gizleyen asidin yaktığı alnı gördü. Sırrı. Sırları.

Karşısındaki bir kadın değildi, sadece bir şey görüyordu. Kendine özgü bir hayatı olmayan bir şey. Arzusunun gücü karşısında şeyleşmiş, yalnız kalınca, istediği gibi yararlanmak üzere saklanan bir oyuncak gibi, fantezilerinin aracı olmuştu.

Hafifçe atan yüreği ya da kasların sinirsel kıpırtılarını görmedi. Hayır. Alnın üzerine işlediği sembolden başka önemli bir şey yoktu. Artık ruh yaşamıyordu, artık deri ve etten başka bir şey yoktu. Ona istediğini yapabilirdi, onundu artık.

Varlık olmaktan sıyrılmış.

Bıçağın soğuk çeliği kalçanın çıplak derisinin üzerinde kaydı. Yavaşça yukarı doğru çıktı ve adam aletinin usulca kabardığını hissetti. Bıçağın keskin yüzü bacakların arasındaki ince ayva tüylerini biçti.

Banyonun zemininde yatan kadından bir inilti, bir hırıltı duyuldu. Adam sesi duymazdan geldi.

Bıçağı kan sızdırınca, genç kadının yanaklarındaki gözyaşı damlalarını da görmedi.

Kendi zevkinden başka bir şey hissetmiyordu.

57

Salı sabahı Brolin kendini mutfak masasının başında, taze sıkılmış portakal suyundan kocaman yudumlar alırken buldu. Daha erkendi, Juliette hâlâ uyuyordu ve Brolin genç kızı uyandırmaya kıyamamıştı. Mükemmel bir gece geçirmişler, oldukça başarısız bir aşçılık çabasından arta kalan az bir şeyle yetinip, büyük bir aşkla yatak odasına çıkmadan önce de şöminenin önünde harika bir Kaliforniya şarabı yudumlamışlardı.

Brolin deri ceketini giyip dışarıya, Mustang'in yanına gitti. Sivil giyimli iki polis kendi arabalarının içinde uyuklayarak nöbet tutuyorlardı. Brolin adamları selamlayıp, hızla polis merkezinin yolunu tuttu.

Bürosuna girer girmez, mesaj, e-posta ya da faks gelip gelmediğini kontrol etti. Beklediklerinden hiçbiri gelmemişti. Koltuğuna oturup, katilin profili ve soruşturmanın ayrıntıları için çıkardığı tüm sonuçları ve yaptığı gözlemleri yazdığı panoya döndü. Bakışlarını önce duvarlarda, daha sonra yerlerde gezdirdi, en sonunda da tozlanmakta olan video konsolunun üzerine odaklandı. Kısa zaman öncesine kadar işi hem özel hayatı, hem de ekmek parasıydı. Bir soruşturmayla ilgilenmediği zamanlar, burada kalıp oyun oynayabilir, yeni bir acil durum beklerken gözlerini ekrana dikebilirdi. Evde de pek öyle zaman alıcı bir alışkanlığı yoktu. Sadece günlerini televizyonuyla ve hatırında kalan komik anılarıyla baş başa geçiren bir polis eskisi olabilecek hayatını bitirmesine neden olacak bir yaşam biçimi.

Oysa şimdi, Juliette vardı. Güzel, tatlı Juliette. Bu hikâyenin devam edip etmeyeceğini bilmiyordu, ama Juliette için denemeye değerdi. Denemeyi arzuluyordu.

Görüş alanına plastik valiz girince, valizdeki konma kabında bekleyen tükürük örneğini hatırladı. Genetik profilini çıkarmaları için, örneği Craig Nova'ya ya da Carl DiMestro'ya vermeliydi. Oysa Milton Beaumont'u gördüğünden beri, adamın fazla bir şeyle suçlanabileceğini düşünmüyordu. Adam tuhaftı, hatta tehlikeliydi belki, ama bunlardan kadınları öldürebileceğini çıkarmak... Yaşlıydı, daha da önemlisi kafaca pek sağlam değildi. Üstelik, hiçbir mecburiyeti yokken, tükürüğünü vermekte sakınca görmemişti.

Fırsatını bulduğunda, örneği Craig'e verecekti.

Faks makinesinin vızıltısı Brolin'i yarı uyuşukluğundan kopardı.

Yerinden fırladı, sayfanın tümü daha çıkmadan okumaya çalıştı. Gözlerine inanamıyordu. Mesaj Portland'ın batısındaki Beaverton şerifinden geliyordu.

"Ormandaki kurbanın kimliğini belirledik. Ekte 8 ekim günü çıkarılan arama emri."

Yani, dört gün önce. Oysa kurban yaklaşık on gün önce, 29 eylülü 30 eylüle bağlayan gece öldürülmüştü. Brolin mürekkebin kurumasını beklemeden ilk sayfayı alıp, heyecanla okudu.

Carl DiMestro bir gün önce eyaletin bütün şeriflerine birer faks mesajı göndermiş, silikon elastomeri sayesinde yüzü yeniden oluşturulan "ormandaki kurban" hakkında bilgi istemişti. Aynı istek gazetelere de gönderilmişti; en kısa zamanda "Eğer bu kadını tanıyorsanız ya da bir yerde gördüyseniz, lütfen..." şeklinde bir altyazıyla muhtemel tanıklara çağrıda bulunacaklardı.

Beaverton şerifinin adamlarından biri duvara daha yeni raptiyelenmiş bu ilanı görmüş ve iki kızın gösterdiği fotoğraf ile bu ilan arasında bağlantı kurmuştu.

Kurbanın adı Anita Pasieka'ydı, yirmi altı yaşındaydı.

Ondan sonraki dakikalar boyunca, Brolin elektrik yüklü bir batarya gibiydi: koşuyor, telefon ediyor, bilgileri bir araya getiriyordu. Saat dokuza doğru, Bentley Cotland kapısını çaldı, buraya öğrenmek için geldiğine göre bir yardımı dokunup dokunamayacağını sordu; Brolin'in gelen belgeleri ayırmasını istemesi, müstakbel savcı yardımcısını fazla sevindirmedi.

Öğlene doğru Brolin, Lloyd Meats ve Salhindro'ya bürosuna gelmelerini söyledi. Bentley Cotland bir eli dosyalar yığınının üzerinde, gözlerinde gurur, diğerlerinin odaya girişlerini izledi. Brolin dikkatle bakınca Meats'in kısa ve kara sakalının yerinde yeller estiğini fark etti.

– Yoksa hayaletlerle barış antlaşması mı imzaladın? diye sorarak şaşkınlığını dile getirdi genç müfettiş. Yani bundan böyle koruyucu bir perde ardına saklanman gerekmeyecek mi?

Sadece espri olsun diye söylemişti bunları. Aslında cevap falan da beklemediği belliydi; ama Meats cevap verme gereği duydu:

– Karım yazın başından beri kesmem için başımın etini yiyordu. Sonunda daha fazla dayanamadım!

– İşte ben de bunun için yalnız yaşıyorum ya! diye haykırdı Salhindro göbeğini sıvazlayarak.

Brolin kapıyı kapattı:

– Beyler, elimizde yeni bilgiler var. Ama bunlara geçmeden önce, Leland Beaumont'un mezarı konusunda bir yere varabildik mi?

Meats parmaklarının eklemlerini çatırdatarak içini çekti:

– Maalesef, fazla bir şey yok. Dün bütün günümü mezarlık personelini, geçen yıldan beri orada çalışanları sorgulamakla geçirdim, hiçbirinin söyleyecek fazla bir şeyi yoktu. Hepsi insan istedikten sonra fazla dikkat çekmediği sürece, kimseye fark ettirmeden bir mezarı açmanın, içindeki cesedi çıkarmanın, daha sonra da yeniden kapatmanın mümkün olabileceğini doğruladı; tek şart cenazenin kısa zaman önce gömülmüş olması, yoksa toprak mezarın açıldığını belli edermiş.

– Ya da ceset hırsızları yağmurlu bir gece seçtiler, diye ekledi Brolin.

– Doğru, mezarcılardan biri de öyle dedi zaten, ama yağmur altında mezar kazmak iki kat zaman ve güç harcamak demekmiş.

"Bir de bana sor" diye eklemek geldi içinden, mezarın açılışını hatırlayarak, ama kendini tuttu.

– Üstelik yağmurun altında çalışırken, gelenlerin ayak sesi duyulmaz. Gizli bir şey yapmak isteyen biri için ideal durum değil tabiî.

– Demek ki, mezarın cenaze töreninden sonraki birkaç hafta içinde açıldığını kabul edebiliriz, diye özetledi Brolin. Uzun zaman önce planlanmıştı.

Elindeki deftere aceleyle bir şeyler karaladı.

– Tamam, şimdi kendi tarafında neler bulduğunu anlatsan? dedi Meats.

– Benim hiçbir payım yok, bütün başarı genç ve uyanık bir şerifin. İlk kurbanın kimliği belirlendi.

İki polis yetkilisinin ağzı açık kaldı.

– Bu sabah, diye sözlerine devam etti Brolin, Washington bölgesinden bir adam bölgenin tüm şeriflerine gönderdiğimiz fotoğraftaki kişiyi hemen tanıdı. Kurbanın kimliğini belirleyen Şerif Yardımcısı Hazelwood. 8 ekim günü, iki kız gelip evi paylaştıkları üçüncü kişi olan, Anita Pasieka'nın kaybolduğunu bildirmişler.

Meksika'dan tatilden dönen iki kız akşam Anita'yı göremeyince meraklanmışlar. Yirmi dört saat bekledikten sonra, gelip arkadaşlarının alışılmadık yokluğunu bildirmişler. Kızlar Hazelwood'a ifadelerini vermişler. Şerif yardımcısı onlardan Anita'ya ait bir fotoğraf almış. Sonra, bir gelişme olmamış. İllinois'deki ailesiyle temasa geçmişler, ama Anita orada da değilmiş. Bu sabah, Hazelwood ilan panosunun önünden geçerken, gönderdiğimiz fotoğrafı görüp dilini yutacak gibi olmuş. Aynı kızmış.

– Bölgenin neresinde? diye sordu Salhindro.

– Beaverton'da.

– Hemen yanı başımız, ailesinin haberi var mı?

Brolin'in sesi ciddileşti:

– Annesi ve babası geldi, şu sırada Beaverton şerifinin yanında olmalılar.

Sessizce, ailenin acısını paylaştılar.

– Aceleyle, Anita Pasieka hakkında olabildiğince çok bilgi toplamaya çalıştım, dedi Brolin, öncekinden daha soğuk bir sesle. Katille nerede ve ne zaman karşılaştığını kesin olarak belirlemek güç olacak, maalesef aradan çok zaman geçti.

– Ortak bir nokta var mı? diye sordu Meats, fazla bir umudu olmadan.

Lloyd Meats, seri cinayetler işleyen katiller hakkında asgarî bir şeyler bilecek kadar uzun zamandır çalışıyordu Cinayet Masası'nda. Soruşturmayla görevli birçok müfettişten biri olarak "Green River Canavarı"yla uğraşmıştı. Seri cinayetler işleyen katiller, sadece kurbanlarını seçme yöntemleriyle bile yakalanması son derece güç suçlulardır. Cinayetlerini diğer katillerin büyük çoğunluğu gibi kurbanlarını kendi çevrelerinden seçerek işlemezler, daha çok rastlantı sonucu öldürürler. Yolda yürürken, fantezilerindeki kahramana fazlaca benzeyen bir kadın. Alın size katiliyle aralarında hiçbir bağ bulunmayan müstakbel bir av. Yine de, seri cinayetler işleyen bir katilin belirli bir şemaya, kesin bir veriye göre hareket ettiği, bu veri fantezisinin ayrılmaz bir bütünü olduğu için şemadan hiç ayrılmadığı da görülür. Böylelikle, hep birbirine benzer yerlerde cinayet işler ya da aynı tip kadınları öldürür veya günün aynı saatinde harekete geçer, peşindekilere onu yakalamaları için bir ipucu bırakır. İşte ortak nokta denilen de budur; kurbanları şu ya da bu biçimde birbirine bağlayan bir ayrıntı.

Brolin, Cotland'in önündeki desteden karton kapaklı bir dosya aldı.

– İşte benim de size göstermek istediğim bu. Gerçekten bir ortak nokta var, üstelik öyle hafife alınacak bir ayrıntı değil. Elizabeth Stinger, ikinci kurbanımız, biraz tanınmış bir manken ajansında çalışıyordu. Bu şirket mektupla satış yapıyor. Hedef kitlesi de her yaştaki kadınlar, en başta da ev kadınları. Firma hemen herkese, ellilik bir kadından genç kızına, her ikisinin ortasındaki ev kadınlarına kadar herkese ulaşmak için her yaş ve her görünüşte mankenlerle bir katalog yapıyor. Elizabeth iki yakasını bir araya getirebilmek için ufak tefek işler yapıyordu ama asıl parayı bu şirketle yaptığı yıllık mankenlik anlaşmalarından kazanıyordu. Anita Pasieka da aynı işi yapıyordu, hem de aynı şirkette.

Salhindro gömleğinin cebinden sigara paketini çıkardı:

– Aman Tanrım... dedi dudaklarının arasına bir Newport yerleştirirken. Bunun rastlantı olması pek mümkün değil.

Lloyd Meats elini bir sigara almak için Salhindro'ya uzattı. Brolin tüm gerginliğine rağmen, sadece odaya yayılmış dumanı solumakla yetinirken birden içinde bir sigara yakıp, bu ölüm çubuklarının dumanını içine çekme isteği uyandı. Bunların yanında biraz daha kalırsa, sonunda yenilecekti. O anda, sigaraya dayanamadığı için çok önemli bir toplantıyı aceleye getiriyor olduğunu düşünüp kendi kendine kızdı. İnsan nasıl bu kadar güçsüz olabilirdi? Hemen kendini toparladı, iradesi pekişti.

– Hâlâ kuşku var, ama böylesi olağanüstü bir rastlantı olabilir, dedi. Oldukça büyük bir şirket bu, yüz kadar insan çalıştırıyorlar. Telefon ettim, biraz sonrası için randevu aldım.

– Katilin personelden biri olduğunu mu düşünüyorsun? diye sordu Meats.

– Böyle düşünmek kolay ve mantıklı. Seçimini gün boyu gördüklerinin arasında yapıyor. O ya da Karga. Ancak Karga'nın zekâsı böylesi bir basitliğin üzerine çıkıyor, er ya da geç ortak noktayı bulacağımızı biliyor. Eğer bu onu rahatsız etmiyorsa, bu izden yürüyerek ona ulaşmamızın imkânsız olduğunu düşünüyor olmalı, bu yüzden şirketle doğrudan bir bağı olma ihtimali çok düşük. Yine de, bunu araştırmak gerekecek. Şimdi Fairy's Wear'ın yöneticisiyle buluşmaya gidiyorum, ondan kurbanlarımız hakkında biraz daha bilgi almaya çalışacağım; daha sonra Anita Pasieka'nın ailesiyle konuşmak için Beaverton şerifinin bürosunda olacağım.

Salhindro mesleğinin sebep olduğu gerginliğe rağmen, en kötü anlarda bile, her zaman, küçük de olsa –bazen en kötüsünden– kendisine espri yapacak bir zırh edinmişti. Böylesi, dünyanın hemen her yerindeki birçok polis gibi, gevşemek için bulduğu iyi bir yöntemdi.

– Fairy's Wear mi? Senin yerinde olsam, böylesi bir şirketin yöneticisiyle görüşmeye giderken kendime dikkat ederdim!

Brolin espriyi duymazdan gelip, Cotland'e eğildi:

– Geliyor musunuz? Biraz kurcalayalım bakalım, Elizabeth Stinger ile Anita Pasieka arasında ne gibi bir bağ varmış.

Bentley Cotland güvensizce başını salladı.

* * *

Philip Bennet, Fairy's Wear şirketini on yedi yıldan beri yönetiyordu. Daha önce bürosuna hiç polis girmemişti. Trafik cezalarını hep gününde ödemiş, vatandaşlık görevlerinin tümünü yerine getirmişti, bu yüzden ne kadar önemsiz de olsa, herhangi bir yasal nedenle endişe duyması gerekmemişti. Cinayet Masası'ndan Müfettiş Brolin, yanında bir savcı yardımcısıyla kapısına dayandığında, Philip bütün bunların kendisiyle ilgili olmadığını, doğrudan onu ilgilendirmediğini hemen anladı. Bunlar Elizabeth Stinger içindi, kalp atışları daha da hızlandı.

Fazla kilolarından dolayı, aşırı heyecana dayanamıyordu; özellikle de kalp sorunları yaşayan birinin yapmaması gereken bir şeyi yaparak sigaraya yeniden başladığından beri. Kalp büyümesi rahatsızlığı vardı, bu rahatsızlık er ya da geç ölümüne neden olacaktı; tüketim toplumunun iyiliksever insanlarının en büyük çelişkisi bu değil midir zaten? Üstelik bu son da, müfettiş küçük Pasieka'nın öldürüldüğü haberini verdiğinde daha da yaklaşmıştı.

İşe bir sürü insan alıyordu ama, Anita üç yıldır yanında olduğu için, onu iyi hatırlıyordu. Fairy's Wear fotoğraf çekimleri için genç kızı düzenli olarak çağırıyordu ya, iyice düşününce, haftalardır genç kızla çalışmadıklarını hatırladı. Philip çalışma planına bakarak, müfettişe Anita'yla gelecek cumartesi çalışmak için anlaştıklarını söyledi. Buradakilerin genç kızla irtibatta olmadıkları için şaşırmamaları normaldi.

Sarışın bukleleriyle Anita Pasieka.

Neden o? O kadar iyi, o kadar düşünceli biri.

Üç gün önce, Elizabeth Stinger'ın öldürüldüğünü duyduğunda, Philip bütün gece gözünü kırpmamıştı. Ertesi gün, bütün bir pazar gününü Stinger ailesiyle temas kurmaya çalışarak geçirmişti. Elizabeth'in küçük bir kızı olduğunu biliyor, yavrucağın emin ellerde olup olmadığını öğrenmek istiyordu.

Bir haftadan kısa bir süre içinde, yanında çalışanlardan ikisinin öldürüldüğünü duymak sarsıcı olmuştu.

Karşısında, Brolin donuk bir reçineden yontulduğu ve et rengine boyandığı söylenen bir yüzün fotoğrafını uzatıyordu.

– Evet, bu gerçekten de o, diye doğruladı. Şeyy, sanki yüzü... Elinizdeki fotoğrafta yapay gibi duruyor.

– Bay Bennet, işe aldığınız kızlarla çalışmalarınızı nasıl yürütürsünüz? Yıllık anlaşmaları mı vardır, yoksa işten işe mi çağrılırlar?

Şokun etkisini hâlâ üzerinden atamayan Philip Bennet zihnini toparlamak için mendiliyle alnını kuruladı.

– Şeyy... Şirketin çekirdeğini oluşturanların yıllık anlaşmaları vardır. Bunlar otuz iki kişi. Aylık broşür için poz verirler, abone geceleri sırasında defileye çıkarlar ve yıllık iki kataloğumuz için resim çektirirler. Bunlara bir de belirli işler için çalıştığımız birkaç model, ara sıra, özellikle de yaz ve kış katalogları için gelen elli kadar "ekstra" eklenir.

– Anita Pasieka ve Elizabeth Stinger "çekirdek" kadroda mıydı?

Philip başıyla onayladı, konuşurken heyecandan çenesi titriyordu.

– Evet... Şey, onlarla sürekli çalışmadığımız için büyük birikimleri olamaz tabiî, onun için ufak tefek işlere de giderler, ama birkaç sezondur şirketle anlaşmalı çalışıyorlardı.

Bennet ağır bir metal çekmeceye uzanıp bir katalog çıkardı. Sayfaları çevirmeye koyuldu, aradığını bulunca da durdu.

– Bakın, işte, bu Anita. Bu son kataloğumuz, yaz kataloğu. Elizabeth üç sayfa önce.

Brolin kataloğu eline alınca Anita Pasieka'nın çekici tebessümünü gördü. Parlak kâğıt kızın genç görüntüsünü biraz değiştiriyordu. Brolin terk edilmiş evin içini hatırladı. Küf, sadece güçlü fenerlerin delebildiği karanlıklar, resimdeki ufak tefek sarışının asitle yakılmış alnı.

Kataloğu uzattığı Bentley resmi dikkatle inceledi.

– Son günlerde size endişelerinden ya da kuşkularından söz ettiler mi? diye sordu müfettiş.

– Yani nasıl? Bana özel hayatlarını anlatmazlardı. Aslına bakarsanız, onlarla pek görüşmezdim, tabiî çalıştırdığım kızları severim, ama bu biraz da kuzularının üzerine titreyen çoban gibi. Ben... Ben biraz paternalist biriyim, onun için özel hayatlarına karışmayı hiç düşünmedim.

– Size onları izlemiş olabilecek birinden, isimsiz telefonlardan ya da bunun gibi şeylerden bahsetmediler yani?

– Hayır, bu dediklerinizden hiç bahsetmediler. Bir kez daha söyleyeyim: birbirimizi pek tanımazdık.

Brolin "Anladım" der gibi başını salladı.

Koridorun diğer ucundaki büroları gösterdi:

– Fairy's Wear tümüyle burada mı yerleşik? Her şey buradan mı çıkıyor?

– Hayır, burası sadece yönetim merkezi. Burada sadece idarî işlerle, siparişlerle, müşteri dosyalarıyla falan ilgileniriz. Aynı zamanda Vancouver'da mallarımızı tuttuğumuz bir depomuz, Portland'ın kuzeyinde de çekimleri yaptığımız bir stüdyomuz var.

– Elizabeth Stinger'ın kaybolduğu gün çalıştığı yer.

Yönetici üzüntüyle başını salladı.

– Söyler misiniz Bay Bennet, yanınızda çalışanların tümünü tanıyorsunuz, yani işe alınmalarıyla siz ilgileniyorsunuz, değil mi?

– Çoğunlukla. En azından, özellikle buraya alınanlarla, neden sordunuz?

– Bütün personelin listesini bulmak mümkün müdür?

– Tabiî, hemen hazırlatırım. Oh... (Adamın ağzı "o" harfi gibi yuvarlaklaştı, kaşları çok önemli bir şey söylendiğini son anda anlayan birinin kaşları gibi çatıldı.) Katilin aramızdan biri olduğunu düşünmüyorsunuz ya?

– Bilmiyorum. Bu da mümkün.

Şiddetli bir ürperti Philip Bennet'in vücudunu titretti.

Brolin bu söylediklerinin fazla ciddiye alınmaması gerektiğini, katilin çalışanlardan biri olması ihtimalinin düşük göründüğünü eklemek üzereyken, Bentley Cotland iskemlesinden fırladı:

– Bir dakika! diye haykırdı. Joshua, bakın!

Kataloğu masanın üzerine koyup, Anita Pasieka'nın fotoğrafı ile Elizabeth Stinger'ınkini yan yana getirdi:

– Bir şey fark etmiyor musunuz?

Brolin iki fotoğrafı dikkatle inceledi. Anita daha gençti, en azından on yaş kadar. Ufak tefek, minyon görünüşüyle, okulunu yeni bitirmiş dinamik genç kızı temsil ediyordu. Elizabeth'te de aynı canlılık görülüyordu ama başka bir açıdan bakıldığında, oldukça kısa eteğine rağmen, o daha çok genç bir anne gibi duruyordu.

Oldukça kısa eteğine.

Brolin, Anita'nın resmine bakmak için sayfaları çevirdi.

Kolsuz bir gömlek.

Nasıl olmuştu da bu ayrıntıyı görmemişti? Fotoğraflarda Anita okuyuculara kollarını, Elizabeth de bacaklarını sergiliyorlardı.

Tam onlardan alınanları.

– Çok önemli bir ayrıntıyı gördünüz, Bentley. Çok önemli bir ayrıntıyı gördünüz...

Katil bu fotoğrafları görmüştü. Ve fotoğrafta sergilenenleri kesmişti.

Kurbanlarını bir katalogdan seçmişti. Süpermarket vitrinine bakıp, ne yiyeceğine karar verir gibi.

58

Aşkı parçalarına ayırmak mümkün müdür? Nicelemek, bütün gizemli gücünü elinden almak, anlaşılmaz ve denetlenemez olduğu için bizi bunca ürküten büyüsünü kaybettirmek pahasına da olsa nitelemeye çalışmak?

Juliette salondaki büyük kanepelerden birine uzanmış, bunları düşünüyordu. Şöminede kocaman bir kütük çatırdayarak yanıyor, koskocaman odayı ve sayısız sorunun pençesindeki genç kadının ruhunu ısıtıyordu.

Daha bir gün önce, akşamüstü kendini Brolin'e sadece "bağlandığına" inandırmaya çalışmışken, şimdi kendisine daha dürüstçe ve şaşırtıcı sorular sormaktan çekinmiyordu. Birkaç gündür dünya sanki sadece onun çevresinde dönüyormuş gibi genç müfettişle olan ilişkisine yoğunlaşmıştı ve düşüncelerinin derinliğinden bu kez kaçmamıştı. Gerçekten de, Joshua Brolin'e karşı ne hissediyordu? Onunla birlikte olmaktan böylesine zevk alıyordu ama bu ne kadar sürerdi? Birbirlerinden hoşlanıyorlar, birbirlerini her geçen gün daha fazla tanımaktan zevk alıyorlardı, ama bir gün gelecek birbirlerini daha büyük bir gerçekçilikle tanıyacaklar her şey eski gizemini kaybedecekti. O zaman ne olacaktı? Aşk –gerçeği söylemek gerekirse, daha yeni doğmuş olmasına rağmen, söz konusu olan aşktı– kısa ömürlü olduğu için böylesine güçlü, böylesine muhteşem ve arzulanır değil miydi?

Juliette minderlerden birini tutup kafasının üzerinden fırlattı.

– Kendine işkence etmekten vazgeç, zavallı kızım benim! diye mırıldandı. Hayatın sana sunduklarının değerini bil ve her şeyi akışına bırak. Hayattan alınacak bir zevk varsa, fazla düşünmeden al o zevki.

Tiradı genç kadını güldürdü. "Bu not etmem ve birkaç yıl sonra çocuklarıma anlatmam gereken bir şey!" diye düşündü, az buçuk bir alayla. Bir kız kurusu olarak yaşayacağını düşünürken, şimdi çocuklardan bahsetmek!

Akşam olmak üzereydi, ekim soğuğu sanki insanın tenini ısırıyordu. Juliette ellerini ensesinde kenetledi. Derslerine çalışabilmek için kendisini cesaretlendirmesi gerekecekti, üniversitede öğleye kadar geçirdiği süre içinde son zamanlarda ne denli geri kaldığını anlamıştı. Üstelik, daha birinci dönemde!

Telefon çaldı, Juliette irkilerek yerinden sıçradı.

Öfkeyle soludu, sonra telefonu açmak için kalktı.

– Alo?

– Bayan Lafayette?

Ses yabancıydı, sanki ahizenin üzerine kalın bir mendil kapatılmış gibi boğuktu ve derinden geliyordu.

– Evet... Kimsiniz?

– Beni iyi dinleyin, bir daha tekrarlamayacağım.

Aynı ölçüde rahatsız edici olan, karşıdakinin cinsiyetinin ne olduğunu anlayamamaktı, sesin belirgin bir özelliği yoktu, boğuk sesli bir kadın ya da sesini değiştirmeyi iyi bilen bir erkek olabilirdi.

– Benimle oyun oynamak istediler. Polise bunun onların hatası olduğunu söyleyin. Bana saygıda kusur ettikleri için cehennemlerin zincirini boşalttım. Kendinizi mutlu addedebilirsiniz Bayan Lafayette, sizin üzerinizde uzun uzadıya düşündüm, ama sonunda kararımı başkası için verdim.

– Kimsiniz? diye sordu Juliette, soluk soluğa.

– Bunun bir önemi yok, buraya yapmam gerekenleri tamamlamak için geldim. Siz daha çok yakınlarınız için endişelenin...

Ardından duyulan kahkaha kuru ve kesik kesikti; duygularını açığa vurmayan, davranışlarını kontrol etmeyi bilen, içi dışı bir olmayan birinin kahkahası gibi. Kahkahası sadece hesaplı, kötü olan birinin.

– Ne...

– Susun! Mesajımı polise iletin, bir daha beni aşağılamaya kalkmasınlar asla!

Telefon kapandı.

Juliette bir süre elinde ahize, gözlerinde akıp akmamakta tereddüt eden yaşlarla kalakaldı. Kimdi bu? Hem, neden onu arıyordu? Aklından az ya da çok rahatlatıcı binlerce fikir geçiyordu, ama yine de rüzgârın dalından koparmaya çalıştığı ölü bir yaprak gibi titremekten alamıyordu kendini. Delinin birinin telefon nu marasını bulması ve ona pis bir oyun oynamaya kalkması ihtimal dahilindeydi; ya da can sıkıntısından sersemce şeyler yapan bir grup öğrenci.

Ancak bu seste hiç rol yapma havası yoktu. Her hecesinden gerginlik, nefret yayılıyordu. Juliette bu kendini beğenmişliği, bu akıl almaz gururu sonradan ayırt ediyordu: *"Bana saygıda kusur ettiler... Bir daha beni aşağılamaya kalkmasınlar, asla!"* Bu adam çok tehlikeliydi. Bütün duygularını dizginliyor, sadece taşanları döküp, geri kalanları tutuyor, yeniden dolup taşana kadar biriktiriyor, biriktiriyordu.

Juliette gözlerini yumdu ve hemen günün birinde hayattan beklediğini bulamayıp, toplumla aralarındaki tüm engelleri yıkan, bu intikam duygusunu ateşleyebilecek herkesi deviren insanları gördü. Charles Whitman, Gene Simmons ya da Howard Unruh gibilerini...

Bu bir eşek şakası değildi.

Juliette donakalmıştı. O anda, gözlerinin önünde sanki bir yüz belirdi. Hole fırladı, ayakkabılarını bile giymeden aceleyle, dışarı koştu.

Gary Seddon ve Paul O'Donner 2885 Shenandoah Terrace önünde, Juliette Lafayette'i gözlemek –ya da ötekinin deyimiyle korumak– için nöbetteydi. Gary açlığını bastırmaktan çok, kendini meşgul etmek için mısır gevreği yiyordu. Juliette'in evden yangın varmış gibi, üstelik de yalınayak fırladığını görünce elindeki paketi yerdeki paspasın üzerine devirdi, arabadan olabildiğince çabuk çıkmaya çabaladı.

– Küçükhanım! Neler oluyor? diye bağırdı, karşıdan karşıya geçerken.

Sağ elinin asabice kıvranan parmakları, belindeki silaha uzanıp orada uyuyan 9 mm'lik Beretta'yı çekmeye hazırdı. Oysa yaşlı Vosvos'un motoru harekete geçmiş ve bir duman bulutu salmıştı bile.

Gary arkadaşının yanına döndü ve arabanın içine atladı.

– Santralı ara, Müfettiş Brolin'e koruması altındaki küçük kızın hızla gittiğini, giderken de normal görünmediğini söyle.

Paspasın üzerindeki mısır gevreklerini ezerken, kontak anahtarını çevirdi.

Juliette'in 32. Sokak'ın kuzeyine varması sadece birkaç dakika sürdü. Mahalleye tepeden hâkim evin önünde frene basarak âdeta oraya çakıldı, tepeden görünen kusursuz Portland manzarasına hiç bakmadı. Evin girişine kadar koştu, zile bastı, kapıyı kuvvetle vurmaya başladı. Daha fazla beklemeden, Camelia'nın ona verdiği anahtarı çıkarıp, kapıyı açtı. Yakınlarını düşünürken, hiç tereddüt etmemişti. Kimin üzerinde yoğunlaşacağını bilecek kadar az yakını vardı. Annesi ve babası bütün bunların uzağındaydı, onlar bambaşka bir dünyada, Kaliforniya'nın sakinleştirici güneşinin altında yaşıyordu. Brolin hayatına yeni girmişti ve üstelik kendini savunacak durumdaydı: geriye tek bir kişi kalıyordu.

Birkaç metre geride, epeyce hırpalanmış bir Ford durdu, onu "korumakla" görevli iki polis merak içinde arabadan fırladılar.

Juliette holdeydi; çıplak ayaklarının altında soğuk parkeler.

– Camelia? diye seslendi. Camelia, neredesin?

Salona, oradan da yemek odasına koştu, mutfağa girdiğinde kalp atışları büsbütün hızlandı.

Pencerelerden biri kırılmış, yerde, kahverengi bir bantla yapışık cam parçaları. Arka kapının camlarından biri.

Oh, hayır. Yalvarırım, aklıma gelen olmasın.

Juliette dikkatle mutfağı inceledi. Ne kan, ne de boğuşma belirtisi vardı.

Bu iyiye işaret, belki de Camelia içeri girebilmek için camı kendi kırmıştır. Yoksa anahtarlarını mı unuttu?

Buna kendi bile inanmıyordu.

Çıplak ayağıyla yerdeki cam kırıklarına basmamaya özen göstererek, kocaman bir mutfak bıçağı alıp, merdivene yaklaştı.

Gürültü çıkarmamaya özen göstererek birinci kata çıktı. Juliette dolaptan ya da perdenin ardından çıkacak ilk adamı elindeki bıçakla delik deşik etmeye hazırdı. Yatak odasının eşiğine geldiğinde, kapıyı ayağının ucuyla itti: bomboş.

Hayır, tam tersi, odada kekremsi bir koku vardı. Çok yoğun değildi; hafif bir mide bulantısına neden olacak kadar.

– Küçükhanım? Hey, hop!

Ses aşağıdan, muhtemelen onu izleyen polislerden geliyordu. Juliette cevap vermeden odaya girdi.

Koku yan taraftan, arada ortak kapı bulunan odadan geliyordu. Banyodan. Kapı aralıktı ve Juliette bıçağın sapını sıkıca kavrayarak başını kapıyla duvarın arasından içeri uzattı.

Leş kokusu havada dönerek geldi, iğrenç bir sümük gibi gırtlağına yapıştı.

Elindeki bıçak gürültüyle yerdeki fayansların üzerine düştü ve çıkardığı ses boğucu havada çınladı.

Camelia yerde yatıyordu ve korkunç bir görüntüsü vardı. Kolları büzülmüş, derisi baldırlarından göğsüne kadar yanmıştı. Kalçaları fırında çok bırakılmış et gibiydi. Kurumuş yapraklar halinde kalkmış derisi kumdan yapılmış bir şatonun kuleleri gibi dağıldı dağılacaktı. Kızıllaşmış etlerin çatlaklarının arasında damarların kırmızı akıntısı hâlâ görünüyordu.

Kısmen yanmıştı, ateş banyo halısına sıçrayıp sönmüş, çevreye hiç zarar vermeden ortaya tuhaf bir iz bırakmıştı.

Yukarıdan bakınca, çevresindeki her şeyin normal olduğu bu siyah leke bir Motherwell tablosunu andırıyordu. Oysa burada, ölüm hayatın tüm sıradanlığını siliyordu.

Kapının tokmağı Juliette'in parmaklarının baskısı altında gıcırdadı.

59

Bentley Cotland ile Joshua Brolin Mustang'de, Beaverton ile Portland'ı birbirine bağlayan 8 numaralı otoyoldaki taşıtların arasından döne kıvrıla ilerliyorlardı. Sanki her ikisi de paylaştıkları acıyı sindirmeye çalışır gibi, konuşmuyorlardı. Şerifin bürosunda Anita Pasieka'nın annesi ve babasıyla karşılaşmışlardı. Brolin hem çok anlayışlı, hem de çok profesyonel davranmıştı. Anlaşılan cesaretli olup acıma duygusunu bir yana bırakması gerektiği için tümüyle soruşturmaya konsantre olarak doğru soruları sormuştu. Bentley hayranlık duyuyordu. Brolin nasıl bu kadar dikkatli olabiliyor, sonuca varabilmek için nasıl böylesi doğru sorular sorup, insanlara güven duygusu verebiliyordu? Davranışları çoğu kez hoşuna gitmese de, Bentley sonunda Brolin'in çok iyi bir müfettiş olduğunu kabul etmek zorunda kalmıştı.

Eğer dağarcığında bir parça izan ve olaylara dışarıdan bakma yeteneği olsaydı, Bentley'nin bu ikiyüzlülük gösterisine hayranlık değil, tiksinti duyması gerekirdi. Ne var ki bazılarının gözünde zaaf olan, kimilerine göre önemli bir özelliktir.

Genç savcı yardımcısı kendini daha fazla tutamadı ve çok iyi bir yol arkadaşı olamadığının bilinciyle, kendini Brolin'i kutlama zorunda hissetti:

– Siz... Biraz önce kurbanın ailesine yaklaşımınız beni çok etkiledi. Çok iyiydiniz, hem onları ustalıkla teselli ettiniz, hem de orada bulunuşumuzun asıl nedenini hiç gözden kaçırmadınız. Gerçekten, çok iyiydi. Çok profesyonelce.

Brolin bir yandan arabayı kullanırken bir yandan da yanındakine kısacık bir bakış attı:

– Teşekkürler.

Dalga mı geçiyordu? Brolin hiç üzerinde durmadı, kendi eleştirisini yapmaya hiç niyeti yoktu. Genç savcı yardımcısı günler, haftalar boyu cinsel cinayetler üzerinde çalışmanın ne demek olduğunu anlayabilecek miydi? Brolin'in gösterdiği aldırmazlığın, mesleğinin aylar boyunca dayattığı korkunçluklara göğüs gerebilmek için elindeki dayanak olduğunu kavrayabilecek miydi?

Mustang sekiz silindirini homurdatarak camları renkli kocaman bir arabayı geçti.

Oyunu biraz soğutmayı tercih etti, eğer Bentley elini uzatıyorsa, o eli boş çevirmenin bir gereği yoktu.

– Bu sözleri sizden duymamın benim için özel bir önemi var, diye ekledi Brolin. Bu söylediğimi sakın yanlış anlamayın, ama ikimizin arasında kusursuz bir anlayış geliştiği söylenemez.

– Bana kalırsa, işimize aynı açıdan bakmıyoruz.

– Aynı işi yapmıyoruz, diye kestirip attı Brolin.

Sertliğinden hemen pişman oldu ve daha yumuşak bir sesle ekledi:

– En önemlisi, yöntemlerimiz farklı sanırım. Her ikimiz de sonuçlara farklı yöntemlerle ulaşmaya çalışıyoruz, ama önemli olan sonuç, öyle değil mi?

– Adalet...

İki adamın arasında ilk kez bir çeşit profesyonel yakınlık, paylaşılmış bir tebessüm doğuyordu.

– Bundan sonraki aşama ne? diye merakla sordu Bentley.

– Soruşturmayı sürdürebilmek için bulunduğumuz durumu gözden geçirmek.

– Bu, "Ne yapacağımızı bilmiyoruz" anlamına mı geliyor?

Üç yüz metre ötede, bir sürü kırmızı ışık parıldıyordu, trafik sıkışmıştı.

– Kalabalık saatlerde otoyola bayılıyorum! diye sinirle söylendi müfettiş.

Yavaşladılar, sonunda adım adım ilerlemeye başladılar.

– Evet, ne diyordum: durumu gözden geçirmek. Bu size yöntem olarak itici gelebilir, ama bir soruşturma için düzenli olarak elde ne olduğunu özetlemek ve buradan yeni hedefler çıkarmak çok önemlidir. Şu ana kadar ne biliyoruz?

Bentley Cotland sinirle yanağını kaşıdı:

– Leland Beaumont'un cesedinin çalındığını, katilin aynı DNA'ya sahip göründüğünü, ama bunun imkânsız olduğunu. Ha, az kalsın unutuyordum: Leland'in kara büyü ve dirilişle çok ilgilendiğini! Bu kadarı bir korku filmi için esaslı bir senaryo olmaz mıydı?

Böyle sıralandıklarında, gerçekler çok daha farklı hatta gerçek olamayacak kadar tuhaf görünüyor ve akıl sağlığını tehlikeye sokuyordu.

– Evet, aradaki bağı oluşturmak kolay ama film yapmıyoruz, o zaman mümkün olan nedir? Ya Leland Beaumont ölmedi ya da biri bizimle dalga geçiyor. Oysa ben size Leland'in kesinlikle yaşamadığını söyleyecek birinci kişiyim, hiç kimse beynine saplanan bir kurşundan kurtulamaz, hiç kimse. Bir de, Sir Arthur Conan Doyle'un dediği gibi, "İmkânsızı çıkardığınızda, geriye kalan ne kadar kuşkulu görünse de, gerçeğin ta kendisidir".

– Peki, geriye ne kalıyor, gerçek nedir, sizin bununla ilgili bir açıklamanız var mı?

Brolin arabanın trafik sıkışıklığının ortasında kalmasından yararlanarak, gözlerini Bentley'ninkilere dikti:

– Yoksa öldürdüğüm bir adamın, bir canlı cenazenin kentte ellerini kollarını sallayarak dolaştığını, canı çekince adam öldürdüğünü bilerek ve bu olaya mantıklı bir açıklama bulamadan rahat uyuyabileceğimi mi düşündünüz?

– Bilemiyorum, siz özellikle, nasıl denir... Ne düşündüğü anlaşılır insanlardan değilsiniz.

Brolin akşamüstünü gece başlangıcına döndüren gri bulutlara baktı.

– Leland Beaumont'un cesedini çalan her kimse, aradığımız katilin o olduğunu düşünüyorum. Elinde Leland'in DNA'sı ve sigara izmariti üzerinde bulunan tükürüğü var, en azından başında vardı, ceset daha tazeyken. Örnekleri dondurması yeterliydi.

– Bu varsayım size inandırıcı geliyor mu?

– Kentte bir zombi varsayımından çok daha inandırıcı.

Arabanın içini ağır bir sessizlik kapladı.

– Elimizde başka ne gibi ipuçları var? diye devam etti Brolin. Neler biliyoruz?

Bentley omuzlarını silkti:

– Pek bir şey bilmiyoruz, kurbanlar hakkında yeni bilgi edinmeye başladık.

– Aynı fikirde değilim. Elimizde önemli bilgiler var. Bir değil, iki katil olduğunu biliyoruz.

– Bundan emin misiniz?

– Benim gözümde, evet, mektuplarda fazlasıyla bilgi ve denge, cinayetlerde ise tam tersine, belirgin bir tecrübesizlik. Sanki kiralık katil ile kiralayan kişi, bir çeşit öğretmen ve öğrencisi gibi. Başka?

Bentley katıldığı otopsiyi hatırlayarak koltuğunda rahatsızca kıpırdadı:

– Katil insan anatomisinden anlıyor, dedi.

– Doğru. Kurbanlarının uzuvlarını özenle kesebilecek kadar anlıyor. Aslında, her iki cinayette de deriyi yararken, kemikleri çıkarırken özen gösteriyor ama etleri ve kasları kasap gibi doğruyor. Onu ilgilendiren deri ile kemikler, gerisi değil, neden? Bentley kafasını salladı.

– Bu, onun imzasının bir parçası, onu daha iyi anlayabilmemiz için aralamamız gereken bir fantezi cephesi, ama bunu şimdilik bir kenara bırakalım, diye devam etti Brolin. Bu arada her iki kurbanını da bir katalogdan seçtiğini, keseceği uzuvları da aynı katalogdan belirlediğini biliyoruz. Sayfaları seçiyor ve vücutlarını gözler önüne seren kadınlarda karar kılıyor. Bazıları kıyafet seçer, bu o kıyafetleri sergileyen mankenlere takmış, seçimini sakince yapıyor. O katalog için kaç kızın çalıştığını hatırlıyor musunuz?

– Yanlış hatırlamıyorsam, seksenin biraz üzerinde.

– Evet... Hepsini gözletmek imkânsız. Bunun için en az iki yüz ajan gerekir, bu da imkânsız. Başka ne biliyoruz?

Bentley kaşlarını çattı, son günlerde telaffuz edilen çeşitli sonuçları hatırlamak için beyin hücrelerini zorladı.

– Katilin profiliyle ilgili ne demiştiniz?

– Beyaz, yirmi ile otuz yaş arası, bekâr, gözden ırak bir evi ve parttaym gittiği bir işi var, belki de işsiz. Kaba hatlarıyla, bu kadar.

– Şimdi de Fairy's Wear kataloğunu okuduğunu biliyoruz, dedi Bentley.

– Evet. Abonelerin listesini istedim, ama araştırmayı sadece erkeklerle kısıtlasak bile, bundan bir şey çıkaracağımızı pek sanmıyorum. Kim bilir kataloğu nereden aldı? Bazen sokakta bedava dağıtıldığı bile oluyor. Bu da çıkmaz bir sokak. Öte tarafta, asıl ilginç olan, Philip Bennet'in biz gitmeden önce söyledikleri.

– Ne? Geçen yılki hırsızlıkla ilgili olanlar mı?

Brolin son bir yıl içindeki olağandışı olaylar üzerinde ısrar edince, yöneticiyi bir yıl önce ziyaret edildiklerini söylemeye zorlamıştı. Bir sabah, kilitlerden çoğunun zorlandığını, asıl tuhaf olanı, hiçbir şeyin çalınmadığını görmüşlerdi. Philip Bennet ve polis bunun çalacak hiçbir şey bulamayan evsiz barksızların işi olduğuna karar vermişti.

– Elbette. Bunun gibi birkaç elektronik eşya dışında çalınacak bir şey bulunmayan şirketlere giren hırsız tanıyor musunuz?

– Çocuklar. Eğlenmek için...

– Hayır, sanmam. Bunu adamımızın yaptığına bahse girmeye hazırım.

– İyi ama, bu aptallık değil mi? Durup dururken yakalanma tehlikesine neden girsin, bundan ne çıkarı olabilir ki?

– Seri cinayetler işleyen katillerin insanların evlerine girmesi, orada gece dolaşması, kişisel şeyler, örneğin kurbana ait bir kıyafet çalması sıkça görülen bir şey; bu, müstakbel kurbanının hayatına sahip çıkma yönünde ilk adım.

– Orada kurbanlara ait bir şey yok ki!

– Bir düşünün. Bennet "Hiçbir şey çalınmadı" dedi. Ama belki bir şey kopyaladılar.

Bentley söyleneni gülünç buldu:

– Kopyalamak ha! Orada kopyalanacak hiçbir şey yok, bu sanayi casusluğu falan değil!

– Eğer cinayet işlemeyi kafasına koymuş, tehlikeli bir psikopat değilseniz. Büroda mankenler de dahil, bütün personel bilgilerinin bulunduğu dosyalar var. İsimler, soyadları, adresler, fotoğraflar, her şey.

Bentley gözlerini Brolin'e dikti. Mantıklıydı, böylelikle katil avına başlamak için gerekli bütün bilgilere ulaşmış oluyor, başta adresleri, kurbanları hakkında bilmesi gereken her şeyi öğreniyordu.

– Bir şey daha, diye devam etti Brolin. Eğer adamımız dosyayı elde etmek için bir şirketi soyma tehlikesini göze alıyorsa, o zaman hiç tereddüt etmeden, kadınları avlamaya devam edeceğini de düşünebiliriz. İyi de, ilk seçimini nasıl yapmış olabilir? Neden bu şirket de, bir başkası değil?

– Rastlantı sonucu, bir gün bir katalogla karşılaştı ve oradaki kızları özellikle davetkâr buldu.

– Böylesi bir törenselliğin olduğu durumlarda, seri cinayetler işleyen katiller kurbanlarını seçmek için pek ender olarak rastlantılara güvenir, çünkü bu cinayetler bir anlık bir kararın sonucunda değil, özenle hazırlanarak işlenir. Kurbanların seçimi de dahil. Eğer Fairy's Wear kızlarına dadanmaya karar vermişse, bunun mutlaka bir başlangıç noktası olmalı. Burada söz konusu olan, sadece kadın kıyafetleri değil. Bu şirketi uzun zamandan beri izlediğini düşünüyorum, belki de annesi bu kataloğun abonesiydi ya da Karga olarak adlandırdığımız adamın uzun süreli bir ilişkisi olduğu bir kız. Bu şirketle arasında kişisel bir bağ, en azından kendi gözünde, varlığının devamı için gerekli bir şey. Uzun zamandan beri katalogdakilerle ilgili fanteziler kurmuş olması mümkün, böylece harekete geçişini hazırladı. Hırsızlık bu yıl yapıldı, bu da hazırlanması için epey zaman olduğunu gösteriyor.

– İyi de, somut düşününce, bütün bunlar bize fazla bir şey anlatmıyor, dedi Bentley, demek istiyorum ki Fairy's Wear'in bütün abonelerine bir arama emri çıkaramayız.

– Çıkaramayız tabiî, ama bu adamın onlara bazı siparişler vermiş olması da pekâlâ mümkün. Bu tam anlamıyla bu tip katilere özgü bir fantezi türü, ısmarladıklarıyla yattığı ya da mahrem yerlerinde taşıdığı da düşünülebilir. Gözlerinizin önüne getiriyorsunuz... Bennet bana iki yıldan beri çalıştıkları bütün müşterilerinin listesini verecek.

– Bu da oldukça uzun bir isim listesi demektir, diye söylendi Cotland.

– İsimleri eleyip, içlerinden bekâr erkekleri ayıracağız; adamlar erkek eşyası satmadıklarına göre, pek fazla bekâr erkek müşterileri olmaması gerekir, elimizde anneleri ve sevgilileri için postayla giyim alan birkaç tip ile bir avuç sapık kalır. Aynı zamanda da Anita Pasieka'nın ve Elizabeth Stinger'ın fotoğrafta giydiği her iki elbiseyi de ısmarlayanları diğerlerinden ayıracağız, burada da fazla isimle karşılaşmayacağız. Ayıklamamız gerekecek. Bu sayfalar dolusu bilgi ve birkaç günlük iş demek, ama belki sonuç verir.

Bentley, Brolin'in bakışlarını üzerinde hissetti.

– Hey! Bu angarya neden yine bana kalıyor?

– Bentley, bunu hakaret olarak almayın sakın, ama kırtasiye işinde üstünüze kimsenin olamayacağını düşünüyorum.

Bentley itiraz etmedi, bir bakıma, Brolin'den övgü dolu sözler duyduğu için gururluydu, bu yüzden birden yumuşadı. Eğer müfettişin değer verdiği biri olmaktan hoşlanıyorsa, aslında kendine itiraf etmese de, Brolin'e değer veren kendisi değil miydi? Bir dürtünün etkisiyle çabucak alevlendiğinin farkındaydı, ama çoğunun görmek istediği gibi kinci bir insan değildi o. En azından, öyle sanıyordu.

– Yine de, konunun esasından habersizsiz, diye ekledi trafik biraz açılırken.

– Yani?

– Katil ile Karga'nın ne yapmak istediğini bilemiyoruz. Ölüm fantezilerinin ötesinde, asıl amaçları ne? İnsanı öldürmeye iten bu fantezinin rastlantıyla ilgisiz olduğunu söylüyorsunuz, öyleyse neden *Pamuk Prenses ve Yedi Cüceler* değil de *İlahî Komedya*?

– Çabuk öğreniyorsunuz, dedi Brolin şaşkınlığını belli ederek. Gerçekten de bu fantezinin hazırlanmasının bir kısmını temsil ettiği için, Dante'nin "Cehennem"ini seçtiler, ama amaçları ne, bilmiyorum. Fakat bir amaçları ve varmak istedikleri bir sonuç var.

O amacı çok geç olmadan bulmak da bize düşüyor. Ne istediklerini, ne yaptıklarını bulmak zorundayız.

Brolin'in kolu ürperiverdi. Parmağını en çok korktuğu noktaya bastırmıştı. Katillerin cinayetlerinde güttükleri hedefe.

Polis merkezine geldiklerinde, Elizabeth Stinger hakkında topladığı bilgilerle bir rapor hazırlayan Lloyd Meats'in odasına girdiler. Brolin meslektaşını görünce, kendini gülümsemekten alamadı; onu sakalsız görmeye alışamamıştı.

– Elizabeth hakkında neler var? diye sordu.

Meats kollarını havaya kaldırdı, adalelerini çatırdatırken suratını buruşturdu.

– Fazla bir şey yok. Bilindiği kadarıyla düşmanı yokmuş, tehdit edilmemiş, son zamanlarda bilinen bir sevgili falan da yok. En son sevgilisi de Arkansas'ta oturan bir sigortacı. Kaçırılmasıyla ilgili olarak, Salhindro çevredeki esnafla konuşmaları için iki kişi gönderdi ama, o gece kimse şüpheli birini görmemiş. Küçük kıza gelince, onunla Elizabeth'in annesinin ilgileneceği anlaşılıyor. Ya siz?

Brolin öğleden sonra konuşulanları ve bundan sonra izlemeleri gereken yolu anlattı. Toplanan bilgileri değerlendirmek bir saatlerini aldı. Sonra Çin yemeği sipariş etmek için telefona sarıldılar. O sırada, Brolin fırsattan yararlandı ve Milton Beaumont'tan aldığı tükürük örneğini, Carl DiMestro ve Craig Nova'ya yazdığı kısa bir notla laboratuvara gönderdi.

Üç adam Brolin'in bürosuna yerleşip iki kurbanın evinde buldukları tonlarca belgeyi taramaya başladılar. Telefon faturaları, banka dekontları, mektuplar, makbuzlar... Olağandışı bir ayrıntı, onları katile götürecek bir ipucu olup olmadığını belirlemek için her şeye bakıyorlardı. Brolin çok iyi biliyordu ki, seri cinayetler işleyen katillerle uğraşıldığında, harekete geçmeden önce katilin kurbanıyla arasında en ufak bir ilişki olmaması nedeniyle, böylesi ağır bir çalışma sonuçsuz kalmaya mahkûmdur. Yine de, bu işi yapmak gerekiyordu. Sonunda Bentley Cotland'in varlığının hiç de hafifsenecek bir şey olmadığını kabullenmek zorunda kaldı. Polislik mesleğini tüm çıplaklığıyla görüp, üniversite sıralarında otururken hayal ettiği gibi bir şey olmadığını anlamasıyla daha da faydalı hatta sevimli olmaya başlamıştı. Öte taraftan, Brolin'in adamı suçlaması için hiçbir neden yoktu. Ne de olsa kendisi de yolunu şaşırmış, FBI'deki kısa geçmişinin de gösterdiği gibi, insanın düşlediği meslek hayatının sıradanlığı arasındaki farkı kolay görememişti.

Güneşin güçsüz aydınlığı usulca kayboldu, büronun dev pencerelerinin ardından görünen Portland'da ışıklar yanmaya başladı.

Brolin, Juliette'e telefon etmek, sesini duymak hatta belki kendini geceyi orada geçirmeye davet ettirmek için birkaç kez tereddütle düşündü, ama, sonra bu düşünceyi kafasından kovdu. İlişkilerine daha yeni başlıyorlardı, onun için genç kadını fazla zorlamak doğru olmazdı, ertesi gün evine çiçek gönderebilirdi. Bu fikir hoşuna gidince, elindeki uzun isim listesine daldı.

Kapı açıldığında, her üçü de yemeklerinin geldiğini sandılar, ama eşikte Çin lokantasının çalışanı yerine alnı endişeyle kırışmış Fletcher Lee duruyordu.

– Josh, Juliette Lafayette'le ilgili bir sorun var. Seddon ve O'Donner onu korumakla görevliydi ve genç kadına bağlı bir 10-49 bildirdiler.

10-49 Portland polisinin cinayetten bahsetmek için kullandığı bir koddu. Kelimenin tam anlamıyla Brolin'in çöktüğünü gören Fletcher hemen ekledi:

– Kızın bir şeyi yok, yani doğrudan yok. Dediklerine göre bir arkadaşıymış...

Elindeki kâğıt parçasına baktı.

– Camelia McCoy diye biri. Öldürülmüş.

Brolin gözlerini yumdu ve kaleminin parmakları arasında kırıldığını fark etmedi.

60

Camelia McCoy'un yüksekteki evi, rüzgârda titreşen sarı bir güvenlik kordonuyla çevrilmişti. Brolin oraya vardığında, arabalardan çoğunun siren lambalarının çalıştığını ve yolun ortasında düzensiz şekilde durduğunu gördü.

Karanlık basmıştı, genç müfettiş Mustang'inden inerken ürperdiğini hissetti, ne var ki bunun soğuktan mı, yoksa korkudan mı kaynaklandığını bilemeyecek kadar kötü durumdaydı. Gary Sheddon'ın arabanın içinde Juliette'e bir kahve uzattığı sivil görünümlü Ford'u bulmakta gecikmedi. Şoförün yanındaki koltukta oturuyordu genç kadın, açık kapıdan omuzlarına aldığı örtü görünüyordu. Brolin'i gördüğünde araban indi, tek bir kelime söylemeden adamın yanına yaklaştı.

Brolin geri çekilip Juliette'in gözlerinin içine bakana kadar, uzun bir süre birbirlerine sarılı durdular. Siren lambaları kızcağızın yüzünü kırmızı ve masalsı bir tülle kaplıyordu.

– Dayanabilecek misin? diye sordu, bir cevap beklemekten çok, ona endişelendiğini göstermek için.

Juliette hafifçe omzunu silkti ve Brolin'e biraz daha sokuldu. Brolin genç kadının göğsünün güçlü sarsıntılarla kalkıp indiğini hissedince, saçlarını okşamaya başladı. Söyleyecek hiçbir şeyi yoktu, bu hayatta teselli edecek bir kelime bulunamadığı, sessizliğin kaçınılmaz olduğu ve tek bir elin temasının bile insanı yüreklendirmeye yettiği o anlardan biriydi.

Aralarında yorgunluktan bitap düşmüş genç bir kız ile bir laboratuvar görevlisinin bulunduğu birkaç kişi onlara doğru yürüdüler, ama yüzlerindeki üzüntülü ifadeyi görünce, yanlarına yaklaşmaktan vazgeçtiler. Lloyd Meats operasyonun yönetimini eline aldı.

Uzunca bir süre geçtikten sonra, Brolin, Juliette'i oturttu ve getirdiği sıcak çay dolu bardağı genç kadının uyuşmuş parmaklarının arasına sıkıştırdı.

– İçeri girmem gerekiyor, dedi yavaşça.

Brolin kapının önünde sabırsızlıkla bekleyen iki Adlî Tıp uzmanını gördü.

– Gary ve Paul seni eve götürecek ve ben gelene kadar yanında kalacaklar, tamam mı?

Juliette dudaklarını kanı çekilinceye kadar sıkmakla yetindi. Brolin ayrılmadan önce alnına bir öpücük kondurdu.

Bir saat kadar sonra, Camelia McCoy tatile giden birinin seyahat çantası gibi, hışırtılar çıkaran siyah bir poşete sarılı olarak evinden ayrılıyordu.

Uzağa gidiyordu.

Bir daha dönmemek üzere.

* * *

Duygularımız algılarımızın önüne geçtiğinde ve zaman varlığımızı telaşsız ve mesafeli bir etmene dönüştürmek için, onun dizginlenemez akışından bizi çekip çıkartana kadar uzatacak bir nitelik kazandığında, coşkunun gücünün farkına varmak bazen olağanüstüdür.

İki polisi salonda bırakarak odasına, sığındığı kalesine çıktı. Çoğu kişinin böyle bir durumda yapacağı gibi yatağının üzerine yığılıp gözyaşlarını son damlasına kadar boşaltacağına, uzunca bir süre odada bir aşağı bir yukarı gezindi, sonra da gidip pencereyi açtı. Soğuk, meraklı hayaletler sürüsü gibi, hemen odaya doldu.

Juliette pencereden eğildi. Yıldızlar bu donuk havada huzurla parıldıyordu. Uzayın sonsuzluğunda elmas gibi parıldayan binlerce göz, uykuya dalmış dünyaya gururla tepeden bakıyordu.

Yıldızlar vızıldanıyor diye düşündü, *evrenin türküsünü söylüyorlar. Alevlenmiş diyapazonlarıyla sonsuz karanlıkları aydınlatıyorlar.*

Juliette başını saygın Willem Kilisesi'nin çan kulesine çevirerek mehtabı arandı, ama kentin kendini beğenmiş gölgeleriyle ışıklarından başka bir şey göremedi.

Juliette bu yıldız kümelerini seyrederken Camelia'nın birkaç ay önce, daha kaçırılışının ve karşılaştığı ölüm tehlikesinin etkisinden tam olarak kurtulamamışken söylediklerini hatırladı:

Ölüm insanı rahatsız eder, fazla sevilmez ve gelip kapıya da-

yandığında, gözlerden oldukça uzakta bir yerde yerleşmesi istenir.
Doğruydu. Ölümün düşüncesi bile insanın aklını allak bullak ediyordu. Ancak bazen, ölüm düşüncesi öylesine takıntıya dönüşüyordu ki, insanı büyülüyordu; ama yine de hayata tercih edilmesi mümkün değildi. Juliette kedi Humus'ü hatırladı. Küçükken, kocaman bir kara kediyle, Humus'le birlikte büyümüşlerdi. Kedi Juliette'in doğumunda da vardı, vaftiz olduğu gün de, onuncu doğum gününde de. Humus hep evdeydi, sanki kaderi onu o eve bağlamış gibi hayatından çıkıp gitmesi imkânsız bir varlıktı. Oysa bir sabah, Humus'ü mor dili zemine sarkmış, boylu boyunca kanepenin dibine yatmış bir halde bulmuştu. Henüz on ikisinde olan Juliette olan biteni o anda anlamamış, hayvancağızı kucağına aldığında da parmaklarının arasındaki vücudun buz gibi soğuk olduğunu hissetmişti. O gün hıçkıra hıçkıra ağlamıştı. Humus'ün bir gün ölebileceğini hiç düşünmemişti; özellikle de bu şekilde öleceğini. Son bir okşayış, bir veda miyavlaması olmadan, okula gitmediği bir sabah soğuk bir kedi ölüsüyle karşılaşmıştı. Daha sonraları, babasının annesine "Gidip dışarıda geberemez miydi yani?" dediğini duymuştu. "Hani kediler öldüklerini göstermek istemezlerdi? Evet, tabiî ben de üzülüyorum sevgilim, ama Allah kahretsin! Juliette'i düşün, sabah kalktığında kedisinin ölüsüyle karşılaşmak... Bu bir çocuğun görmesinin hiç uygun olmayacağı bir şey, değil mi? Hiç olmazsa sokakta ya da komşulardan birinin bahçesinde ölseydi, o zaman çok daha kolay olurdu. Hiçbir şey görmemiş olurduk, en azından Juliette görmezdi. Kedisinin yokluğunu fark edince de ona durumu usulüyle anlatmak... Böylesi çok daha kolay olurdu."

Juliette mutfak kapısının eşiğinde kalakalmış, sonra da dönmüş, yeniden ağlamak için odasına kaçmıştı. Büyükler ölümü sevmiyordu. Ölümün görevini gözlerden uzak bir yerde yapmasını istiyorlardı. Kapalı kapıların ardında.

Juliette soğuk hava vücudunu ve beynini uyuşturuncaya kadar pencerenin kenarında oturdu.

Joshua Brolin geldiğinde, genç kadını yatağın üzerinde büzülmüş yatarken buldu. Üşümemesi için üzerini iyice örttü, soyunup yatağa girdi, Juliette'i kollarına alarak sıkıca sarıldı. Küçük bir mum yakmıştı, Juliette'i seyrederken insanın sadece dinlenmek için uyumadığını düşündü. Aynı zamanda daha iyi yaşamak, felaketlerimizden uzaklaşmak için uyuyoruz. Ne de olsa, uyku acılarını yumuşatıyor, ıstırapları biraz olsun hafifletiyor ve bir acı gerçeği anıya dönüştürüyordu.

Uyku belki de insanın sahip olduğu tek huzur sığınağı, diye düşündü.

Bir eli Juliette'in başının üzerindeydi.

Gözkapakları kâbusların etkisiyle titreşiyordu.

61

Doktor Sydney Folstom son şişeyi de kapadı. Otopsi masasının yanındaki fayansların üzerinde dokuz şişe vardı, içlerinde yüzde 10'luk nötr formol solüsyonunda yüzen uğursuz maddeler. Şişelerden her birinde 30 ile 80 miligram arası ciğer, yürek, kan, sidik ve ölüm sonrası toksikoloji ve anatomopatoloji incelemeleri için gerekli olan her şey vardı.

Asistanlarından biri gelip, doktora ve Brolin'e polis için bir radyografi kopyası alındığını bildirdi. Camelia'nın cesedinin büyük ölçüde yanmış olması, göğüs kısmının çıplak gözle incelenmesini güçleştiriyordu. Bu yüzden yanık bölgelerin radyografik incelemesi yapılmış, iyi sonuç almak ve istenen netliği sağlamak için amplifikatör kullanılmıştı. Böylelikle tüm vücut hızla taranabilir ve kuşkulu bölgelerin resimleri çekilebilirdi. Yine de bütün bu yöntemler eleme yoluyla bir sonuç çıkarmaya yeterli değildi, söylenebilecek tek şey en azından Camelia'nın ateşli bir silahla ölmediğiydi. Boyun çok yandığından dolayı aşırı ince odaklı bir aletle ya da yüksek netlikteki bir filmle gırtlak gibi, kemikler ve dişler gibi ince parçalarda ayrıntılı görüntü almaya imkân veren bir faxitron[2] kullanıldı. Burada da, boğma eylemine özgü olan ve tiroit kıkırdak boynuzlarında görülen kırıklara rastlanmadı. Ölüm başka bir sebebe bağlıydı.

Adlî Tıp yetkilisinin çıkardığı sonuç, şahsın sekiz ya da on iki bıçak darbesinin –çok büyük yanıklar kesici alete dayalı yaraların sayısını belirlemeye izin vermiyordu– neden olduğu kan kaybından öldüğü, vücudu yakıldığında genç kadının artık yaşamadığı yönündeydi.

---

2. Çok ince detayları ya da çok küçük objelerin radyografisini alabilmek için kullanılan dijital bir sistem. (yay.n.)

Brolin elinde bu iç karartıcı bilgilerle Portland morgundan çıkıp, kent merkezindeki bürosuna gitti. Oradan, sabah da yaptığı gibi Juliette'i aradı, biraz lafladılar, Brolin bunun kendisine iyi geldiğini düşündü; ikisine de iyi geldiğini.

Brolin polis merkezinin koridorlarında ya da otoparklarda bekleşen, telefon ve e-posta yoluyla bir bilgi almaya çalışan gazetecileri atlatmayı başardı. Camelia cinayeti ile Leland'in Hayaleti'nin katliamları arasında hiçbir benzerlikten söz edilmemiş olmasına rağmen, Müfettiş Brolin'in cinayet mahallinde olduğu hemen duyulmuş, bu haber de gazetecilerin polis merkezine akın etmesine neden olmuştu. Daha şimdiden "Hayalet"in üçüncü kurbanından söz ediliyor, bu da en azından "üç kurban" tanımı uyarınca, katilin seri cinayetler işlediği sonucunu doğuruyordu. Oysa Quantico Davranış Bilimleri Birimi'nde çalışan birçok FBİ ajanı daha ilk kurbanı görür görmez, bunun seri cinayetler işlemesi muhtemel bir katilin işi olup olmadığını söyleyecek durumdadır ve Brolin de, aldığı eğitim gereği, böyle düşünenlerden biriydi. Daha Anita Pasieka cinayetini incelerken, sadece seri katillerin kurabileceği mizanseni, törenselliği ve ayrıntılı çalışma yöntemini tanımıştı. Kimseyle paylaşmaya cesaret etmese de, içindeki ses ona, Anita'nın tek kurban olmayacağını söylemişti. Katil bazen tökezlemekle birlikte, özellikle cinayet mahallinin hazırlanmasında gösterdiği gelişmiş tecrübeyle, belirli bir profesyonelliğe sahip olduğunu kanıtlamıştı. Soruşturma ilerledikçe, Brolin katilin yönetilen bir kişi, bir alet olduğuna daha fazla inanmaya başlamıştı. Oysa Karga korkutucu biriydi, ilk cinayetini çoktan geride bırakmış acımasız bir psikopattı.

Sonra, bir de cinayetin sıklaşması vardı.

Seri cinayetler işleyen bir katil bir süre sonra öldürmeye ihtiyaç duymaya başlar. Başlangıçta tereddüt eder, sonra cinayetle tanışır ve yeniden cinayet işlemeden önce, genellikle birkaç ay bekler. Ama zaman geçtikçe, fantezisini tümüyle gerçekleştiremediğini düşünür. Yakalanmadığı için de kendine güveni artar ve giderek daha fazla cinayet işlemeye başlar. Birkaç aydan, birkaç haftaya, hatta birkaç güne inen aralıklarla işlenen cinayetlerdeki bu hızlanma, "cinayetin sıklaşması"dır. Oysa şimdiki durumda, iki hafta içinde üç kurban olması, katilin baş döndürücü bir hızla şiddetten haz almaya başladığını düşündürüyordu. Ya da kurbanlarını önceden öldürmüş sonra yavaş yavaş, sırayla ortaya çıkarmıştı.

Brolin prosedür gereği, daha ikinci cinayetle karşılaşır karşılaşmaz VİCAP programından yardım isteme formu doldurmak zorunda kalmıştı. On beş sayfalık bu rapor bir polis müfettişinin karşı karşıya kaldığı cinayetlerin ayrıntılarını çıkarmasını ve FBİ'ye gönderilerek verilerin donanımlı bir bilgisayarda incelenmesini sağlar. Eğer Amerikan toprakları üzerinde, herhangi bir yerde aynı yöntemler kullanılarak veya benzer imzayla benzer bir cinayet işlenmişse, cinayetler arasında hemen bağ kurularak, ülkenin farklı yargı alanlarındaki bölgelerde cinayetler işleyen muhtemel bir katil aranır. Brolin VİCAP raporunun 189 sorusuna da dikkatle cevap vermiş, sonra da raporu bekletmeden göndermişti. Raporun bilgisayardaki 5 849 örnekle karşılaştırılması, bazen haftalar sürebilirdi.

13 ekim çarşamba günü, Amerikan bürokrasisinin dev karmaşasına rağmen Brolin için oldukça iyi geçmişti, çünkü o günün akşamüstü, elinde VİCAP programının cevabını tutuyordu.

Cevap umut kırıcıydı. Cinayetin işleniş biçimi her ne kadar diğerleriyle benzeşse de, imza tamamen kendine özgüydü. Bir katilin dışında. Brolin'in isteğini işleme koyan ajan son günlerde işlenen cinayetler ile Leland Beaumont'un bir yıl önce gerçekleştirdiği vahşet arasındaki inanılmaz benzerliğin altını kırmızı kalemle çizmişti.

Brolin an azından katilin Amerika'nın başka bir yerinde cinayet işlemediğini öğrenmişti; tabiî eğer katil cinayetlerdeki imzasını değiştirmediyse. Bu da, en azından teoride imkânsız görünüyordu. Bir insan böylesine katletmeye, uzuv kesmeye ve acı vermeye devam ederek yaşayamaz. Bir insanın böyle bir canavara dönüşmesi için, çeşitli aşamalardan geçmesi gerekir; böyle bir insan ancak ölüm dürtüleri çok güçlenip, dayanılmaz olduğunda öldürmeye başlar. O zaman da uzun zamandır tasarladığı cinayetini işlemeye itecek derecede bir tutku haline getirinceye kadar kafasında tekrar tekrar yaşadığı çok belirli bir şema uyarınca öldürür. Bu özellikle bir kısırdöngüdür. Üstelik bu şemayı makyajlamak imkânsızdır, bu şema katilin öldürme "nedenidir", yaptıklarının dehşet boyutunu aşması ve sadece alacağı zevkten başka bir şey düşünmemesi gerekli tatmin koşuludur. Fanteziyi ya da imzayı değiştirmek öldüreceği insanı değiştirmekle, onu öldürmeye iten her şeyi değiştirmekle aynı şeydir ve bu nedenle de imkânsızdır.

Kısacası, katil başka yerde işlenen ve imzasını taşımayan cinayetlerin faili olamazdı. Ya da bu cinayetler arşivlenmemiş veya çalışma yöntemleri ile imzaları gerektiği gibi değerlendirilmemişti.

Bu da başka türlü bir açıklamaydı. Ülkenin tüm polisleri FBİ ve VİCAP'la düzenli işbirliği içinde değildir.

Bir olasılık daha vardı.

İmkânsız olduğu için, Brolin'in kabul etmediği ikinci bir olasılık.

Böylesine özel bir imza atarak öldüren tek bir kişi vardı.

Leland Beaumont.

Eğer katil Karga'ysa ya da hayatında bir kez cinayet işlemişse, Leland ideal kuşkulu oluveriyordu.

Ondan başka hiç kimse Karga'nın niteliklerine bu kadar kusursuzca uyamazdı. Sadist, zeki, insan kullanmakta usta... Portland Celladı'nın çalışma yöntemi hakkında engin bir bilgi!

Hayır! İmkânsız olduğu apaçıktı. Ölüler cinayet işleyemez.

Brolin bunu, korkuya karşı okunan bir dua gibi, birkaç kez tekrarladı.

Ama akşamın yedisinde, Salhindro onu almak için büroya girdiğinde, hâlâ titriyordu.

* * *

Larry Salhindro polisin mühürlediği kapının önünde duruyordu.

– Gülümse, bizi çekiyorlar, dedi teleobjektifini arabasından onlara doğru yönelten muhabiri göstererek.

Brolin aldırış etmedi ve Salhindro'ya kapıyı açmasını işaret etti.

Camelia'nın evine bu saatte gelmesinin sebebi, katilin kırk sekiz saat önceki ziyaretiyle aynı zamanda orada olmaktı.

Olaylar daha tazeliğini koruyordu, neredeyse atmosferdeki dehşet kokusunu bile duyacaklardı.

Brolin eve ön kapıdan girdi ve peşinden gelen Salhindro'yla birlikte, doğruca birinci kata çıktılar. Brolin yatak odasını geçip, banyonun eşiğinde durdu ve elektrik düğmesine bastı. Yerdeki fayansların üzerinde, tebeşirle çizilmiş bir siluet vardı; zeminin bir bölümünü örten bir kısmı yanmış olan halı duyulan kokunun yanık etten geldiğini hatırlatıyordu.

– Gerçekten de, bunu bizimkinin yaptığını mı düşünüyorsun? diye sormadan edemedi Salhindro. Demek istiyorum ki, bu onun yöntemine hiç benzemiyor, bizi şoke etmeyi amaçlarken, katliamı neden ateşle gizlemek istesin? Başka bir caninin varlığını göz ardı etmemeliyiz, ne dersin?

– Hayır. Bu onun işi. Juliette de bunu doğruladı, Karga ona telefon etmiş.

– Biliyorum, ama belirli hiçbir şey söylememiş, onun için kaçığın biri olabilir! Tamam, burada canilerin davranışları konusunda uzman olan sensin, ama her zaman yaptıklarıyla büyük bir benzerlik görüyor musun? Hiçbir şey almamış ve cesedi yakmış. Tamam, alnın üzerini asitle yakmış, ama hepsi bu. Bu bana ne etki yapıyor, biliyor musun?

Brolin bir adım attı.

– Bu bana korku veriyor! Sanki tarikat işi gibi bir şey, diye düşünüyorum. Olamaz mı? Belki de birkaç kişidirler, başlarında bir guru ve bir sürü kaçık, hepsinin de kendine göre bir yöntemi var... Sırayla öldürüyorlar.

Brolin tebeşirle işaretlenmiş bölümün izinin çevresinden dönüp, lavabonun karşısında durdu. Lavabonun üzerindeki büyük ayna birçok yerinden kırılmış ve duvarda kalan bölümü de görüntüyü yansıtamayacak duruma gelene kadar güzellik ürünleriyle sıvanmıştı.

– Yansıttığı görüntüye dayanamıyor. Eğer aynayı cinayetten önce kırdıysa, bahse girerim fizikî bir özrü var; muhtemelen de yüzünde. Eğer cinayeti işledikten sonraysa, o zaman yaptıklarından dolayı pişmanlık ya da en azından suçluluk duyuyor demektir ki, bu da uzaktan yönetildiği fikrimi daha da güçlendirir.

– Neden?

Brolin lavabonun kenarına dayandı ve yüzünü aynanın kirli yüzeyine yaklaştırdı:

– Çünkü zayıf ve kolay etki altında kalan birisi. Acı çekmiş, çekmeye de devam ediyor, ama öteki daha üstün, o bir efendi, adama bir bakıma hâkim, "kuklasının" fantezilerinden haberdar ve istediklerini yaptırmak için onlardan nasıl yararlanacağını biliyor. Katil iki zıt duygu arasında bocalıyor. Kendini tatmin etmek için öldürme ihtiyacı duyuyor ve o karşı gelinmez buyruk. Aslında kötülük yaptığını biliyor. Yine de bunu arzuluyor ve Karga, yani "efendisi" adamın içindeki ateşi körüklüyor.

Salhindro belli belirsiz homurdandı.

– Bu sadece basit bir varsayım, diye ekledi Brolin. Cesedin daha bir gece önce yattığı yere diz çöktü.

Bulutlar dağılmış ve ay, ışıklarını fayansların üzerine dağıtmıştı. Brolin pencereye doğru bir baktı. Seri cinayetler işleyen ve biraz gizemli katillerde bazen görüldüğü gibi, cinayet tarihlerinin seçiminde ay evrelerinin önemli olabileceğini düşünmüş, ama cinayetler arasındaki sürenin kısalığı yüzünden bu ihtimali kafasından atmıştı. Camelia'nın öldürüldüğü gece gökyüzü kapalıydı, bulutlar sürekli olarak ayı örtüyordu.

Brolin parmaklarının ucuyla yerdeki yanık izine dokundu.

Seni çalışma yöntemini değiştirmeye zorlayan neydi? Mantıklı bir açıklaması olması şart. Bu kez, kurbanını neden yaktın?

Müfettiş önceki iki cinayeti parçalara ayırmış, her ayrıntıyı incelemiş, katilin profilini belirlemiş, en azından onunla empati kurmaya çalışmıştı. Bu üçüncü kurbanla birlikte veriler inandırıcı bir kişilik oluşturmasına, katili tanımasına yetecek kadar çoğalmıştı. Tüm dikkatini topladı. Bilgi toplamakla, bu bilgileri kafasında sınıflandırmakla, hazmetmekle iki koca hafta geçirmişti. Bilgileri süzgeçten geçirme aşaması bitmiş, artık her şeyi yüzeye çıkarmanın zamanı gelmişti.

– Larry, senden arabada beklemeni rica edeceğim, lütfen.

Salhindro ikiletmedi, dostunu ve meslektaşını yeterince tanıdığından, söylediklerini dışlama olarak kabul etmedi. Brolin birlikte gelmesini söylerken, destek olmasını istemişti. Bir saatten daha kısa bir süre sonra, arkadaşının biraz sarsılmış geldiğini görecekti Larry, o zaman düşüncelerini paylaşmak isteyecek, varsayımlarını geliştirmek için başkasının aklından yararlanma ihtiyacı duyacaktı.

Salhindro aşağıya indiğinde, Brolin, Camelia McCoy cinayetiyle ilgili yapılan tüm tespitleri hatırlamaya çalıştı. İlk akşamki cinayetin işlendiği yeri gözlerinin önüne getirdi, laboratuvar çalışanlarının yorumlarını hatırladı. Üstelik otopsi de gerekli ek bilgileri vermişti. Artık, kaba hatlarıyla da olsa, o gece neler yaşandığını biliyordu.

Kesinlikle gerçeklere dayanan bir bakış açısıyla.

Orada neler olduğunu anlayabilmek için bir empati kurması gerekiyordu.

Birkaç dakika sonra, gecenin soğuğunda, arka kapının yanındaydı.

Hiç iz bırakmamış, demek her zamanki gibi eldivenliydi.

Genç müfettiş, cebinden araba kullanmak için hep eldiven giyen meslektaşı Terry Pennonder'dan, aldığı eldivenleri çıkardı.

"Mutfak kapısının önündeyim, deri eldivenlerimi ellerime geçirdim, bu bana güven veriyor. Bu hareket artık güçlü bir anlam taşımaya başlıyor, ne de olsa bu üçüncü kez. Sadece parmaklarımın astara gömülmesini hissetmek bile, tüylerimi ürpertiyor.

Kapı hemen açıldığı için içeri girerken çok sorun yaşamıyorum. Zemin katta hiçbir ışık yanmıyor, sadece birinci katta loş bir aydınlık var, hiç tehlike olmadığını biliyorum. Nerede olduğunu biliyorum, onu hissediyorum, o ise, duvarların ötesinden baktığımın farkında bile değil. Evindeki varlığımdan habersiz. İçindeki varlığımdan."

Brolin salondan geçip merdivenlere yaklaştı. Sadece banyoyu aydınlatan ışığın dışında, bütün ev karanlığa gömülmüştü. Gecenin loş aydınlığı az da olsa salonun merkezine kadar süzülüyor, burada gölgeler dekoru örten dev mürekkep lekeleri gibi genişliyordu. Bir eşyaya takılıp tökezlemeden ilerlemek güçleşiyordu, bu yüzden Brolin küçük el fenerini çıkarıp yaktı, ışığı yere, tam önüne tuttu.

"Fener gözlerimin uzantısı. Onun baktığını görüyorum, hemen üzerindeyim."

Ayağını birinci basamağa koyup, gözlerini yumdu.

"İşte heyecan burada artıyor, artık çok yakınındayım, o neredeyse avucumun içinde. Bu basamakların tepesinde her şey hızlanacak. Tadını doya doya çıkarabilmek için, zamanın durmasını isterdim."

Brolin feneri kaldırarak etrafı kolaçan etti ve sonra tekrar ışığı basamaklara tuttu. Katil belki de burada birkaç dakika durmuş, üst tarafta olan biteni dinlemişti. Hayatı dinlemişti. Bir şey göremedi. Brolin sonra olacakları bilerek, cesedin bulunduğu akşam çevrenin olabildiğince az aranmasını, eşyaların yerinin değiştirilmemesini istemişti. Cinayet mahalline zarar vermemek için, olabildiği kadar az insanla çalışılması gerekiyordu. Bütün önlemlere rağmen, sıkça kullanılan merdivenlerde bir iz bulma ihtimali düşüktü. Tırmanmaya devam etti.

"Her çıktığım basamak kalp atışlarımı daha da hızlandırıyor. Aletim karıncalanmaya başlıyor, bu bir heyecan, nefret ve korku karışımı. Kamışım sertleşiyor, oysa bu normal koşullarda bir kadınla birlikteyken çok güç. Bundan zevk kadar umutsuzluk da duyuyorum. Son basamak.

Fenerimin ince ışığı altında, koridor hiç bitmeyecekmiş gibi görünüyor. Ama oda kapısı aralık, şimdiden banyo kapısının altından sızıp yatak odası halısına yayılan ince ışık dalgasını görüyorum. El fenerimi söndürdüm. Kadın çok yakınımda. Kesik ve derin soluğum havayı dolduruyor, buradaki varlığımın tek belirtisi, soluğum. Kulağıma su şıpırtıları geliyor, onu banyosunda çırılçıplak görüyorum. Artık yüreğimin çarpıntıları dimdik kamışımın ucuna kadar yayılıyor. Kapıyı usulca ittiğimde, eldivenlerim hafifçe gıcırdıyor. Gıcırdayan bu deri sesine bayılıyorum.

Ve işte o orada! Kaynar suda yumuşamış vücudu, suyun üzerinde asılı kalmış hava kabarcıkları gibi memeleri, özenle kesilmiş, banyonun içinde dalgalanan bacak arası kılları. Beni hemen, tahmin ettiğimden de çabuk fark ediyor ve yüzü allak bullak oluyor. Orada kalmak, uzun dakikalar boyunca ona bakmak isterdim, ama bana fırsat bırakmıyor.

Şimdi onun üzerindeyim ve tüm gücümle yüzüne vuruyorum, çenesinde onu neredeyse bayıltacak kocaman bir çürük oluşuveriyor. Küvetin içinde kımıldayamıyor, kayıyor ve çırpınarak duvarlara su sıçratıyor. Bağıracak fırsat bulamıyor, bıçağımın keskin ucuyla sol ciğerini deliyorum. Dakikalar boyunca seyretmek ve dokunmak istediğim o meme şimdi artık delik, bıçak dokudan çıktığında, içindeki yağlar suya yayılıyor. Bir defa. İki defa. Üç. Kamışım öylesine gergin ki, pantolonuma vurup duruyor; yüreğim patlayacakmış gibi çarpıyor, fazlasıyla yoğun adrenalinin etkisiyle ürperiyorum ve soluk almada sıkıntı çekiyorum. Bir daha. Bir daha. Bir daha. Duvardaki su damlalarına kan damlaları da ekleniyor. Artlarında uzun ve pembe kuyruklar bırakarak, çok daha hızlı akıyorlar."

Brolin tüm sahneyi baştan yaşıyor. Raporlar hareketlere, çığlıklara, sıçrayan suya dönüşüyor. Bazı hareketleri yeniden canlandırırken, dişlerini minelerini çatlatacak kadar sıkarak hıçkırıklarına güçlükle hâkim olduğunun farkında bile değil.

Bıçağı arka arkaya Camelia'nın vücuduna sapladığını düşünüyor, vücudunun kadının üzerine yığılmasını hissediyor ve Camelia'nın kafasının yerdeki fayanslara vururken çıkardığı tok sesi duyuyor. Bu kez, arzusu hemen patlamıyor. Bacaklarını açtığında kadın hâlâ canlıdır, can çekişiyor.

Evet. Bu kez kadınlık organını sakatlamıyor, ona sürtünmeyi başardığı için tatminsizliğini ve öfkesini bastırması gerekmiyor.

Kadının üzerine boşalıyor!

Camelia'yı bunun için yaktı! Kadının üzerine boşaldı, onda bir iz bıraktı, o izi silmek zorundaydı, o zaman da her şeyi alevlerle yok etmeye karar verdi!

Brolin, beyni karıncalanmış bir şekilde, yerdeki tebeşirle çizilmiş silueti değil, kanlar içindeki çıplak Camelia'yı görüyor. Laboratuvar çalışanlarından birinin mutfaktaki çöp tenekesinde bulduğu iki viski şişesini hatırlıyor. Katil cesedi yakmayı planlamadığı için, orada bulduklarıyla idare etmek zorunda. Evet, tam böyle oldu, bir çizgiyi aştı ve paniğe kapıldı. Ama o anda, haddinden fazla heyecanlıydı. Kesinlikle orada durmak istememiştir. İçinde o inanılmaz arzu var, yapabilir, başarabilir!

Sonra da pentagram var, kurbanının ruhundan korunması gerekiyor. Pentagramı bıçağının ucuyla kazıyor, sonra da asitle yakıyor. Bu arada, yanında bütün vücudu yakacak, böylelikle işleri kolaylaştıracak kadar asit olmadığı için kendine kızıyor. İzleri yakarak yok etmek için bir şeyler bulmalı. Banyodan çıkıyor.

Hâlâ aynı arzuyu duyuyor. Her şeyin çabuk ve kontrolsüz olduğunu düşünüyor. Daha istiyor, hem de hemen. Hatta, her şey bu kadar çabuk olup bittiği için neredeyse öfke duyacak; doyuma ulaşamadı.

Brolin ses çıkarmadan yatak odasına geçti. Koridora varmak üzereyken, olduğu yerde donup kaldı.

Kapının sağında, siyah bir dolap duvarı gizliyordu. Ama daha da önemlisi, yatağın görüntüsünü yansıtan dev bir aynaydı.

Brolin bulunduğu yerden, yatağı ve banyo kapısının aralığından da Camelia'nın vücudunun belden aşağısını temsil eden tebeşirle işaretlenmiş yeri görüyordu. Eğer katil başını kaldırdıysa, bu sahneyi kaçırmış olamazdı.

Yatak ve Camelia'nın çıplak vücudu. Normal bir çift gibi.

Yatağın üzerinde kan yoktu, Polilight'la incelenen örtülerde de kan izine rastlanmamıştı. Demek katil cesedi yatağın üzerine yatırmamıştı.

Brolin dolaba yaklaştı ve kapağını usulca açtı. Camelia'nın vücudunu aynadaki akiste kayar düşünüp giysi dolu etajerlere baktı.

Tişörtler, yelekler, kazaklar ve iç çamaşırları dolu kocaman bir raf. Düzeniyle diğerlerinden farklı bir raf. Her şey katlanmış, özenle yerleştirilmişti; üst üste yığılmış külotlar ve sutyenler hariç. Bunda şaşıracak bir şey yoktu, bir kadının dolabında böylesi bir düzen görmek olağandı, ancak yine de Brolin'in hoşuna gitmeyen bir ayrıntı vardı. Eldivenlerini çıkarmadan, çeşitli takımları çıkarmaya, her bir kumaş parçasına fenerini tutmaya koyuldu.

Kafasında bir fikir doğuyordu. Katil de, arzu dolu bir şekilde aynı yolu izlemiş, daha fazla zevk alacak bir şey aramış ve iç çamaşırlarını bulmuştu.

Işığın altında minicik bir leke göründü. Sonra, aynı külotun üzerinde başka bir leke... Sonunda Brolin bir sutyenin tokasının üzerinde bir kıl buldu.

Katil bu çamaşırlara sürtünmüştü. Çamaşırları yatağın üzerine ya da yere sermiş, sonra da yavaşça kendini tatmin etmişti.

Ve o gurur ya da güven anında, bu ayrıntıyı unutmuştu.

62

Camelia cesedinin yakılmasını, küllerinin de Columbia Nehri'ne serpilmesini vasiyet etmişti. Vasiyeti 14 ekim perşembe günü, aralarında Juliette ile Brolin'in de bulunduğu yirmi kadar tanığın huzurunda yerine getirildi. Birkaç muhabir sahte duyarlılık göstererek törene katılmaya çalıştılarsa da, Camelia'nın yakınlarınca geri çevrildiler. Juliette, Anthony Deseaux'nun orada olduğunu fark etti. Fransız kumaşından, sanki Yves Saint Laurent'in elinden çıkmış siyah bir takım elbise giymişti, yakasına taktığı gül de genç kadını duygulandırdı. Tabut yürüyen bandın üzerinden fırının alevleri arasına girip gözden kaybolduğunda, adam Juliette'e yaklaştı ve nazikçe koluna dokundu.

– Sevgili Juliette, eğer sizin için bir şey yapabileceksem, lütfen tereddüt etmeyin, beni nasıl bulacağınızı biliyorsunuz.

Tuhaftır, adamın ne sesinde, ne de bakışlarında farklı bir anlam sezmedi, orada sadece samimiyet okunuyordu. Camelia Fransız arkadaşından doymak bilmez bir kadın avcısı gibi bahsetmişti, ama şu anda adamın üzüntüsü alışkanlıklarının önüne geçmişti.

Adama teşekkür etti, Brolin de Fransız milyonerle el sıkıştı.

Juliette biraz sonra külleri almak için kaybolunca, Brolin fırsattan yararlanıp, açık havaya çıktı. Bir sigara içmek için can atıyor, bu istek de onu, bir yıldan beri kanser çubuğuna el sürmemiş Brolin'i sinirlendiriyordu.

Gazeteciler sonunda istediklerini elde etmiş ya da saygıdan nasiplerini almış olacaklardı ki, Brolin hiçbir muhabire rastlamadı. Belki de göze çarpmamayı öğreniyorlardı. Öte yandan, hemen karşısında gelip duran bir Mercury Marquis gördü. Arabadan çıkıp, üzerlerindeki takım elbiseleri düzeltmeye çalışan iki adamı güçlük çekmeden tanıdı. Gelenler bölge savcısı Gleith ve müstakbel yardımcısı, Bentley Cotland'di.

– Müfettiş Brolin, diye seslendi Gleith. (Tokalaşmak için elini uzattı, öteki eliyle de Brolin'in kolunu sıktı.) Ben de sizinle konuşmak istiyordum. Soruşturma nasıl ilerliyor?

Gerçekten de soruşturma için mi endişeleniyordu? Yoksa Bentley Cotland gidip, ona yeterince yardımcı olmadıklarından mı yakınmıştı? Son günlerde çok daha sevimli davranmasına rağmen, insan onun gibilerin karşısında ne yapacağını bilemez. Bir eliyle okşarken, diğeriyle çimdik atabilecek biri; gerçek bir politikacı! Gleith hayatta boşuna yol tepmezdi. Yüzbaşı Chamberlin şimdiye kadar arada tampon görevi görmüştü, ama bölge savcısı asıl kapıyı, işin yapıldığı yerin kapısını çalmak istiyordu anlaşılan.

– Elimizde çalışmak için birkaç iz var, dedi Brolin. Ayrıntılara girmeye pek niyetli değildi.

– Yoksa bu izler bizi zanlıya götürecek izler mi? dedi savcı, Brolin'i yaseminler boyunca yürümeye zorlayarak.

– Karşımızdaki bir aile cinayeti değil efendim, çözümü o kadar basit olamaz, onun için zamana ihtiyacımız var...

Ağır adımlarla yürüyorlardı, Gleith ve Cotland'in arasında yürümek Brolin'in tuhafına gitmiş. İkişer bin dolarlık elbiseleriyle bir hiyerarşi simgesi gibiydiler.

Boşluğu doldurup, burada tempoyu kimin belirlediğini gösteriyorlar. Fazla incelikli değil ama, çoğu kez karşısındakini etkilemek için yeterli!

Gleith elini müfettişin omzuna koydu.

Aradaki boşluk dolduruluyor ve pençe denetim duygusunu daha da güçlendiriyor. Seni kuşatıyorum, fiziksel bütünlüğüne tecavüz ediyorum, sana ne yapacağını söylüyorum, sen de itaat ediyorsun; eğer itaat etmezsen zinciri geriyorum ve seni bir limonmuşsun gibi sıkıp atıyorum.

– Anlıyorum, dedi savcı kasılarak. Ama kendinizi baskı altına soktunuz, eğer halkın önüne çıkaracak bir zanlı bulamazsak Yüzbaşı Chamberlin'in yaptığı o açıklamanın dramatik sonuçları olabilir!

Yine o açıklamaya dönülüyordu. Sigara izmaritinin bulunmasında ve DNA'nın belirlenmesinde faydalı olduysa da zanlıyı ellerinden kaçırmalarının korkunç bir başarısızlık olarak hatırlanması Brolin'in meslek hayatının üzerinde uzun zaman Demokles'in kılıcı gibi sallanmasına neden olacaktı.

– Belediye başkanıyla görüştüm, diye ekledi Gleith. Soruşturmanın yavaş ilerliyor olmasından şikâyetçi. Beni yanlış anlamayın, belediye başkanı adaletin çabuklaştırılması sorunuyla karşı karşıya olan biri, hesap vermesi gereken seçmenleri ve koltuğundan uzak tutmak zorunda olduğu rakipleri var ancak siz onun işini hiç kolaylaştırmıyorsunuz.

Savcı, Brolin'in karşısında dikilmiş duruyordu. Bentley de arkasındaydı. Kaba saba ama oldukça açık bir mesajdı.

– Sakın yanlış anlamayın, burada kişisel bir suçlama yok, ama bu soruşturma için çok genç olduğunuzu düşünüyorum. Yüzbaşı Chamberlin'in yerinde olsam, bu işle ilgilenmesi için eskilerden birini, tecrübeli birini görevlendirirdim. Oysa şefiniz sizi çok seviyor, FBİ'deki eğitiminiz çok kişiyi etkilemiş gibi, bundan önce aldığınız sonuçlar da öyle.

Gözleri Brolin'inkilere dikildi, genç müfettiş bölge savcısının bakışlarına saldırganca değil, ama kararlılıkla cevap verdi.

– Bentley de bu soruşturmayı sonuçlandırabileceğinizi düşünüyor, onun için ben de bu seçime katlanıyorum, ama sakın çuvallamayın, böylesi bir soruşturmada meslek hayatınızı mahvedebilirsiniz. Medya şimdiye kadar sakin durdu, ama bu üçüncü cinayetle bölgesel kanallarda birinci haber olacağımız kesin.

Tabiî. Bentley'nin varlığı sadece tecrübe adına değildi, adam aynı zamanda da savcının gözü kulağıydı. Buna daha önce neden daha fazla dikkat etmemişlerdi ki? Oysa durum açıktı, genç bir adamın üniversiteyi bitirir bitirmez kendini savcının bürosuna paraşütle inmiş gibi bulması, torpili güçlü de olsa pek normal bir şey değildi. Gleith polisin iç mekanizmalarını öğrenmek, John Edgar Hoover gibi, kendi küçük kişisel dosyalarını oluşturmak istiyordu. Kimlerin ona yakın olduğunu, zamanı geldiğinde kimleri devirmesi gerektiğini bilmek, zamanı gelince de bütün baskı araçlarına sahip olmak istiyordu. Daha da şaşırtıcı olanı Bentley'nin desteğiydi, böylesi hiç de ona uygun bir davranış olamazdı.

Brolin de elini karşısındakinin omzuna koydu, onun silahlarıyla oynamak gibi tehlikeli bir yola girdi.

– Sizin de belirttiğiniz gibi, genç yaşıma rağmen, işimi biliyorum. Karşımızda korkutucu bir ikili var, çok zeki ve çok hareketliler, onun için benden mucizeler beklemeyin. Sürekli olarak çalışan kocaman bir grubuz, ama rakiplerimiz bir hata yapmadıkça, elimizde dişe dokunur bir iz olmayacak. O zaman, böyle bir izi *empati* sayesinde bulmak da bana düşüyor.

Gleith'in anlayamayacağını düşünerek, deyimi kuvvetle vurgulamıştı. Böylece savcı güçsüz durumda kalacak ve Brolin üstünlüğü yeniden ele geçirmiş olacaktı.

– Şu anda bu soruşturmayı sonuçlandırabilecek tek kişi olduğum için, meslektaşlarımı eleştirmiyorum. Bana güvenin.

Brolin, Gleith'in çene kaslarının gerildiğini gördü, anlaşılan insanları avucunun içine alamamaktan nefret ediyordu.

– Öyleyse gerekeni yapın, dedi sertçe. Ama bana somut sonuçlar gerek. Pazartesi sabahına kadar vaktiniz var. Sonra, FBİ'den yardım isteyeceğim.

Brolin gerildi. Önünde topu topu dört gün vardı.

Yeni bir cinayete engel olmak için, dört gün.

Meslektaşları işi ele almadan, başarısızlığı kesinleşmeden önce dört gün.

Gleith sert sesi ve bıçak gibi tebessümüyle ekledi:

– Andy Warhol'un sözlerini hatırlayın ve zafer anınızın geçmiş olmaması için uğraşın...

Brolin'in dudaklarında alaycı bir tebessüm belirdi.

– Sizin gibi birinin General de Gaulle'ü bildiğinden eminim, dedi. Ne demişti, biliyor musunuz? "Zafer kendini sadece düşünü görenlere verir." Herkesin düşü kendine, Savcı Gleith. Herkesin düşü kendine.

Uzaktan, bir fotoğraf makinesinin tıkırtısını duydu. Cinayet söz konusu olduğunda, basın asla uzak kalmaz.

Hepi topu dört gün.

63

Portland Kriminal Polis Laboratuvarı günün yirmi dört saati çalışır. Her şeyin üst üste geldiği dönemler ile sakin geçen dönemler arasında, bazen az, bazen aşırı bir hareketlilikle. O perşembe sabahı, kaldırılabilir hareketlik tepe noktasındaydı.

Joshua Brolin koridora açılan kapıyı ittiğinde, çeşitli bölümlerin yüksek camlı bölmeleri ardında koşuşturan sayısız beyaz önlüklü kişi gördü. Balistik bölümünde, alışıldık silah ve mermi karşılaştırması çalışmasının dışında, birkaç gün önce, bir motelin otoparkında gerçekleşen çarpışmadan sonra kurbanlardan alınan giysiler üzerinde atış mesafesi ve mermi yolu belirlenmesi üzerinde çalışılıyordu. Biraz daha ötede, yangın-patlama bölümünde, iki genç adam ve bir kadın alınan örnekleri kızılötesi spektrometre ve sıvı fazlı kromatograftan geçirerek, bir gece kulübünde çıkan yangının kaynağını araştırıyordu.

Brolin bir dizi başka laboratuvarın ve biyoloji bölümünün önünden geçerek, bürolara kadar yürüdü. Carl DiMestro sabahki telefon konuşmasından sonra onu beklemeye başlamıştı. Müfettiş içeri girdiğinde, laboratuvarın müdür yardımcısı ve biyoloji bölümü sorumlusu olan DiMestro, konuğunu karşılamak için ayağa kalktı:

– Moralimiz nasıl? diye sordu. Brolin'in cesedin yakılması törenine katıldığını biliyordu.

– Her zamankinden daha kötü değil. Bir şey buldunuz mu? Lafı uzatmadan, hemen konuya girmeyi yeğlemişti.

Bir gece önce, Camelia'nın evinde bulduklarının soruşturmanın geleceği açısından ne denli önemli olabileceğini biliyordu.

– Otur. Kahve? Çay?

Brolin "hayır" anlamında kafasını salladı, hemen açıklamalara geçilmesini istiyordu.

– Pekâlâ. Dün akşamki telefonundan sonra, Craig geldi ve kurbana ait bütün çamaşırları incelemeden geçirdi. Milimetre milimetre. Josh, kurbanın bir köpek, bir kurt, bir tilki –belki de bir çöl tilkisi– sahibi olduğunu biliyor muydun?

– Ne? Hayır, sanmıyorum. Bütün bunların...

– Tersi tuhaf olurdu, evde hayvan tüyü yok. Yani, çamaşırlarda bulunanlar dışında yok, demek istiyorum.

Brolin kaşlarını çattı.

– Evet, şaşırtıcı, diye devam etti DiMestro. Craig uzun bir kıl buldu, senin bulduğun kıl, bir de dantelli bir külottan üç ya da dört kısa kıl topladı.

"Uzun kıl, insana ait. Kıvrımları koltukaltına ya da bacak arasına ait olduğunu gösteriyor, sahibi büyük ihtimalle beyaz. Gerçekten de, elimizdeki kılda Asyalılara özgü ilik sürekliliğini göremiyoruz, pigment parçacıkları da siyahların kıllarına göre daha az yoğun, buna karşılık daha düzgün dağılmış. Öte taraftan, ince ve kısa kıllar bir hayvana ait ve uzun bir incelemeden sonra, kılların köpekgiller familyasından bir hayvana ait olduğuna bahse girerim. Kütikül hücreleri düzeniyle kılların biçimi, bu familyaya ait özelliklere uyuyor. Ancak elimizdeki veritabanıyla ırkını belirleyecek uzun bir karşılaştırma yapmaya vaktim olmadı. Kesinlikle bir köpek; ama hangi cinsten, bunu öğrenmek zaman alacak.

Brolin koltuğun üzerinde kımıldanınca, ağır bir metal gıcırtısı duyuldu. Köpek kılları nasıl olmuş da oraya gelmişti? Bulabildiği tek açıklama, kılların katil tarafından oraya taşındığıydı. Kılları elbiselerinin üzerinde getirmiş, çamaşırlara sürtünürken de kıllardan bazıları külotlardan birine yapışmışlardı.

– Demek adamımızın köpeği var, dedi.

– Akla en yakın olanı bu. Kılların boyu orta büyüklükte bir köpek olduğunu düşündürüyor. Hepsi bu kadar da değil. Kıllar tuhaf bir maddeye bulanmış. Ufak miktarda değil, sanki o maddeyle kaplanmışlar gibi. MEB[3] ve gaz fazlı kromatograf yardımıyla, o maddenin ne olduğunu bulduk. Arsenik sabunu ve potasyum karbonat var. Kısacası, sık rastlanmayan maddeler.

Sonunda, Brolin'in elinde somut bir şeyler vardı. Katil ya köpeğini okşarken hayvanın tüylerini bu maddelere bulamıştı ya da köpek bu maddelerin kullanıldığı bir sanayi bölgesinde geziniyordu. İnsanı bir sonuca götürecekmiş gibi görünen ihtimaller çoktu, ama eldeki gerçekten değerlendirilebilir tek iz buydu.

Brolin o ana döndü.

3. Elektronik tarama mikroskobu.

– İnsan kılından yola çıkıp, genetik bir iz çıkarabilir misin?

– Hayır, kökü yok. Ama öbür taraftan, nötron aktivasyonu yoluyla analizini yapabilirim. Nötronlar kılı meydana getiren çeşitli mikroskobik elementlerin atomlarıyla çarpışınca, radyoaktif hale gelirler. Sonuçta çıkan gama ışınlarını ölçünce, kılı oluşturan elementlerin en ufak izini bile ölçümleyebiliriz. Dediğim yöntem, on dört farklı element için gramın milyarda biri ölçüsünde hassastır. Kısacası, bana iki tane kıl ver, bu iki kılın aynı insana ait olup olmadığını söylemem için elimdeki iki "radyoaktif profili" karşılaştırmam yeterli olur.

– Güvenilebilir mi?

– DNA kadar değil, burada milyonda bir yanılma ihtimali var; bu da pek kötü sayılmaz.

Brolin ayaklandı ve cebinden içinde birkaç tel saç bulunan plastik bir zarf çıkardı.

– Bu karşılaştırma saçlarla da yapılabilir mi? diye sordu.

– Hiç kuşkusuz. Nereden buldun bunları?

Brolin zarfı Carl'ın masasının üzerine bıraktı.

– İyi bir polis, öyle kalmak istiyorsa, bütün kaynaklarını açıklamamalı...

Biyoloji bölümünün sorumlusu omuzlarını silkti:

– Bu senin sorunun. Elimden geldiğince çabuk cevap vermeye çalışırım, ama şu aralar acil iş sıkıntısı çekmiyoruz pek. Sürekli olarak adam eksiğimiz var.

– Biliyorum, her yer öyle. Her neyse, teşekkürler.

– Laf aramızda, bu belki de sadece kurbanın bacak arasından düşen bir kıl, olamaz mı?

Brolin kafasını "hayır" anlamında kuvvetle salladı.

– Hiç sanmam. Temiz çamaşırlarda olmaz, özellikle de o koşullarda, her şey cuk oturuyor; emin ol Carl, katil çamaşırları kullandı. Kendini tutamadı. Köpek kılları da bunun kanıtı. Camelia hayvan beslemiyordu. Elimizde bir şeyler var, bununla sonuca ulaşabilmek de bize kalmış.

Carl konuşmadan önce omuzlarını silkti:

– Belki daha somut bilgiler bekliyordun, onun için özür dilerim ama elimizden geleni yapıyoruz.

Brolin kapıyı araladı:

– Bu kadarı bile çok Carl. Hem de birkaç saatte! Tekrar teşekkürler.

Arsenik sabununa ve potasyum karbonata bulanmış köpek kılları. Bu başlangıç için yeterliydi; buraya varmak için aşılması gereken yolu düşünmek Brolin'in başını döndürdü.

Gözünün çevresindeki halkalar Florida kumsallarında bir petrol sızıntısı gibi kararmış Carl DiMestro'ya son bir kez teşekkür edip çıktı.

Çabuk olmalıydı. Çok çabuk.

64

O akşamüstü, güneşin bulutsuz gökte pırıl pırıl parlamasına rağmen, soğuk hâlâ ısırıyordu. Juliette'in her soluğunda ağzından çıkan buhar bulutu rüzgârda eğilip bükülüyor, sonra da dağılıp yok oluyordu. On evlik toplulukların oluşturduğu bu yerlere "kent" adı veriliyordu. Barındırdığı hayvanların insanla tanışmadan yaşayacağı kadar sık ve geniş ormanların yayıldığı topraklara varmak için, arabasını doğuya, Oregon'un vahşi bölgelerine sürmüştü. Çukurlarla dolu bir patikaya sapmak için yoldan ayrılmadan önce, iki koruyucu meleğinin bindiği Ford'un yaklaşabilmesi için, yolun kenarında durup onları beklemişti. Orada birkaç saatlik bir yalnızlığın pazarlığını yapmıştı. Böyle bir yerde başına hiçbir şey gelemezdi, adamlar da kayalık burna giden tek yolun ağzında olacaklardı zaten. Anlayışlı iki polis memuru, istemeye istemeye de olsa kabul etmek zorunda kalmıştı.

Şimdiyse, Juliette bir ayağını bir taşa dayamış, tepeden yirmi metre aşağıda, Columbia'nın siyah şeridini hayranlıkla izliyordu. Nehir eyaletin içinden sükûnetle geçiyor, dev ormanların arasından kıvrılıyor, gölgeli yalıyarların girintili çıkıntılı duvarlarının arasına girip, sonunda yük gemilerinin okyanus kıyısına götürmek için tonlarca yük sırtladıkları uygarlığa varıyordu.

Juliette'in elinde siyah bir kutu vardı, dostu Camelia'nın kalıntılarını tutuyordu. Camelia'nın annesi babası öleli yıllar olmuştu, bir avuç akrabası da varlığından habersiz, Doğu kıyısında oturuyor, ahlak kurallarının sevgi ve hoşgörüden bahsetmek yerine, Camelia'yı yaşamı ve davranışları nedeniyle aforoz edecek katı dinsel kurallar içinde yaşıyorlardı. Eski kocası Steven cesedin yakılması törenine gelmişti gelmesine, ama küllerin emanet edildiği kişi Juliette olmuştu.

Camelia sık sık "özgürlük" dediği ölümle dalga geçerdi. Külleri rüzgârın sırtına bindiğinde, sonunda uçmayı başarmış olacağını söylerdi. Savrulmuş bir toz bulutu, gökten gelip dünyayı ziyaret edecek, aynı anda birçok yerde birden dinlenebilecekti. Nehirlerde olacaktı, ağaçlarda, okyanuslarda ve eğer talih ve doğa koşulları yanındaysa, belki de güçlü alizelerin sırtında.

Juliette arkadaşının Columbia'nın yüzeyine yansımış görüntüsünü hayalinde canlandırmak için gözlerini yumdu. Rüzgâr kulaklarına geçmekte olan zamanın ezgilerini fısıldıyordu.

Sağındaki kayanın üzerine tırmandı. Dik bir yalıyarın tepesinde bulunduğunu, tabanlarının sadece birkaç santim altındaki boşluğun onu yutmak için hazır beklediğini biliyordu ya, yine de korkmadı.

Gözlerini araladığında, kutuyu uçurumun üzerinde tutuyordu; kapağını açtı.

– Seni seviyorum...

İlk zerrecikler ağır ağır havalandı, rüzgâr da onları taşımak istemiyormuş gibiydi. Sonra kutudan bir toz sütunu dönerek yükseldi, neredeyse anlamlı denebilecek, olağanüstü zarafette şekiller çizdi, Juliette'in büyülenmiş gözleri önünde yükselip alçaldı. Küllerin arabeski havaya gizemli yazısını yazdı ve hemen kayboldu.

Bunlar, Camelia'nın en yakın sırdaşına söylediği veda sözcükleriydi.

Son sözleri.

Juliette kayanın üzerinde bir saat kadar kaldı. Camelia'yı düşündü, aynı zamanda kendini ve son bir yıl içinde başına gelenleri de. Bundan bir yıl önce, Camelia'nın gelip onun küllerini havaya savurmasına ramak kalmıştı. Bu bazı şeyleri değiştirir miydi? Eğer kendisi, o 29 eylül günü ölmüş olsaydı, Camelia bugün hâlâ yaşayacak mıydı?

Juliette yeniyle gözyaşlarını sildi.

Bunu yapana lanet üstüne lanet ediyordu, bu canavar katile, caniye.

O ses peşini bırakmıyordu, ahizeden buyruklar yağdıran o cinsiyeti belirsiz ses onu çıldırtıyordu. Brolin o gün kimlerin aradığının araştırmasını yapmış, telefonun nereden geldiğini belirlemek için Pacific Bell'den yardım istemişti, ama ne yazık ki adam kentin dışından, yani her türlü tanığın gözünden uzak bir telefon kulübesinden aramıştı.

Joshua'nın anlattığı gibi, iki kişiydiler. Katil ve Joshua'nın taktığı isimle, Karga. Ve öldürmek için, en azından cinayetlerini gizemli bir haleyle süslemek için Dante'nin *İlahî Komedya*'sından yararlanıyorlardı. "Cehennem"den pasajlar alıyorlardı. Neden bu metin? Bir de, bunun asıl amacı neydi? Juliette bunun boşuna yapılmış, rasgele bir şey olmadığından emindi. Joshua'yla konuştukları bir akşam, genç müfettiş bunları düşünmemesini, ne de olsa bu alıntıların anlamını ve amacını sadece Karga'nın beyninin açıklayabileceğini söylemişti. Anlaşılan bütün karmaşa sadece Karga için anlaşılır görünüyordu, "kutsal" metinler yardımıyla kurduğu kendine özgü küçük bir evrende, bir çeşit paranoyaya kapılmıştı. Oysa Juliette bundan pek emin değildi. Alıntıların anlamını bulmak imkânsız değildi, zaten "Cehennem"in seçimi bile kendi başına bir mesajdı.

Saatine baktı. Öğleden sonra dört.

O herifler yaptıklarının cezasını çekmeliydi. Bir insana, hele Camelia gibi masum bir insana böyle bir vahşet nasıl yapılabilirdi?

Juliette yumruklarını sıktı ve eklemleri çatırdadı. Öfkesinin yükseldiğini hissetti, öfkeyle birlikte intikam arzusunun da. Onları öldürmek? Hayır, tabiî hayır. Ama acı çektirmek! Ya da sonsuza dek soğuk bir hücrede çürüsünler.

Peki, ne yapabilirdi?

İşin payıma düşen bölümünü!

Leland'e hayranlık duyduklarına, onu böylesine beceriyle taklit ettiklerine göre, aralarında şu ya da bu şekilde bir bağ var demektir. Birbirlerini tanıyorlardı.

Leland hakkında hiçbir şey bilmiyordu. Özel hiçbir şey bilmiyordu.

Juliette birden ellerinde soğuğun uyuşukluğunu duydu. Elleri ona anılarının derinliklerinde yatan dehşet anını hatırlattı.

Evet. Leland'in özel hayatına ulaşabilirdi. Bunu nasıl yapacağını başından beri biliyordu, ama Leland'in iblislerinin karşısına çıkmaya hiç cesaret edememişti, daha çok erkendi.

"Artık değil" dedi arabasına gitmek için ayaklanırken.

Savaş ilan edildi.

65

Brolin Powell's'ın kapısından girip sessizlik ve bilgi dünyasına adım attığında, saat henüz on üç olmamıştı. Powell's zenginliği ve çeşitliliğiyle İskenderiye Kütüphanesi'ni kıskandıracak bir kitabevidir. Geniş rafları öylesine girintili çıkıntılıdır ki, insan orada kolaylıkla kaybolabilir. Zaten Portland'da bazı öğrencilerin buraya "Kitapların şehri" demeleri boşuna değildir.

Brolin siyah fon üzerine kocaman bir beyaz soru işareti bulunan küçük tezgâhın gerisinde oturan görevliye selam verdi, fizikkimya bölümünü birkaç saniyede buldu. İşe geniş bir tarama yapıp her şeyi kapsayan eserleri incelemekle başladı. Sonra seçimini daraltıp, bazı bilgiler bulabileceğini düşündüğü kitaplar toplamaya girişti.

Arsenik sabunu ve potasyum karbonatın nereden bulaşabileceğini öğrenmek zorundaydı. Carl DiMestro bu elementleri bir külotta bulunan hayvan kıllarından ayırma zahmetine katlanmıştı; bu tek başına büyük bir başarı değildi belki, ama sadece bu iz bile mucize gibiydi. Daha doğrusu, bu izi bulmalarıydı asıl mucize. Brolin profili düşünüp, bu küçük zafer için kendini kutladı. Bu mucizenin Quantico'daki eğitimcilerin bile kulağına acil ulaşması gerekirdi, bu da profilin soruşturma ve sonuçları üzerindeki etkisi için kusursuz bir örnek olacaktı. Tabiî, acil bir tutuklamayla bitmesi koşuluyla.

Arsenik sabunu ve potasyum karbonat.

Fazla önemli bir ipucu değildi, ama biraz da şansları varsa ilginç sonuçlara ulaşabilirlerdi. Brolin bu tür maddelerin nerede ve neden kullanıldıklarını bulabilse, bu maddelerle uğraşan alanı ya da meslek tipini belirleyebilse, en azından neye yaradıklarını anlasa, katile kadar gitmek için bir umudu olacaktı. Brolin katilin bir köpek sahibi olduğu ve yaşadıkları yerin yakınında bu maddeleri, sabun ve karbonatı kullanan bir sanayi sitesi, en azından bir atölye bulunduğu düşüncesinden çıkıyordu yola. Kıllarının bu maddelere bulanması için, köpeğin atölyenin yakınında gezinmesi yeterliydi.

Oysa Carl DiMestro kılların tümüyle bu maddelerle kaplı olduğunu söylemişti. Belki köpek bir birikintide yuvarlanmıştı, belki de bu maddelerle uğraşmak, katilin mesleğiyle ilgiliydi. Sonra da köpeğini okşamış, kıllarının üzerinde arsenik sabunu ve potasyum karbonat izleri bırakmıştı. Sonra, birkaç kılın katilin giysilerine yapışmış olması yeterliydi.

Bütün bunlar sadece varsayımdı.

Ne var ki, ellerindeki tek ipucu buydu, üstelik mantıklı bir açıklaması da vardı.

Brolin bir saatlik araştırmanın sonunda otuza yakın eseri incelemişti. Powell's bir kitabevi olduğu için, insanın orada araştırma yapmaya hakkı yoktur, bu nedenle de çalışanlardan biri, yüzünde soru sorar bir ifadeyle yaklaştığında, Brolin fazla şaşırmadı.

– Yardımcı olmamı ister misiniz efendim?

Brolin kafasını salladı, ceketinin iç ceplerini karıştırıp, sonunda gümüş renkli müfettiş kimliğini çıkardı.

– Eğer arsenik sabunu ile potasyum karbonatın ne işe yaradığını biliyorsanız, lütfen.

Gözlükleri kocaman kırmızı çerçeveli, kulaklarının arkasına atacağı kadar uzun saçlı, otuz yaşlarındaki kitabevi görevlisi yüzünü "Bir düşüneyim" ya da ona benzer bir ifadeyle buruşturdu.

– Potasyum karbonat bazı camların üretiminde kullanılır, yanılmıyorsam bir de parfümeride. Bunları daha birkaç gün önce bir belgeselde gördüm. Öyle hatırlıyorum. Arsenik sabununa gelince, en ufak bir fikrim yok. Bir soruşturma için mi gerekli?

– Hmm, şeyy. Cam üretimi mi demiştiniz?

– Bir de galiba parfümeride.

– Camcılık üzerine kitaplarınız var mı?

– Tabiî tabiî, mutlaka vardır.

Brolin kitabevi görevlisinin bu labirente benzeyen yerde yolunu bu denli kolay bulması karşısında şaşırdı. Adamın müfettişe *Üfleyicilerden Endüstriyel Üretime Camcılık* adlı bir kitap uzatması uzun sürmedi.

– Alın. Sabun konusunu arkadaşıma bir danışayım, kimya konusunda bayağı bilgilidir.

Brolin teşekkür etti, kalın kitabı incelemeye içindekiler bölümünden başladı. Sayfaları birbiri ardına inceledi, ama dikkatini çeken bir şey bulamadı; kitapta çok fazla bilgi, birkaç fotoğraf ve renkli birkaç kroki vardı.

Kırmızı gözlüklü görevli birkaç dakika sonra, elinde dumanı tüten bir fincan kahveyle geldi.

– Şunu alın, dedi, kitaplarla uğraşırken iyi gelir.

Bu yakınlık Brolin'i etkiledi, hemen kuşkularından ve suskunluğundan sıyrıldı.

– Teşekkür ederim, çok naziksiniz. Bu kitap gerçek bir kâbus! Küçücük yazılarla dolu sekiz yüz sayfa! Gerçekten bunu alan var mı? diye takıldı kahvesini yudumlarken.

– Sizi rahatlatayım, masanın kısa bacağını sabitleştirmek için kullanıyoruz. Arsenik sabununu arkadaşıma sordum. Öyle fazla bir kullanım alanı olup olmadığını bilmiyor ama, antiseptik özelliği bulunduğunu söylüyor. Potasyum karbonat da koruyucu madde olarak kullanılabiliyormuş, özellikle de mumyalarda, öyle diyor. Bu arada, arkadaşımın Antikçağ tutkunu, özellikle de firavunlar Mısır'ına meraklı olduğunu söylemem gerekir. Kısacası, potasyum karbonat da mumyaların kurumasını önlemek için kullanılabilirmiş. Ya da gerekli maddelerden biriymiş.

– Mumyalar mı?

Portland'da mumyalar üzerinde çalışılabilecek neresi vardı? Bildiği kadarıyla, kent müzelerinden hiçbirinde mumya bulunmuyordu. Hem arsenik sabunu gibi bir antiseptik neden kullanılır ki? Bu iki maddeye aynı anda hangi tip fabrikalar gerek duyar? Ne üretmek için?

Brolin bir sürü meslek türünü kafasından geçirdi, ama bölgede faaliyet gösterip, böylesi maddelere ihtiyaç duyacak hiçbir örnek hatırlayamadı. Hem, nereden bilebilirdi? Kendi "buluşlarından" yararlanan, kendi karışımlarını kullanan o kadar çok meslek erbabı vardı ki...

Bir antiseptik ve bir kuruma önleyici.

Bir de...

Birden kafasında bir şimşek çaktı. Brolin verileri karıştırınca ortak noktalardan yola çıkarak kafasında aniden bir varsayım belirginleşti.

Katil kurbanlarının bazı uzuvlarını alırken, sağlamca bir anatomi bilgisine sahip olduğunu göstermişti. Kemiklere ve deriye büyük özen göstermiş, buna karşılık damarlara, kaslara ve bütün dokuya hiç aldırmamıştı.

Bir de, Elizabeth Stinger'ın bacaklarının çevresindeki tebeşir izleri. Tebeşiri pentagram ya da benzeri bir sembol çizmek için değil, ölçü almak için kullanıyor! Ölçülerini alıyor ve deriyi işaretlemek için tebeşirden yararlanıyor!

Evet, böyle olmalı. Deri, kemikler, ölçüler ve bir kuruma önleyiciyle birlikte bir antiseptik, başka bir açıklaması olamazdı.

– Yolunda gitmeyen bir şeyler mi var? diye endişelendi görevli. Bir kahve daha içer miydiniz?

Dehşet somut bir anlam kazandıkça, Brolin çevresinde odanın dönmeye başladığını hissetti. Artık biliyordu.

Katil kurbanlarının uzuvlarını anmalık diye almıyordu.

Alma nedeni çok daha korkunçtu.

Brolin'in bütün vücudu tiksintinin ürpertisiyle sarsıldı.

66

Her şeyden önce, iki koruyucu meleğinden kurtulması gereki-
yordu. Juliette peşindeki iki polis yüzünden aklından geçenleri yapa-
mayacağını düşünüyordu. Polisler onu korumak için buradaydı-
lar, oysa Juliette'e göre kendisinin korunmaya ihtiyacı yoktu. Ka-
til, telefonda da itiraf ettiği gibi, daha önce bir kez tereddüt etmiş,
sonra da Camelia'yı seçmişti. Juliette'i almak istememişti. Leland
bunu denemiş ve bedelini hayatıyla ödemişti. Şimdi, eğer ardında
bir ölüm tehlikesi varsa, bu tehlikeyle yüz yüze gelmeye kararlıy-
dı. İyice düşününce, bu tehlikeye meydan okumaya karar verdi.

Sonunda, her şeyin bitmesinin tek yolu buydu.

Eğer Karga ile katil ortadan kaybolurlarsa, Leland'in Hayaleti
ile diğer bütün korkuları da yanlarında götürürlerdi.

Genç kadın Vosvos'un direksiyonunun başındaydı ama kontak
anahtarını daha çevirmemişti. Bütün bunların yerine arabadan çı-
kıp kapıyı kapadı, sonra ormana doğru yürüdü. Eğer acele eder-
se, on dakika sonra yola varmış olurdu. Yaptığı hesaba göre
Ford'dan ve iki muhafızından yeterince uzaklaşmış olacaktı. Bu
da, otostop yapmayı denemesi için yeterliydi.

Böğürtlenler yüzünden elleri çizilmişti. Patikadan ayrılıp or-
mandan geçerek kısa zamanda yol kenarına ulaştı. Ağaçların göl-
gesinde kalmaya özen göstererek, batıya doğru yürümeye koyul-
du. Polislerden biri bacaklarındaki uyuşukluğu gidermek için as-
faltta yürümeye kalkarsa görülebilirdi. Acele etmesi gerekiyordu,
polislere iki saat yalnız kalmak istediğini söylemişti, bu da yarım
saat süresi var demekti. Adımlarını sıklaştırdı.

Yarım saat kadar sonra, arkadan bir kamyonetin geldiğini gö-
rünce elini kaldırarak başparmağıyla otostop işareti yaptı. Kırk

yaşlarındaki Duane adlı göbekli sürücü, genç kadını almaktan ve 84 numaralı otoyolda Portland yönüne doğru birlikte seyahat etmekten mutlu oldu. Adamın gevezeliklerini dinlemek zorunda kalan genç kadın, konuşması belden aşağı konulara yönelir yönelmez onu daha zararsız alanlara çekmeye çalıştı. Ne var ki Duane genç kadını West Hills'in dibine kadar bu havada götürmeye kararlıydı. Juliette oradan hızla Camelia'nın evine giden yokuşu tırmandı ve yedek anahtarlarını verdiği için arkadaşına içinden bir daha teşekkür etti. Camelia'nın BMW'sine bindi, içindeki hız merakını frenleyerek 32. Sokak'tan aşağı yöneldi. Her şeyden önce, polisin dikkatini çekmemek gerekiyordu. Bunu düşününce, gülümsedi. Sanki peşine eyaletin tüm şeriflerini takmış bir suçlu gibi davranıyordu ya aslında hiçbir suç işlememişti. Her gittiği yerde izleyemezlerdi onu. Üstelik, düşündüğü yere ancak yalnız gidebilirdi. Yanına yol arkadaşı alamazdı, onu bekleyen şey çok özeldi. Üstlendiğini yalnızlığa sığınarak başaracaktı; en derin korkuları yenmek ve sırları çözebilmek için belleğimizin dinginliğe ihtiyacı vardı.

Juliette radyoyu açmadan, müzik dinlemeden, sessizlik içinde yol aldı. Camelia'nın kokusu hâlâ arabanın içindeydi, miskli parfüm, sahibi sanki arkada oturuyormuş gibi havada asılıydı.

Arabayla Beaverton'ı geçip, güneye doğru yoluna devam etti.

Güneş uzakta sakince alçalıyor, peşinden günün tülünü de sürükleyerek göğün donuk yüzünde parıldamaları için yıldızlara yer açıyordu. Juliette sınırda olduğunun farkındaydı. Profesyonellerin deyimiyle, *border line*. Yorgunluktan, isteksizlikten, asap bozukluğundan ve öfkeden patlayıcı bir karışım. Soluk alışlarını güçleştiren öfke ve nefret, onu mantığını kullanamaz hale getirmişti. Ne var ki, durumunun bilincindeydi. Bunu yapmak gerektiğini biliyordu. Normal koşullarda böyle davranması imkânsızdı, ama kararını verdiğine göre, bu yakıcı ateşi beslemek gerekiyordu. Küllerden daha iyisi doğacaktı. Yeni bir başlangıç. Eğer yüz yüze gelebilirse, işte o zaman bütün bu hayaletlerden sonsuza dek kurtulduğundan emin olacaktı.

Oswego Gölü'nün yanından geçti, otoyoldan ayrılıp daha küçük yollara sapmadan önce yirmi dakika daha gitti. Stafford'da, fazla kullanılmadığı belli olan bir yola dönerek, ormanın içine daldı. BMW uzun otların arasındaki karıkları izleyerek, yavaş yavaş ilerledi. Artık önünü görmek için farları yakması gerekiyordu. Gök mora kesmiş, ağaçlar da, ekim ayında bile, yolu gölgeleriyle kaplayacak kadar yoğunlaşmıştı.

Bu unutulmuş yolda neredeyse on dakika kadar giderek uygarlıktan uzaklaştı, her şeyin yönlendirildiği dünyadan sıyrılarak, içgüdü evrenine daldı. Araba ormanın derinliklerine girdikçe, dallar uzun ve düğüm düğüm olmuş parmaklar gibi, cama vuruyorlardı.

Sonra bina, gecenin içinde ürkütücü bir yüz gibi göründü. Beyaz duvarlar alacakaranlıkla uyuşmuyor, tozdan perdelenmiş, kapkara pencereleri çevreliyordu. Bir yandaki kocaman kümesi kaplayan karmakarışık bitkiler, ölen kümes hayvanlarının iskeletlerini gizliyordu. Bu evde bir yılı aşkın bir zamandır kimse oturmuyordu.

Evin son sakini Leland Beaumont'tu. Juliette de son konuğu.

BMW garaj girişinin önünde durdu. O kapının ardında, genç kızı delikten çıkarmak için kullanılan makara hâlâ duruyor olmalıydı.

Juliette motoru durdurdu, ama farları söndürmedi. Bir el feneri bulmak umuduyla torpido gözünü açtı, küçük bir Mag-Lite bulunca duasının kabul edildiğini anladı.

Dışarıda hava, öğleden sonra Columbia'nın kıyısındakinden şaşırtıcı derecede daha az serindi. Karanlık çökünce bütün hayvanlar susmuş, sanki orman, varlıklarından sadece hayvanların haberdar olduğu korkunç canavarlar barındırıyormuş gibi, sığınaklarına çekilmişlerdi.

Juliette garaja yaklaştı. İçeriye kolaylıkla girebilmek için yanda küçük bir kapı vardı. Kapının tokmağını çevirdi, kilitli olduğunu görünce şaşırdı.

Eve geçen yıldan beri hiç giden olmadığını duymuştu. Leland'in ölümünden sonra, kimse ormanın dibindeki bu korkunç yeri satın almayı düşünmemişti. Leland'in babasının da buraya hiç gelmediği ve her şeyin olduğu gibi kaldığı söyleniyordu. Polis de gelip evi aramış, ama garajın altında, Leland'in kurbanlarını hapsettiği boşluğu bulunca da, araştırmalarını Leland'in kişisel eşyalarıyla sınırlandırmıştı. Gizli günlükler, cinayet nedenleri hakkında bir ipucu aramışlardı, ama ev sırlarından hiçbirini teslim etmeye yanaşmamıştı.

Juliette bagajda bir levye bulunca, her zaman her şeye hazırlıklı arkadaşını hatırladı ve garaja doğru yürüdü.

Kilit ormanın içine dağılıp kaybolan boğuk bir çatırtıyla parçalandı.

Juliette'in solukları sıklaştı. Birkaç saniye boyunca düğüm düğüm kollarıyla çevresini saran ormanı gözlediyse de, hiçbir şey göremedi. Oysa ensesinde delici bir bakışın ağırlığını duyuyordu.

Tedirginlikten vazgeç, zavallım! Burada olduğunu kimse bil-

miyor, bu Allah'ın belası orman evinde de tek bir canlı bile yok!
diye düşündü sakinleşmek için. Çabasının etkisi oldukça düş kırıcıydı.

O kapının ardında, hayatının en korkunç anlarını yaşamıştı. Kapıyı itip, Mag-Lite'ı yaktı.

Derin bir karanlık vardı, evin girişi de yaklaşan her şeyi yutan yokluğun kapısına, doğaüstü bir şeye benziyordu. Juliette de birden yutuluverdi.

Tozlu sislerle yoğunlaşmış hava boğucuydu.

Bir de, sanki işkence gören kadınların çığlıklarıyla doluydu.

Işık demeti garajın içinde yükseldi. Etraf öylesine iç karartıcıydı ki, karanlık her boşluğu dolduran, her yerden akan, en ufak girintilere bile sızan kocaman, yumuşak ve elle dokunulabilir bir madde gibiydi.

Küçük boyutlu bir harenin içinde, üzeri paslanmış aletlerle dolu tezgâh göründü. Feneri çalışma masasının üzerine doğru kaydırdı. Bir bidon. Birçok elektrik kablosu. Eski bir radyo. Bir mengene.

Diz çökmüş, elleri mengeneye sıkıştırılmış, inleyen, yalvaran bir kadın. Mengene sıkışıp, testere bileğinin derisine değince, yırtılan ses telleri.

Juliette kafasındaki görüntüyü hemen kovdu.

Garajın bir yerinde, Juliette'in çok yakınında bir yerde bir zincir şıngırdadı.

Makaranın zinciri.

Juliette biraz daha ilerledi. Toz gırtlağını tahriş ediyordu, ama bu onu yıldırmıyordu; yürümeye devam etti.

Tuğla takozlar üzerine yerleştirilmiş bir otomobil motorunun çevresinden dönmek üzereyken, fenerin ışığı zincirin birbirlerine dolanmış baklalarına takıldı. Zincirin ucundaki kasap çengeli, sanki Juliette'le yeniden buluşmaya can atıyormuş gibi, aydınlığın ortasında beliriverdi.

Genç kadın sivriltilmiş çelik karşısında donup kaldı.

Çengelin ucu temiz görünüyordu. Toz, sanki çeliğin üzerine yapışmaya cesaret edemiyor, uzaktan esen rüzgâr da insanın sıcak etine saplandığında daha fazla acı vermesi için çengelin ucunun sürekli soğuk kalmasına sebep oluyordu. Juliette bundan emindi.

Sonunda, gözlerini zemine çevirdi. Yerde, uzun zamandan beri gizlenmeyen bir kapak görülüyordu. Onun altında da, ölümünü beklerken Juliette'in hapsedildiği boşluk.

Bir spazm göğsünü sıkıştırınca elinden bıraktığı fener dolaplardan birinin altına yuvarlanıp, söndü. Elleri buzluktan çıkmış gibiydi, farkında değildi ama, buraya girdiği andan beri bütün vücudu ürperip duruyordu. Karanlıkta titriyordu.

Juliette buz gibi betonun üzerine diz çöküp, dolabın altını yoklamaya girişti. Parmaklarına birçok küçük şey değdiyse de –somun ya da hamamböceği– ne olduklarını düşünmemeye çalıştı. Sonra alüminyum sapı elinde hissedince, feneri tutup doğruldu.

"Tanrım, ne olur kırılmamış olsun" diye tekrarladı, düğmeye basıp ışığı görene kadar.

Derin bir soluk aldı.

Yerdeki kapağa yaklaştığında yüreği öylesine bir hızla vurmaya başladı ki, kazağı titreşimlerle sarsıldı. Makara ve çengel tam kapağın üzerindeydi, önce onları oradan kaldırmak gerekecekti.

Çengel, yapay ışıkta olağandışı parıldıyordu.

Çok temizdi üstelik.

Sanki yeni silinmiş gibi.

İmkânsızdı bu, kimse sadece bu kasap çengelinin tozunu almak için buralara gelme zahmetine girmezdi. Yine de, gözlerini bu öldürücü çelik parçasına dikip kalmamak için, Juliette'in büyük bir gayret harcaması gerekti. Sonra aklındaki paranoyak düşünceleri kovup, makarayı tuttu.

Makarayı açmak için kendi çevresinde döndürdü. İlk ürkütücü gıcırtıda, geriye sıçradı, neredeyse fener elinden düşüyordu. Tüm cesaretini toplayıp makaranın kolunu itti. Sanki iki yük gemisi, gürültüyle birbirlerini mahmuzluyormuş gibi. Gıcırtılar madenî bir çığlık gibiydi. Geçmişin hayaletlerini uyandıran, evin içinde ve dışarıda yankılanan bir ölüm çağrısı.

Juliette kapağın üzerine çıkıp, metal tutamağı kavradı.

Bütün bunları neden yapıyorum? Ben de çıldırdım herhalde!

Yüreği son hızla çalıştırılan bir motor gibi çarpıyordu, ama yine de bunu yapması gerektiğini biliyordu. Kapağı açıp, korkularını yenmeliydi.

Parmakları çeliğin üzerine kapandı.

Bütün bunların geçmişe ait olduğunun bilincine varıp korkularını anıya dönüştürecekti.

Kapağı kaldırınca karanlık bir dörtgen göründü. Birkaç saniye, kurbanların ruhlarının uzun bir iniltiyle önünden havaya yükseldiklerini zannetti. Oysa hayal görüyordu.

Ahşaptan yapılmış küçük merdivenler deliğin içine iniyordu. Juliette merdivene tutundu ve ilk basamağa adımını attı. Nefes alıp vermekte öylesine zorlanıyordu ki, neredeyse her soluğu hırıltılıydı.

Yine de yapmam gerek. Yapmalıyım. Ondan sonra, her şey bitmiş olacak.

Ondan sonra evi gezebilir, araştırabilir, Leland'i Karga'ya ve katile bağlayan ufak da olsa bir iz bulabilirdi. Aralarındaki bağın somut kanıtları, polisin bulmayı başaramadığı bir izi olduğundan emindi. Böylelikle korkularından kurtulmuş olacak, Leland de hiç düşünmeden kafasından silip atabileceği, içi boş bir hayalete dönüşecekti.

Leland'in gizli dünyasına dalacak ve adamın tüm sırlarını ortaya dökecekti. Son sırrına kadar.

Merdivenin basamaklarından sendelemeden indi, fenerin ışığı zemine dönük, kendini aşağıda buldu. Soluğu kesik kesikti. Hızla çarpan yüreği şakaklarını titretiyordu. Hava ılıktı, nemli de denebilirdi. Burada havayı tahammül edilmez derecede ağırlaştıracak kadar çok gözyaşı akmış, korkudan çok ter dökülmüştü.

Sonra, fenerin ışığını usulca duvarlara çevirdi.

Ahşap duvarlardaki tırnak izlerini ve dertop edilmiş halde dehşet içindeyken, tahtanın altında boş yere kazdığı deliği gördü. Bulunduğu yer, hatırında kalandan çok daha dardı. Kendi çevresinde döndü; sonra bir daha, bir daha. Her bir bölmeyi parçalarına ayırarak.

Nefesi düzeldi. Yüreği sakinleşti.

Bu yer genç kadının kafasında korkunun tapınağıydı, en azından, o ana kadar ona öyle görünmüştü. Orada, o yarı karanlıkta, bir sapığın kendisi için kazdığı hücreyi inceliyordu. Leland'i bu kötülük inini yapmak için ruhu ve vücudu terleyerek çabalarken gördü. Garajdan bakarken, dehşet içindeki kurbanlarını seyredip zevkten nasıl sarhoş olduğunu düşündü. Adamı aklına getirdi. İçindeki vahşeti hissetti, ama yarattığı korkuyu yendi. Doğaüstü bir varlık olamazdı, geri dönemezdi o.

Leland'in o gün gerçekten öldüğünü anladı. Beyni, bir kurşunun darbesiyle parçalanmıştı. Kara büyünün bütün gizli bilimleri bile geri getiremezdi onu.

Bir yerlerde, birisi Leland'in kuklasını oynatmaya çabalıyordu ya, işte o oynattığı bir kukladan başka bir şey değildi.

Yukarıda, garajda, yerde bir şey yuvarlandı.

Juliette irkildi ve feneri kapağa doğru tuttu.

Yuvarlanan şey durdu. Sanki betonun üzerinde yuvarlanan bir bira kutusunun sesiydi.

Juliette ilk basamağa adımını atıp, yavaşça tırmanmaya başladı.

Bira kutusu rüzgârın etkisiyle de yuvarlanmış olabilirdi ya da belki garaja bir hayvan girmişti; zaten, girerken kapıyı açık bırakmamış mıydı?

En kötüsü olamazdı. Hayır, hele bundan sonra.

Kafasını delikten çıkarıp, fenerle çevresini aydınlattı. Görüş alanını daraltan bir sürü sandık vardı, bu garaja çok fazla şey doldurulmuştu. Ama, görebildiği kadarıyla, herhangi bir hayvan yoktu. Ya da korkudan bir yere sinmiş bekliyorlardı. Ortalıkta hayvan falan gözükmüyordu.

Görünürde insan da yoktu!

Juliette kapağın kenarından güç alarak vücudunu delikten sıyırdı ve doğrulmak için el fenerini yere bırakırken, makaranın zinciri şıngırdadı.

Rüzgârın etkisiyle olan bir şıngırdama değildi. Hayır, çok daha güçlüydü, çok daha belirgin.

Sanki biri gelip de sallamış gibi.

Ve iç karartıcı karanlıkta, sığınağından bir gölge doğruldu.

Juliette geriye bir adım attı, deliğe düşmek üzereyken çevik bir hareketle sandığa tutundu.

Birden heyecansız, ifadesiz bir ses yükseldi:

– Çoktandır bu anı bekliyordum.

Gölge bir adım ilerledi.

Juliette'in yüreği sanki, göğsünün içinde patlamıştı.

Yerdeki fenerin aydınlattığı alan içinde, Leland Beaumont göründü. Etiyle, kemiğiyle, oydu.

Vahşi gülümsemesiyle...

Juliette'in üzerine atıldı.

67

Mustang'in güçlü V8 motoru dinlenmeye geçmeden önce pistonları son bir kez bağırttı. Brolin arabanın kapılarını kilitledi, ceketinin cebinden rehberden bulduğu adresi not aldığı kâğıt parçasını çıkardı. Sonra da Montgomery Caddesi'nin 'kaldırımına geçti. Portland'ın üzerine artık elektriklerin yanma saatinin geldiğini bildirerek yavaşça karanlık iniyordu.

Brolin henüz yüz metre bile yürümemişti ki, cep telefonu çaldı.

– Brolin.

– Josh, ben Carl DiMestro. Neredesin?

– Kent merkezinin güneyinde. Acil mi?

– Beni dinle. Camelia McCoy'un evinde bulunan kıllarla karşılaştırmamı istediğin saçlarla ilgili. Saçları nerede bulmuştun?

– Neden? Bir sorun mu var?

– O saçlar muhtemelen son kurbanın evinde bacak arası kılları bulunan adama ait.

Brolin kaldırımın ortasında, kullanım dışı bırakılmış ordu mallarını satan dükkânın önünde çakıldı kaldı.

– İmkânsız.

– Dinle, kesinlikle emin değilim, anlıyor musun, bazı ufak tefek farklılıklar var, ama bütünüyle çok benziyor.

Carl DiMestro meslektaşının derin bir soluk aldığını belirgin biçimde duydu.

– Senden farklı bir cevap bekliyordum Carl. Sana verdiğim saçlar Leland Beaumont'a aitti.

Mezarı boş gördüklerinde ve şaşkınlıkları geçtikten sonra, Brolin bir polis tepkisi göstermişti. Tabutun dibinde birkaç saç teli görünce almış ve cebinde bulundurduğu küçük plastik zarflardan birine yerleştirmişti. Bunu, mezara gömülen adamın gerçekten de

Leland olduğundan emin olmak için yapıyordu.

– Portland Celladı mı? Ama... O öldü! diye kekeledi DiMestro.

– Bak, bu doğru işte! Beyninin gözlerimin önünde dağıldığını gördüm! Oysa otoparktaki sigara izmaritinde bulunan tükürük DNA tespitine göre ona ait ve Camelia'nın evinde bulunan kıllar da onun kılları! Üç gün oldu! Carl, neler döndüğünü bilmiyorum ama, sanki biri bizimle dalga geçiyor.

Brolin duyduklarına inanamıyordu. Her şey Leland'in yeni cinayetler işlemek için cehennemden döndüğünü gösterir gibiydi.

Carl DiMestro hemen meslekî güvenilirliğini takındı:

– Dur, daha bitmedi. Sigaranın üzerindeki DNA, yani katilin DNA'sı ile Milton Beaumont'un tükürük örneğinin genetik karşılaştırmasını tamamladık.

– Ee?

– Büyük bir sorun var Josh. İzmaritin üzerindeki DNA, Milton'ın oğlunun, Leland Beaumont'un.

– Buraya kadar, her şey tamam. Demek istiyorum ki, bu imkânsız da olsa, Leland ölü de olsa, bu söylediklerini zaten biliyoruz. Sorun ne?

– Genetik karşılaştırmada önemli farklılıklar çıkıyor.

Brolin istemeden sesini yükseltti:

– Ne? Ne gibi farklılıklar?

– Josh, sana tükürüğünü veren adam, Leland'in babası olamaz, arada gözle görülür farklılıklar var. Genetik bir uyuşmazlık var. Bunu görmüş olmam biraz şans eseriydi, ama işlemden sonra elde edilen genetik şifreleri karşılaştırdığımda, fark çok belirgindi. Birbirlerine benzemediklerini ve şu senin Milton'ın izmaritin sahibi olamayacağını hemen anladım. Uyuşmazlık öylesine apaçıktı ki, gözlerimin önündekilerin babanın ve oğlun DNA'ları olup olmadığını düşünmek zorunda kaldım, oysa bu kesinlikle imkânsızdı. Aynı kandan gelmiyorlar.

– Allah kahretsin, kimse bunu daha önce görememiş mi?

– O alanda çalışan polis ben değilim.

– Özür dilerim. Lloyd Meats'i ara, bütün bunları anlat ve bu konuda bilgi toplamasını söyle. Leland'in evlat edilmiş bir çocuk olup olmadığını ya da Beaumontlarda gördüğüm herifin gerçekten Milton olup olmadığını öğrenmek istiyorum.

– Öğrendin bil.

Brolin bu bilimadamına hararetle teşekkür edip, telefonu kapattı. Kafasını toplamak, her şeyi birbirine karıştırmamak için çaba harcaması gerekiyordu. Soruşturma sonunda ilerlemeye başlamış, tetiğin düşürülme anı yaklaşmıştı. Birkaç saniyede, durumu açıklayabilecek sürüyle varsayım üretti kafasında, ama hiçbiri diğerinden daha inandırıcı görünmüyordu. Aklının tersiyle bütün varsayımlarını kafasından attı. Elinde daha somut veriler olmadıkça, varsayımlar üretmenin bir yararı olmayacaktı. Meats işin başındaydı, burnu iyi koku alan biri olarak da, bulunması gereken ne varsa, kısa zamanda ortaya çıkarırdı. O zamana kadar, Brolin'in yapması gereken başka işler vardı.

Birkaç adım daha atıp, küçük bir dükkânın önüne geldi. Talihi yaver gitti, dükkân hâlâ açıktı, dükkân sahibi müşterilerinin ne istediğini bilen bir avuç tüccardan biriydi. Brolin kapıyı itip içeri girdi. Kamış oltalar bölmelerde, silahlıkta kullanılmaya hazır tüfekler gibi sıralanmıştı. Hemen her yerde hayvanlar, etajerlerin üzerinde, naylon tellere asılı ya da duvarlarda, camdan gözlerini dikmiş, ona bakıyorlardı.

Brolin tezgâha yaklaştı. Elli yaşlarındaki adam, yarım gözlükleriyle bir dergi okuyordu. Yüzü, meslekleri nedeniyle açık havada çalışan insanlara özgü izlerle doluydu, çizgileri yıllar boyu rüzgârın, güneşin ve yağmurun etkisiyle törpülenmiş gibiydi. Başındaki "NRA"[4] kasketinin önü her boydan olta iğneleriyle süslüydü.

Kasketin anlamı Brolin'i dürüst davranıp müfettiş kimliğini göstermeye yöneltti, koruyucu milislerin bir üyesi genellikle güvenlik güçlerinin de ateşli destekleyicisidir.

– Merhaba, ben Müfettiş Brolin. Siz dükkân sahibi Fergus Quimby'siniz, değil mi?

Adam soruyu elindeki dergiyi kapayarak cevapladı; dükkânında bir müfettişin varlığından hafif de olsa, rahatsız olmuştu.

– Eğer (kolunun bir hareketiyle çevresini gösterdi) bütün bu konuların uzağındaki bir polisi aydınlatmada bir sakınca görmezseniz, yardımınıza ihtiyacım olacak.

– Öğrenmek istediğiniz ne? dedi kasketli adam, merakını fazla belli etmeden.

– Her şeyden önce, şu... Tahnit işini nasıl yaptığınızı anlatmanızı rica edeceğim.

– Başlangıçta, her şey büyüklüğe bağlıdır.

– Diyelim ki, elinizde büyük bir memeli var.

– Büyük? Söz konusu olan büyüklerse, deri çok daha geniştir, ama çok değişkenlik gösterir, bollaşır ya da çeker, onun için önem-

---

4. Açılımı "National Rifle Association" olan ve "Ulusal Silah Birliği" anlamına gelen, anayasanın ikinci değişikliğine dayanarak silah taşıma hakkını savunan güçlü bir Amerikan lobisi.

li olan hayvanı parçalara ayırmadan önce ölçüyü doğru almaktır.

Tebeşir izleri. Katil ölçüleri tebeşirle alıyor, böylelikle deriye zarar vermiyordu.

– Sonra atölyenizde ya da sıkça kullanılan deyimiyle "yolculukta" olup olmadığınızın çok önemi var. Eğer birkaç günlüğüne ormandaysanız, o zaman deriyi hemen tabaklamak gerekir. Kemikler için de öyle.

– Kemikler ne işe yarar?

Fergus Quimby'nin yüz çizgileri aleve tutulmuş plastik bir yaprak gibi kırışıverdi.

– Kemikler asıl biçimi vermeye yarar. Kemik yoksa, siluet de yok demektir, geriye sadece içi boş bir hayvan kalır. Uzuvlara gerçek görünüşlerini, canlıykenki duruşlarını vermek için, kemikleri kullanmak gerekir.

– Ve bunları arsenik sabunu ve potasyum karbonatla işlersiniz değil mi?

– Kesinlikle. Böcekleri uzaklaştırır ve çürümeyi önler. Sonrası için işe yarar bir yöntemdir. İş deriye gelince, bu biraz daha zahmetlidir, çünkü derinin toz şap ve deniz tuzundan hazırlanacak bir karışıma yatırılması, özellikle de gölgede kurutulması gerekir. Bu iş öyle herhangi bir yerde yapılamaz.

Tahnitçinin açıklamaları Brolin'in zihninde bir hayvanın parçalanmasının çok daha ötesinde, vahşice bir anlama bürünüyordu. Çünkü Brolin her cümleden sonra katili kurbanının vücudunu keserken görüyordu; önce dirseklerin altından kollar, sonra da bacaklar. Nirengi noktalarını ustaca tebeşirle işaretliyor, sonra da inine dönüyordu. Orada deriyi özenle kesiyor, kemikleri etlerinden ayırıyor, elindekileri uygun karışımlara yatırıyordu. Aynı günün daha ileri saatlerinde köpeğini okşuyor ve tırnaklarının arasına girmiş arsenik sabunu kalıntılarını hayvanın tüylerine bulaştırıyordu. Ve akşam olduğunda, Camelia'nın çamaşırlarına sürtünmeye başladığında, giysilerine yapışmış köpek kıllarını farkında olmadan etrafa dağıtıyordu. Her şey cuk oturuyordu.

Katil kurbanlarının uzuvlarını, içlerini doldurmak amacıyla kesiyordu.

Neden? Brolin'in en ufak bir fikri yoktu, ama kuşkusuz bu, sapık bir kafanın fantezilerinden biri olmalıydı.

Tahnitçi açıklamalarını sürdürürken, Brolin'in gözlerinin önüne, duvarları doldurulmuş kol ve bacaklarla dolu bir odanın ortasında yaşayan bir sapık geliyordu.

İnsan uzuvları dolu bir duvar.

68

Göz açıp kapayıncaya kadar, üzerine çullandı.

Juliette kaçmaya çabalarken, güçlü elleri genç kızın üzerine kapandı. Yaşadığı şok Juliette'i uyuşturuyor, tüm uzuvlarını donduruyor, beynini buğulandırıyordu. Leland yüzüne kuvvetle vurunca, dizlerinin üzerine çöktü.

Genç kadının ağzına kanın ürperti verici tadı yayıldı. Beyninde çalmaya başlayan alarm zillerinin sesi, bir yandan yaşama güdüsünü harekete geçirirken, bir yandan da, kulaklarını sağır eden bir uğultuya dönüştü.

Genç kadının tepesindeydi şimdi, göklerden pike yaparak saldıran bir alacı kuş gibi, avının üzerine atılmaya, sivri tırnaklarını geçirmeye hazır, pençeleri açık.

Juliette gözleriyle herhangi bir yardım aranmak için başını çevirince, bir ağrı, ağzından şakaklarına doğru şimşek hızıyla yayıldı. Kendini acının etkisiyle çığlık atmaktan alamadı. Leland çenesini kırmıştı.

İçindeki alarm zillerinin sesi bu kez bir nefret çığlığına dönüşmüştü.

Eğer hemen bir şeyler yapmazsa, öleceği kesindi. Bu kez mucizevî bir kurtarıcı, bir *deus ex machina*[5] gelmeyecekti, ölmesi ya da hayatta kalması sadece kendine bağlıydı.

Juliette yerdeki el fenerini gördü. Bir hamlede feneri yakaladı ve sonra tüm gücüyle sıkı sıkı tuttu. Bütün gayretini kullanarak, doğrulmak için kalçalarına yüklendi.

Fener Leland'in omzuna indi.

Bir saniye kadar, acıdan çok şaşkınlıkla, tüm dengesini yitirmiş göründü ve Juliette'in üzerinde asılı kaldı. Sonra genç kadın

---

5. "Tanrısal bir mucize" anlamına gelen Latince bir deyim. (yay.n.)

bir daha, bütün nefretiyle vurdu. Darbe kafaya geldi ve Leland'in elmacıkkemiği kızıl bir yıldız gibi patladı. Adam haykırmaya ve uzun kollarıyla havayı dövmeye başladı; onu yakalasa mutlaka bir yerini kıracaktı.

Juliette ne yapması, hangi yöne kaçması konusunda kısa bir an tereddüt etti. Leland çıkış yolunu kapatıyordu, geriye de öteki kapı, evin ana giriş kapısı kalıyordu. Çok riskliydi, oraları hiç bilmiyordu.

Juliette fenerini yere fırlattı ve küfürler savuran, yüzündeki kanı koluyla silmeye uğraşan Leland'in yanından geçmeye çalıştı.

Daha ikinci adımını atmak üzereyken adamın eli sarı bir örümcek gibi uzanıp, yanından geçen Juliette'in saçlarını kavradı. Ani bir hareketle saçları çektiğinde, koşunun hızına da kapılan Juliette'in neredeyse boyun omurları kırılacaktı.

Bir çığlık attı, sırtüstü yere devrildi.

Leland, Juliette'in tepesine çullanmıştı bile; uzun kollarını avına sarmış, aç gözlerini ona dikmiş, dudaklarında arsız bir tebessüm. Cebinden çıkardığı ve televizyon kumandası boyundaki siyah kutuyu Juliette'e yaklaştırdı. Juliette kutudan yayılan, şimşek benzeri mavimtrak ışını görünce, acının ve düşmenin etkisinde olmakla birlikte, saldırganın yaklaşmasını engellemek için kollarını çılgınca hareket ettirmeye çabaladı.

Leland yüklendi, bir kez daha kızın yüzüne vurdu.

Juliette'in hissettiği son şey, vücudunun kutudan boşalan güçlü elektrik akımıyla kasılıp sarsılmasıydı.

* * *

Bilekleri bağlar yüzünden acıyordu. Yüzünün üzerinden ılık bir sıvı akarken, güçlükle kendine geldi. Gözlerini açınca, şiddetli bir acı hissetti. Çenesi tonlarca ağırlıktaymış gibi geliyor ve sanki dayanılmaz şiddette iğneler batırıyordu. Sağ gözü güçlükle aralanınca, o gözünün şiştiğini anladı.

– Haydi bakalım, uyanma zamanı geldi. Yeterince uyudun.

Sesi her zamanki gibi ifadesizdi, ama o sesten çıkan kararlılık nefrete yakındı.

Gözleri karanlığa alışınca, Juliette bir an hâlâ Leland'in garajında olduğunu sandı. Oysa burası daha sıcaktı ve daha farklı döşenmişti. Kolları oturtulmuş olduğu iskemlenin arkalığına arkadan, ayakları ise bacaklarına bağlanmıştı. Burası çok büyük, penceresiz ve çok karanlık bir atölyeydi. Uzun ve mor bir neon karşısındaki çalışma tezgâhını aydınlatıyor, sağ tarafta da başka bir ışık kaynağı görünüyordu. Yaralı gözüne rağmen, yeşil ışığın yayıldığı, en az üç metre uzunluğundaki akvaryumu seçebildi. Akvaryumun içinde balık yoktu.

Ağzında tıkaç olmaması, odanın sese karşı izole edildiğini ya da yakınlarda kimsenin oturmadığını düşündürünce ağlamayı hemen kesti.

– Burası hoşuna gidiyor mu?

Juliette dikkatini öte taraftaki gölgeye verdi. Orada duran Leland'di. Evet, kesinlikle o. Güçsüz ışığa rağmen, tüm çizgilerini görebiliyordu ve hiç kuşkusu kalmamıştı. Tamam, tümüyle aynı insan değildi, biraz daha sıskaydı, yüzünde vahşetin izleri vardı, ama bütünüyle bakıldığında, karşısındaki gerçekten de Leland Beaumont'tu.

Bir yıl önce ölen adam.

– Biliyor musun, sana bunun için kızmadım, dedi bir parmağını yanağının üzerindeki yara yerine götürerek. Bu normal bir şey.

Sonra genç kıza yaklaştı ve elini Juliette'in kalçalarının arasına koydu.

– Bu da normal, dedi, fazla bir heyecan göstermeden.

Juliette'in pantolonunu okşamaya, elini giderek daha artan bir güçle sürtmeye başladı, sonunda genç kadın yanma hissetti. Sonra, başladığı gibi durdu, uzaklaştı ve elini burnuna götürdü. Gürültüyle soluyor, burun deliklerinden tiz ıslıkçıklar çıkıyordu.

Juliette bacak kaslarını gevşetti. Tuhaftır, artık o büyüleyici korkuyu duymuyordu. Yüreği hızlı vuruyordu, avuçlarının içi terden sırılsıklamdı, ama vücudunu ve aklını donduracak dehşet duygusu yoktu. Korkusu tüm varlığına yayılmış, artık onun bir parçası olmuştu, ruhunun üzerinde uzayıp giden bir umutsuzluk dalgalandırıyordu. Artık korkuyla iç içe yaşıyordu. Korku yoldaşı olmuştu.

Leland parmaklarını koklamaktan vazgeçip, yine karşısına dikildi:

– Koleksiyonumu görmek ister misin?

Acısı yüzünden adamın gözlerinin içine bakabilecek kadar, kafasını kaldırdı. Leland hemen başını çevirdi, gidip bir düğmeye bastı. Juliette hayatta oldukça, onun gözlerinin içine bakamayacak, bakışlarını kaçıracaktı.

Duvarın tümü rengârenk bir Noel çelengiyle aydınlandı. Evlerin damına asılan çelenklerden; muhtemelen bir kış gecesi çalmıştı çelengi. Ahşap kaplamaların hemen her yerine, duvardaki içi doldurulmuş hayvanların arasından kıvrılarak geçecek biçimde ampuller yerleştirilmişti. Bir sürü ölü hayvan, gözleri ışıklı süslemenin sarısı, mavisi, kırmızısı ve yeşiliyle parlayarak Juliette'e bakıyordu.

– Oh, tabiî sen bütün bunlardan fazla hoşlanmayacaksın, değil mi? Bu benim koleksiyonum, diye bilgi verdi, sesindeki ilk kez ortaya çıkan heyecana benzer bir tınıyla.

Elini bir hayvanın burnunda gezdirdi. Juliette loş karanlıkta etrafını daha iyi görmek için gayret harcarken, okşadığının bir köpek kafası olduğunu anladı.

– Koleksiyonumu çok seviyorum. Ama senin için daha da güzel bir sürprizim var, dedi, birden gururlu bir ifadeyle. Sana âşığını getirdim. Evet evet, bak.

Juliette'in elleri bu kez titremeye başladı. Genç kadının yanına yaklaştı ve gizlemeye yeltenmediği bir çabayla iskemlesini kaldırdı ve 180 derece çevirip, bıraktı.

Atölyenin o bölümü kapkaranlıktı. Ne mor neon, ne akvaryumun yeşili, ne de çelengin sıcak renkleri buraya kadar ulaşabilmişti.

– Çok beğeneceğini sanıyorum, dedi sadece.

Başka bir düğmeye basınca, zemine yerleştirilmiş küçük bir spot yandı.

Duvarda çarmıha gerilmiş bir erkek vardı.

Tozlanmaya yüz tutmuş güzel bir takım elbisesi, bembeyaz elleri vardı. Yüzü de kireç gibi beyazdı; biraz renklendirilmiş dudaklarının dışında. Kafasında alnını kapatan bir melon şapka vardı.

Juliette dehşet içinde, uyuşmuş gibiydi. O birdenbire karşısına çıkan suratın karşısında, kesinlikle dünyasını şaşırmış gibi.

– Derisi beyaz, çünkü normal koşullarda bize pembe rengimizi veren derinin altındaki dokudur; ama beni bağışlaman gerekir, çünkü bu ilk işimdi, diye bilgi verdi adam.

Ve Juliette, şapkanın kenarından bir boşluğun göründüğünü fark etti.

Duvarda asılı olan adamın kafasının üst kısmı yoktu.

Yüzü de eksikti, kaşlarından yukarısı koparılmıştı.

Leland Beaumont'un içi doldurulmuş cesediyle karşı karşıyaydı.

69

Brolin, Lloyd Meats'in bürosunun kapısını itti. Meats telefonu kapatmış, ekrandaki veri sayfasını değiştirmek için farenin düğmesini tıklatıyordu. Brolin'i asıl şaşırtan, büroda Bentley Cotland'i görmek oldu.

– Tam zamanında geldin, dedi Meats Brolin'e. Bir saatten beri Toplum Hizmetleri'ni arıyorum ama ya telesekreterle ya da birtakım salaklarla karşılaşıyorum.

– Gecenin dokuzunda, şaşılacak şey, diye dostça takıldı Bentley.

– Carl anlattı mı?

Meats ekranını gösterdi.

– Sence, internette ne arıyorum ben? Ya da Toplum Hizmetleri'ne neden telefon ediyorum? Evet, anlattı. Bu baştan sonuna kadar çılgınca bir hikâye! Leland Beaumont'un, daha doğrusu Gregory Phillips'in izini bulduk. Kate ve Stephen Phillips'in oğulları. Beaumont ailesinin nüfusuna geçtiği 1978 yılına kadar, adı buydu.

– Leland evlat mı edinilmiş? Nasıl olur da böyle bir şeyin farkına varamayız?

– Eğer dosyasında yoksa, sen bir ölüden böyle bilgiler mi isterdin yoksa? Onunla ilgilenmeye başladığımızda, kalıbı çoktan dinlendirmişti ve kimse işin arkasında ne var diye merak etmedi. Herkesi asıl meşgul eden, kurbanlarına uyguladığı işkenceler ve daha da önemlisi, bütün kurbanlarının belirlenmiş olmasıydı. Gerçekten de kimse adamın hayatının en ufak ayrıntılarını araştırmayı düşünmedi, zaten ölmüştü, o zaman da fazla ilgi çekmemesi doğal. Gazeteciler bile olan biteni aktarmakla yetindi.

– Juliette'i rahatsız edemeyecek kadar meşguldüler, diye ekledi Brolin.

Meats omuzlarını kaldırdı:

– Evet, üstelik Milton Beaumont da kendini gazetecilere sevdiremeyecek kadar antipatik biriydi. Bana kalırsa, olayın kendi kendine kapanması herkesin işine geldi. Bir de Leland'in kaldığı yetimhane de pek... Nasıl söylemeli... Pek aydınlık değildi, galiba.

– Ne demek istiyorsun?

– Evet, orası alışıldık kurallara gerektiği kadar uyulmayan bir kurumdu. O yetimhaneyi yönetenler çocukların anasız babasız orada büyümektense, onları prosedüre uygun olmayan çiftlere vermekte bir sakınca görmüyorlardı. Üstelik, burada yönetimin takipçiliğinin de başarılı olduğunu söyleyemeyiz. Sana doğrusunu söylemek gerekirse, bu bilgiye bu kadar kısa zamanda ulaşmamız sadece bir şans eseri. Florida'da bulunan o yetimhane kapanalı on beş yıl olmuş.

– Bunları nereden buldunuz?

– Bunları internet sayesinde gazete arşivlerinden çıkaran Bentley oldu.

Bentley gurur içinde, başını salladı:

– Evet, Müfettiş Meats yetimhanenin adını bulduğunda, nasıl bir kuruluş olduğunu anlamak için Newsweb'den yararlandım, hepsi bu. Newsweb anahtar sözcüklerden yararlanarak bölgesel ve ulusal gazetelerin arşivlerini tarayan bir arama programı. Kullanmayı bilenler için oldukça yararlı bir program.

– Laf aramızda, Beaumontlar gibi bir çiftin, "normal" bir kuruma başvurup bir çocuk evlat edinebileceklerini hiç sanmıyorum. Bunun için fazlasıyla marjinaldiler, diye ekledi Meats.

Brolin pencereye yaklaşıp, manzaraya baktı:

– Milton Beaumont insana güven vermiyor, dedi. Açıkça söylemek gerekirse, onu son gördüğümde, bizi inandırmaya çalıştığı kadar aptal olmadığını anladım. Belki yanılıyorum ama, Milton'ın o dâhi kuklacı olup olmadığını merak etmeye başladım. Karga o olabilir.

– Böyle mi düşünüyorsunuz? diye sordu Bentley iskemlesinde doğrularak.

– Eğer Milton'ın kusursuz bir yalancı olduğu gerçeğinden hareket edersek, neden olmasın? Demek istiyorum ki, onu kendi yetiştirdiği için Leland hakkında herkesten çok şey biliyor, eğer bize böylesine ustaca yalan söylemeyi beceriyorsa, o zaman bir üçüncü kişiyi istediği gibi yönetmesi işten bile olmaz.

– İşin başından beri, yani bir yılı aşkın bir süredir bizimle oyun mu oynuyor, demek istiyorsun? Peki ama, ne amaçla?

– Hiçbir fikrim yok, benimki sadece bir varsayımdı. Son gidişimde bana bakışlarından hiç hoşlanmadım, sanki kim olduğumu çok iyi biliyor ve benimle oyun oynamaya hazırlanıyordu. Bir saniye için de olsa, onu tanımlayan saflığın tümüyle kaybolduğunu, yerini korkunç derecede karanlık ve kötü bir ruhun aldığını düşündüm.

– Arkasına bir araba takmamızı ister misin? Onu biraz izlememizi?

Brolin bir süre tereddüt etti, sonra kararını verdi:

– Şimdi değil. Onu suçlamak için elimizde hiçbir şey yok, o da izlendiğini hemen anlar ve eğer suçluysa, renk vermemeye çalışır.

Bentley başını kuvvetle salladı:

– Çok haklı, diye onayladı. Elimizde kanıt yok, sadece hiçbir anlam ifade etmeyen ve üzerinde Leland'in DNA'sının bulunduğu bir izmarit. Ve mahkemeler DNA olmadan kılları kanıt olarak kabul etmez. Elle tutulur kanıtlar gerek. Yasal açıdan bakarsak, Milton ile son günlerde işlenen cinayetler arasında hiçbir bağ yok.

Kimse müstakbel savcı yardımcısının çoğul konuştuğunun, böylelikle soruşturmaya kendini de kattığının farkına varmadı.

– Pekâlâ, ya sen? Sende bir şeyler var mı? diye sordu Meats.

Brolin koltuğunun altındaki dosyayı kaldırdı.

– Ne bu?

– *Oregon'da Tahnitçilik* dergisinin abone listesi.

– Ne iş? diye sabırsızlıkla sordu Meats.

Brolin bir koltuk çekip, meslektaşının karşısına yerleşti.

– Bizim katilin buna abone olabileceğini düşünüyorum.

– Öyle mi? Peki bu düşünceye nasıl vardın?

Uzun bir açıklamaydı. Brolin açıklamayı olabildiğince kısa tutmaya karar verdi. Gün boyu öğrendiklerini anlattı ve en çarpıcısını en sona sakladı. Meats ve Bentley, ağızları bir karış açık dinliyorlardı.

Sözünü bitirdiğinde, Meats tekrarlamaktan kendini alamadı:

– Kurbanlarının uzuvlarını içlerini doldurmak için kestiğine gerçekten inanıyor musun? İyi ama neden? Bir insan uzvu tahnit edilmez ki! Tamam, bütün vücudunu anladık, ama sadece bir parçasını! Bu hiç mantıklı değil!

– Bilmiyorum Lloyd, belki de kavrayamadığımız bir yol izliyor, ama şimdilik elimizdeki tek ipucu bu.

Bentley dosyayı alıp aboneler listesini incelemeye başlamıştı ki, kapı birden açıldı ve Larry Salhindro terden sırılsıklam bir halde içeriye daldı.

Brolin hemen ayaklandı:

– Ne oldu? diye sordu, sanki içinde kötü bir his varmış gibi.

– Juliette... Kayboldu.

Brolin'in midesinde sanki koskocaman bir boşluk açıldı.

– Columbia kıyısındaymış, Gary ve Paul de biraz rahat olması için geride kalmışlar, ama kız geri dönmeyince bizimkiler de endişelenmiş ve arabanın yanına gitmişler, ama Juliette ortada yokmuş.

– Ona yaklaşan başka bir araba görmüşler mi? Ya da herhangi birini?

– Hayır, hiçbir şey görmemişler. Gary kızın yalnız kalmak için kendi kararıyla ortadan kaybolduğunu düşünüyor.

– Hayır, bu onun yapacağı bir şey değil, diye itiraz etti Brolin. Kafasının üzerinde muhtemel bir tehlike dolaştığını biliyor. Onu bulmak gerek. İzleri belirlemesi için laboratuvardan birini gönderdiniz mi?

Salhindro elini arkadaşının omzuna dostça koydu:

– Josh, ne gerekiyorsa yapacağız. Ama en iyisi senin bu işin dışında kalman, tamam mı? Kızı çok sevdiğini biliyorum, hiç zaman kaybetmeden bütün devriyelere çağrı yaptım. Muhtemelen şu sırada Willamette'in kıyısında dolaşıyor, küçük bir kuşku krizi de yaşıyor olabilir, ama kısa zamanda bulacağız onu. Nerede olduğunu belirler belirlemez sana haber veririm, sen de gider görürsün. Anlaştık mı?

Brolin birden yumruklarını tırnakları avucunun içine batacak kadar sıktığını fark etti. Ama ya Juliette kuşku krizinde değil de, katilin pençesindeyse?

Kesin bir şeyler öğrenene kadar, hiçbir şey yapmadan beklemesi imkânsızdı.

Birden, Bentley Cotland'in sesi sessizliği böldü:

– Hey, bu kadarı da fazla! diye haykırdı. *Oregon'da Tahnitçilik* dergisinin abone listesinde Milton Beaumont diye biri var. Crow Farm, Bull Run road, Multnomah county.

Bir an için de olsa, Brolin'in rengi attı. Bu kadarı, rastlantı olamayacak kadar fazlaydı artık.

Bir saniye sonra, otoparka gitmek için, koridordaydı.

70

Dünya üzerinde bir yerde, orta boyutlarda bir odanın olduğu bir yer vardır. Odanın penceresi yoktur ve ışık kaynakları fazla canlı olmadığı için insan çevresini pek iyi göremez. Mor renkli bir neon sürekli olarak vızıldar ve içinde balık olmayan bir akvaryum da duvarın lambri kaplamasını tuhaf denilebilecek, yeşil bir ışıkla yıkar. Burası bir hazırlık atölyesi diyecektir bazıları, ölümcül bir konfeksiyonun hazırlıklarının yapıldığı yer. Duvarlarda, içi doldurulmuş ve uzun bir Noel süsünün kıvrımlarının arasından görünen onlarca hayvan vardır. Ama insan dikkatlice baktığında, atölyenin dibinde, başka çalışma alanları da olduğunu fark eder. Etajerlerin üzerine yerleştirilmiş kollar, bacaklar, bir göğüs ve iki kafa da aynı biçimde, muhafaza edilmek amacıyla dokularından boşaltılmıştır.

Hepsi de insanlara ait.

Bu uzuvlar evsiz barksızlara aittir ve bu son birkaç ay süresince, kimsenin dikkatini çekmeden kesilip alınmıştır. Sahipleri şimdi ormandaki kurtçukları besliyorlar.

Tahnitçi olarak adlandırılan adam, Juliette'in yanında durmakta ve ikizini orada, kaidesine perçinlenmiş, içi kıtıkla, demir çubuklarla, kemik ve alçıyla doldurulmuş olarak gösterdiği için sonsuz bir gurur duymaktadır.

Juliette bu hayaletin karşısında, şaşkınlık içindeydi. Leland Beaumont, ölmüş ve içi doldurulmuş olarak, gerçekten de karşısındaydı. İmkânsız. Öyleyse, yanında duran kimdi? Konuşan, nefes alan, hareket eden bu adam kimdi?

– Âşığındı, değil mi? dedi Tahnitçi sesinde küçük de olsa bir alaycılıkla. Bunu bana geçen yıl kendisi söylemişti. İkinizin...

Yüzünde aptalca bir tebessüm belirdi:

– Her neyse... Ne demek istediğimi anladın. Ama şimdi, o da burada.

Tahnitçi, sanki kaidesinin üzerindeki adamı değişik bir açıdan hayranlıkla izlemek istermiş gibi, kafasını omzuna eğdi. Sanki Leland'in orada, ölü olarak durması imkânsızmış gibi, büyük bir ikilemle karşı karşıyaydı.

Juliette soluklarını düzene sokmayı başarınca, ellerinin titremesi de azaldı. Güçlükle yutkunup, anlaşılır bir ses çıkarmayı başardı.

– Siz... Siz kimsiniz? diye sordu, alevler boğazında yayılırken.

Tahnitçi birden kafasını Juliette'e doğru çevirdi, genç kızın konuşması karşısında neredeyse dehşete kapılmış gibiydi. Juliette kısa bir an boyunca adamın mantığını da aşan bir kinle, yeniden vuracağını sandı, ama o hemen gevşedi. Sanki hiçbir şey duymamış gibi yapıp, karşıya oturtulmuş iç organları boşaltılmış adama bakmayı sürdürdü.

– Ben Wayne'im. Wayne Beaumont, dedi okulda kendini tanıtan bir çocuk gibi, sıkılarak. Bu da, bu da kardeşim, Leland Beaumont.

İşaretparmağını içi samanla doldurulmuş adama uzatıyordu.

Juliette başının yeniden dönmeye başladığını hissedince, bütün dikkatini yerden Leland'in vücudunu aydınlatan spota verdi. Görüntü biraz sonra netleşti.

– Tamam, fazla başarılı olmadığım doğru ama, mezardan çıkarıldığında çok zarar görmüştü. Benim kabahatim değil. Eser çok daha başarılı. Görmek ister miydin?

Wayne cevabı beklemeden atölyenin dibine doğru yürüdü, duvarın kocaman bir bölümünü kaydırarak açtı. Duvar madenî tıngırtılarla kaydı, arkasındaki ışık, kusursuzca hesaplanmış bir mizansen uyarınca, giderek arttı. Bu gizli girintiyi bir sürü küçük ve mor neon aydınlatıyordu; Wayne yüzünü duvarın ardındakine dönüp huşu içinde çekildi.

Demir çubuklar yardımıyla bir kadın iskeleti yapılmıştı. Gerçek boyuttaki kadın, sazdan kocaman bir koltukta oturuyordu. Ama en önemlisi, kafası kadının kendisine aitti, özenle korunmuş ve demirden yapılmış iskeletin tepesine yerleştirilmiş gerçek bir insan kafası. Aynı biçimde, kollarının dirsekten aşağı bölümleri ile bacakları da demirden yapılmamış, kadının derisiyle oluşturulmuştu. Juliette neler olduğunu o zaman anlayıverdi. Birinin kolları, diğerinin bacakları kesilmiş iki kurban, kısmen de olsa, buradaydı artık.

– İşte "eser" bu, dedi Wayne gururla. Bu Abigail, yani annem. Kafası oldukça iyi korundu, zaten annem gider gitmez, ne gerekiyorsa yapmıştım. Ama zavallı vücudu çok hasarlıydı, onun için vücudunu yeniden yapmak için malzeme aradım. Görüyorsun işte, çok güzel değil mi?

En ufak bir çatlağın görünmemesi için direnen mantık karşısında mide bulantısı, Juliette'in vücudunu ele geçirmek için saldırıyordu.

Karşısında gördükleri, en basit tanımla dehşet vericiydi. Neonların mor rengi o kafanın boynunun dibindeki koyu lekeleri gizlemeye yetmiyordu.

Demek, Leland'in bir kardeşi vardı. Ve birlikte öldürmeyi öğrenmişlerdi, bu konuda hiç kuşku yoktu, şu ya da bu biçimde suç ortağı oldukları kesindi. Abigail Beaumont birkaç yıl önce öldüğünde, Leland ölüm anını görmüş müydü? Mutlaka görmüştü. Öyleyse, ötekini bu vahşiyane koşuya sürükleyen hangisiydi?

– Ve annem yakında aramızda olacak, diye devam etti Wayne. Ölüler ırmağından gelip, burada olacak. Ruhu burada olacak.

Juliette gözlerini yumdu. Panik, umutsuzluk ve yorgunluk ilerlemeye başlıyordu.

Wayne bir anda tepesinde bitti, elini kaldırıp vurmaya hazırlandığındaysa bir ses duyuldu. Bir mezbaha çengeli kadar soğuk, ama son derece sakin.

– Wayne, hayır. Sırası değil.

Ses geriden geliyordu. Ayak sesleri Juliette'in sırtına doğru yaklaştı.

– Oh hayır, küçükhanım. Hiç de deli değil.

Birden, genç kadın ensesinde sıcak bir soluk hissetti ve bir fısıltı cildi boyunca tırmanıp, kulağına ulaştı:

– O sadece dediklerimi yapıyor.

71

Asansörün kapıları açılır açılmaz, Brolin dışarıya fırlamıştı. Peşindeki Lloyd Meats, Brolin'e yetişmekte zorlandı.

– Josh, bekle bir dakika, Milton'ın evine böyle elimizi kolumuzu sallaya sallaya giremeyiz!

Brolin çoktan Mustang'inin yanına varmış, kapısını açmakla meşguldü.

– Bütün bunların onun başının altından çıktığı ve Juliette'in de şu anda o herifin elinde olduğu ihtimali varken burada bekleyemem! diye haykırdı arabaya girerken.

Meats arabanın tavanına bir yumruk vurup, istemeye istemeye de olsa yolcu koltuğuna çöktü.

– Sen insen daha iyi olur, dedi Brolin.

– Eğer Milton Beaumont'a girişeceksen, orada olmayı tercih ederim. Haydi, gazla!

Motor yeraltı garajında öfkeyle homurdandı, Mustang bir yanık kauçuk bulutu içinde hareket ederken, lastikler asfaltın üzerinde çığlıklandı.

– Umarım elimizde en ufak bir arama emri olmadığının farkındasındır, yapmak istediğin yasal değil, diye hatırlattı Meats. Üstelik suçüstü yakalama koşulları da oluşmadı!

– Tabiî eğer Juliette orada değilse.

– O zaman da müdahale etmek SWAT'a düşer, bu onların işi, bizim değil!

– Lloyd, o adamların bir saatten önce oraya varamayacaklarını çok iyi biliyorsun. İçimde kötü bir his var.

Cinayet Masası şefinin yardımcısı küfrederek gösterge tablosunu yumrukladı. Direksiyonda Salhindro'nun olduğu bir devriye arabasının peşlerinden geldiğini görmek bile sıkıntısını hafifletemedi.

Otoyolda saatte 180 kilometreyi geçtiklerinde, V8 bir füze gibi kükrüyordu. Yirmi dakikadan kısa bir sürede görkemli Multnomah çağlayanlarına varmışlar ve otoyoldan ayrılarak daha dar ve iki yandaki yarlar nedeniyle daha tehlikeli yollara sapmışlardı.

Polis merkezinden ayrılalı henüz yarım saat olmamıştı ki, Lloyd Meats'in cep telefonu çaldı. Telefonun öbür ucundaki, internetteki araştırmalarını sürdüren Bentley Cotland'di. Meats, Brolin'in konuşmayı duyabilmesi için cep telefonunun düofon düğmesine bastı.

– Müfettiş Meats, inanılmaz bir şey buldum! diye haykırdı Bentley büyük heyecanla. Newsweb'de, Leland'in anne ve babasının adlarıyla bir arama başlattım. Şey, biyolojik anne ve babası demek istiyorum, yani gerçek anne babası, Kate ve Stephen Phillips. Temmuz 1980'den kalma bir bilgiyle karşılaştım. Phillipslerin Müfettiş Brolin'le aynı adı taşıyan, Josh adında küçük bir oğulları olduğu ve çocuğun bir süpermarketten kaçırıldığı yazıyor. Anlayabiliyor musunuz? İlk çocuklarını hemen doğumdan sonra, 1976'da yetimhaneye bırakıp, ikincisini alıkoyuyorlar, o da dört yıl sonra kaçırılıyor!

Birden, puzzle'ın bir parçası daha yerine oturdu.

– Bentley, kaçırılan çocuğun cesedinin bulunup bulunmadığından bahsediyorlar mı? diye sordu Brolin.

– Şeyy... Hayır, kaçırılmasından söz ediyorlar, ama cesedi hiç bulunmamış.

Brolin küfredip, haykırdı:

– Tabiî ya! Bu da DNA'yı açıklıyor.

– Ne? Bu neyi açıklıyor? diye sordu Meats.

– İyi düşün. Kate Phillips gebe kalıyor; talihi yokmuş, karnında iki çocuk var. 1976 yılında, Kate ve Stephen Phillips sadece kendilerinin bilecekleri nedenlerle oğlanlardan birini yetimhaneye bırakıyorlar. Beaumontların iki yıl sonra nüfuslarına geçirecekleri çocuk, bu. 1980 yılında diğeri, yani Phillipslerin yanındaki çocuk, kaçırılıyor. Öldürülmüyor, kaçırılıyor. Demek ki, hâlâ yaşıyor olması mümkün.

– Bunun DNA'yla ne ilgisi var?

– Carl DiMestro bize aynı yumurta ikizleri dışında, bir insanın DNA'sının tamamen kendine özgü olduğunu söylemişti.

– Yani, Leland'in gerçekten öldüğünü ve cinayetlerini sürdürenin ikiz kardeşi olduğunu mu söylemek istiyorsun?

– Neden olmasın? Yaşayan ölü hikâyesinden daha gerçekçi gelmiyor mu sana?

Meats omuzlarını silkti:

– Bu çılgınca bir şey! Peki, çocuğun kaçırılmasını, yıllarca bulunmamasını nasıl açıklıyorsun? Hem üstelik, bunları neden yapsın? Kardeşinin öcünü almak için mi? Pek inanılır gözükmüyor!

Brolin gaza bastı, Mustang'in farları geceyi ihtiyatkârlığa meydan okur gibi deldi.

Brolin mantık dışı varsayımlara cevap vermek yerine, sessizliğe büründü, tüm dikkatini yola verdi. Acele etmek gerekiyordu.

Salhindro'nun kullandığı araba çok geride kalmıştı, o otomobilin Milton Beaumont'un evine varması için, fazladan on dakikaya ihtiyaç vardı. Kısacası, sadece iki kişi olacaklardı.

Mustang birkaç dakika sonra bir çit boyunca gidip, Milton'ın inine yaklaştı. Brolin ışığın onları ele vermemesi için farları söndürüp motoru stop etti ve arabayı çitin arkasında bıraktı.

Elinde bir fener ve Glock'uyla, patikada koşmaya başladı. Meats de arabadan indiğinde meslektaşının elinde silahla koştuğunu gördü ve içini çekerek Brolin'in peşine düştü.

Işık olmadan ilerlemek pek kolay olmuyordu, üstelik taşlık bir yerdi ve ayaklarına dolanan sinsi dallar vardı. İki müfettiş ayrı ayrı patikalara dalıp, uzun adımlarla ilerlemeye çalıştı. Bir puhu onları görüp ötünce, Brolin birden Leland'in yırtıcı kuş yetiştirme merakını hatırladı. Böylesi bir eğitim almış olmasına ihtimal vermemekle birlikte, kuşun beklenmedik bir ziyaretçiyi haber vermek için ötüyor olmamasına dua etti.

Kalın bir Douglas çamının ardında soluk bir ışık göründü.

İkisi de ışığın bir binadan geldiğini düşünerek ilerlediler. Gerçekten de, kısa bir süre sonra Beaumont'un "şatosunu" oluşturan karavanlara, kütük, sac ve bağtaşı kalabalığına ulaştılar. Ön kapının –başka kapı yok muydu acaba?– hemen yanında, soluk ışığını dışarı yansıtan pencere vardı. Brolin arkadaşına ön tarafı kontrolü altına aldığını, onun arka tarafa gitmesini işaret etti. İhtiyatlı olmasını ve olası bir köpeğe dikkat etmesini de söyleyecekti ki, sessiz kalmayı yeğledi. Üstelik, burada bir köpek olup olmadığı da meçhuldü, Camelia'nın evinde bulunan kıllar köpekgillerden bir hayvana aitti ama, bu katilin üzerinde çalıştığı, içi doldurulmuş bir tilkiden de gelebilirdi pekâlâ. Zaten Brolin son gidişinde de köpeğe falan rastlamamıştı.

Olabildiğince hızlı koştu, gözlerden gizlenebilmek için otomobil enkazını ve bir su fıçısını kendisine siper yaparak kapının yanına vardı. Pencerenin dibinden kafasını kaldırıp içeriye hızla göz attı.

Oda dar fakat uzundu, masanın üzerine bırakılmış bir gemici

feneriyle aydınlanmıştı. İçeride in cin top oynuyordu.

Brolin kapının tokmağını çevirip, içeri girdi. Sinek teli takılmış iç kapı gıcırdayınca, hemen leş gibi olmuş bir koltuğun arkasına çöktü. Üç saniye sonra, namlusu yere dönük ama atışa hazır tabancasıyla, yan odadaydı. Mutfak da bomboştu. Brolin, şakakları uğuldayarak yoluna devam etti.

Başka bir odaya girdi.

Yıllardan beri değiştirilmemiş gibi duran üzerine yün bir battaniye örtülmüş yatak oldukça genişti. Odada bir dolap, bir ayna ve yatağın arkasındaki duvara asılı bir haçtan başka bir şey yoktu. Oda kasvetliydi ve Brolin bu evin Milton'a ait olduğundan emindi. Sessizce yatağa doğru gitti, pencereden dışarı bakmak için cama yaklaştı.

Yolunda gitmeyen bir şeyler vardı. Işık olmasına rağmen, Milton ortalarda görünmüyordu.

Eğer geldiğimizi fark ederek bir köşeye gizlenip, ocağın demir çubuğunu kafamıza indirmek için önünden geçmemizi beklemiyorsa, tabiî!

Dışarıda hiçbir şey yoktu. Ortalık hiçbir şey görülemeyecek kadar karanlıktı. Brolin geriye doğru dönerken sağ tarafında gözüne bir şey takıldı. Kafasını sağa çevirince, gözüne neyin takıldığını gördü. Şilte ile somyanın arasına sıkıştırılmış bir kâğıdın köşesi görünüyordu. Kâğıdı çekince Botticelli'nin resimlerinin A4 kâğıda çıkarılmış kopyalarıyla karşılaştı.

Dante'nin "Cehennem"i.

Cehennemin dokuz katını gösteren, toprak renkli birçok küçük taşbasma.

Brolin dizlerinin üzerine çöktü ve elini şiltenin altına, daha derine soktu. Parmakları sert bir şeye değdi. Yakalayıp çekince, dokunduğunun yıpranmış bir kitap olduğunu gördü. Brolin kapağına bakınca, gotik harflerle kitabın adını gördü:

Necronomicon.

Kara büyünün İncillerinden biri.

Artık hiç kuşku yoktu.

Milton Beaumont bir caniydi.

Ancak, inanılmaz derecede kurnaz bir cani.

72

Adamın sıcak soluğu, Juliette'in boynuna yayılıyordu.

– Wayne, küçüğüm, bizi biraz yalnız bırak lütfen.

Ses yumuşak ama kararlıydı, Juliette de hiç yanlış bir kanıya kapılmadı; eğer itaatsizlik ederse, Wayne bu hareketinden hemen pişman olacağının farkındaydı.

Beriki ağırlığını bir ayağından diğerine vererek, tereddüt etti. Sonra altdudağını kuvvetle ısırıp, gitti. Kapı usulca kapandı.

– Sonunda yalnız kaldık.

Bir el Juliette'in omzuna indi. Kemikli parmaklar genç kızı okşamaya başladı.

– Sık sık bunun bana nasıl bir etki yapacağını merak ediyordum, dedi. Bazen gelip sizi ziyaret etmeyi düşündüm ama hiç cesaret edemedim. Wayne'in bu akşam Leland'in evinde bulunması ne şans, değil mi? Aslına bakarsanız, oraya oldukça sık gidiyor ve tehlikeli olacağını söylememe de aldırmıyor. Bir gün yakalanabilir.

Juliette parmakların kazağının altına girdiğini, vücuduna temas edip omzunu mıncıkladığını hissetti. Dişlerini sıkmak istedi ama çenesinin ağrısı dayanılacak gibi değildi. Yine de, yavaş da olsa, konuşabilecek kadar cesaret topladı:

– Ben... Benden ne istiyorsunuz?

Juliette hiçbir şey görmeden yanındakinin dudaklarının çekildiğini, ağzının da acımasız bir sırıtışla gerildiğini hissetti. El aşağılara indi, sutyeninin askısını okşadı.

– Bakın, öyle fazla bir şey peşinde değilim. Biraz mutluluk, bir de huzuruma karışmamalarını istiyorum.

Adam, –Juliette artık arkadakinin bir erkek olduğundan emindi– bunu bir sigara ister gibi söylemişti. Gerçek bir saflıkla. Yaptıkları gayet doğalmış gibi, hiç rahatsızlık hissetmeden, aynı ses tonuyla devam etti:

– Karım ve ben Leland'i Arcadia Florida'da, 1978 yılında evlat edindik. Çocuğun gerçek ailesi hakkında daha fazla bilgi edinmek istememizi normal karşılayacağınızı sanıyorum, ne de olsa küçükle ilgileniyorduk. İşte o zaman o hiçbir işe yaramaz Kate bilmem nenin iki oğlu olduğunu öğrendik. İkiz oğlu. Ve o kadın iki çocuğa birden bakamayacağını düşünerek birini terk etmeye karar verdi. Düşünebiliyor musunuz? Yemin ederim ki, Amerika böyle insanlarla dolu!

El aşağılara indi, pürtüklü ve soğuk parmaklar sutyenin altına girip, Juliette'in titrek soluk alışlarıyla inip kalkan memesini mıncıklamaya başladı. Genç kadın gözlerini yumdu, yanağından aşağıya bir damla gözyaşı aktı.

– O küçük çocuğu öyle bir anne babayla bırakamazdık, değil mi? diye devam etti ses. Leland'in yanında kardeşi olmalıydı. O zaman, ötekini de aldık. Tabiî, işimiz her zaman kolay olmadı, zavallıyı saklamamız gerekiyordu. Üstelik sık sık taşınıyorduk. Bir ara bodrumda yatması bile gerekti, ama çoğunlukla ona hak ettiği sevgiyi verdik.

Parmaklar meme ucunu bulunca, etrafında dönmeye, hafifçe sıkıştırmaya başladı. Her zamankinden daha sakin bir sesle devam etti:

– İtiraf etmeliyim ki, zavallı Wayne epey sıkıntı çekti. Karım çocuklara karşı sertti, ama duruma hâkim olması gerekiyordu. Wayne gölgede yaşadı, varlığından kimsenin haberi olmadı. Zaten Leland'le birbirlerine tıpatıp benzeştiklerinden, karıştırılmaları çok kolaydı. Ona her şeyi biz öğrettik. Ne biliyorsa bize borçlu. Evet, evet.

El Juliette'in memesini biraz daha kuvvetle sıktı. Adam öteki eliyle yaptıkları kadın maketini gösterdi.

– Ah, görüyorum ki Wayne size eserimizi göstermiş. Güzel bir çalışma, değil mi? Bundan sonra neler olacağını anlattı mı?

Eli birden memeyi sıktı, Juliette acıyla bağırdı.

– Hayır mı dediniz? Öyleyse, ölümsüzlüğün sırrını çözen adamın yanında olduğunuzu bilin. Evet, emin olun öyle. Dante'nin kitabıyla büyüdüm, İlahî Komedya'yla. Bu kutsal bir metin, imanın ve mucizelerin yolunu anlatıyor. Biliyor musunuz, okuya okuya, kitabın bütün küçük sırlarını çözdüm. Beyaz üzerine siyah yazılı olmasına rağmen, artık insanların çoğu kutsal metinlerin nasıl okunacağını bilmiyor. Dante bize cehennemin dokuz katından nasıl geçtiğini, Beatrice'ini bulmak için Araf'a nasıl ulaştığını anlatır. Hani ona cennetin yolunu gösterecek olan Beatrice. Harika değil mi? Ha?

Tutsağının memesini, yine acıdan inletene kadar sıktı.

– Ya, demek siz de öyle buluyorsunuz! Ee, öyleyse artık anladınız mı? Şu sıralarda karımın vücudunu parça parça toplayarak yeniden yapmaya çalışıyoruz, bunun için de ona en çok benzeyenleri seçiyoruz. Tamam, bu kolay bir iş değil ama, biraz sabırla insan başarıyor, zaten katalogları karıştırmak yeterli. Kataloglar da bu işe yarıyor, değil mi ya? Bizim toplumumuzda her şey satılık, kataloglar da alışverişimizi kolaylaştırmak için, öyle değil mi?

Juliette bu kez çabuk davrandı ve belli belirsiz onaylayıcı bir şeyler mırıldandı.

– Kısacası, yavaş yavaş da olsa Abigail'imin yeni vücudunu oluşturacak parçaları topluyoruz. Çünkü ölen vücuttur, ruh değil. Ruh cehenneme, Araf'a ya da cennete gider, ama ölümsüzdür. Ve Wayne ile ben cehennemin her katı için bir ruh kurban ederek, ölülerin nehri Akheron'dan geçiyoruz ve kattan kata ilerleyerek Abigail'in ruhunu getireceğiz. Yakında yeni vücudu hazır olacak, o zaman ruhuna da kavuşacağız. İşte o zaman, bizimle gelecek. Çünkü Akheron bizi yavaş yavaş ruhların Araf'ın tepesinden aştıkları, yıkandıkları ve günahlarından arındıkları unutkanlık nehri Lethe'ye götürüyor. Orada, Abigail saflığı ve temizliğiyle bizi bekliyor olacak, onun için hazırladığımız bu ruh giysisini giyip, bizimle birlikte buraya dönecek.

Bu kâbustan da beterdi, Juliette'in içindeki son umut kırıntıları da yok oluyordu. Bu insanlar kesinlikle deliydi. Böyle bir şeyin mümkün olacağına asla inanamazdı. Amerika'nın dibinde bir yerde tuhaf ailelerden söz ediliyordu ya, bu gerçeğin çok uzağındaydı. Asıl gerçek, bir sürü çılgının olduğuydu; hem de sadece tımarhanelerde değil. Tüm hayatımız boyunca, büyük bir kentin kaldırımlarında yürüyor ve tümüyle dengesiz, rahatsız erkek ve kadınlarla karşılaşıyoruz. Kimlerle karşılaştığımızı bilmeden. Bazen çok da yakınımızda yaşamalarına rağmen, onların hayatları hakkında hiçbir şey bilmiyoruz.

– Oh, bu öyle söylenildiği kadar kolay değil, diye devam etti adam, cehennemi bir uçtan diğer ucuna geçmek zaman alıcı ve zor. Artık daha fazlasına gücüm kalmadığında Dante'nin umutsuzluğunu ve rehberi Vergilius'un onu yola devam etmeye çağıran sözlerini hatırlıyorum.

Juliette açılan eklemlerin çıtırtısını duydu. Ve adam sakince okudu:

Haydi kalk! Bedenin ağırlığı
altında ezilmedikçe, her savaşı!
kazanan cesaretinle yen kapıldığın telaşı.[6]

Akvaryumdan gürültülü bir ses geldi, sanki birden bundan sonra olacaklardan ürkmüşçesine, derinliklerden yüzeyine bir hava kabarcığı gönderdi.

– "Cehennem"in yirmi dördüncü kantosu.

Karanlık odada uzun bir sessizlik oldu. Sonra düğüm düğüm parmaklı adam, hırıltılı bir sesle, neredeyse mırıldanır gibi sordu:

– Ee, hâlâ Wayne'in ve benim deli olduğumuza inanıyor musunuz?

Juliette kafasını salladı, konuşmak istiyordu ama içindeki duygular zıt akıntılı bir anafor gibi patlıyorlardı.

Adam, kadının göğsünü bıraktı ve karşısına geçti:

– Gözlerinizi açın.

Juliette buyruğun içinde aynı tehdidi duyunca, itaatsizlik etmemeyi yeğledi. Gözkapakları aralandı.

Karşısındaydı. Dizlerinin üzerinde.

Zaman yüzünde izlerini bırakmış, yanakları yara izi gibi uzun kırışıklarla dolmuştu. Uzun yüzü ve fırlak çenesiyle daha çok bir firavun karikatürüne benziyordu. Ve gözleri bir uçurumun dibine gömülmüş gibi ufacıktı. Kötü bir ışıltıyla parlıyorlardı.

– Biliyorsunuz, Leland muhafaza denemeleri yapıyordu; bir bakıma buna, yöntemlerimizi sınayan oydu diyebiliriz. Çalışmalarımızın öncüsü. Yöntemimizin iyice oturmasını ve ciddi işlere geçmemizi beklerken, dirsek altında kalan kısımla denemeler yapıyordu, çünkü o bölüm çok kolay kesilir. Modellerini nasıl seçtiği hakkında hiçbir fikrim yok ve doğruyu söylemek gerekirse, bunun çok önemli olduğunu da sanmıyorum! Onlar birer oyuncak bebekten ya da kobaydan farksızdı. Öte yandan, dediğine bakılırsa, internet yoluyla tanıştığı arkadaşından çok memnundu. O arkadaşının ona "hayır" dediği güne kadar.

Gözleri yarı kapalı, oldukça mutsuz bir şekilde kafasını salladı.

– Leland'in dostluğunu reddetti. Düşünebiliyor musunuz? Ona ısrar etmesini öğütledim, ama... Hayır. Çok geçti, işin tadı kaçmıştı. Sizi almaya geldi ve size tüm benliğini sundu, oysa siz... Siz

6. Dante Alighieri, *İlahî Komedya*, çev. Rekin Teksoy, Oğlak Yayınları, İstanbul. (yay.n.)

onu öldürttünüz. Onun için hayır, size söylüyorum, eserimizde size yer yok.

Ne yüzünde, ne de gözlerinde en ufak bir ifade okunmuyordu.

– Sanırım karım da bunu asla bağışlamazdı.

Bir elini kaldırdı ve Juliette keskin bir şeyin alnına batarak derisine tuhaf bir motif çizdiğini hissetti.

73

Brolin ve Lloyd Meats mutfakta karşılaştılar.

– Burada hiçbir şey yok, dedi Brolin evin batı kısmını göstererek.

– Öteki taraf da boş. Sence dışarıda mı?

Brolin omuzlarını silkti. Milton uzakta değildi, uzakta olmadığından emindi.

– Belki de evin içinde bir sığınağı var, dedi Brolin. Dolaşırken bir kapak ya da basamak falan gördün mü?

– Hayır, hiç görmedim.

– Peki, çıkalım.

Dışarı çıktıklarında, Brolin çelik varillerden birine elini daldırarak yüzüne yağmur suyu serpiştirdi.

Görmedikleri bir yer olmalıydı mutlaka.

Bütün cinayetler her şeyden uzak mekânlarda, çevresinde ağaçlık alan olan yerlerde işlendi. Demek katil harekete geçmek için bildiği ve güvendiği bir atmosfer yaratmaya çalışıyor. Burası da uygun. Başka? Uzuv kesmeler. İşkenceler gerekli değildi. Onlar fazladan, kadınların katilde yarattıkları nefretin sembolleri. Kadınlardan nefret mi ediyor? Onlardan korkup yanlarına yaklaşamıyor mu ya da normal zamanlarda kadınlar adamdan kaçıyorlar mı? Yoksa bir kadın ona çok acı mı verdi?

Brolin çözümleyici bir şey bulabilmek için bu düşünceleri kafasında tekrar tekrar evirip çeviriyordu. Bir dakika kadar sonra, olduğu yerde donakaldı.

– Hey Lloyd, Leland'in annesi nasıl ölmüştü?

– Komşulardan bir kadınla kavgaya girişmişler, galiba birbirlerini satırla öldürmüşler.

Katil ondan kaçtıkları için ve annesinin ölümünü hatırlat-

tıkları için kadınlardan nefret ediyor... Hayatta ona yakın olan tek kadın annesi, o da başka bir kadın tarafından öldürülüyor.

Böylesi bir mantık, oldukça tuhaf olmakla birlikte akla yakındı. Bu, Brolin'in dengesiz insanlarla ilgili durumlarda birkaç kez karşılaştığı bir örnekti.

– Nerede oldu? diye sordu. Birbirlerini nerede öldürdüler?

Meats kaşlarını çattı.

– Pek emin değilim. Bana kalırsa, buradan fazla uzakta değil, ormanın biraz daha yukarısında olabilir. Diğer kadın bir tahtası eksik, keşiş gibi yaşayan yaşlı biriydi.

Brolin çevreyi araştırmaya koyuldu. Cep fenerini yakıp, bir patika varsa bulabilmek için, açıklığı çevreleyen çite doğru tuttu. Eğer yanılmıyorsa, Milton karısının öldürüldüğü yeri, kutsal bir mekânmış gibi sık sık ziyaret ediyor olmalıydı; öyleyse bir patika bulmak mümkün olabilirdi.

Bir süre sonra, Meats hızla kenara sıçradı:

– Josh, diye fısıldadı, yaklaşan biri var!

Çalılıkların arkasına çömelip, gözetlediler. Eve giden yolun üzerinde oldukça geniş bir gölge belirdi. Brolin, Salhindro'yu görür görmez tanıdı.

– Bu Larry, dedi. Git karşıla onu, yolu ararken bize yardım etsin.

Meats ayaklandı, üniformalı polisi karşılamaya gitti.

Brolin de vakit geçirmeden fenerinin ışığını çevresindeki bitki kümelerine tuttu.

Adım adım ilerliyorlar ama her adımla birlikte de herhangi bir şey bulabilme umudu giderek azalıyordu.

Birden, aradığına ulaştı.

Karanlıkta, siyah bir çizgi.

Brolin zaman yitirmeden dalların arasına atılıp koşmaya başladı. Geçen her saniyenin önemli olabileceğini, her kararın bedelini ödemek gerekebileceğini biliyordu. Bir de durmadan içini sıkıştıran o kötü his.

Ayaklarını nereye bastığını göremeyecek kadar hızlandı, sadece önündeki topraktan çizgiyi izliyordu, hepsi bu.

Beş yüz metrelik bir koşudan sonra, yıkıntı sık ve yüksek bir çalılığın ardından beliriverdi. Her tarafı ahşap, üstü yosunla kaplı, tek kapılı ve penceresiz.

Kocaman bir kulübe ya da bomboş bir alanın ortasına yapılmış bir kış evi. Büyük bir ihtimalle Milton Beaumont'un karısıyla ölümüne kapışan o çılgın komşunun evi. Brolin o tuhaf viraneyi görünce, ikizin burada, ormanın ortasında gizlendiğini anladı.

Hâlâ kesik kesik çıkan soluğunu sakinleştirmeye çalışarak, sessizce yaklaştı.

Tam o anda kafasına aniden bir odun darbesi indi.

Brolin çamurun içine yığıldı, silahı elinden fırladı. Saldırganın çok yakınında olduğunu fark edince tabancasını almaya kalkışmadı, silah zaten uzaktaydı. Elinde iki yüzü keskin bir bıçakla üzerine atlamaya çalışan saldırgandan kendi çevresinde yuvarlanarak kaçmaya çalıştı.

Kısa bir an, "Katilin kullandığı bıçağın eşi" diye düşündü.

Adamın yüzü yüzüne yapışınca, şaşkınlığın onu savunmasızlaştırmasına engel olamadı.

Leland Beaumont. Aynı yüz çizgileri.

Bıçak kaburgalarının arasına saplandı.

Şiddetli acı Brolin'i felce uğratacağı yerde, tam tersine, büyük bir öfkeyle karşısındakinin çenesine güçlü bir kroşe indirmesini sağladı. Adam yana devrildi. Brolin bir elini yarasına bastırırken, olabildiğince çabuk doğrulabilmek için diğer eline dayandı. Daha ayağa kalkar kalkmaz bu kez omzuna, hem de saldırıdan beri sakat kalan omzuna tüm gücüyle bir taş darbesi yedi. Ne olduğunu anlayana kadar, Leland –ya da ona şaşılacak kadar benzeyen adam– üzerine atılmak üzereydi. Brolin yine de bıçak darbesini savuşturmayı başardı ve vücudunun tüm ağırlığını elinde toplayarak rakibinin kulaktozuna bir yumruk patlattı. Genç müfettiş fazla düşünmeden adamın karnına bir de diziyle vurdu, peşinden yediği yumruk da Leland'in ikiz kardeşinin çamurların içine uzanmasına yetti.

Oysa adam dirençliydi, tüm hayatı boyunca durmadan dolaşmış, bu alanda pişmişti, Brolin davranmadan Glock'u görecek kadar da uyanıktı. Silahın kabzasını sıkıcı kavrayıp, işaretparmağını tetiğin üzerine koydu. Silahın emniyeti de açıktı; Brolin acele ateş etmesi gerekebileceğini düşünmüş, tabancanın emniyetini açmıştı.

Silahın karanlık ağzı Brolin'in kafasına çevrildi.

Silah sesi yaprakların üzerine birikmiş su damlacıklarını sıçrattı, yankısı dağılan kanın kokusunu taşıyarak ağaçların gövdelerine çarpa çarpa yayıldı.

Lloyd Meats elinde dumanı tüten silahıyla birkaç metre ötede, bir tümseğin üzerinde duruyordu.

Leland'in ikizinin elinin gevşeyip açıldığını görünce, hayatta kalanın kendisi olduğunu anladı Brolin. Saldırganın kafasının bir bölümünün yok olduğunu fark etti; hayatını Meats'e borçluydu.

Kulübeden bir umut çığlığı yükseldi. Juliette'in sesi. Çığlık başladığı hızla kesildi.

Brolin ileri atıldı, ölenin elindeki silahını kaptı ve hiçbir şey düşünmeden giriş kapısını omuzladı.

Juliette odanın ortasında, bir iskemleye bağlanmıştı.

Kazağının üzerinde kara bir leke belirdi. Sonra ürkütücü bir hızla yayılmaya başladı. Brolin çarpılmış gibi oldu.

Kanı, kesilmiş gırtlağındaki kocaman yarıktan fışkırırcasına akıyordu.

Haykırdı:

– HAYIIIR!

Milton, elinde hâlâ sıcak ve kanlı usturayla, Juliette'in yanında duruyordu. Güçlü bir kin ifadesi yüzünü çarpıtmıştı. İleriye, elindeki silahla onu tehdit eden polise doğru atılmak istedi, ama hamlesi köprücükkemiğini parçalayan ve onu tuzlu su varillerinin dibine deviren kurşunla yarıda kaldı.

Bir saniye sonra, Brolin, Juliette'in ayağının dibindeydi. Kendi yarasının acısını unutmuş, silahını yere bırakmış, kanamayı durdurma umuduyla ellerini genç kadının boynundaki yaraya bastırıyordu.

Juliette çok kan kaybetmişti, tüm vücudu titremeye başlamıştı.

Genç müfettişin yanakları gözyaşlarıyla ıslandı, elleri kocaman yaradan akan kanı durduramıyordu.

– Hayır, Juliette... Benimle kal... Hayır... Kalmalısın...

Juliette bir şeyler söylemeye çalıştı ama bir ses çıkaramadı. Gözlerini Brolin'e çevirdi.

Genç kadın her şeyin bittiğini biliyordu.

Gözlerini inanılmaz bir çaba göstererek Brolin'e dikti ve dudaklarında bir tebessüm doğdu.

Brolin'in etrafındaki her şey sanki darmadağın olmuştu, acının baskısıyla mantığın duvarları parçalandı, hıçkırıklar yüzünü allak bullak etti.

Sonra Juliette'in bakışı apaydınlık oldu, tüm duyguları gözbebeklerini terk edip, boşlukta kayboldu.

Hayatı bir saniyede sonsuzluğun katılığıyla bütünleşti.

Brolin yüzünü Juliette'in ıslak boynuna gömdü.

Yanında bir hareket oldu. İnleyen, Milton'dı.

Öfke, genç müfettişin beynine bir kor gibi düştü. Yerden Glock'unu aldı, Milton'ı yakasından toparlayarak silahının namlusunu adamın dişlerine dayadı.

– Hayır Josh!

Salhindro'nun sesi.

– Bunu yapmak, sana hiçbir şey kazandırmaz. Bunu yaparsan onu sorgulamanın ve hapishanenin azabından kurtarmış olursun. Hepsi bu.

Brolin'in elleri titriyor, gözyaşları görmesini engelliyordu. Milton gözlerini açtı. Bakışları vakti dolmuş bir insanınkinden daha çok güçlü bir leş yiyicininkine benziyordu. Sırıtışıyla, et parçalamanın tüm inceliklerini bildiklerini gösteren küçük dişlerini ortaya çıkaran, canavar bir yaratık.

Juliette'in kanı, içindeki son sıcaklık kırıntısını sevdiği adama veren genç kadının son okşayışı gibi, Brolin'in yüzüne yapışmıştı.

Brolin gözlerini kırpıştırdı.

Öfkesinin içinde, canavarın gözbebeklerinde cızırdayan kızıl alevlerden perdeyi gördü.

– Silahını bırak Josh, dedi Salhindro yumuşak ve kararlı bir ses tonuyla.

Parmağı tetiğin üzerinde, Brolin gözlerini Milton Beaumont'un gözlerine dikti.

Alevler cehennemin yüreği gibi harladı.

74

Aradan üç hafta geçti.

Lloyd Meats elindeki sandvicin bir kısmını çöp tenekesine attı. Ceketini giyerken karısının yanına dönme vaktinin çoktan geldiğini düşündü. Gençlik çeteleri arasındaki hesaplaşmalarda hesap kapatmayla ilgili iç karartıcı öykülerden bugünlük nasibini almıştı.

Koridora çıkıp, bir sigara yaktı.

– Nasıl gidiyor Lloyd?

Salhindro elinde bir kola kutusuyla yanına geldi.

– Bu salakça cinayetlerden bana gına gelmeye başladı.

Salhindro kolasından bir yudum aldı.

– Öyle deme. Polis olmasaydın ne yapardın, söylesene?

– Özel dedektiflik. Hep özel çalışmak istedim. Zina resimleri çekmek için para alıyorsun, kısacası gün boyu göz banyosuyla oyalanıyorsun.

İki adam neşeyle güldü.

– Ya Milton? İtiraflara başladı mı? diye sordu Salhindro.

– Hayır. Hâlâ bir şey söylemeden oturuyor. Ama o kadar çok bilgiye ulaştık ki; özellikle de evin etrafındaki toprak, Elizabeth Stinger'ın öldürüldüğü yerde bulunan ayakkabı izindeki toprağın eşi. Ayak izi de Wayne Beaumont'un ayakkabılarından birine uyuyor. Savunma bunu kullanacak tabiî, bütün cinayetleri Wayne'e yükleyip, Milton'ı suçlamak için kanıt olmadığını ileri sürecekler, onu neler olup bittiğinden hiçbir şey anlamayan bir zavallı gibi tanıtmak isteyecekler. Ama evinde bulunanları gördükten sonra, savcı, Milton'ı, Elizabeth Stinger ve Anita Pasieka cinayetlerine yardımdan ve... Ve Juliette'i öldürmekten suçlamaya hazır.

Genç kızın adını telaffuz etmek hâlâ çok güçtü, her şeyden önce, o adın uyandırdığı duygu selini yönlendirmek gerekiyordu.

– Ya, demek öyle? dedi hırsla Salhindro. Öldürüyor, katlediyor ve biz bütün bunları neden yaptığını hiç bilmeyeceğiz, ha?

– Larry, o herif bir canavar. Seri cinayetler işleyen katillerin en korkunç cinsinden. Bize bütün bildiklerini anlatsa bile, söylediklerini cımbızla ayıklamak gerekir. Böyle herifler bizlere benzemez. Hep yalan söylerler, insanları oynatırlar, en büyük zevkleri, kendilerini bizden üstün hissetmektir.

– Bir canavar, öyle mi? Bir çocuğu evlat ediniyor, ikizini kaçırıp, gizli saklı büyütüyor, ondan bir katil yaratıyor. Peki neden? Çocuğun bu duruma gelmesi için, Milton ne yapmış olabilir? Babasının onu dövdüğünü, ırzına geçtiğini, akla gelebilecek ne varsa yaptığını düşünelim, sonra? Bütün bunları neden yapsın? Yoksa babasına da mı aynı şeyler yapılmıştı, onun da mı ırzına geçilmişti? Bunun sonu gelmez ki. Bu başlangıcı ve sonu olmayan bir kin ve şiddet döngüsü. Bu canavarları yaratan ne, bu canavarlık nereden kaynaklanıyor? Bir gün bir insana kıyacak dereceye varan bu kötülük nasıl oluştu? Yoksa hepimizin içinde bir canavarın olduğunu, bir parçamız gibi onu içimizde taşıdığımızı mı düşünüyorsun?

Meats omuzlarını silkti:

– Adam kötü yaradılışlı nedensiz yere öldürüyor, öyle mi? diye, sanki söylediğine kendi de inanmak istemiyormuş gibi yineledi Salhindro.

– Nedenler adamın içinde. Bu, insan ruhunun hiçbir zaman bilinmeyecek bir yanı. Zaten bilinseydi, insan değil, makine olurduk. Herkes sırlarıyla dolaşıyor, o sırların niteliği de o insanın iyi ya da kötü veya her ikisinin karışımı bir yapıda olmasına neden oluyor. Ne bileyim.

Asansörün kapıları açıldı, çıkan iki meslektaşları onlara selam verdi.

– Bırak şimdi bu düşünceleri, kulaklarım uğulduyor, dedi Salhindro ikinci bodruma inmek için düğmeye basarken.

Asansör yeniden durana kadar, konuşmadan beklediler.

– Ya Brolin, haber var mı?

Salhindro kafasını salladı:

– Yok. Galiba duruşmadan önce dinleniyor. Onu tanıyorsam medeniyetten uzak bir yere, kendisiyle baş başa kalabileceği bir yere gitmiştir.

Asansörden çıkıp, otoparka ulaştılar.

– Sence geri dönecek mi?

– Mümkün, ama yine de hiç belli olmaz. Daha çok genç.

– Belki de asıl sorun bu. Bu olay onun başına gelmemeliydi, ama eğer toparlanırsa, polis teşkilatında parlak bir geleceği var.

– En azından, senden ve benden fazla! diye takıldı Salhindro. Meats sigarasını sütunlardan birine bastırarak söndürdü.

– Tamam, yarın görüşürüz Larry.

– Evet. Yarın, öbür gün ve daha sonraki günlerde de...

Ayrılmadan önce bir süre öylece, karşı karşıya durdular, sonra, birbirlerini kuvvetle kucakladılar.

Brolin devrilmiş bir kütüğün üzerine oturmuş, manzaranın duruluğunun keyfini çıkarıyordu.

Sıra sıra dağlar, tıpkı oldukları yerde kalmış devler gibi, çağın hayhuyunu kütlesel bir sükûnetle karşılıyordu sanki. Hafif bir rüzgâr Brolin'in çadırına sürünüp, tiz bir çığlık attı.

Joshua'nın gözleri ufka dikilmişti.

Ama aklı başka yerdeydi; çok uzaklarda.

Juliette neden yitip gitmişti? Ne biçim bir alınyazısıydı onu ölüme sürükleyen? Hayatı boyunca kimseye zararı dokunmamış, kimseden bir şey istememişti, sadece bir gece bilgisayarının karşısında tanımadığı biriyle sohbet etmek istemiş ama böylece hayatının sonunu hazırlayan hükme bilmeden mührünü vurmuştu.

Onun ölümünden nasıl bir ders alınmalı?

O ölüme nasıl bir anlam vermeli?

Her inançlı kişinin ilk tepkisi de buydu zaten; günlük hayatta karşılaşılan korkunç şeylere tanrısal bir anlam yüklemek. Bahanesize bir bahane, inanmaya inandırıcı bir neden bulmak.

Belki de bütün bunlardan alınacak hiçbir ders yoktu. Juliette aşkın geçici, kısacık bir görüntüsü, hayattaki mutluluk payıydı belki de. Juliette onun bilmeden hep bulmaya çalıştığıydı, her erkeğin gerçekten de pek farkına varmadan doldurmaya çalıştığı boşluktu. Erkeğin ruhunu, hayattaki diğer mutluluklarla en ufak bir benzerliği olmayan bir şekilde sakinleştiren, hiçbir zaman, hiçbir yerde sağlanamayacak bir bütünlük. Her geçen gün, daha güçlüleşen ve daha yoğunlaşan, yaşama sevinci olarak tanımlanabilecek bir mutluluk payı.

Brolin yaşama sevincinin doruğuna ulaşmıştı.

O doruk, Juliette'ti.

Şimdi dünya o koskoca kötülük çuvalında Brolin'e ne gibi sürprizler hazırlayacaktı bakalım? Hayat ona, ne oyunlar oynayacak, ne cilveler hazırlayacaktı? Her geçen gün, içindeki bu yarayı, dalgalı bir denizin kuma çizilmiş şekilleri silmesi gibi, silip yumuşatacaktı. Beyninde sadece güzelliğin resmi kazılı kalacak, Juliette sonsuza dek bir anı olacaktı.

Belki de bundan alınacak ders falan yoktu. Bunların bir anlamı da yoktu belki. Hayatın da olmadığı gibi. Sonunda hep iyiler kazanmaz, bazen kötüler de cezasız kurtulurlar. İlahî adalet bile eninde sonunda insan için bir avuntuydu, yaşamın ötesinde de sevapların ve günahların tartılacağı bir terazi falan yoktu belki de.

Sadece koca bir dünya, aynı anda nefes alan milyarlarca varlık, sonsuz bir evren, bütün bunların ortasında da, insan fikrini kabul etmek. Tabiatın bir "hatası" gibi galakside tek başına, kozmosun ortasında bir göz kırpış gibi yararsız, yine de, tarafgir bir gücün tutsağı olduğunu bilmek pahasına, bir varlık nedeni taşıdığına inanmak zorunda olan insan. Bir kum zerreciği, kısacık bir süre ve başarısızlık! Kimse kalmadı. Koca bir ırk, ardında pek bir şey bırakmadan kayboluyor.

Çalıların arasından sıçrayarak çıkan bir çift karaca Brolin'i düşüncelerinden çekip çıkardı. Hayvanlar oldukları yerde kalıp, simsiyah gözleriyle Brolin'e baktılar. Tüyleri hafif esen rüzgârda sanki hışırtılı bir ses çıkardı, gözlerini ondan ayırmadan yerlerinde sallandılar.

Sonra, çevik bir hareketle bir ağaç gövdesine sürünüp, ormanın derinliklerinde kayboldular.

Kocaman ve alaycı bir dünya, aynı zamanda acımasız da.

Yine de bunca zenginliğe sahip, oysa insanın her şeyi görmek için sadece bir kez yaşama hakkı var.

Brolin ayağa kalktı. Hava serinlemiş ve durgunlaşmıştı.

Dünya önündeydi.

Kollarını açtı, gözlerini yumdu ve yavaşça soluk aldı. Gözünün kenarında tomurcuklanan damlayı parmağıyla aldı. Damla derisinin kıvrımlarını izleyerek parmağından aşağı kaydı, sonra da otların üzerine düştü.

Juliette'in yüzünün minicik bir billur parçası gibi, sonsuza dek gözyaşlarında yaşayacağını anladı.

Eşyalarını katladı, sırt çantasını düzeltti ve vadinin yolunu tuttu.

Dünya genişti.

Üstelik daha görülecek o kadar çok şey var ki...

Sonsöz

Salem, Oregon'daki Eyalet Hapishanesi

Carter Melington 65 numaralı hücrenin gözetleme deliğini kapattı, elindeki yoklama listesinde, hücredeki mahkûmun adının karşısındaki bölümü işaretleyip, bir sonrakine geçti.

66 numaralı hücre.

Oradaki heriften hiç hoşlanmıyordu. Dediklerine göre, bir dizi cinayet işlemiş. Muz soyup da doğrar gibi kadınların ellerini ayaklarını kesen canilerden biri.

Carter hapishanede çalıştığı yedi yıldan beri sabah yoklamalarından keyif alırdı. İş yorucu değildi, tutuklular hücrelerinden dışarı salıverilmedikleri için onlarla uğraşmak gerekmezdi ve insan elini çabuk tutarsa, duş nöbetinden önce mutfakta koca bir saat geçirebilirdi. Ama 66'daki tutuklu geldiğinden beri, Carter sabah yoklamasından da hoşlanmaz olmuştu.

Adamın hâlâ orada olup olmadığını sürekli olarak kontrol etmek zorundaydı, bu basit bir emniyet önlemiydi. Bazen adamın bakışlarını üzerinde hissediyordu.

Bu adamın bakışlarının üzerinde olması Carter'ı rahatsız ediyordu. Sanki birden gülümsemeyi hatırlıyormuş gibi, garip bakışları vardı. Aslına bakılırsa, Carter kendini gardiyandan çok, bir yırtıcının saldırmadan önce gözleriyle tadına baktığı bir ceylan ya da geyik gibi görüyordu.

Herif sanki parmaklıkların ardında olan o değilmiş gibi davranıyordu, sanki kodeste olduğunu bilmiyor ya da bunu öylesine basit buluyordu ki, önemsemiyordu.

Carter çelik kapının önünde durdu.

Gözetleme deliğinin kapağını çekip, hücreye bir göz gezdirdi.

Bu sefer de, hücrenin diğerlerinden daha karanlık olduğu hissine kapıldı. Sanki hücre kalın ve daha geniş gölgelerle doluydu.

Herif oradaydı, ranzasının üzerine oturmuş, elleri dizlerinde, kafası eğik.

Adam, Carter'ın açıkça duyduğu ve çok tatsız bir duygu yaratan bir ses çıkardı.

Ve adam konuştu:

– Gardiyan Melington. O yontulmamışlara başkalarını da yetiştirdiğimi söyleyin.

Carter ellerinin buz kestiğini hissetti. 66'daki tutuklunun hiç konuşmayacağı söyleniyordu.

– Onlara Leland ile Wayne'in birer örnekten başka bir şey olmadıklarını anlatın. Dehşetin başlangıcı. Ülke üzerinde yetiştirdiğim daha birçok insan var. Zamanımı esirgemedim, çok özen gösterdim. Yakında, yaptıkları konuşulmaya başlayacak. Çok yakında.

Sonra başını Carter'a çevirdi ve bakışlarını onun gözlerine dikti.

Carter elindeki kalemi düşürmek üzereydi, gözetleme deliğini kapayacak gücü zar zor bulabildi.

Hayır, bu imkânsız.

Düş görmüş olmalı.

Eliyle yüzünü ovuşturdu. Titriyordu.

Gördüğü düşten uyanmak, kuşkudan sıyrılabilmek için birkaç kere soludu. *Evet, tamam işte, boktan bir sanrıydı bu! Aklın artık sana oyun oynamaya başladı oğlum! Biraz daha fazla uyuman ve akşamları daha az baharatlı şeyler yemen gerek!*

Yoklama kâğıdının takılı olduğu dosyayı alıp, adımları biraz daha sarsak bir şekilde yeniden yürümeye koyuldu. Elleri rahatsız edici bir biçimde terliyordu.

Bir saniyeliğine de olsa, Milton Beaumont'un gözlerinde kırmızı bir ışığın yandığını görür gibi olmuştu.

Ve o kısacık süre içinde adamın ruhunu da görmüştü.

Kötü Ruh.

Kimseye tek bir kelime söylememeye yemin ederek, 67 numaralı hücreye geçti.

Adımları sert zeminde yankılandı ve başını sallayarak uzaklaştı.

Kötü Ruh...

(...) kötü ruha tutulmuş bir adam mezarlık mağaralardan çıkıp O'nu karşıladı. Mezarların içinde yaşayan bu adamı artık kimse zincirle bile bağlı tutamıyordu. Birçok kez zincir ve kösteklerle bağlandığı halde, zincirleri koparmış, köstekleri parçalamıştı. Hiç kimse onunla başa çıkamıyordu. (...) Sonra İsa adama, "Adın ne ?" diye sordu. "Adım Tümen. Çünkü sayımız çok" dedi.

Aziz Markos'a göre İncil

Teşekkür

Bu roman kimseye ithaf edilmedi, çünkü böylesine kara bir öykü ithaf edilemez.

Teşekkürlerim bu romanın yazılışı sırasında bana dayanmayı başaran herkese yöneliyor, bunun ne denli güç olduğunu onlar iyi bilirler!

Bu kitabın gerçekleşmesinde çalışmalarıyla bana büyük yardım sağlayanlara da teşekkür ediyorum: J.D., R.R., S.B., L.M., Dr. M.D., Dr. D.L., Dr. P.F., Dr. G.S., M.C., J.L.C.

Doğru ve gerçek olmak için harcanan bütün çabalara ve kontrol için geçirilen onca saate rağmen, kitapta en ufak bir hata varsa, o hata sadece benimdir, kimsenin değil.

Editörümün ve bütün ekibinin becerileri olmasa, bu roman bu duruma gelemezdi. Hepinize teşekkürler, harikasınız.

Başta belirtilen iç karartıcı yerler olmak üzere, Portland kentinde de istenerek bazı değişiklikler yapıldı. Orası harika bir kent, harika bir bölgedir, Gül Bahçesi gerçek ve görkemlidir, Adlî Tıp Enstitüsü ve dipsiz uçurumlarla dolu bir vadi yerine, bunlar hatırlansın. O enstitü ve vadi gerçek de olsa.

Maxime Chattam
Edgecombe, 20 aralık 2001

maximechattam@yahoo.com